晶彩人生

——沈德忠院士纪念文集

袁欣　编著

化学工业出版社

·北京·

内容简介

《晶彩人生——沈德忠院士纪念文集》主要介绍中国工程院院士、人工晶体学家、清华大学教授沈德忠先生的一生成就，内容分为文前彩页、学术论文、珍贵手稿、建言献策、怀念文章等几个部分，从学术成果、科研精神、教书育人、个性才华等多个方面展示沈德忠先生对祖国人工晶体事业和教育事业的奉献，在科学研究中的严谨治学、精益求精，在教育事业中的言传身教、一丝不苟，在生活中的严于律己、宽以待人，在个性上的宽厚和蔼、谦虚低调，在爱好上的多才多艺、兴趣广泛。

“高山仰止，景行行止。”相信本书的出版能激励更多的从事科学研究，特别是人工晶体生长技术研究的科研后辈扎根科研、开拓进取。

图书在版编目（CIP）数据

晶彩人生 ：沈德忠院士纪念文集 / 袁欣编著 . 北京 ：化学工业出版社，2025. 9. -- ISBN 978-7-122-48190-0

Ⅰ. K826. 13-53; 07-53

中国国家版本馆 CIP 数据核字第 2025BE7846 号

责任编辑：刘志茹　刘　苏　宋林青　　装帧设计：关　飞

责任校对：田睿涵

出版发行：化学工业出版社

（北京市东城区青年湖南街 13 号　邮政编码 100011）

印　　装：中煤（北京）印务有限公司

880mm×1230mm　1/16　印张 $23^3/_4$　字数 669 千字

2025 年 12 月北京第 1 版第 1 次印刷

购书咨询：010-64518888　　售后服务：010-64518899

网　　址：http：//www.cip.com.cn

凡购买本书，如有缺损质量问题，本社销售中心负责调换。

定　　价：198.00 元

前言

近些年来，我一直在收集、整理恩师沈德忠院士的各种资料，因为想为他出版一部纪念文集，而这个想法已经反复酝酿了十年之久。

沈院士七十寿诞之时，在清华大学化学系时燚老师的帮助下，我们汇集了一本文集，以沈院士署名发表的学术论文为主要内容。虽然不是正式出版物，而且内容还不够全面丰富，但一直为人低调、不追求名利的沈院士已经很高兴了。那时我就想，在他老人家八十寿诞之时，我们要正式出版一部较为完整的沈院士文集，就像我读过的很多老院士的纪念文集一样，能够较为全面地展现沈院士在多个领域的丰硕成果。那时他一定会更欣慰、更开心。

印象中沈院士的身体很健康，没有一般老年人发福的体态；一直思维敏捷，语言和文字表达都条理清晰；骑车、走路都和年轻人一样行动敏捷；做起实验来，也总是毫不落后，登高爬低地在高温大炉子周围忙碌；他饮食起居也十分自律，常年过着很规律的生活；很少听说他因病去医院……没想到2014年清明节，突如其来的急症很快夺走了沈院士的宝贵生命。他所从事的科研、教学等工作戛然而止。我也一度动摇，是不是还应该继续进行出版他文集的计划？因为无论如何都不可能让他老人家亲见展现自己一生科学研究和教育成果的文集出版了。想想这真是令人感到非常遗憾。

在八宝山，来自党中央、教育部、中国工程院、清华大学、中材集团、许多高等院校和科研院所、晶体界和材料界名流大家，敬献的花圈和挽联布满了吊唁大厅，数千人赶来告别沈院士。一个月后在清华大学举办的追思会上，参与者无不伤感，扼腕痛惜我们失去了一位德才兼备的学术大师和人生导师。2015年6月，在恩师诞辰七十五周年和去世一周年之际，我在同事的帮助下在校图书馆举办沈院士纪念展览，展出了他的照片、奖状、手稿、画作等资料，收到了很好的反响。观展者无不动容，纷纷留言，感叹这样一位品德高尚、真才实学、才华横溢的院士竟然不幸早逝。

我曾经是沈院士工作团队的一员，在沈院士奋斗一生的北京中材人工晶体研究院工作过，后来又有幸师从沈院士攻读清华大学博士学位；毕业后留在清华大学图书馆工作，对沈院士一生投入最多精力的两个单位都较为熟悉，故在沈院士逝世以后我承担了沈院士相关资料收集、整理的主要工作。我越来越感到有关沈院士的纪念文集应该出版，而且十分有必要。尽管他老人家已经故去，并不能亲眼看到这部书的问世，但我想这部书应该记录他一生的科研成果，他的教书育人；应该记录他的高风亮节，他的无私奉献；应该记录他的热心助人，他的平和淡定……

沈院士在北京中材人工晶体研究院（原为国家建筑材料工业局人工晶体研究所）工作了近五十年。其间他一直身处科研第一线，潜心各种非线性光学人工晶体的生长、加工和性能研究，广泛地和国内外相关科研机构，例如中科院上海光机所、福建物构所、物理所、清华大学、天津大学、四川大学、美国加州大学圣芭芭拉分校、德国柏林非线性光学研究所、日本山口大学等开展合作，进行这些晶体的功能评估和应用研究。可以说沈院士研究生长出来的KTP、KN等晶体不仅仅停留在实验室里，更能够应用于我国国防和高科技领域中，例如潜艇深水通信、激光武器、海洋鱼群探测、光盘记录、激光打印、投影设备、光纤通信等等。从这一点上来说，他在1995年55岁时当选中国工程院院士是当之无愧的。更加难能可贵的是，即便成为了工程院院士，他也没有离开科研第一线，没有停止探索和创新的脚步。他从1996年起应邀到清华大学任教。在清华大学任教的近20年时间里，培养了近20位博士。他亲自指导每一位学生，在学生的科研和成长方面都倾注了极大心血。在清华大学他主持了国家自然科学基金项目CLBO晶体生长及应用，身体力行地带领团队沈光球老师、王晓青老师等一起生长出质量优异的、世界上尺寸最大的四倍频光学晶体；他鼓励学生们耐下心来不断尝试新晶体的生长和创新研究。由于本书的篇幅有限，我只能从他合作研究的学术论文和他指导的学生论文中挑选了部分论文收入其中，并将他作为导师指导的研究生论文，以及他所领导的课题组研究生论文附表列出。

资料整理过程中，我看到了许多以往我所不知的往事资料，我可以说比以前任何时候都更加全方位地了解了沈院士。在我心目中他的形象甚至比以前更加立体、更加高大、更加鲜活。我越来越感到他是为人工晶体事业而生的！尽管沈院士多才多艺，但当他一旦进入科学领域，就视人工晶体事业为生命，除此之外别无所求。我时常在想，是什么力量让沈先生在55岁被评为院士之后，依然几十年如一日、一如既往地战斗在科研和教学第一线，直到生命最后一天呢？从他的一份资料中我觉得找到了答案，原来他是这样看待“院士”这个头衔的：“工程院院士应是我国工程领域技术创新的带头人。所以，院士称号既是终身荣誉，也是终身责任，院士要永远走在本行业技术创新的前列。”他既是这样想的，更是这样做的。在人工晶体科研、教学领域，他倾注了太多心血，无冬历夏、日复一日地探索、创新，最终为他钟爱的事业付出了毕生精力！

作为三届全国政协委员，沈院士非常珍视参政议政的机会。有人请他向政府反映问题，有人请他帮忙打官司，他都在百忙之中抽出时间来，详细了解事实真相，然后一丝不苟地以科学家严谨求实的态度写出提案报告。他有一段手稿文字：“全国政协是老百姓与政府沟通的桥梁。当基层群众在生活、工作上遇到不公平的对待甚至打击，而又投诉无果时，通过政协解决了他们的难题，这时老百姓对政府的爱戴是非常深厚的。”这段文字真实地反映出沈院士心目中政协工作的重要性，而他自己正是带着这种极强的责任心，帮助周围普通老百姓反映他们的问题，利用政协的力量帮他们解决问题。他曾提出过与自己研究领域密切相关的“关于在863计划中恢复人工晶体专项”的提案，“关于修订（水晶）高压釜定期检验规程”的提案；也提出过关系到国计民生的“建议调查与低碳经济相悖的50钢轴研制成果真伪性”的提案；还通过全国政协帮助普通老百姓向最高人民法院申诉，要求伸张正义……挂一漏万，很多他帮助过的人及相关案例在我收集整理的资料中可能并没有留下痕迹，但我相信这些事一定还珍存在那些人的心里，不会忘怀。读者也只能通过书中尚不够丰富、不够齐全的资料，来了解和认识沈院士正义和刚直不阿的一面。

我曾经不止一次听人说过，如果沈院士没有踏入科学领域成为一位晶体学家，那么他的天赋、他的坚持，也会使他成为一位艺术家，例如画家、书法家、诗人、歌唱家。他在少年时期就显露出绘画的天赋，从小学到中学一直是美术课代表，还曾经帮助街道办事处画了40幅漫画。考大学时他曾想报考美术学院，但因美术院校当年没有到贵阳招生而报考了理工类专业。沈院士科研、教学等工作一直很忙，以至于我们后辈很遗憾没有机会亲见沈院士作画、书法和题诗，但却见识过他写得一手好字，制得一手好图，见识过他以前创作和临摹的绘画作品，但凡见者，无不赞叹。另外，沈院士这样的老一辈科学家没有时间学习电脑的使用，很多文稿都是自己手写而成，故给我们留下了大量珍贵的手迹和手稿，这在今天显得格外珍贵，其文献价值和文物价值将日益凸显。在此书中，我还选择收录了沈院士交友往来的一些信件，从中可以看到沈院士在学术上精益求精、一丝不苟地与学界友人探讨学术问题，可以看到他对普通人（包括普通群众、青年学生等）的关心和帮助，还可以看到他对生活的无比热爱；收录的一些图稿，以及少量代表性艺术作品，可以反映出沈院士多才多艺、如人工晶体一般晶莹多彩的一生。

衷心感谢沈院士夫人尚明师母、爱女沈菡蓓；沈院士妹妹沈德芬和沈德仙女士、弟弟沈德祥先生的大力支持！2014年恩师遽然仙逝，沈门所有老师和弟子痛彻心肺，尤其是当时几位年轻的师弟师妹尚未毕业。6年来，是我们敬爱的师母每年把沈门弟子召集到一起，为新毕业的师弟师妹庆贺和饯行，一直到2019年沈门最后一位小师妹顺利毕业。恩师在天之灵一定深感欣慰。感谢沈院士所在的北京中材人工晶体研究院各位同仁，尤其是杨志奇高工提供了很多照片和资料；感谢原先与我同在沈院士团队工作、后调到中科院理化所工作的王晓洋研究员给了我很多有益的建议和意见；感谢清华大学化学系各位老师给予切实的支持；感谢沈门老师、兄弟姐妹们的帮助；感谢这部书责编的耐心、细致与认真、负责……没有大家的帮助与支持，我不能完成这部书的编撰工作。

“高山仰止，景行行止。”沈院士的学术成就，将被后辈仰望和铭记；他的高尚品格，将永远激励我们努力前行。希望这部书的出版，会让他老人家在天堂感到欣慰。

谨以此书作为我们对恩师沈德忠院士永远的怀念和感恩！

袁欣

2025年4月写于清华园

目录

第二章
晶脉手泽·墨华流芳 171

第四章 晶华长忆·春风永铭 309

附录 359

晶彩再现·人生聚影

幼年家庭照
（前排中立者为沈院士）

幼年时期留影

初中时期《鄂尔多斯舞》舞蹈演出后合影（后排左三为沈院士）

中学同学合影（前排右一为沈院士）

高中同学合影（三排右三为沈院士）

高中同学合影（二排左三为沈院士）

大学时期留影

大学毕业后工作时期留影

大学毕业后工作时期留影

在天安门前留影

1995 年当选中国工程院院士

1998 年当选全国政协委员

青中年时期与夫人尚明合影

青中年时期与夫人尚明合影

青中年时期与夫人尚明合影

青中年时期与夫人尚明合影

青中年时期与夫人尚明合影

与夫人尚明、女儿沈菡蓓合影

与夫人尚明、女儿沈菡蓓合影

沈院士全家合影

与夫人尚明合影

与夫人尚明合影

与夫人尚明合影

与夫人尚明合影

生活照

生活照

生活照

生活照

生活照

在办公室工作

观察晶体生长情况

在实验室晶体生长炉前

出国访问

1999 年国庆观礼

政协会议期间

铂金加工操作

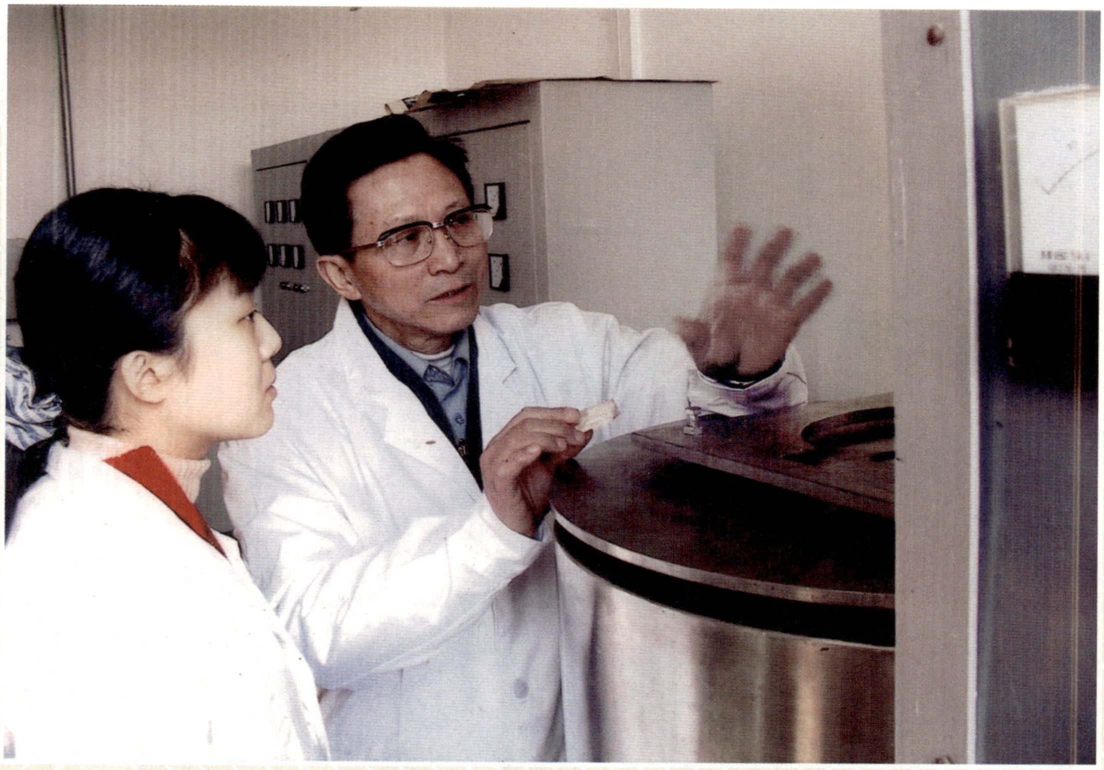

指导年轻同事

讲解激光器原理

操作激光器

手捧杜邦创新奖杯

在会议上发言

作科技报告

博士生潘峰答辩会与导师合影

博士生孙同庆、刘宣文等学生毕业与导师沈院士、沈光球老师、王晓青老师在纸库小院合影

课题组 2004 届毕业生
与沈院士在化学馆前合影

博士生袁欣、谢承志毕业与导师沈院士、沈光球老师等合影

博士生于斌、谢会东毕业与导师沈院士、沈光球老师、王晓青老师在何添楼前合影

博士生张帆与导师合影

博士生高用彬答辩会与导师沈院士等老师合影

博士生焦志伟答辩会与导师合影

博士生张文林与导师合影

博士生余洁毕业与导师沈院士、沈光球老师、严清峰老师合影

2010 年沈院士 70 寿辰会上师生合影

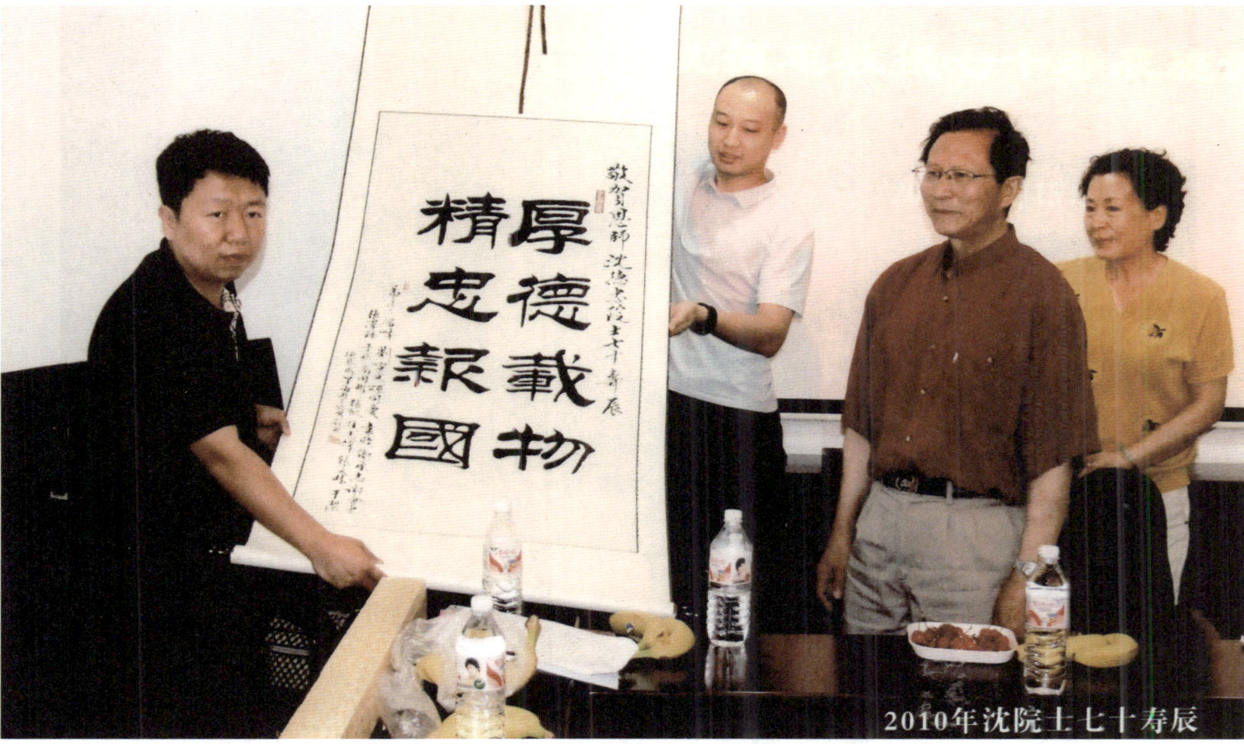

潘峰、刘宣文在沈院士 70 寿辰会上向导师献礼

董志勇在沈院士 70 寿辰会上向导师献礼

2010 年沈院士 70 寿辰会师生合影

2012 年全国晶体生长会议上沈院士与学生

（廉志鹏、孙剑锋、张利静、耿翀、方华靖，由左至右）合影

活动略影

2001 年杜邦创新奖颁奖会合影（前排右二为沈院士）

2001 年人工晶体院沈院士重点实验室工作团队合影

2005 年化学系院士墙揭幕

2006 年清华大学化学系无机研究所合影

2006 年中国建材在香港上市，沈院士出席庆祝活动
并与中国非金属材料总公司董事长兼总经理谭仲明交谈

2007 年全国政协十届五次会议代表合影

2007 年沈院士（前排左二）参加清华大学文艺汇演化学系合唱

2008 年沈院士（前排左四）参加清华大学文艺汇演化学系合唱

2009 年到铜仁一中与学生交流

2010 年沈院士 70 寿辰会与化学系老师合影

2010 年第 16 届国际晶体生长会议暨第 14 届国际气相生长与外延会议上沈院士与中国建筑材料联合会会长、中国硅酸盐学会理事长张人为合影

在第 16 届国际晶体生长会议上担任分会主席

2012 年第 16 届全国晶体生长与材料会议合影

院士证书

院士纪念牌

院士证书

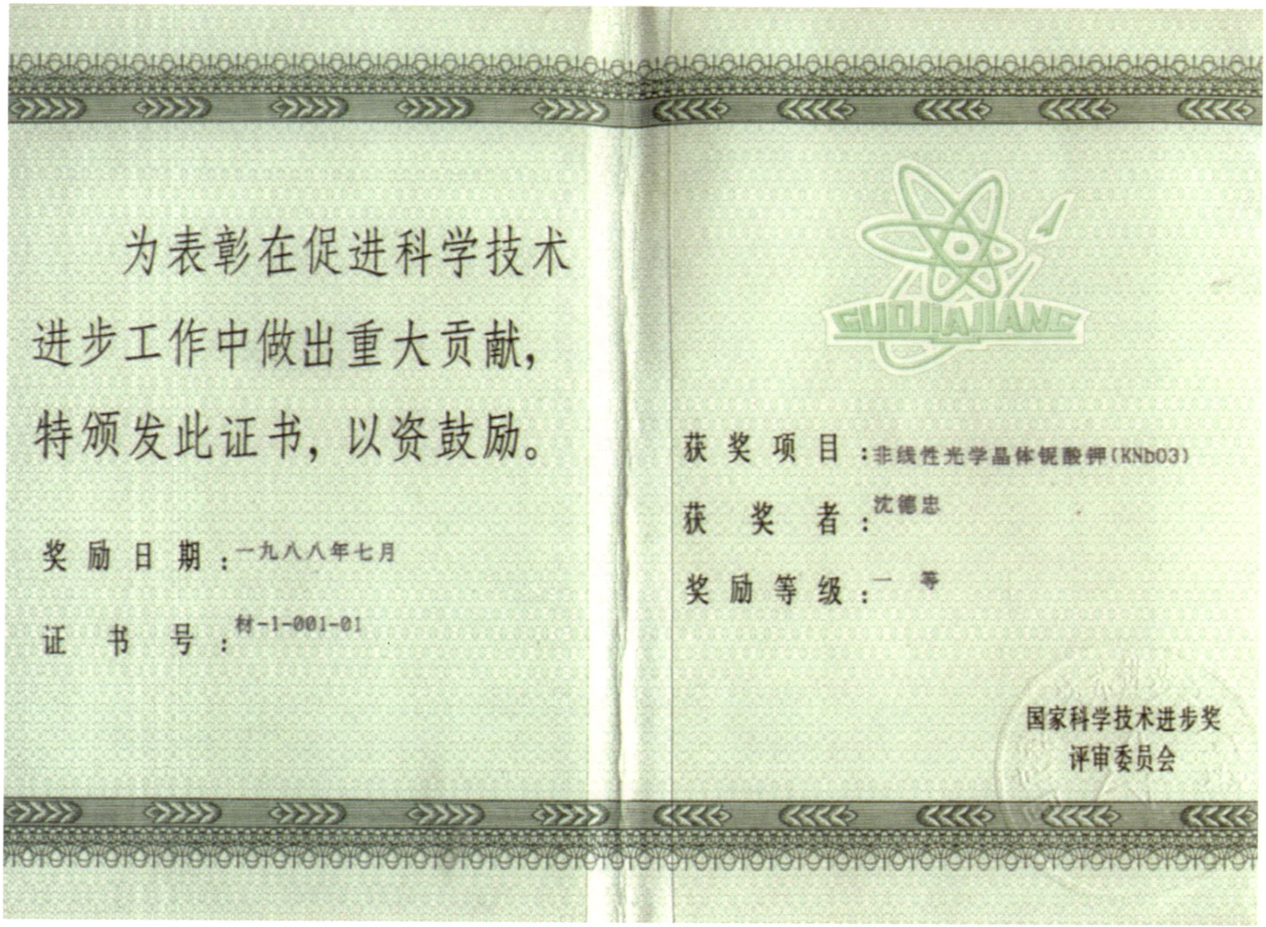
为表彰在促进科学技术进步工作中做出重大贡献，特颁发此证书，以资鼓励。

奖励日期：一九八八年七月

证书号：材-1-001-01

GUOJIAJIANG

获奖项目：非线性光学晶体铌酸钾（KNbO3）

获奖者：沈德忠

奖励等级：一等

国家科学技术进步奖
评审委员会

1988 年国家科学技术进步奖一等奖证书

科学技术进步奖章

2002 年国家科学技术进步奖二等奖证书

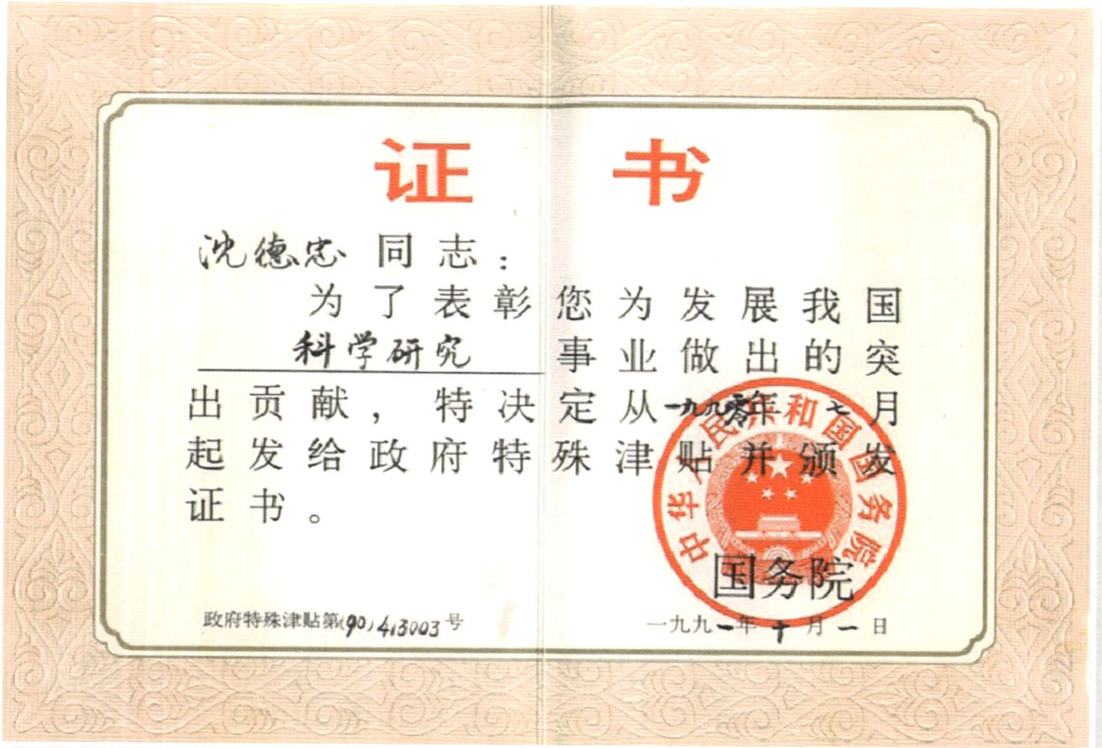

证　书

沈德忠 同志：

为了表彰您为发展我国科学研究事业做出的突出贡献，特决定从一九九一年七月起发给政府特殊津贴并颁发证书。

国务院

政府特殊津贴第(90)413003号

一九九一年十月一日

国务院颁发政府特殊津贴证书

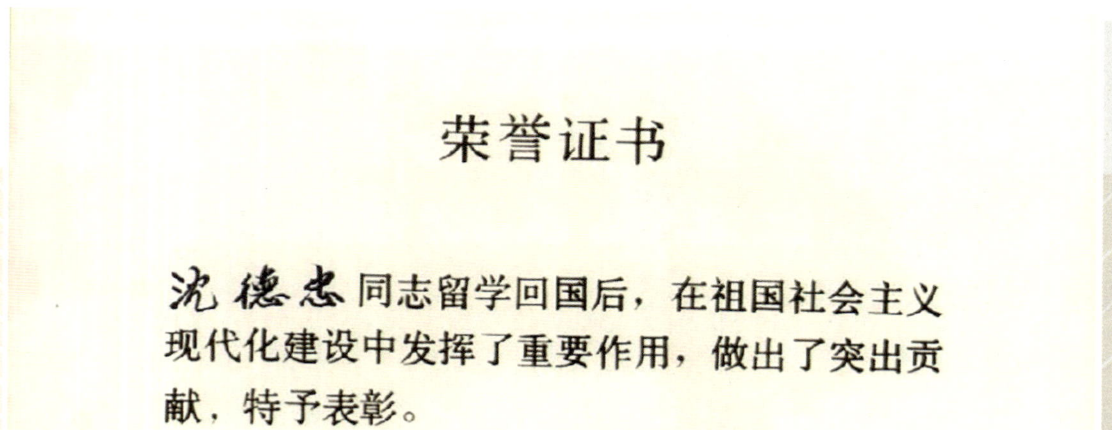

荣誉证书

沈德忠同志留学回国后，在祖国社会主义现代化建设中发挥了重要作用，做出了突出贡献，特予表彰。

中华人民共和国国家教育委员会

中华人民共和国人事部

一九九一年　月廿四日

国家教育委员会和人事部颁发的留学人员表彰证书

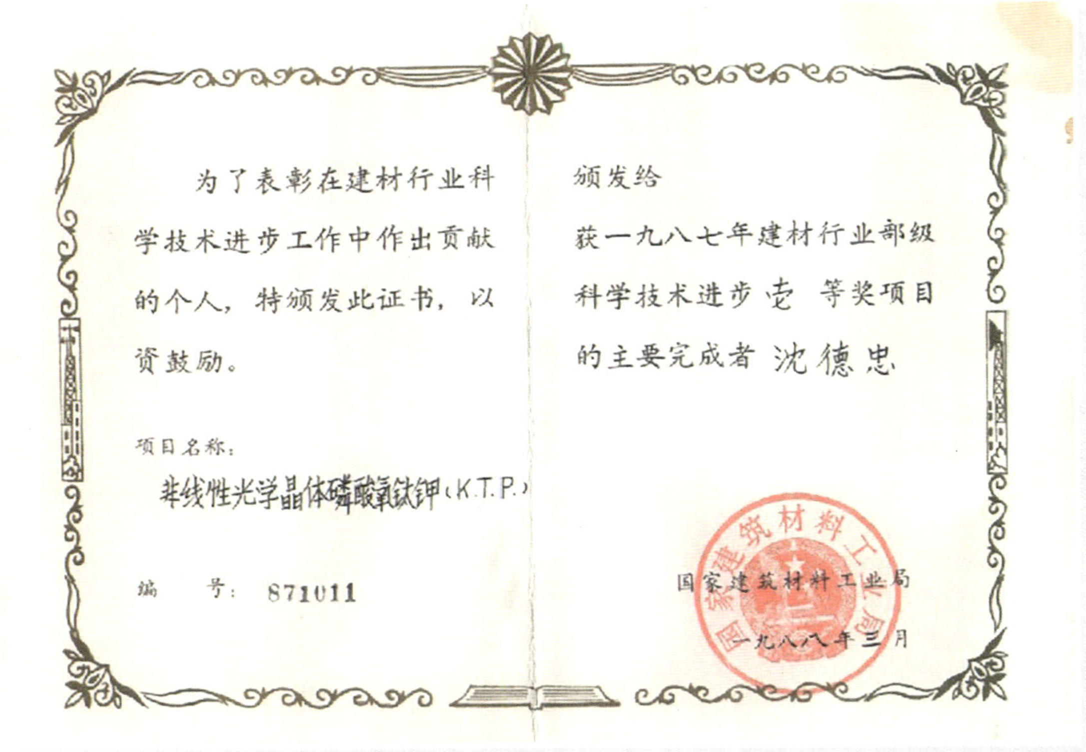

建材行业部级科学技术进步一等奖证书（KTP）

建材行业部级科学技术进步一等奖证书（KN）

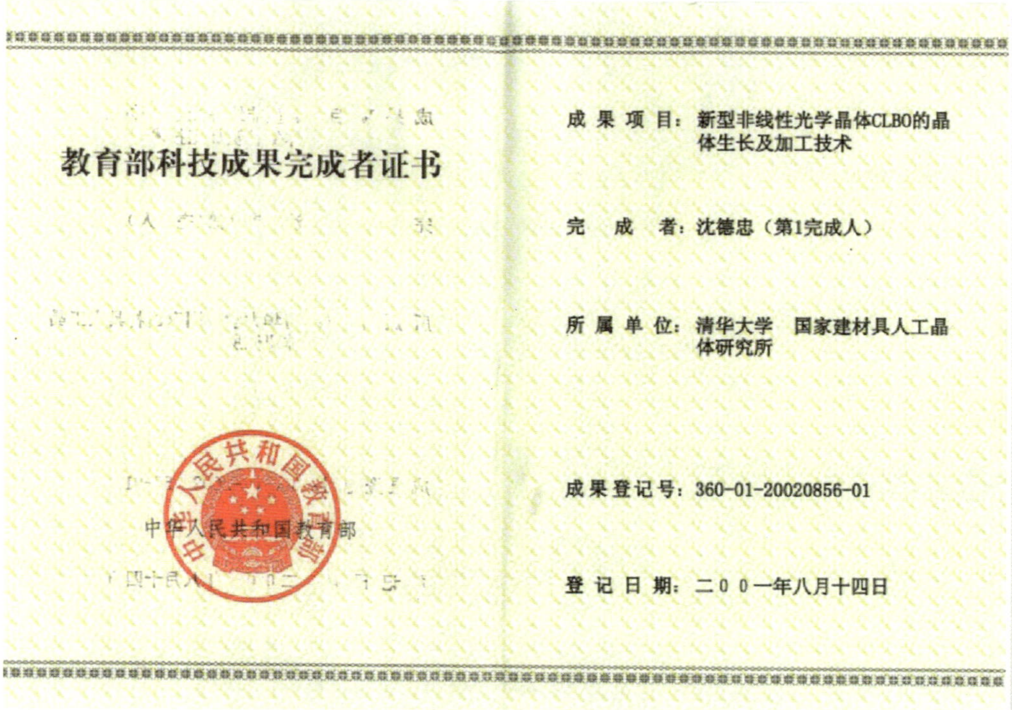

教育部科技成果完成者证书

中华人民共和国教育部

成果项目：新型非线性光学晶体CLBO的晶体生长及加工技术

完成者：沈德忠（第1完成人）

所属单位：清华大学　国家建材局人工晶体研究所

成果登记号：360-01-20020856-01

登记日期：二〇〇一年八月十四日

教育部科技成果完成者证书

杜邦科技创新奖

DuPont Innovation Award

获奖证书

DIPLOMA

杜邦科技创新奖旨在为繁荣中国科技事业、鼓励科技发展和创新，奖励在生命科学和材料科学领域取得的优秀科学发现和技术研究开发成果

项目名称：顶部籽晶熔剂法生长KTP晶体技术
PROJECT: Technique for Single Crystal Growth of KTP by Top-Seeded Solution Method

获奖人：沈德忠
WINNER: Shen Dezhong

证书编号：2001-C-03-001
NUMBER

杜邦公司高级副总裁
Senior Vice President
DuPont Company

中华人民共和国科技部副部长
Deputy Minister
The Ministry of S&T P.R.China

2001年10月11日

杜邦科技创新奖证书

国防科学技术一等奖奖章与奖牌

世界華人重大學術成果

證　書

茲證明

研究者：

沈德忠　馬笑衍　陳炯堯　張宇衡　C.Scott　葉伯琦

成果項目：

$KNbO_3$：Rb 晶體生長及其快速光折變相應特性

業經評審，該研究成果符合世界華人重大學術成果認證標準，特授予“世界華人重大學術成果”榮譽。

成果登記號：203763　登記日期：一九九九年一月

主持機構：國際經濟评價（香港）中心
香港文匯報社

頒證機構：世界華人重大學術成果评審委員會

機構代表：吳思龍

頒證日期：一九九九年一月五日

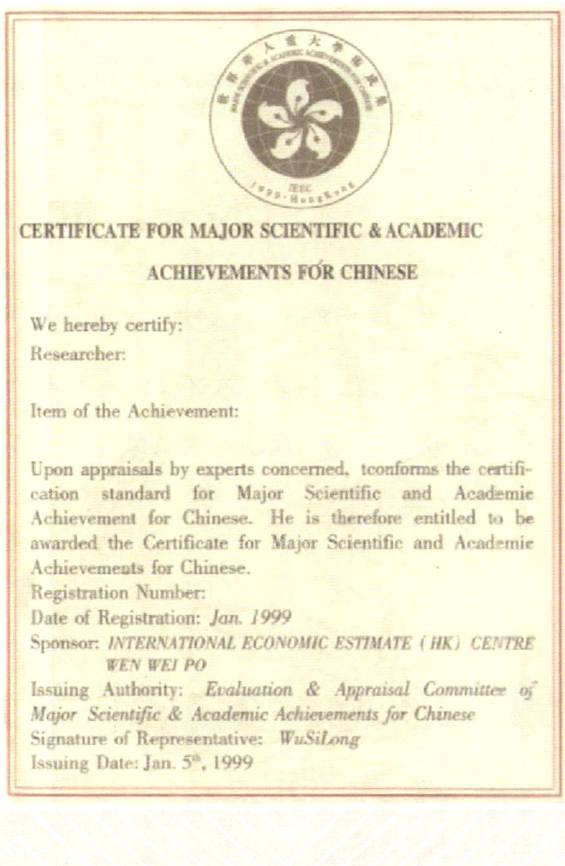

CERTIFICATE FOR MAJOR SCIENTIFIC & ACADEMIC ACHIEVEMENTS FOR CHINESE

We hereby certify:

Researcher:

Item of the Achievement:

Upon appraisals by experts concerned, tconforms the certification standard for Major Scientific and Academic Achievement for Chinese. He is therefore entitled to be awarded the Certificate for Major Scientific and Academic Achievements for Chinese.

Registration Number:

Date of Registration: *Jan. 1999*

Sponsor: *INTERNATIONAL ECONOMIC ESTIMATE (HK) CENTRE*
WEN WEI PO

Issuing Authority: *Evaluation & Appraisal Committee of Major Scientific & Academic Achievements for Chinese*

Signature of Representative: *WuSiLong*

Issuing Date: Jan. 5th, 1999

世界华人重大学术成果证书

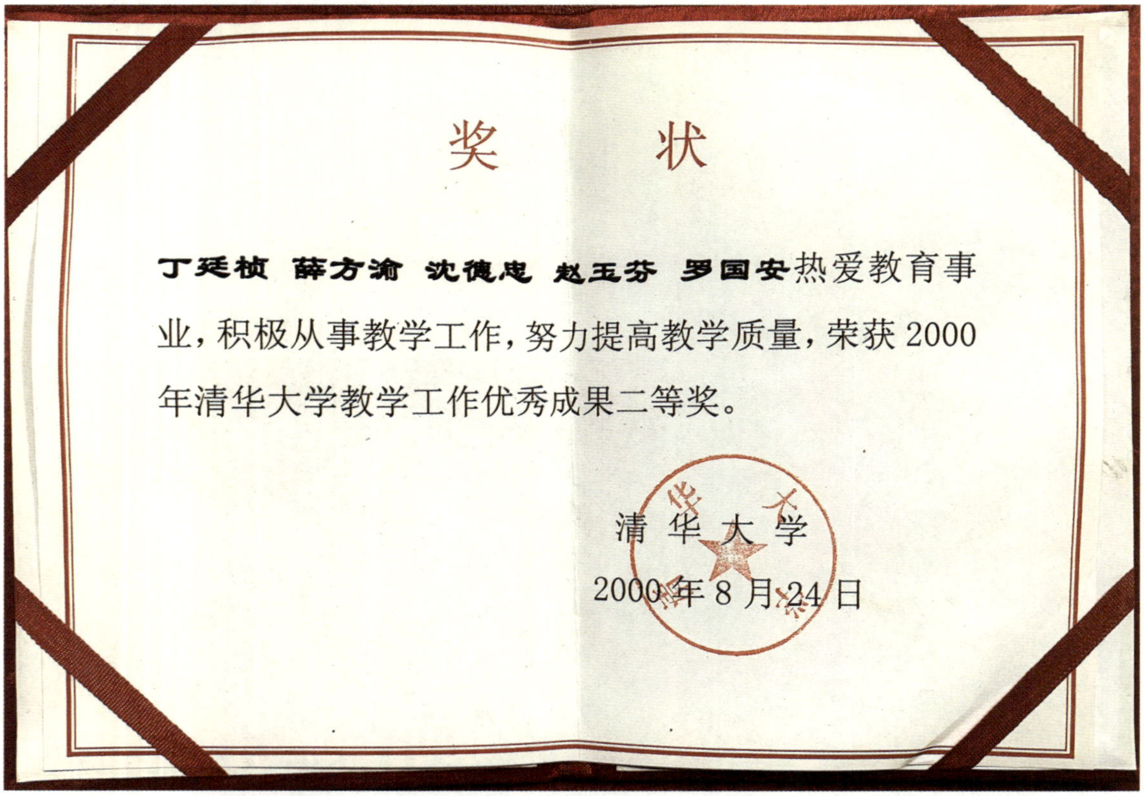

奖　状

丁廷桢 薛方渝 沈德忠 赵玉芬 罗国安热爱教育事业，积极从事教学工作，努力提高教学质量，荣获2000年清华大学教学工作优秀成果二等奖。

清华大学

2000年8月24日

清华大学教学工作优秀成果二等奖证书

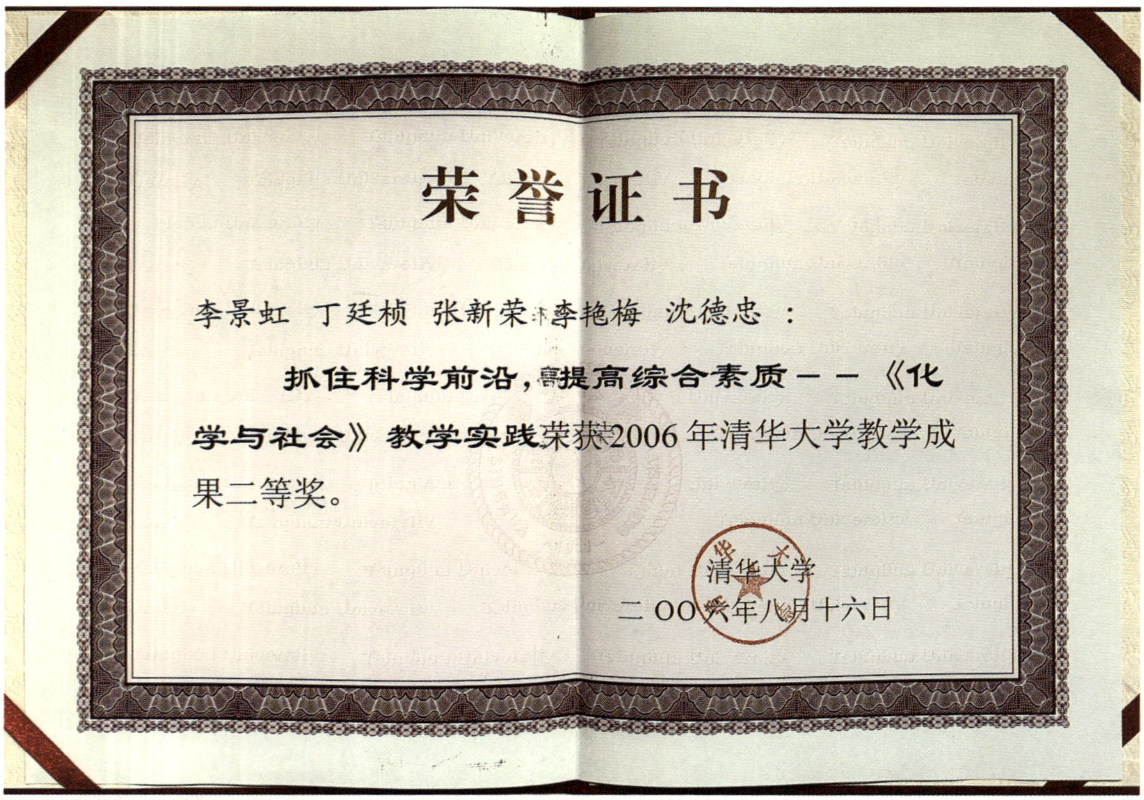

荣誉证书

李景虹 丁廷桢 张新荣 李艳梅 沈德忠 ：

抓住科学前沿，提高综合素质——《化学与社会》教学实践荣获2006年清华大学教学成果二等奖。

清华大学

二OO六年八月十六日

清华大学教学成果二等奖证书

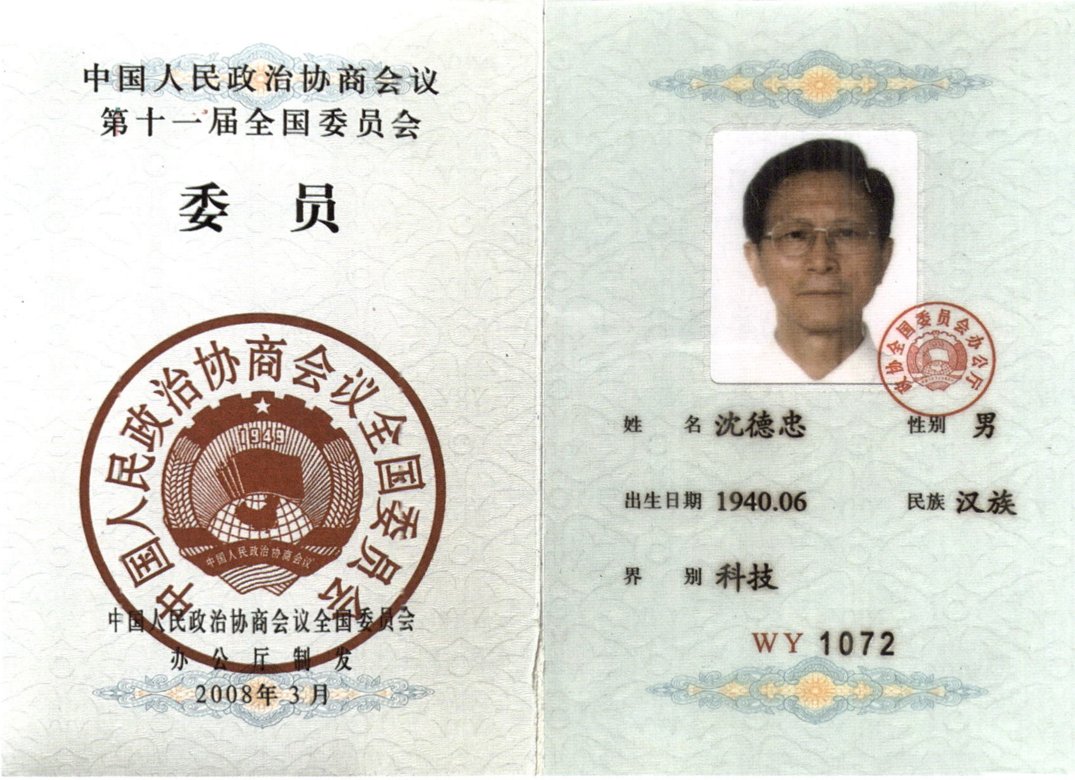

全国政协委员证书

全国政协委员纪念牌

捐赠证书

尊敬的 沈德忠院士：

为了促进我国发展中地区中小学校的教育事业，为了提高广大青少年学生的综合素质，慷慨捐赠《希望书库》，价值人民币叁仟伍佰元。

颁发此证，谨致谢忱！

中国青少年发展基金会
希望书库工作委员会

二〇〇四年八月三日

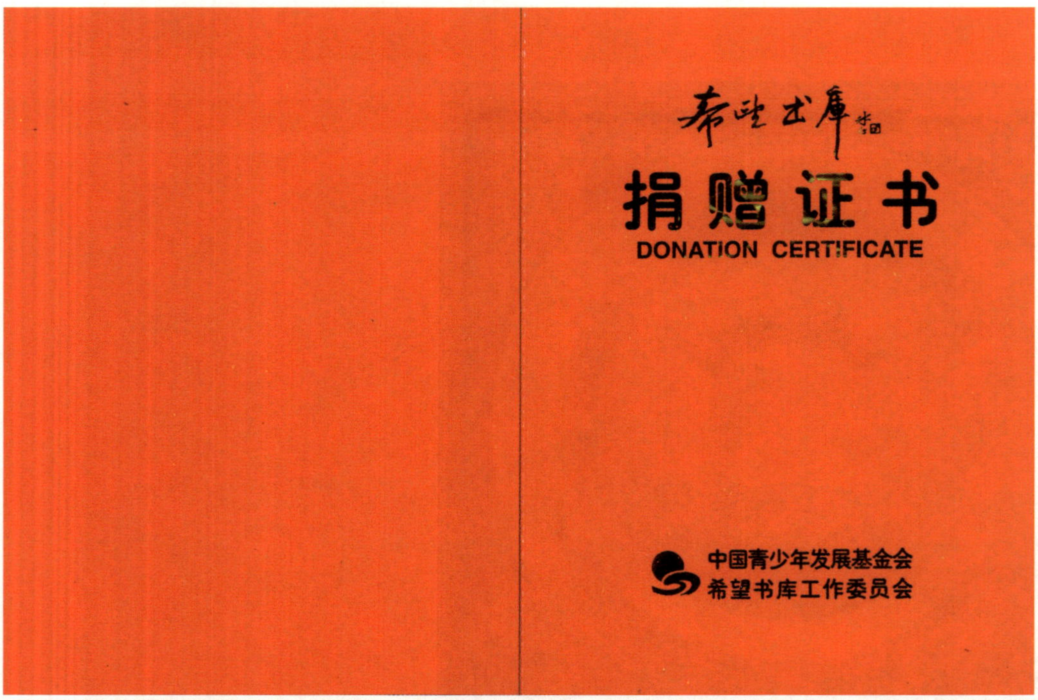

希望书库捐赠证书

联合国儿童基金会驻中国办事处
北京三里屯路12号
邮政编码：100600
电话：010 6532 3131
传真：010 6532 7384
电邮：contact.china@unicef.org
网址：www.unicef.cn

11/12/2013

尊敬的沈德忠，

非常感谢您的捐助和支持！有了您的帮助，联合国儿童基金会和我们的合作伙伴将有机会帮助更多中国偏远地区困境中的儿童。

我们将与您一起，为需要帮助的儿童提供接受教育、医疗以及保护的机会，促进儿童的权利和平等，让每一个儿童都有一个美好的未来。

每天每时每刻，在中国的某处，或许就有一个儿童因为您而获得帮助。深挚感谢！

随信附上您捐款的收据一份。

此致，

敬礼

联合国儿童基金会

Thank you very much for your kind donation and support. Your contribution means that UNICEF and our partners can reach even more disadvantaged children in rural areas in China.

Every second, somewhere in China, a child is being helped because of you. Thank you!

Please find below a receipt for your donation.

Best regards,

UNICEF

unicef
捐款收据
Donation receipt

收据编号 Receipt# :201396546
DM13E299AL
日期 Date : 11/12/2013

捐款人 Donor Name : 沈德忠

会友号 Donor ID : 26463

地址 Address : 北京市
海淀区清华园清华大学化学系
100084

捐款金额 (人民币)
Donation amount (RMB) : 500.00

那瑞德 Narendra Wagley
执行官 Chief of Operations

unicef
联合国儿童基金会

联合国儿童基金会捐款证书

油画《湖岸》
（临摹自前苏联油画作品）

油画《神秘的女人》
（临摹自前苏联油画作品）

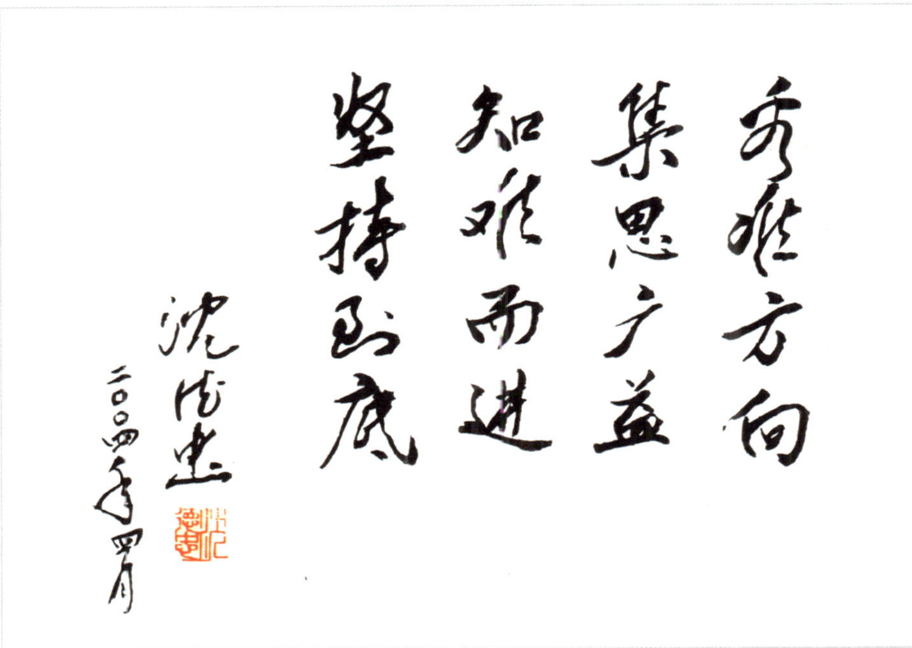

2004 年题词

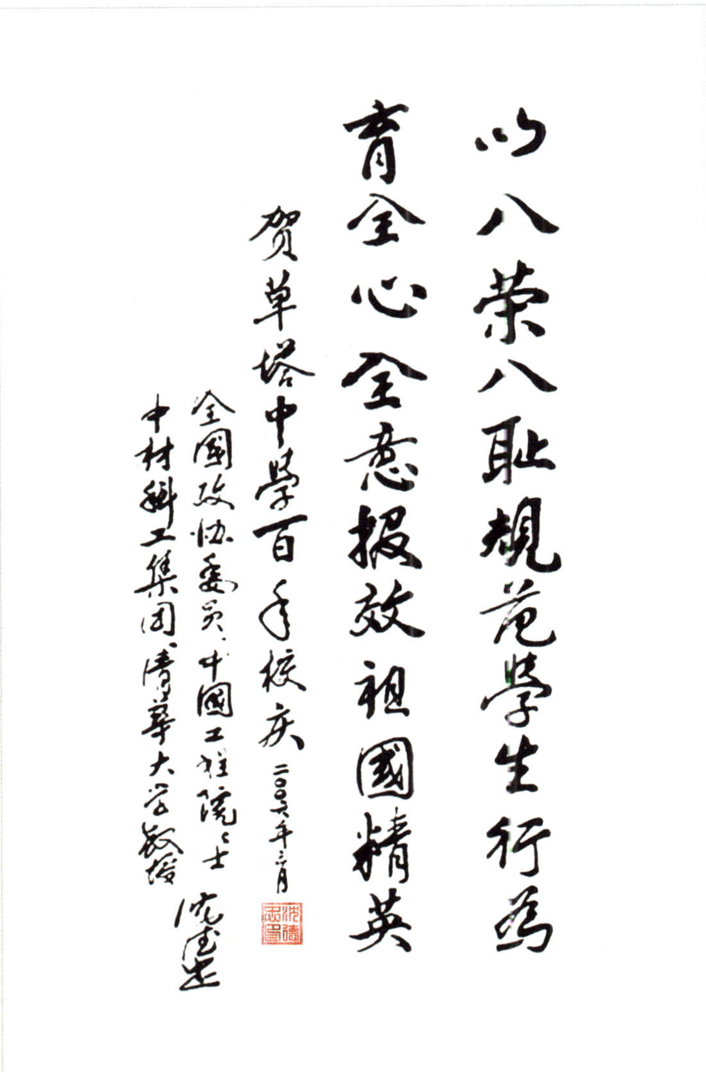

2006 年题词

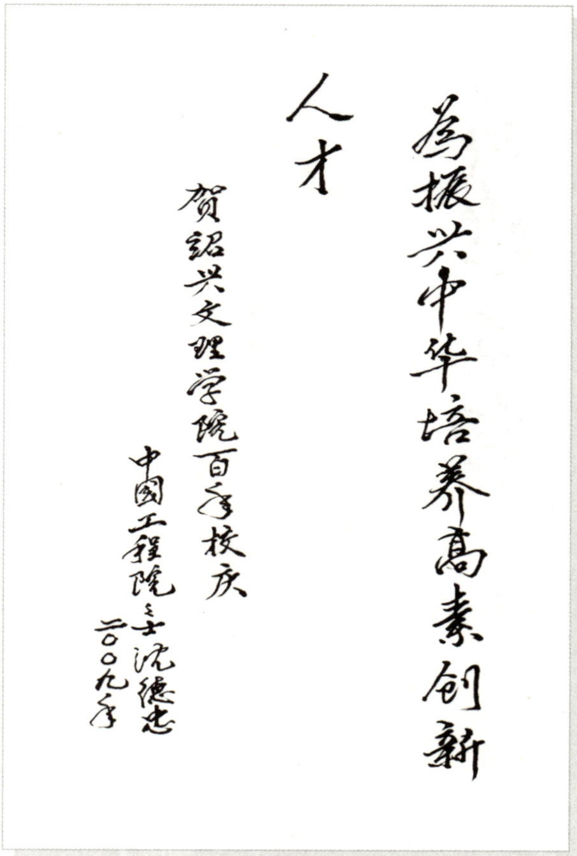

2009 年题词

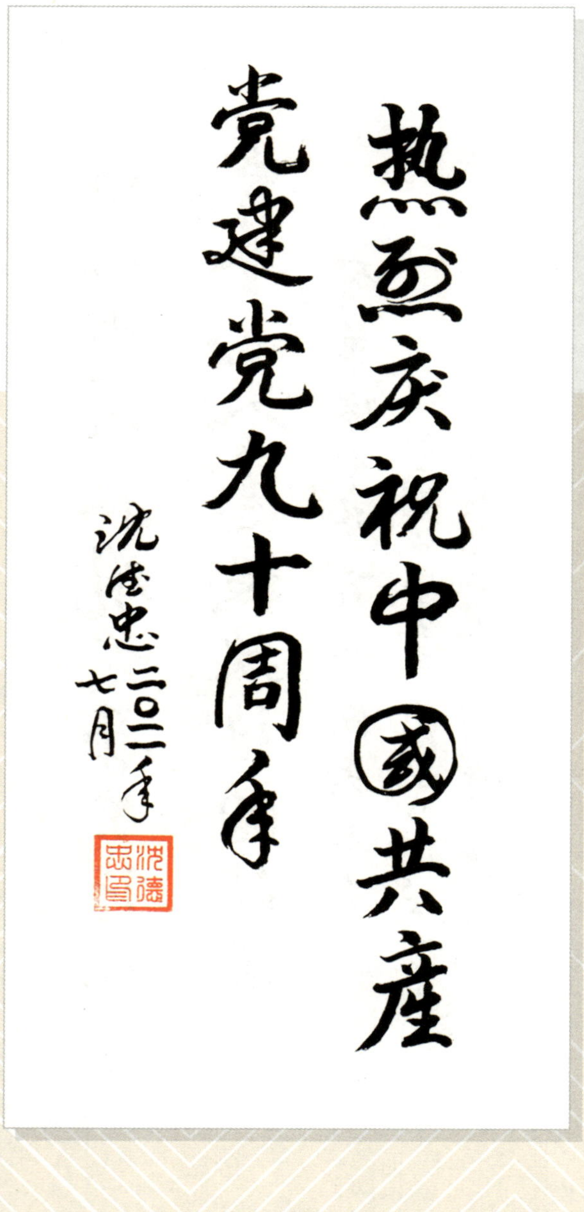

2011 年题词

2012 年题词

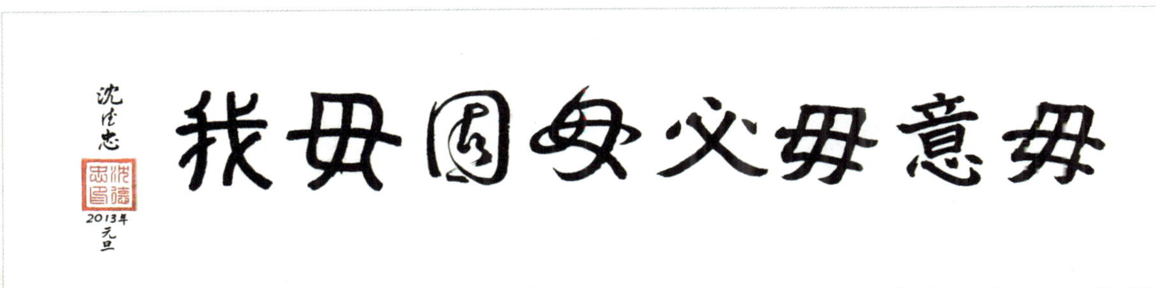

2013 年题词

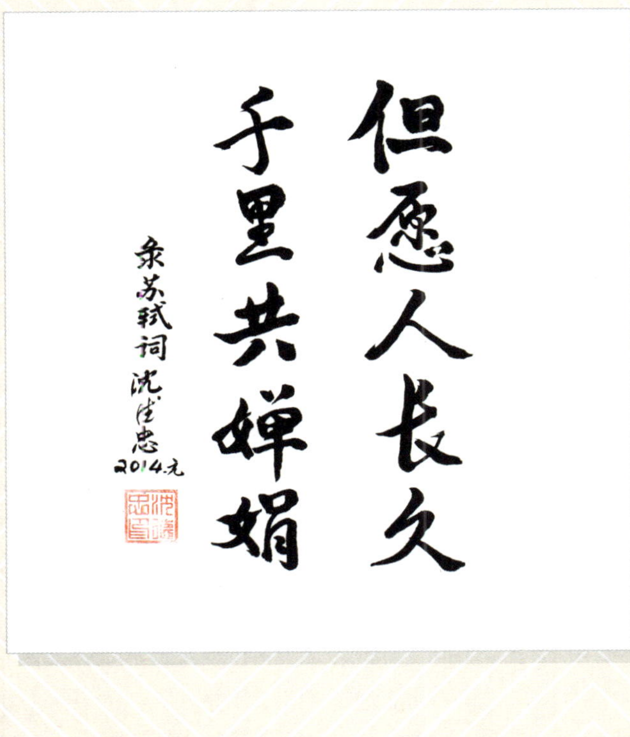

2014 年题词

他是一位科学家，也是一位教授；
是中国工程院院士，也是政协委员；
是一名致公党委员，也是一名共产党员；
是严谨治学的导师，又是和蔼可亲的朋友；
是一丝不苟的学者，又是多才多艺的专家。

沈德忠先生，我国著名的人工晶体学家、中国工程院院士、清华大学化学系教授、博士生导师，全国人民政治协商会议第九、第十和第十一届委员。于2014年4月5日逝世，享年74岁。

值此先生诞辰七十五周年暨逝世一周年之际，图书馆特别举办“沈德忠先生纪念展览”，以此缅怀和纪念他在人工晶体科学、教育、政治等领域作出的卓越贡献。本展览得到了沈先生的夫人尚明老师的大力支持，在此表示衷心感谢！

本展览通过展板、照片和实物资料展示了沈先生从青少年时期到晚年时期在国内外科研、教学、生活中的精彩瞬间，沈先生手稿、图纸，获奖证书，政协提案等实物，以及罕见的诗书画作品，展现了先生自主创新、低调务实，而又心灵手巧、能诗善画的多彩人生！

展览时间：2015年4月起
展览地点：清华大学图书馆老馆特藏展室
主办单位：清华大学图书馆

科研自主创新

沈德忠先生（1940.6—2014.4）是我国著名的晶体学家、中国工程院院士、清华大学化学系教授、中材集团人工晶体研究院教授级高级工程师。他是我国人工晶体领域的开拓者和奠基人之一，长期从事非线性光学晶体材料的生长、应用与探索研究。他视野开阔、学识渊博、勇于探索、身体力行，先后研究生长出十多种晶体材料。

性能卓越的非线性光学晶体具有特殊的工业应用市场和巨大的经济、军事价值，在国际上是对华禁运的。为了自力更生，沈德忠先生走出一条发奋图强、自主创新的科研道路。1985年，他首次研制出世界上最大的KN单畴晶体，相关研究成果获得国家科技进步一等奖。几年后，他又发明了一种生长KTP晶体的熔剂法，生长出高光学质量、可以获得大片Z切面的KTP单晶，不仅打破了美国的对华禁运，还每年外销创汇。“九五”期间，又将助熔剂法KTP的电导率降低了三个数量级，使该晶体在高重复频率的电光调制中获得重要应用。相关成果获国家科技进步二等奖、部级科技进步奖两项、美国杜邦科技创新奖等。

沈德忠先生课题组生长出的非线性光学晶体

品格德艺双馨

除了学术上取得了突出成就之外，沈德忠先生还是一位热爱生活、多才多艺的人。他不但能歌善舞，而且能诗善画。这里展出了他在1960年根据前苏联小说《院士》创作的16幅钢笔连环画（复制件）、以及两幅临摹油画（复制件）和几幅书法作品（复制件）。

每当单位举办文艺演出，他总被邀请演唱几首五、六十年代的中外名歌，或者担任大合唱的领唱或指挥，每每赢得最热烈的掌声。

沈德忠先生从小动手能力就很强，童年时曾自制玩具“孙悟空翻筋斗”；文革时下放工厂劳动，练得一手巧夺天工的钳工活，使他成为一名务实敬业、精益求精的工程技术领域专家。国内外没有现成的晶体生长炉，他总是自己研制晶体炉、绘制精细的图纸，设计试验所需的铂金坩埚，自己动手装配各种类型的单晶生长炉，克服了经费不足的困难。这里展出的沈先生手绘的各种图纸，充分显示了先生严谨求实的科学态度和高深的艺术修养。

人生无私奉献

沈先生不仅是一位学术界专家、教授，还是我国民主党派致公党多年的中央委员，更在70岁时申请加入了中国共产党，并且连续担任三届全国政协委员，围绕关心教育、行业发展等问题积极建言献策。

作为一位具有远见卓识的科学家，沈先生最懂得“只有好晶种才能长出好晶体”的道理，所以他十分关心青少年的健康成长。他曾多次参加中央电视台《青少中心》和《科技博览》等科普栏目，向大众普及科学知识。

沈德忠先生胸怀大局、严谨治学，历来严以律己、宽以待人、助人为乐、淡泊名利，他把所有的爱和热情都献给了祖国的科学和教育事业，他的高尚师德和勤奋精神堪称知识分子的楷模。先生虽逝，风范永存！

八宝山沈院士挽联

师生扶灵

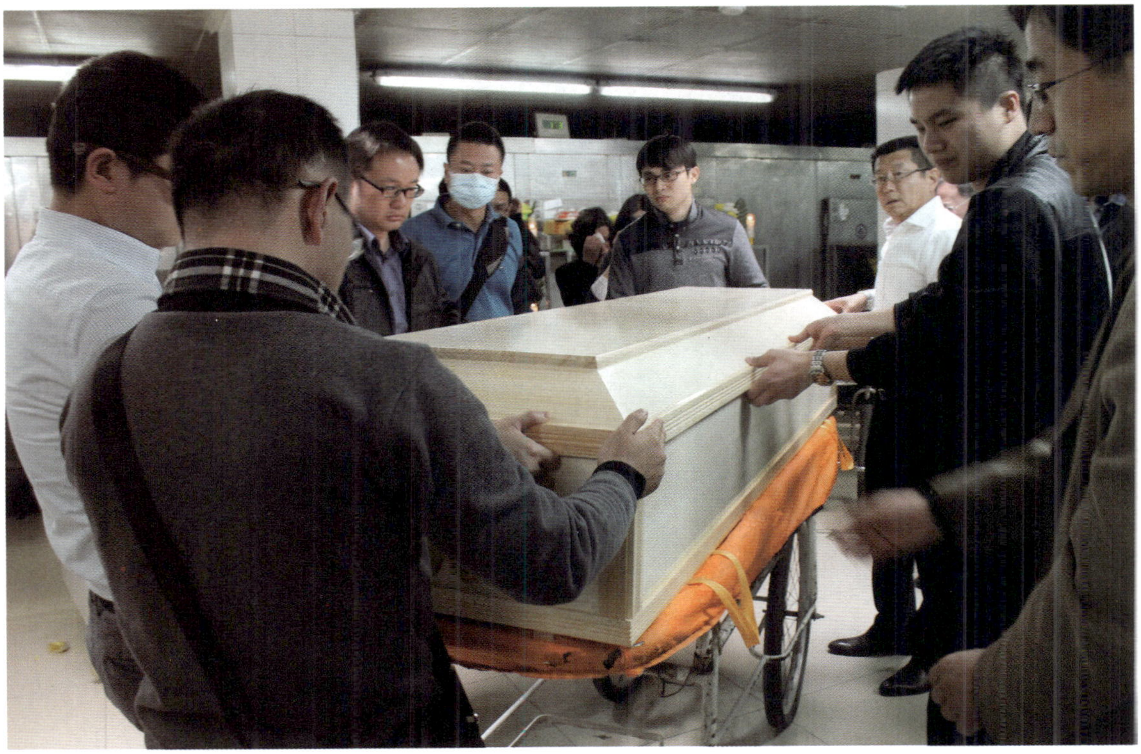

师生亲友送别

师生为沈院士抬棺

众师生痛别

最后一程

第一章 晶格求真・文理鼎新

编者按：沈德忠先生一生未曾离开过祖国的人工晶体事业。从四川大学毕业以后，他进入国家建筑工程部（现住建部前身）的非金属矿研究所（后改名为中材人工晶体研究院）工作，就开始投身于人工晶体科学研究领域。

他先后在铌酸钾（$KNbO_3$）、磷酸氧钛钾（KTP）等晶体的科研领域取得杰出的成就，打破了美国等发达国家对我国实行的晶体禁运和技术壁垒，通过自主研发晶体生长的技术方法和生产设备，在非线性光学晶体的研究领域创新性地找到更好的生长方法，成功获得了性能优异的大尺寸单晶，并进一步实现产业化生产，为国家创造了巨大财富。

1995 年他在自己 55 岁时就被评为中国工程院院士，可以说创新性的思想和卓越的科研能力是他成功的基石。

被评上院士之后的近二十年时间里，他除了继续在人工晶体研究院工作之外，还进入到清华大学任教，担任化学系教授和博士生导师，将自己的学术思想和创新精神身体力行地传授给学生。他并没有因为自己身居顶级科学家行列而远离实验室，并没有因为站上三尺讲台而远离操作台。他始终站在晶体生长炉前，始终在自己动手设计、改造和不断创新。

与其他教授相比，他的论文成就并不光鲜耀眼。因为人工晶体领域本身就是小众科研的精深领域，能长出晶体非常不容易；而长成的晶体能提供测试样品，并具有优秀的测试性能和实用价值的，则更加少见。因此在他看来，与其把时间花在如何让论文写得更漂亮，不如把时间花在如何让实验做得更细致，如何让晶体长得更好上面。他在对待年轻学者的培养和选拔上，也始终不以论文发表的数量多、影响因子高作为评判标准，可以说走在“破五唯”思想的最前列。

他以第一作者的身份发表学术论文几十篇，以合作者、指导老师、通讯作者等身份发表学术论文 200 多篇。我选择了其中一些代表性论文，来展示几十年来沈先生在一直投身其中、奉献毕生精力的人工晶体领域精深的学术成就。学术论文之后我选择了几篇沈先生写的文章，有沈先生谈治学育人的“机遇只垂青那些有准备的头脑”，文中对年轻人如何成长，如何从事科研，科研应该如何评价等方面发表自己的观点；还有沈先生的自述，怀念家乡的游子心声，纪念亦师亦友的老院士的文章等等。

从这些学术论文和文章中，我们可以感受到沈先生认真踏实、严谨朴实、勇于创新的精神。

生长铌酸钾的几个问题

沈德忠　　宋永革　　蒋达娅
（人工晶体研究所）

提要： 对铌酸钾的泡生法生长、晶体颜色、单畴化及晶体开裂等问题进行了探讨。

Some Problems on the Growth of $KNbO_3$ Crystals

Shen Dezhong, Song Yongge, Jiang Daya
(Researoh Institute of Synthetic Crystals)

Abstract: The Kyropoulos growth of $KNbO_3$ crystals and their colouring Polarization and cracking have been discussed.

一、前言

铌酸钾（$KNbO_3$，以下简称KN）是一种性能良好而又相当难长的铁电晶体。它的非线性光学系数d_{31}是铌酸锂的2倍[1]，对1.06μm的激光内腔倍频转换效率达到铌酸钡钠（BNN）倍频的转换效率[2,3]。用KN作成的参量振荡器，已获得高达12兆瓦的峰值功率，超过用$LiIO_3$、α-HIO_3、砷酸二氢铯等材料作成的振荡器[4]。KN的电光系数$\Gamma^T_{42}=380\times10^{-12}m/V$，仅次于钛酸钡，可作出半波电压只有16V的振幅调制器（$\lambda=457.9nm$）。不掺杂的KN抗光损伤阈值比铌酸锂的大一个数量级，而铁掺杂并还原的KN其光敏性比铌酸锂的大六倍，且随施加的电场显著地变化[5]。这些优良性能使KN在激光倍频、电光调制、参量振荡、实时全息存贮等领域具有潜在应用能力。

但是，要生长出高质量的KN晶体却相当困难。这不仅因为在K_2O—Nb_2O_5体系中KN非一致熔融，而且因为KN从熔点降到室温的过程中要经历两次相变，从而使晶体严重开裂。

本文试图对泡生法生长KN的温场条件、晶体颜色、单畴化和晶体开裂等问题，进行一些探讨。

二、晶体生长

我们生长KN的方法与文献[6]报道的大致相同。用改进的泡生法生长。炉子用硅碳棒加热，DWT-702温度自控仪控温（精度为±0.5°C）。铂金坩埚直径为ϕ73mm，高55mm。晶转30rpm，生长过程中不提拉。原料为4N纯度的Nb_2O_5和分析纯的无水K_2CO_3。

由于炉膛上开观察孔，致使径向温度梯度不对称。靠近观察孔附近的液面部分处于较低的温度环境中，容易自发结晶。为减少这种影响，我们改进了开观察孔的方法：按所需角度在耐火材料炉壁上用金刚石薄壁钻打一个ϕ30mm左右的孔，然后用叶腊石配作一管，近炉膛一端放置一片合成云母，另一端盖一块石英玻璃（图1）。将此管插入孔

图 1　叶腊石观察筒

1—叶腊石管；2—合成云母片；3—石英玻璃片

内，大大提高了径向温场的对称性。生长顺利时，K_2O在云母片上的沉积一般不影响观察。若生长周期过长，其沉积影响观察时，可准备两付同样的套管进行替换。典型的生长周期如图 2 所示。

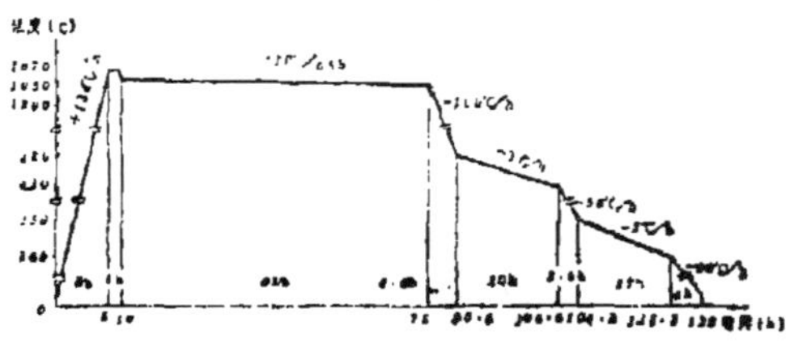

图 2　KN晶体生长周期图

文献〔6〕报道，为获得生长比（晶体垂直生长长度b与水平生长长度a之比）大的晶体，液面以上轴向温度梯度曲线要平缓，这已由我们所作的大量实验所证实（图 3）。但是，只注意液面以上的温度梯度，还不能保证长出好的晶体。因为KN熔体在生长晶体时容易自发结晶，而用泡生法生长晶体时要逐步降温。如果只追求液面以上的平缓温度梯度，不考虑液面以下熔体内部的温度分布，那么在生长过程中坩埚底部和液面都会出现自发结晶，致使生长中断。所以在调整轴向

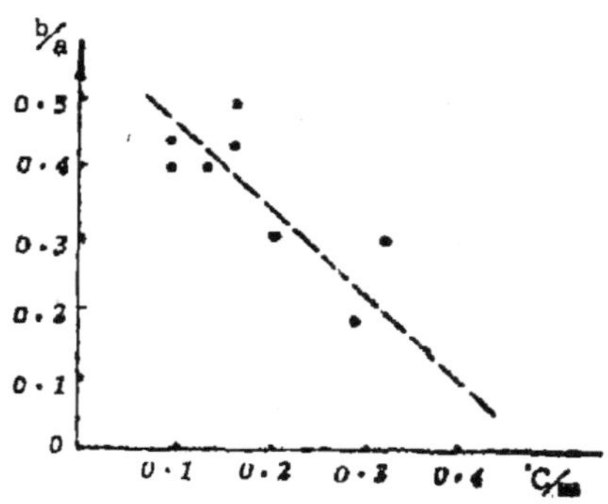

图 3　生长比b/a与液面以上温度梯度的关系

温场时，既要使液面以上温度梯度平缓，又要保证坩埚底的温度比液面温度高6～10°C，这样才能顺利地长出生长比大的晶体来。

我们使用过〔100〕（假立方轴向，下同）和〔110〕两种取向的籽晶。〔100〕方向籽晶长出的晶体外形与文献报道的相同[3,6]。但使用〔110〕向籽晶长出的晶体外形有所不同，如图 4 所示。从籽晶末端长出来的不是晶体的一角，而是一波状面。这是由于硅碳棒炉内坩埚中液面的径向温度梯度较小所致。

图 4　用〔110〕向籽晶泡生出来的晶体外形

〔110〕向籽晶长出来的晶体，其开裂情况与〔100〕向籽晶长出来的一样严重，晶体的可利用部分要比〔100〕向籽晶长出的晶体少，所以我们不常采用。

用泡生法生长晶体，一般情况下晶体质量还是比较好的，没有生长条纹之类的缺陷。但如果温度控制得不好，或温度梯度选择得不合适，致使生长速度过快或不稳，也会出现明显的层状生长，形成平行于{100}面簇

图 5　两组平行于{100}面簇的平面带在〔110〕方向相交（×40）

的平面带，如图5所示。两组相互垂直的平面带在〔110〕方向相交，其交界处的应力较大，因而这些地方容易产生缺陷。我们在生长KN中，多次发现主要成分为K_2O的包裹体沿这些交界面处对称地分布，如图6所示。

图6　常见的沿KN〔110〕方向分布的包裹体

三、晶体颜色

一埚料可以拉好几块晶体，但头几块拉出来的KN晶体，总是带兰色的。

兰色晶体的出现，给实验带来不少麻烦。因为对于生长KN作为光学应用的目的来说，兰色晶体等于是废品。不但浪费原料，而且大大延长了实验周期，对出现兰色晶体的原因，说法不一。文献〔2〕认为是由于晶格中氧空位所致。而文献〔7〕则认为是因为K_2CO_3的含量超过了52～53%mol的范围，从而析出新相，致使晶体呈现兰色。但相同作者稍后进一步的分析〔8〕又表明："对各种原料配比长出的晶体，在3°～85°之间进行了X射线扫描分析。K_2CO_3含量从51%mol～60%mol所长出的晶体在结构上完全一致，只是各峰值的绝对强度有些变化。"这说明在K_2CO_3含量从51%mol～60%mol所长出的晶体中，并不含有新相。但原料配方为55.5%mol和60%mol K_2CO_3长出来的晶体却是兰色的。

针对上述"缺氧"说，我们作过渗氧生长实验。在热炼含52.5%mol的K_2O原料时，用铂金管向熔体内通氧（速率为1.5升/分），时间长达24小时；生长晶体时也在通氧条件下进行，但结果仍如未通氧一样，头几块长出的晶体仍然是兰色的。

我们还进行过有色晶体的退火实验。但碰到的问题是：若退火温度低于KN四方→斜方的相变点225°C，对晶体的颜色变化不起任何作用；若退火温度高于225°C，则冷却到室温后晶体完全炸裂。

我们认为，出现兰色晶体，主要是因为原料反应不充分。通过两种途径，消除了兰色晶体。

1.按文献〔9〕报道的方法：将Nb_2O_5在900°C焙烧24小时，使之完全转变为α-Nb_2O_5。将K_2CO_3在300°C干燥4小时。按K_2CO_3：Nb_2O_5＝52.5%mol：47.5%mol的比例混合后，在塑料混料器中混合2小时；倒进铂金皿内（加盖）在马福炉中840°C焙烧4小时出炉后捣碎磨细，重新倒入塑料混合器内均匀混合，然后按同样方式重复焙烧。这样反复二至三次，最后将料装入铂金坩埚，升温到1200°C，保温4小时，当冷却到200°C时迅速移入生长炉内进行生长。整个处理过程要尽量避免吸潮。

我们用此法的确做到第一块长出的晶体就是不带兰色的，但这方法太麻烦。特别是在没有足够大的铂金器皿时，要反复很多次才能得到够一埚用的料。在处理过程中也容易引进杂质。

2.第二种方法比较简单。在塑料混料器中混合以前的原料处理程序和方法"1"相同。混料器混均以后，即倒入铂金坩埚在1200°C热炼十五天，冷却到200°C时移入生长炉内进行生长。用这种方法也同样做到第一块长出的晶体就是不带兰色的，这种方法看起来花的时间较长，但若用两个铂金坩埚，一个烧料，一个生长，处理原料和生长晶体

—83—

同时进行，则就不会多花时间。

四、晶体极化

绝大部分出炉的KN晶体是多畴的。为使其变为单畴，要施加直流电场使其极化。

极化KN的关键问题是要找出样品的极化方向。因为样品出炉后是多畴的，用X射线法或测热膨胀法都无法定向。对多畴的KN晶体样品定向的切实可行的办法是将样品进行腐蚀，然后观察晶面上的腐蚀坑图形。

找出极化轴C的方向后，即可将样品放入极化炉中进行极化。我们使用的极化炉有两个窗口，一方通亮，一方观察晶体在极化过程中产生的变化，以确定极化是否完全。

用胶体石墨作电极。极化温度为200°C。所加电压视样品原来电畴分布的情况而定，一般为600～900V/cm不等。

最近我们通过极化得到的最大单畴KN晶体的尺寸达34×10×8 mm，如图7所示。

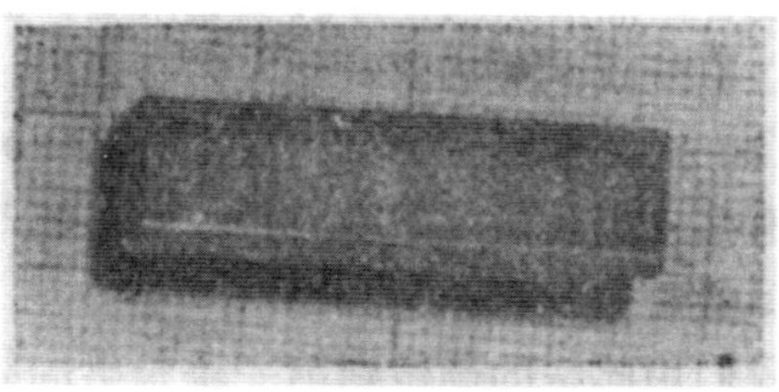

图7　极化为单畴的KN晶体

有关KN晶体的定向和极化详情，拟另文表述。

五、晶体开裂

生长KN困难之处，在于晶体开裂。

KN晶体的开裂情况可分为两类。一类开裂的裂纹贯穿到晶体表面，呈现无规扭曲的形状。由裂纹分割的晶体各部分多呈现不透明的、深浅不同的乳白色调，如图8所示。无论怎样处理，也消除不掉这种裂纹。我们称这种开裂为永久性开裂。另一类开裂的裂纹呈相互平行状态。这类裂纹有固定的取向，多与晶体自然边相交45°(即60°畴壁)，如图6中的平行条纹所示。多簇这样的裂纹在晶体中往往交叉成90°，在晶体表面有时尚可见到很细密的平行排列的裂纹露头。在

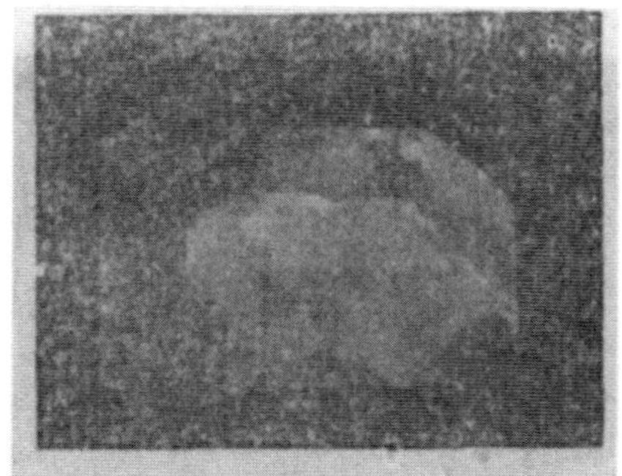

图8　永久性开裂的KN晶体

不同晶体中，这种裂纹的多少和宽窄也不同。有的稀疏，有的密集，特别密集的裂纹簇有时也可使整块晶体变得不透明。这种不透明区别于上述永久性开裂的不透明之处，在于前者不呈现无规扭曲的裂纹，且无色调差别，若将这种开裂的晶体放入极化炉中进行极化，可以看到这些平行的裂纹随极化电压的增加而逐渐消失。由特别密集的裂纹簇造成的不透明晶体，在电压加到一定值后，会在几分钟之内整个地变得透明。

关于开裂的原因，一般列有原料化学组分配比不精确，结构相变引起的晶格常数变化不连续，以及用提拉法生长KN时的温场不对称，温度梯度过大等[3,6,7] 文献[7]根据热应力引起的应变关系，计算出KN晶体生长时能允许的最大轴向温度梯度和生长后的冷却速率，用高频感应加热提拉出比较完好的单晶。

但根据泡生法生长KN晶体的实践，我们认为，KN晶体开裂的最主要原因是结构相变引起的复杂电畴壁应力。

我们使用的炉子是用硅碳棒加热，径向温度梯度相当小，这从图4用[110]取向籽晶长出来的晶体形状可以看出。轴向温度梯度也是相当小的，有时我们甚至是在液面以

—84—

上10毫米内温度梯度为零的温场中进行生长，在相变点附近的降温速率小到1°C/小时，也不能避免开裂。

按文献〔10〕提供的相图，KN晶体生长所需的K_2CO_3含量可在50～67%mol之间变化。文献〔11〕认为K_2CO_3的含量为50.5～50.7%mol区间会产生包晶反应，且当K_2CO_3的含量低于50.5%mol时，会结晶为云母状的化合物$2K_2O\cdot3Nb_2O_5$(即$K_4Nb_6O_{17}$)。我们认为，当K_2CO_3含量低于50.5%时会出现类云母状的$K_4Nb_6O_{17}$，可能是因为在热炼原料和生长升温阶段K_2O的挥发，致使K_2O的含量降到50%mol以下，从而进入$K_4Nb_6O_7$相区造成的。这也可能是在K_2CO_3的含量在50.5～50.7%mol之间会产生包晶反应的原因。我们怀疑在此区间真正存在包晶反应。

不过，一般生长KN晶体并不在这一有争议[12]的区间配料，而是采用K_2CO_3含量在52～53%mol之间的原料配方，即或是含量为50.5～50.7%molK_2CO_3区间为包晶区，在泡生法生长温度下这种配方也不应有包晶反应。故我们认为，由于包晶反应致使KN晶体开裂的可能性不大。

实际上，我们将上述产生永久性开裂的晶体进行X射线粉末衍射和成分分析，除了$KNbO_3$相以外，并未发现其它相的存在。

KN从熔点降到室温，要经历两次相变：

$$立方相\xrightarrow{435°C}四方相\xrightarrow{225°C}斜方$$

。在435°C从立方相变到四方相时，c轴伸长，晶格发生突变，并沿晶格伸长方向产生自发极化。这时如果每个晶胞的伸长都发生在同一方向上，晶格突变也不会导致开裂。但实际上自发极化有三种不同取向：〔001〕、〔00$\bar{1}$〕、〔100〕。相变时自发极化矢量取这三种方向的哪一种，完全是随机的。由这三种取向的自发极化区域可构成两种畴壁：90°，180°。当温度从435°C降到225°C时，KN从四方相变到斜方相，晶胞沿一面对角线伸长。这时极化矢量从原来平行于晶胞的一条边变到平行于面对角线的方向。可取的方向有五个：〔110〕、〔$\bar{1}\bar{1}$0〕、〔1$\bar{1}$0〕、〔101〕、〔$\bar{1}$0$\bar{1}$〕。相变时自发极化矢量从四方相的〔100〕变到斜方相的上述五个方向中的哪一种，同样完全是随机的。由这五种取向的自发极化区域可构成四种畴壁：60°、90°、120°、180°[13,14]。若同一平面上出现两种取向不同的90°畴壁，还会构成钙钛矿型晶体所特有的S—畴壁[13]。由此可见，KN晶体经过这样两次相变之后，形成了异常复杂的畴结构。这样复杂的畴壁引起的结构应力，往往导致晶体的严重开裂。

观察KN晶体从生长温度降到室温的变化，可以确证这一点。KN晶体长成后从熔体中提起来时，总是完整透明的。当温度降到435°C时，个别晶体出现裂纹，多数晶体还保持完好。当温度降到225°C左右时，便可看到多数晶体在几分钟之内(时间长短与降温速率有关)严重开裂，变得不透明。开裂总是发生在相变点附近。

BNN和$BiTaO_3$从生长温度降到室温，也要经历相变。但BNN只有一个极化轴，两次相变后只产生一种电畴—180°畴，比KN的畴结构简单得多，开裂问题不严重。$BaTiO_3$在室温以上只有一个相变点，只产生90°和180°畴，虽然$BaTiO_3$与KN同属于钙钛矿型晶体，但室温以上$BaTiO_3$的畴结构仍比KN简单，所以开裂也不如KN严重。

由此看来，不说KN是世界上最难长的晶体，至少也可以说KN是相当难长的晶体。这种晶体是否就没法长好？不，通过我们大量的生长实践，我们认为，KN是可以长好的。当然，要长出完全没有裂纹的晶体实属不易，在我们上百次的KN晶体生长中，只得到过尺寸为：31×28×11mm的一块，如图9所示。不过，可供应用的KN晶体并不一定要求它长出来就没有裂纹。如前所述，只要不是永久性的开裂裂纹，都可以通过极

—85—

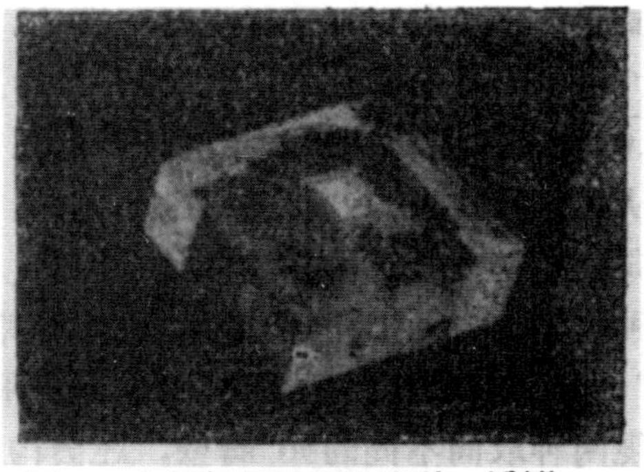

图 9　未经极化处理的完整、透明、无任何裂纹的KN晶体

化而消除。即或是有一两条永久性开裂的裂纹，也可避开它们从中取出可极化好的晶体部分来应用。而长出只含可消除裂纹的KN晶体并不特别困难。有关这方面的工作，限于篇幅，这里就不准备叙述了。

六、结论

1. 用泡生法生长KN时，除了考虑液面以上的温度梯度外，还需注意坩埚底部的温度。

2. 延长原料的热炼时间，可以除去兰色晶体。

3. 只要不是永久性开裂的裂纹，都可以通过极化除去。

4. KN晶体开裂的主要原因，是两次相变后产生的异常复杂的畴壁应力。

参 考 文 献

〔1〕S.K. Kurtz and T. T. Reray et al., J. *Appl. phys*. 39(1968)3789.

〔2〕T. Fukuda et al., *J. crystal Growth* 24/25 (1974)450.

〔3〕王文山、邹群、耿兆华《硅酸盐学报》，10(4)(1982)438.

〔4〕K. Kato, *IEEE J. Quantum electronics*, QE-18(4)(1982)451.

〔5〕P. Guenter Diss ETH 5818(科技情报所索取号4267251)

〔6〕Tsuguo Fukuda et al., *Japanese J. Appl. phys*. 11(1972)163

〔7〕王文山、邹群、耿兆华《南京大学学报》物理专刊(1980)17-26.

〔8〕王文山、邹群　《人工晶体》2-3(1982)54.

〔9〕U. Fluckiger et al., *Bull. Am. Ceram. Soc*. 56(1977)575.

〔10〕A. Reisman and F. Holtzberg, *J. Am. Chem. Soc*. 77(1955)2115.

〔11〕U. Fluckiger and H. Arend, *J. Crystal Growth* 43(1978)406.

〔12〕刘建成、曹国斌、吴金娣《全国晶体生长与材料学术会议》论文摘要汇编(1979)116

〔13〕E. Wiesendanger, *Czech. J. Phys*. B_{23} (1973).

〔14〕K.G. Deshmukh and S.G. Ingle, *J. Phys. D. Appl. Phys*. 4(1971)124.

用提拉法在大气中生长色心晶体氟化锂

沈德忠　　宋永革*

（人工晶体研究所）

提要：用低纯料在大气气氛中生长了掺$(OH)^-$的氟化锂单晶。分析了晶体纯度、测量了透过率、观察了晶体位错、并作了定性的着色褪色试验。

一、前　言

氟化锂是一种大家熟知的结晶材料。熔点为842°C，解理面为(100)，在水中的溶解度为0.3%。

氟化锂的用途广泛，除可作红外窗口材料(透过波段为0.3～6微米)外，还可作电池电极材料、催化剂、各种辐射监测剂、热致发光响应监测剂等。近年来，随着激光技术的发展，发现氟化锂还是一种很有前途的色心激光器基质材料。

色心激光器是目前发展迅速的一种新型固体可调谐激光器。它的调谐范围很宽，容易获得线宽很窄的稳定单模输出。输出功率比半导体激光器大得多，而光束的空间发散度却比半导体激光器的低得多[1]。但大多数用作色心激光器基质物质的晶体，如NaF、RbCl、KF等，只能在低温(200k以下)下运转。而氟化锂作成的色心激光器，可在室温下输出激光。这无疑给该激光器的研究和实际应用带来极大的方便。所以现在氟化锂晶体成了研制色心激光器最受欢迎的基质材料之一。

氟化锂有四种F色心可在室温下获得激光：F_2、F_2^+、F_2^-、F_3^-[2]。其中F_2^+心具有近乎100%的量子效应，和几乎80%的光—光转换效率。但F_2^+心很不稳定。高纯氟化锂样品的F_2^+心的半衰期一般约为5小时。为了提高F^+_2心的稳定性，人们作了不少工作[3、4]，主要是在氟化锂晶体中掺入$(OH)^-$、O^-、$(SH)^-$等负离子或负离子基团，以阻止F_2^+心衰变成F_2心。也有掺入二价过渡金属离子如Ni^{2+}、Pb^{2+}等，来促进F_2心向F_2^+心转换的。掺入上述杂质的方法有多种。本工作的目的，即是在大气气氛中，用提拉法生长氟化锂单晶，利用氟化锂原料在大气中水解的原理而达到参入$(OH)^-$的目的。

二、晶体生长实验及其品质鉴定

氟化锂晶体一般都是用坩埚下降法在真空中生长的[5]。原料采用市售的高纯氟化锂试剂，或用碳酸锂、盐酸、氢氟酸反应制取的高纯氟化锂[5]。还有将高纯碳酸锂与高纯氟气直接反应生成高纯氟化锂的。

*陶栋才、戴经华测试了杂质含量；陶栋才、侯立测试了透过率；杨美菊、张汉英进行了X光着色试验；杨美菊观察并摄制了位错腐蚀图形；王诗麟测试了晶体应力；刘明兰摄制了晶体照片；魏子珍多次准备了晶体腐蚀样品；金成基给籽晶定向，在此一并感谢。

在大气中用提拉法生长氟化锂，过去有过报导[6、7]。我们这里进行生长时，所使用的原料是市售的、纯度为98.5%的低纯料。经过两次回炉提拉从而达到提纯的目的。

将上述氟化锂原料放入直径φ70毫米的鉑金坩埚中，在900°C下熔成多晶块料，然后放入提拉炉中进行提拉生长。提拉炉用硅碳棒加热，用DWT—702温度控制仪控温。液面以上一毫米处的温度梯度为23°C。先用鉑金管(内径φ2毫米，壁厚0.3毫米)蘸出多晶，经选择单晶定向后切割出籽晶。籽晶取向(100)。生长时晶转为45r.p.m.，提拉速率为6毫米/小时，长出的晶体直径约φ40毫米，无色透明(图1)

图(1)　用提拉法在大气中生长的氟化锂单晶。

用鉑金管蘸出的多晶不易定向。可在晶块上施加一定的应力使其解理，根据解理面为(100)面可先大致确定其方向，然后再用X光定向仪严格定向。

在生长温度下，氟化锂蒸汽对炉内坩埚托架等氧化铝制件严重腐蚀，应考虑寻找其它坩埚托架材料。

晶体成分分析：

将生长出来的晶体用原子吸收法测定成分。发现经两次回炉提拉后，晶体纯度比原料纯度大有提高。表[1]列出我们测得的阳离子杂质含量，并与资料[5]所列相应数据进行了比较(资料[5]生长的氟化锂是用4N纯度的碳酸锂与优级纯的盐酸和氢氟酸起反应得到的原料进行生长的)。

从表1可见，除Na、Pt的含量稍高于资料[5]的以外，其它元素的含量均与之相差不多。可见用低纯料通过两次回炉提拉后，也可达到用高纯料生长的晶体纯度。

值得注意的是，由于使用鉑坩埚，长出的晶体中鉑的含量显著增加。这可能是高温下氟化锂对铂金坩埚有腐蚀作用所致。

透过率

将拉出的晶体切下厚约4毫米的薄片，测试透过率。其透过率曲线如图(2)所示。

由图(2)可见，晶体在0.3～6微米的红外透过率达95%。在2.7微米处有一吸收峰。这表明$(OH)^-$离子基团的确渗进了晶体中。氟化锂色心激光器的调谐范围在0.68～1.26微米之间。泵浦光源多为红宝石(0.69微米)、YAG(1.06微米)、N_2(0.45微米)等激光器[8]。故由于$(OH)^-$离子基团的存在而引起的吸收，不会影响该晶体作为色心激光器基质物质的应用。

晶体位错观察和应力测试

表1　低纯料经两次回炉提拉生长的氟化锂晶体纯度与资料[5]的数据比较

元素	Cu	Mg	Ca	K	Na	Fe	Mn	Pb	Pt
资料[5]的数据	3×10^{-6}	4.5×10^{-5}	1.3×10^{-4}	5×10^{-6}	5×10^{-6}	4.5×10^{-5}	2×10^{-5}	1×10^{-5}	1×10^{-3}
我们提出的晶体的数据	2.5×10^{-6}	1.3×10^{-5}	—	1×10^{-6}	10×10^{-6}	2.2×10^{-5}	1.2×10^{-5}	1×10^{-6}	1.5×10^{-3}

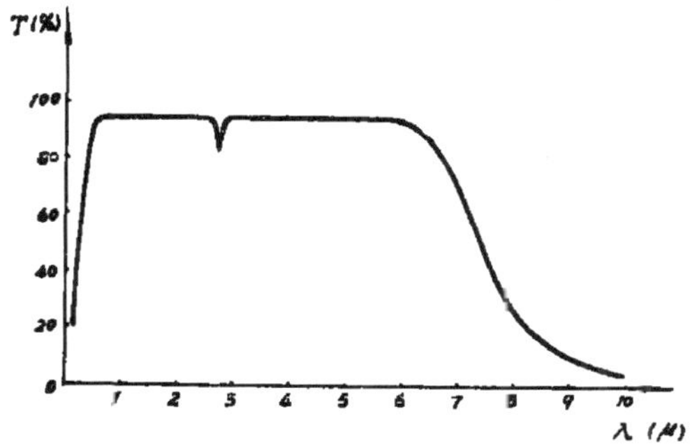

图 2　在大气中用提拉法生长的氟化锂单晶透过率曲线(样品厚4毫米)。

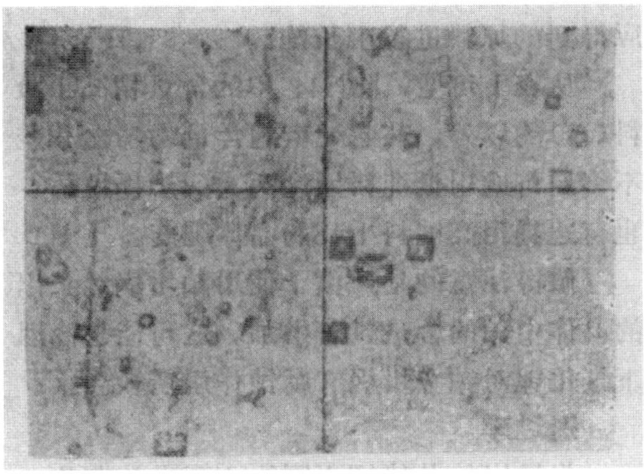

图 3　氟化锂单晶
(100)面位错腐蚀坑图形(57×)

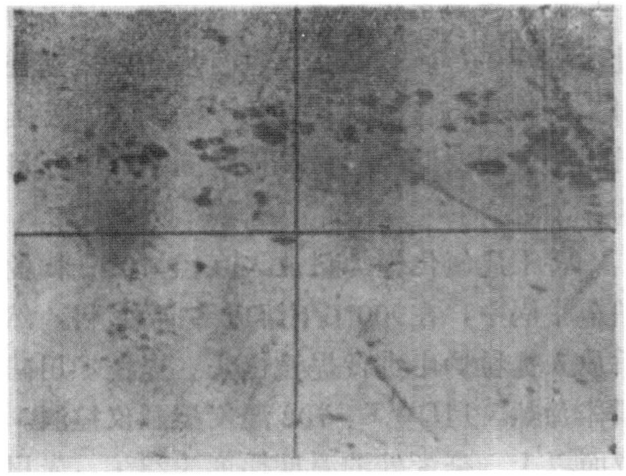

图 4　氟化锂单晶
(110)面位错腐蚀坑图形(57×)

图 5　氟化锂(111)面位错腐蚀坑图形(57×)

图3、4、5分别是氟化锂单晶(100)、(110)、(111)面的位错腐蚀坑图形。

(100)面的腐蚀坑是在浓度为50%的CuCl水溶液中腐蚀8小时得到的。腐蚀坑呈正方锥形，与资料〔9、10〕等所报道的相同。(110)面的位错坑是在25%CuCl+25%FCl_3+50%水的溶液中腐蚀8小时得到的。位错坑呈菱锥形。(111)面的位错坑是在25%FCl_3的水溶液中腐蚀8小时后得到的，位错坑呈园角三方坑形状。所有腐蚀过程均在室温下进行。

(100)面平均位错密度约为3×10^3/厘米^2。

在应力仪下测定晶体的应力，中心的应力很小，边缘部分稍大，总的说来比坩埚下降法长出的晶体应力小。

三、着色褪色试验

将长出的氟化锂晶体切成厚约2毫米的薄片，在X光下照射4小时(铜靶、35kv、10mA)，照射部分呈现氟化锂F_2^+心具有的悦目的翡翠绿色。与坩埚下降法长出的没有$(OH)^-$掺入的氟化锂单晶相比，在辐照强度和持续时间相同的条件下，掺$(OH)^-$的比不掺$(OH)^-$的着色要深。未掺$(OH)^-$的两小时即变为稳定的黄色(F_2心的颜色)，而掺$(OH)^-$的约六小时后才褪为稳定的黄色。(因为我们所用的X光辐照剂量比一般用来产生色心的γ射线辐照剂量低得多，所以本实验中产生的绿色褪得比较快。)

由这个简单的定性试验可以看出，虽然掺$(OH)^-$的氟化锂的F_2^+心稳定时间比不掺

$(OH)^-$的延长了约三倍，但也不能最终解决氟化锂F_2^+心的稳定性问题。

四、结　论

1. 用低纯料通过两次回炉提拉，可长出高质量的氟化锂单晶，0.3～6微米波段的透过率达95%。

1. 用提拉法在大气中生长氟化锂，单晶率高，晶体应力小，并可掺进$(OH)^-$离子基团。

3. 在同样条件下，掺有$(OH)^-$的氟化锂的F_2^+心比不掺$(OH)^-$的着色较深，褪色时间大约延长三倍，但并未最终解决氟化锂F_2^+心的稳定问题。

参　考　资　料

〔1〕黄振辉：色心激光晶体生长研究的发展趋势《全国第一届色心激光学术会议报告》

〔2〕Ю.Л.Гусев Препринт иQ43 Инетитут теплсфнзики Со АН СССР，Новосиъирск(1979)

〔3〕B.M.Ьасв.Писъма ВЖТФ Т4 1471(1978)

〔4〕W.Gellerman，F.Lüty phys.stat sol.(A)57 411(1980)

〔5〕蒋崇义：氟化锂晶体生长《人工晶体》4(1979)P1

〔6〕应用物理　9(1958)p535

〔7〕Schurid G.F.Mater.Res.Bull.6(8)1971，p771～4

〔8〕浦劳东：色心和色心激光的发展《激光与红外》 9(1980)p.29

〔9〕J.J.Gilman；W.G.Johrston：Dislocation and mechanical properities of crystals.p116

〔10〕J.P.Hirth，J.chem.phys.33(1960)p.517

锗酸铋($Bi_4Ge_3O_{12}$)晶体的提拉法生长

沈德忠　杨正棠　宋永革*

（人工晶体研究所）

提要： 在电阻加热炉内，分别使用(100)和(321)两种取向的籽晶提拉生长了完美的$Bi_4Ge_3O_{12}$单晶。并对这两种生长情况进行了比较，观察了晶体中的包裹体，对其形成原因作了初步的分析。

一、引言

在GeO_2-Bi_2O_3体系中，由于氧化锗和氧化铋配比量的不同，可以产生几种同素异构体：$Bi_4Ge_3O_{12}$（3∶2）、$Bi_{12}GeO_{20}$（1∶6）、$Bi_{14}GeO_{23}$（1∶7）等。其中$Bi_{12}GeO_{20}$（以下简写为BGO_{20}）作为电声和电光材料，早已为人们所知，其单晶生长工艺已相当成熟。而$Bi_4Ge_3O_{12}$（以下简写为BGO_{12}）只是在近年来，由于其优良的闪烁性能，在层析X射线摄影术和层析正电子摄影术中得到应用[1，2]，才引起人们越来越浓厚的兴趣。

其实，这两种锗酸铋同素异构体在可见光、X射线、γ、α射线的激发下，都可以产生荧光。其发射机制都是由于Bi^{3+}离子从^3P态向$^1S_0$态的跃迁。但BGO_{20}产生非辐射衰变的温度比BGO_{12}的低，如图1所示[3]。

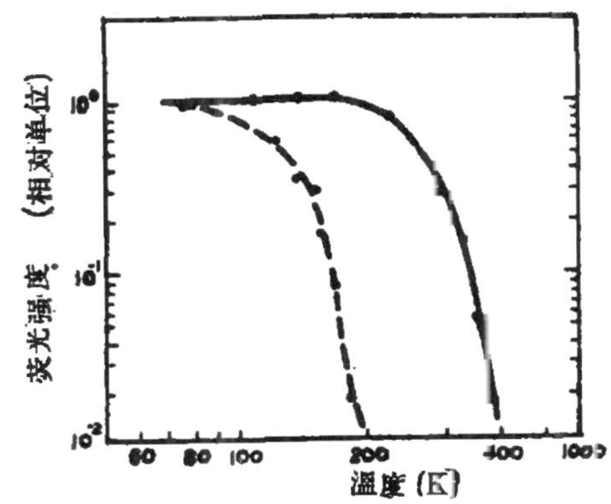

图1　BGO_{12}与BGO_{20}荧光强度的比较。
实线——BGO_{12}　虚线——BGO_{20}

由图1可见，BGO_{20}的荧光强度在200K时已下降到零，而BGO_{12}的才开始下降。所以一般作为闪烁应用的是BGO_{12}而不是BGO_{20}。

BGO_{12}的荧光强度在200K以上开始衰减，致使用BGO_{12}制成的闪烁器件的能量转换效率只有NaI∶Tl的8～16%[2]。除此以外，BGO_{12}作闪烁应用的性能都优于NaI∶Tl的。BGO_{12}不吸潮，抗冲击，易于加工，化学性能相当稳定。由于其发光机制是源于铋离子的能级跃迁，不存在由于掺杂不均匀引起的发光强度的不均匀。BGO_{12}的有效原子系数高，对射线的吸收系数优于NaI∶Tl。BGO_{12}的荧光衰减时间短，有利于快速计算。用BGO_{12}作成的层析正电子摄影仪与用NaI∶Tl作成的相应系统比较，湮没辐射的检测效率要大三倍，重合检测效率要大十倍[1]。多层混合环形系统的重合检测效率可以做到比NaI∶Tl环形系统的大100倍以

*祭泓为本工作查阅了部分资料并参予晶体生长工作；钟士萍、金成基、贾建国为晶体定向并切磨加工；陈栋村、侯立测量了透过率；才德范拍摄了包裹体显微照片；刘玉兰对本工作自始至终给予关注，特此表示感谢。

上[4]。

由于三价稀土元素可以进入BGO_{12}的晶格替代Bi^{3+}，四价的铁族离子可替代Ge^{4+}，故BGO_{12}掺杂后还可作激光基质材料应用。现已有BGO_{12}掺Nd^{3+}、Ho^{3+}作激光基质材料的报道[5、6]。

二、(100)籽晶的晶体生长

迄今为止，还未见到有关BGO_{12}单晶生长的较为详细的报道。BGO_{12}属立方晶系，点群为$\bar{4}3m$，空间群为$I\bar{4}3d$，a = 10.518Å，熔点为1050°C。由于属氧化物晶体，我们是在大气中用提拉法生长。

原料使用纯度为99.999%的GeO_2和Bi_2O_3粉料，按GeO_2：Bi_2O_3 = 3：2 mol比精确称重，在塑料搅拌器内混合两小时，然后装入铂金坩埚(φ70mm×50mm)内，放进熔料炉中加热熔化。在高于熔点20°C的温度下(即1070°C)保温8小时，使其充分化合(保温时坩埚盖上铂金盖，以减少Bi_2O_3的挥发。)待熔料冷却到室温后，移入生长炉中进行生长。

生长炉用硅碳棒加热，DWT-702控温。因电阻加热炉内的径向温度梯度较小，且高纯的BGO_{12}熔体的过冷度相当大(约200°C)，在用铂金管(或丝)蘸籽晶时，温度降到熔点以下很多也不易蘸上。往往是坩埚边自发结晶了，铂金管所处的中心位置还不结晶。而且，一旦锅边有了自发结晶，则晶芽将迅速发展，在几秒钟之内扫过整个液面，使其全部固化。为克服这一困难，我们改变炉内保温件的配置，增加液面的径向温度梯度，成功地蘸出了籽晶。

在用(100)籽晶生长BGO_{12}时，液面以上的静态温度分布曲线如图2所示。相应的温度梯度比生产一般氧化物晶体的要小。籽晶转速为72rpm，拉速为5mm/h左右。为减少包裹体产生的可能性，籽晶转速宜大些，转速若在30rpm以下，晶体往往不透明。

用(100)籽晶长出来的高质量晶体，其底部端面一般由四个(321)面围成，如图3

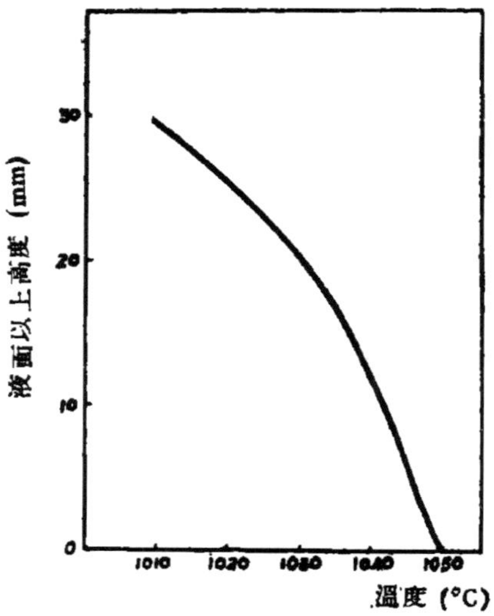

图2　用(100)面籽晶生长BGO_{12}时，液面以上的静态温度分布图。

图3　由{321}面簇围成的底部端面示意图。

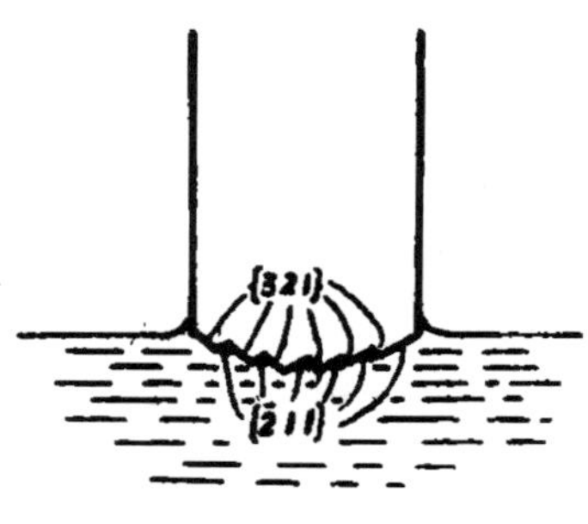

图4　{321}面簇与{211}面簇围成底部端面生长阶示意图。

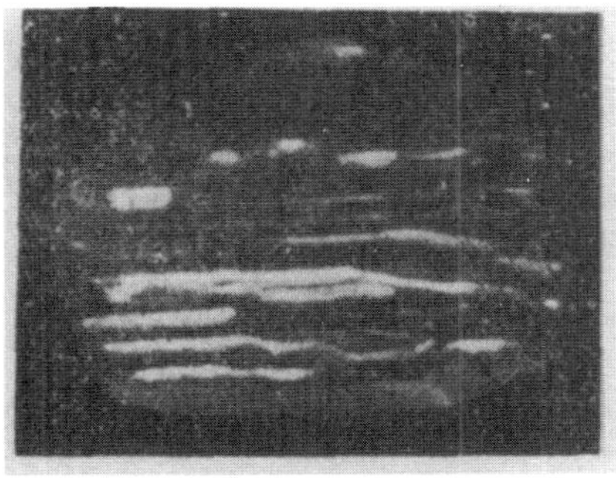

图5　底部端面生长阶照片。

所示。生长得不好的晶体，其底部端面或突向熔体，或凹向晶体，且其端面总是出现一排排由{321}、{$\bar{2}$11}等小晶面构成的锯齿形生长阶，典型的形态如图4、5所示。

具有这种形态的晶体，往往包含大量的包裹体。它们主要聚集在晶体的头部和尾部，有时也出现在晶体中部直径变化较大的地方。包裹体的颜色为棕色，与BGO_{12}熔体凝固后呈现的颜色一样。从晶体侧面看去，包裹体形如蛛网，疏密错杂。

三、BGO_{12}的包裹体

从GeO_2-Bi_2O_3体系的相图[7]看，配比为GeO_2：Bi_2O_3＝3：2的BGO_{12}有同成分熔化点，从熔点到室温沒有相变，这种立方晶系的晶体应该比较好长。但实践表明，拉出不开裂的晶体的确比较容易，但要长出结构完美的单晶就比较困难。其主要的原因就是该晶体在生长过程中容易形成包裹体。

BGO_{12}的包裹体的宏观形态，上面已经描述过了。这些包裹体的量很大，不可能仅由高纯料中的微量杂质组成。从颜色和数量两方面，可以推定BGO_{12}中大量出现的包裹体是由熔体构成的。为了弄清楚这些包裹体在晶体里的分布情况，我们将含有包裹体的晶体进行了纵剖和横剖。其切割部位如图6所示。

图7为纵剖面D的照片。从照片上可以看出，包裹体的出现与晶体直径的变化有明显的联系：每当生长界面处的温度有较大的

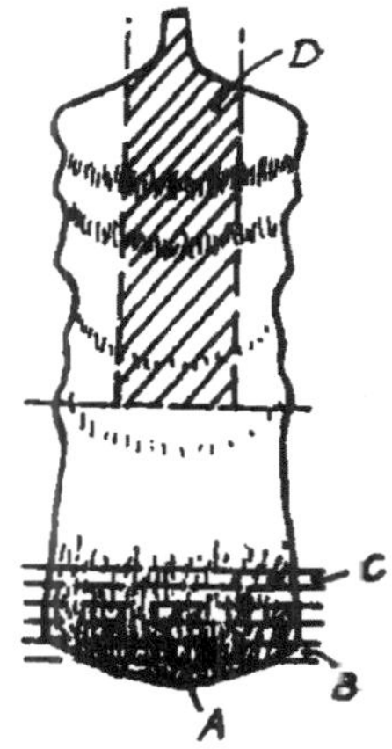

图6　对BGO_{12}进行纵剖(D)和横剖(A、B、C)的切割部位示意图。

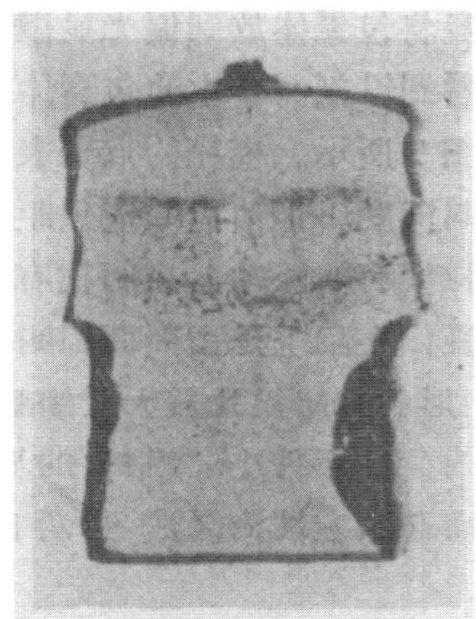

图7　从纵剖面D处得到的包裹体分布照片。

波动，致使生长中的晶体直径扩大或缩小时，包裹体就会出现。图7上端两条较粗的包裹体出现在晶体直径由小开始变大的部位；在它们下面的两条较浅的包裹体出现在直径开始收缩的部位。

图8是对应于图6所示A、B、C三个剖面的照片。其中A部分是晶体底部端面。从图8A上可以看出，端面也呈现由一排排{321}和{$\bar{2}$11}面簇组成的生长阶。B是紧靠端面A的横切片。从图8B可见，包裹体在晶体横剖面上的分布不是杂乱无章的，而是由一簇簇平行线构成的。如果把这些由包裹体组成的平行线组与端面截片A的形貌相对照，就可以发现这些平行线条与端面上生长

—151—

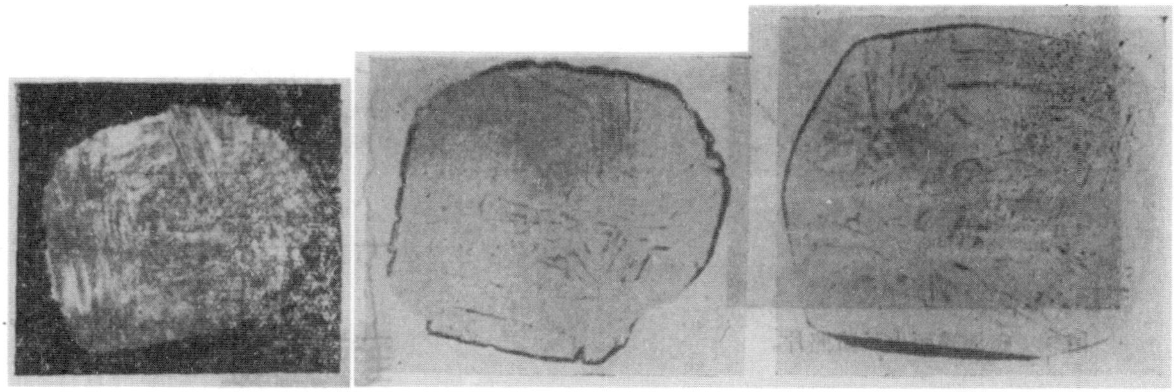

A　　B　　C

图8　对应于图6中A、B、C三个横剖面的切片照片。

阶的低凹部分一一对应。甚至在离端面较远的横截片C上，也可找到这种对应关系。

进一步将包裹体放到偏光显微镜下面观察，可以看到纵剖面D中的包裹体多呈蝌蚪形状，如图9所示。模糊的点子表示该包裹体处在不同深度。调节显微镜焦距，可以看到这些“蝌蚪”有的不动，有的稍有摆动，说明这些包裹体实际上是由断面为蝌蚪形的带构成，它们形成的时候比较大（“蝌蚪头部”），随着晶体的生长而缩小（“蝌蚪”的尾部），最后消失。而在其它地方又产生新的包裹体带。

纵剖面上也有呈片状的包裹体，如图9B所示。它们在正偏振光下不完全消光，旋转时其视场出现明暗相间的变化，即包裹体有光异常现象。表明这些包裹体已结成晶体，但已不是等轴晶系的BGO_{12}相，可能是GeO_2-Bi_2O_3体系的其它非立方相。

图10中的(a)、(b)是横剖面C中的包裹体在偏光显微镜下的照片。包裹体呈点、线、面等各种奇特形状。在局部范围内，这些点的集合、线以及面都呈现相互平行的排列，这从微观上进一步表明横剖面上包裹体的有规律的结构。

横剖面中呈片状的包裹体，在正偏光下旋转视场也同样呈现明暗相间的变化。

根据以上观察，可以看出BGO_{12}中的包裹体及其分布有以下一些特点：

1. 大量出现的包裹体是由BGO_{12}的熔体组成的。

2. 包裹体的出现与生长界面处的温度波动紧密相关。

3. 包裹体在晶体中多以局部相互平行的带结构形式存在。

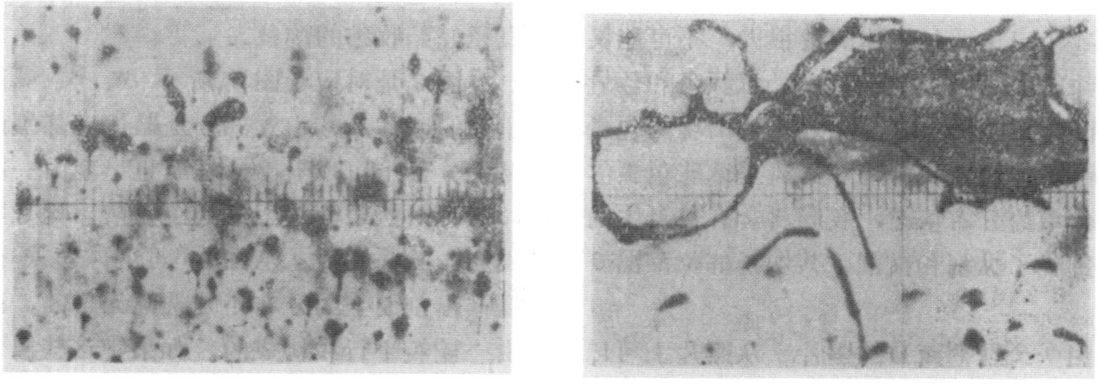

A　　B

图9　图7纵剖面D包裹体的显微照片。

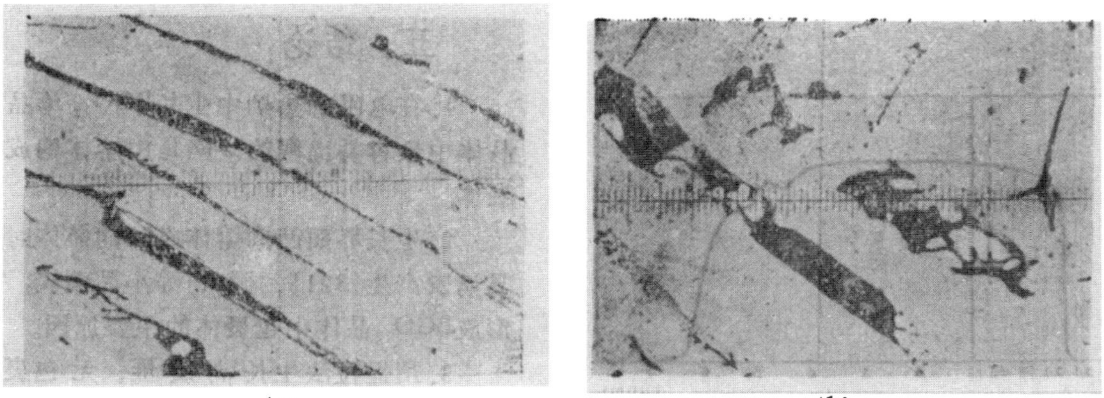

(a) (b)

图10 图8中横剖面C中包裹体的显微照片

4. 靠近晶体底部端面处的包裹体带的分布与底部端面生长阶的凹谷一一对应。

根据以上特点及BGO_{12}晶体生长习性，可以推测其包裹体形成的原因：

由于生长界面处的温度波动，使得固液界面离开平面形状，变得凸向熔体或凹向晶体。这种界面有利于(321)、($\bar{2}$11)等小晶面的形成。小晶面相交的凹谷处（见图4锯齿形端面注有黑点的地方）容易夹带熔体。又因BGO_{12}熔体的粘滞性很大，在1050°C时BGO_{12}的粘滞系数为1.6泊[8]，比水在0°C时的粘滞系数大90倍（0°C时水的粘滞系数为0.0179泊）。因而这些夹带的熔体不易被排走。随着晶面向前生长，这些熔体便被包裹在这一排排{321}、{$\bar{2}$11}小晶面簇相交而成的凹谷处，从而形成有规律分布的包裹体。

四、(321)籽晶的晶体生长

从上面的分析可以看出，要想长出高质量的、不含包裹体的BGO_{12}单晶，一个关键的问题是要使生长界面在整个晶体生长过程中保持平面，以防止(321)、($\bar{2}$11)等小晶面的形成。从图3可见，在生长过程中，(321)面比(100)面长得慢，所以我们想到用(321)面作籽晶生长面，来生长BGO_{12}单晶，看是否能较容易得到平界面的生长。

试验结果表明，用(321)面作籽晶，可以在较陡的温度梯度下进行生长，而且比较容易获得平界面。图11为用(321)面的籽晶长出的BGO_{12}单晶。晶体底部端面为平面，平整光滑，晶体无色透明，由晶体底部可以一直清楚地看到籽晶的端部。

从晶体中切出厚约3mm的一片晶片，在应力仪上测示应力，只在中心部分显示出稍大的应力。

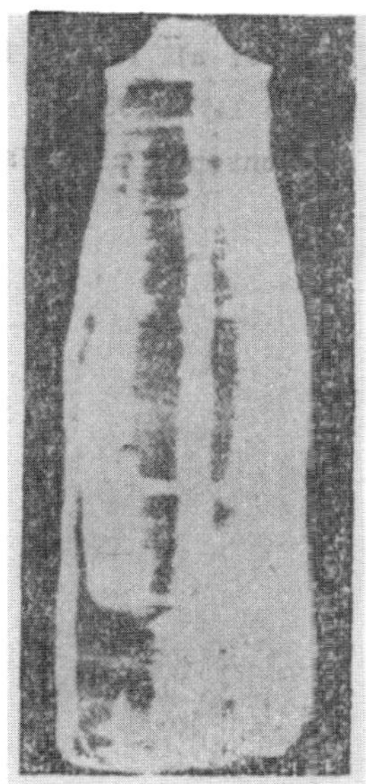

图11 用(321)籽晶长出的BGO_{12}单晶。

图12为用上述晶片测出的透过率曲线。

在(321)面籽晶的生长中，如果温度控制得不好，炉内温度分布不合适，仍会出现包裹体。

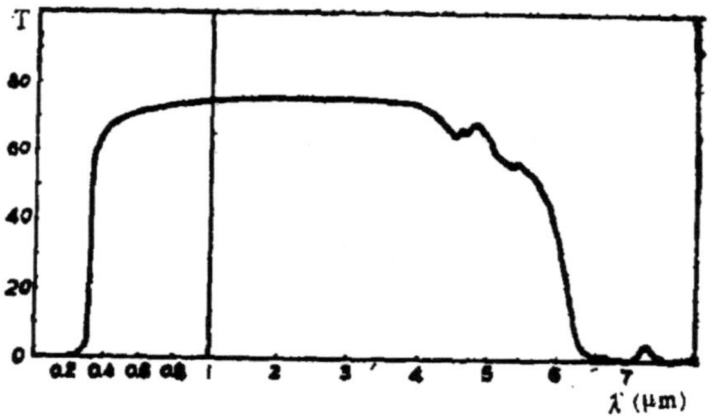

图12 BGO_{12}单晶的透过率曲线

(样品厚 3 mm)

五、结论

1. 在电阻加热炉中生长BGO_{12}单晶时，晶体中最容易出现的缺陷是由熔体构成的包裹体。

2. 生长界面凸向熔体或凹向晶体时，容易诱发产生{321}、{$\bar{2}$11}等小晶面簇，这是形成BGO_{12}晶体中包裹体的主要原因。

3. 用提拉法生长高质量、无包裹体的BGO_{12}单晶，一个重要的条件是在生长过程中维持等径平界面生长。

4. (321)籽晶的生长比(100)籽晶的生长较易获得平界面。

参 考 文 献

〔1〕Z.H.Cho, et al., J. Nucl. Med. 18(1977)840

〔2〕H. MURAYAMA, et al, Nucl. Instrum. Methods. phys. Res. 192(1982)501.

〔3〕M. J. Weber, et al., J. Appl. phys. 44 (1973)12

〔4〕Z. H. Cho et al, IEEE Trans. Nucl. Sci Ns25(2) (1978) 952

〔5〕S. K. Dickenson et al., Mat. Res. Bull 7 (1972)181

〔6〕L. F. Johnson et al, J. Appl. phys. 40 (1) (1969)297.

〔7〕E. I. speranskaya, et al., Russian Jour. of Inorg.Chem. 9(2) (1964) 226

〔8〕Ю. Φ. Каргин, Известия АН СССР Неорганические Материалы 13(1) (1977)135

第十五卷 第一期 人 工 晶 体 Vol.15.No.1
1986年3月 JOURNAL OF SYNTHETIC CRYSTALS March,1986

新型非线性光学晶体KTP*

沈德忠 黄朝恩

（人工晶体研究所）

提要：简述了KTP晶体的生长和应用历史。对不同方法生长的KTP晶体特性进行了比较。给出了KTP（110）面上的蚀坑图形和位错密度。

A New Nonlinear Optical Crystal KTP

Shen Dezhong, Huang Chaoen

(Resaerch Institute of Synthetic Crystals)

Abstract: The history of growth and application of KTP crystals has been mentioned. The characteristics of KTP crystals grown by different methods have been compared. The etching pits and the dislocation density on (110) plane of KTP crystals are given.

$KTiOPO_4$（KTP）是迄今为止所发现的非线性光学晶体中性能最全面的一种。它的非线性常数Δ_{ij}是BNN的2.5倍[1]。吸收系数小于1%cm。该晶体能承受大于500MW/cm^2的激光辐照而无任何光损伤。在室温下即能实现Ⅰ型或Ⅱ型角度相位匹配（1.06μm）。该晶体的透光范围是0.35μm至4.5μm，不吸潮，不易开裂，至少在900°C以下化学上稳定。这种光学材料有适中的硬度，因此容易切割和抛光。这些优异的性能，使得该晶体目前在激光倍频和非线性晶体生长领域受到越来越广泛的重视。

KTP晶体是由法国全国科学研究中心的R. Masse和J.C.Grenier在1971年用传统的溶剂法首次研制出来的[2]。使用的化学反应方程为：

$$\frac{1}{2}K_2CO_3 + (NH_4)HPO_4 + TiO_2 \rightarrow KTiOPO_4 + 2NH_3 + \frac{1}{2}CO_2$$

他们对这种新晶体进行了X射线衍射分析，发表了有关数据。1974年，I.Tordjman等人确定了KTP的空间群为$Pn2_1a$[3]。指出该晶体的基本结构是由TiO_6八面体和PO_4四面体在三维空间结构成的网络。其中TiO_6八面体产生了严重畸变。他们还给出了晶胞参数和详尽的晶面衍射数据。1976年，F.C. Zumsteg等人首次报导用水热法成功地长出较大的KTP单晶[1]。生长条件为3000大气压，800°C。他们研究了该晶体的透光范围、折射率及其随温度的变化、相位匹配条件等。他们报导KTP有很大的非线性系数，很小的光束走离角。指出该晶体之所以具有很大的非线性效应，主要是因为TiO_6八面体

* 本文的英文译文拟在《Progress in Crystal Growth and Characterization》上发表。

的严重畸变。1982年，Y.S.Liu等人用KTP单晶进行了倍频试验，外腔倍频获得60%的转换效率[4]。同年J.Q.Yao用KTP内腔倍频YAG：Nd的1.06μm红外光，获得8～10W的连续绿光平均输出功率[5]，并对相匹配角作了修正。1983年5月和10月，G.M.Loiacono和J.C.Jacco报导了用坩埚加速旋转熔剂法生长KTP单晶获得成功[7,8]，一般晶体尺寸大于5 mm³，偶尔可得到15×15×5 mm³大小的晶体。1984年，美国Airtron公司已有水热法生长的KTP倍频器出售。该法生长的KTP尺寸可达15×15×40mm³。

通过上述简短的回顾，可以看出，尽管KTP晶体性能优异，但要得到大块质量优良的单晶却不容易。这主要是KTP在1160°C时即产生分解，在常压下不可能达到该物质的纯熔体状态，所以不能用一般生长速度较快的方法，如提拉法、坩埚下降法来生长。如果不考虑加压提拉法，则目前只有水热法和熔剂法能够生长KTP单晶。进一步分析表明，现在能成功地获得KTP单晶的两种方法——水热法和坩埚加速旋转熔剂法，仍有一些不足之处。水热法生长KTP经过近十年的发展，工艺方面有了不少改进，生长条件降到1700大气压、600° C[9]，但这仍然比较苛刻。坩埚加速旋转法操作起来比较复杂，而且很难保证长出完整单晶。这两种方法还有一个共同的麻烦之处：每次生长之前都要进行封焊。水热法是要把籽晶焊封在黄金衬套里，坩埚加速旋转法是要把籽晶焊封在球形铂金坩埚里[10]，因为铂金的熔点高达1600°C以上，在焊封时还要保证安装在附近的籽晶不受影响，所以就更加麻烦。

为了在常压下用较简单易行的方法来生长KTP单晶，我们在1984年将传统的熔剂法作了某些改进，发展成一种有效的改进熔剂法，成功地进行了KTP单晶的生长。

我们制备KTP原料的方法有多种，除文献〔2〕介绍的方法外，还用过下列反应：

$$K_2TiO(C_2O_4)_2\cdot 2H_2O + KH_2PO_4 \rightarrow$$
$$KTiOPO_4 + H_2C_2O_4 + K_2C_2O_4$$
$$K_2CO_3 + 2TiO_2 + 2NH_4H_2PO_4 \rightarrow$$
$$2KTiOPO_4 + CO_2 + 2NH_3 + 3H_2O$$

$K_5P_3O_{10}$、$K_6P_4O_{13}$、$K_7P_5O_{16}$、$K_8P_6O_{19}$等都可作为熔剂。相应的反应如下：

$$2K_2HPO_4 + KH_2PO_4 \rightarrow K_5P_3O_{10} + 2H_2O$$
$$2K_2HPO_4 + 2KH_2PO_4 \rightarrow K_6P_4O_{13} + 3H_3O$$

将上述方法制备的原料和熔剂按一定比例放入敞口的铂金坩埚里，加热到1000°C让其熔融，然后按我们发展的改进熔剂法进行生长。生长周期约为40天。目前获得的单晶体一般尺寸为15×10×10mm³，较大的可达25×15×10mm³（图1）

用水热法和熔剂法长出的KTP单晶，在晶体结构上无明显差别。图2示出水热法（点划线）、坩埚加速旋转法（细实线）和改进熔剂法（粗实线）长出的KTP晶体形态。乍看起来，这些形状是不相同的，但从图2可以看出，点划线或粗实线所示形状，只是细实线图形的一部分。细实线所示图形

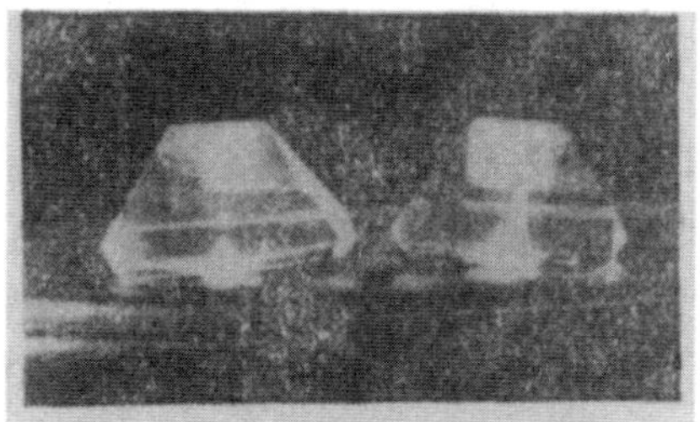

图1　改进熔剂法长出的KTP单晶

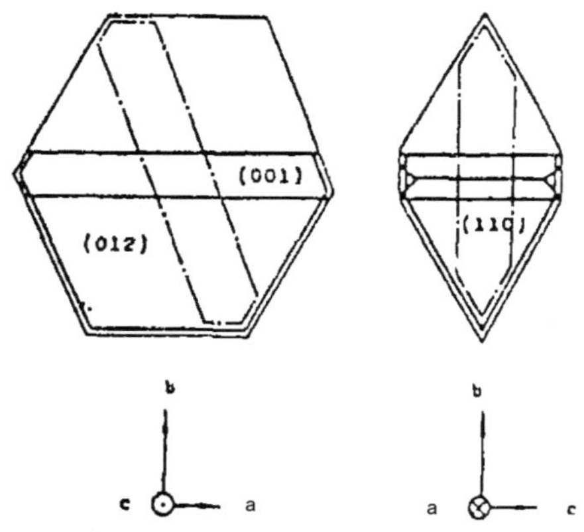

图2　水热法，改进熔剂法和坩埚加速旋转法长出的KTP晶体形态的比较（晶轴a、b、c的排列次序是从小到大）

是KTP晶体外形的基本形状，如果改变籽晶的生长方向，水热法和改进熔剂法都可长出形如细实线所示形态的晶体来。

不过，由于所用的溶剂不同，水热法和熔剂法长出的KTP晶体在颜色、杂质及一些物理性质上的确存在一些差别。水热法生长的KTP晶体呈浅黄色，而熔剂法长出的为无色。这表明在这两种KTP晶体中包含的杂质不同。在水热法长出的KTP晶体的透过率曲线上，在2.7μm处有一尖锐的吸收峰[4]，而熔剂法生长的KTP在同一位置却没有（图3）。这说明OH^-基团已进入水热法生长的KTP晶体格子中去了。按最近Theis, William M.等人的研究[12]，OH^-基团的存在，在一定程度上不利于KTP的非线性极化。

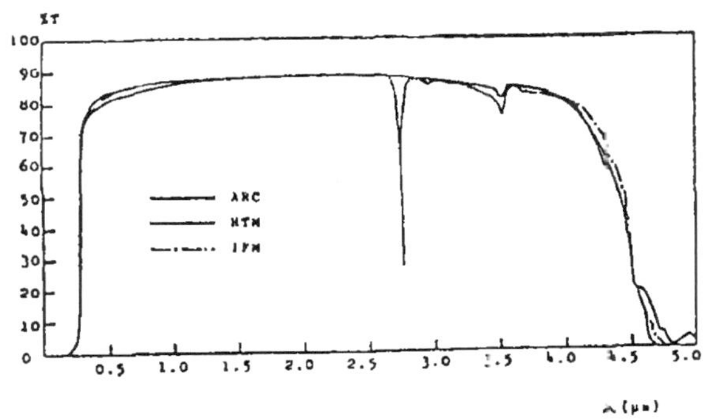

图 3　水热法和熔剂法生长的KTP晶体的透过率曲线。

由于所含杂质不同，折射率也有所不同。正如J.Q.Yao等人指出的，折射率数值的第三位小数的变化，都可对相匹配角的计算产生值得重视的影响。水热法生长的KTP在1.06μm 波长处的相匹配角 $\phi=26°$，$\theta=90°$，经J.Q.Yao修正为$\phi=21.3°$，而改进熔剂法长出的KTP的ϕ的测量值为$23°11'\pm1'$。在另外的波段，这个角度也有所不同。

我们对KTP也进行了X射线衍射实验和晶体结构分析，得到了一些与以往发表的不相同的测量数据。详细情况请见文献〔13，14〕。

图4是KTP（110）面在100°C水溶盐酸中腐蚀半个小时后得到的蚀坑图形。从图可见，所有蚀坑都朝一个方向，表明KTP长出来就是单畴晶体，无须极化。其位错密度约为 $3\times10^3/cm^2$。

图4　KTP（110）面上的蚀坑图形。

当前，KTP主要用作激光倍频器。在我们实验室里，一块通光方向长仅为3.75mm的KTP单晶，对YAG：Nd的1.06μm红外光倍频的转换效率已达68.7%。输入功率密度高达700MW/cm²，也未见任何光损伤。

到目前为止，长出的KTP晶体的尺寸还不很大。但是用改进的熔剂法生长KTP，每进行一次生长，晶体尺寸都会有所扩大。只要铂金坩埚足够大（这比水热法容易做到），生长周期足够长，就可长出尺寸足够的KTP大单晶来。我们相信，这个想法不久的将来就可以实现。到那时，KTP晶体将会在更多的领域得到更广泛的应用。

参　考　文　献

〔1〕F.C.Zumsteg et al., *J.Appl.phys.*, 47 (11) (1976) 4980

〔2〕R.Masse and J.C.Grenier, *Bull. Soc. Franc. Mineral. Cristallogr.* 94 (1971) 437-439

〔3〕I.Tordjman et al., *Z.Krist.*, 139 (1974) 103-115

〔4〕Y.S.Liu et al., Technical Information Series, GE company No 82CRDO16(1982)

〔5〕J.Q. Yao I.C.L.ThF1, Sep. 1983 China

〔6〕J.Q.Yao, T.S. Fahlen, *J. Appl. Phys.*

下转第4页

上接第 7 页

55 (1) (1984) 65-68

〔7〕C.Loiacono, *American Association for Crystal Growth Newsletter* 13(2)(1983)9

〔8〕C.M.Loiacono and J.C. Jacco, Abstra. ts. of ICCG-7 (1983) G B/3

〔9〕R. F. Belt and G. Gashurov, Second International Symposium on Hydrothermal Research The Pennsylvania State University 12-14 August (1985)51

〔10〕W.Tolksdorf and F.welz,in: Ctystal-Growth, Properties and Applications, vol.1 Ed.C.J.M.Rooijmans (Springer, Berlin, 1978)

〔11〕J.C.Jacco et al., *J.Crystal Growth* 70 (1984) 484-488

〔12〕Theis, William M.et al., *Appl.Phys. Letter* 46 (11) (1985) 1033-1035

〔13〕C.E.Huang and D.Z.Sheng, *J.Chinese Silicate* (to be published) .

〔14〕D.Z.Sheng and C.E.Huang, Abstract: Symposium on Nonlinear Optical Materials at the Fall Meeting of the Materials Research Society December 2-6, 1985, Boston U.S.A.

第十四卷第三期
1986年9月

硅 酸 盐 学 报

Vol. 14, №3
September, 1986

铌酸钾晶体的定向、极化和相位匹配*

沈德忠**
（国家建材局人工晶体研究所）

摘 要

描述了生成态铌酸钾多畴晶体的定向和单畴化方法。给出了铌酸钾室温相位匹配图。

一、前 言

1949年贝尔实验室发现$KNbO_3$（以下简称KN）有铁电性[1]，这以后，不少人对该晶体的各项性质进行了许多研究[2-8]。1968年，S.K.Kurtz等人用粉末法测出KN有引人注目的非线性系数[9]，于是推动了生长大尺寸KN晶体、制备大块单畴样品的研究工作。发表了不少成功地生长KN晶体的文章[10-15]，获得的单畴样品尺寸也不断增大[12,15]。但是，对KN晶体单畴化十分重要的定向和极化问题，尚未见到较为详细的报导。尽管E.Wiesendanger通过观察蚀坑来确定KN极化轴方向的方法早已发表[16]，但并未引起人们的重视。这以后仍然看到一些不能实行的定向方法[17,18]。KN的极化办法也有多种。本文的目的，在于对文献[16]通过观察蚀坑确定KN极轴方向的方法进行补充，并叙述KN的极化方法。最后给出通过计算且为实验证实的KN晶体相位匹配θ-ϕ子午面投影图。

二、定 向

要说明为什么观察蚀坑能给多畴KN晶体定向以及如何通过蚀坑辨别晶向，需了解KN从高温长成到室温出炉晶格及其指向的变化历程。

KN在1050°C附近长成时是立方相。晶格参数$a=b=c$，$\alpha=\beta=\gamma$[3]，如图1a所示。温度降到435°C时，KN由立方相变为四方相。其中一轴伸长，并被定为四方相的c轴。其余两轴（a、b）缩短，且$a=b$，$\alpha=\beta=\gamma$，如图1b所示。由于c轴伸长，使晶胞的正负电荷中心不重合，产生自发极化。极化方向即c方向。在四方相，极化矢量可取三个不同的方向，例如[001]、[00$\bar{1}$]、[100]。相变时，自发极化取这三个方向中的哪一个，是随机的。故在435°C以下，KN就已变为多畴了。

温度降到225°C时，KN从四方相变为正交相（即斜方相）。这时原四方相的c轴缩短，a轴伸长，且$c=a$，$\beta=90°15'$，$\alpha=\gamma=90°$。这是由于原四方相晶胞某对{100}面产生微小切变而造成的。这种畸变后的晶胞（习惯上称作假立方晶胞），显然不适合反映正交相KN

* 1985年3月1日收到。

** 本所孙祖琴测量了KN的热膨胀曲线并作图，杨正棠、才德范、刘琪拍摄了KN的腐蚀照片，寿达娅作了KN的极化实验。中科院物理所俞育德计算了正交相KN的X光衍射数据，胡伯清测量了KN的折射率，在此表示感谢。

的对称性，故有必要将发生切变的面的两对角线取为正交相的 c（长对角线）、a（短对角线）轴，而正交相的 b 轴仍为原四方相的 b 轴（方向相同，长度缩短）。这时有：$a \neq b \neq c$，$\alpha = \beta = \gamma = 90°$。如图1c所示。

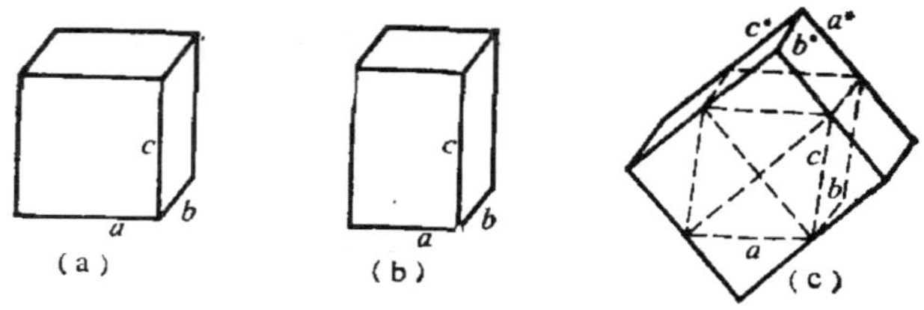

图 1　KN晶胞的变化历程

Fig.1　Variation history of KN crystal cell

(a)Cubic; (b)Tetragonal; (c)Orthorhombic

正交相的自发极化矢量沿伸长的对角线方向，即正交相晶胞的 c 方向。KN 在225°C相变时，自发极化矢量可能取五个不同方向，例如：[110][$1\bar{1}0$]、[$\bar{1}\bar{1}0$]、[101]、[$\bar{1}0\bar{1}$]（假立方轴向）。自发极化取这五个方向中的哪一个，同样是随机的。所以KN从1050°C降到室温时，不但变为多畴晶体，而且畴结构相当复杂。

由此可见，对于室温出炉的生成态KN晶体，任何试图从整块晶体着手的定向方法都是没有意义的。即或是取出来就是单畴的KN晶体，也得通过腐蚀才能知道极化矢量是平行于假立方晶面的哪条对角线，用泡生法、提拉法、熔盐法长出的KN晶体，其自然生长面在室温下基本上是假立方的{100}面。

图 2 中曲线 a、b、c 是单畴KN晶体沿假立方晶胞 a、b、c 轴的热膨胀曲线。e、d 是沿多畴KN晶体的一条自然棱边和一条对角线方向的热膨胀曲线。这两组曲线中的任何两条，都没有相似之处。即不论是测量生成态KN的自然边还是自然面对角线的热膨胀，都无法确定其极化矢量方向和正交晶胞的轴向。所以，文献[17]提出的利用测量KN热膨胀来确定KN极化轴方向，实际上是办不到的。

对于生成态KN晶体，只能分别测定每一畴区中的极化矢量方向。而文献[16]提出的观察蚀坑的办法，则是一种十分有效的方法。但该文给出的KN腐蚀特征并不完全正确。为便于比较，兹将文献[16]的表 2 与我们的结果列于表 1。

在文献[16]的表 2 中，假立方(110)和(001)面上呈现的各种蚀坑图形，是相对于不同取向的极化矢量的。为便于与我们的结果比较，在本文表 1 中是用同一极化矢量在不同晶面上呈现的蚀坑来表示。两种表示法完全等同。表中标有“P”的为假立方相的晶面及轴向，标有“O”的为正交相的晶面及晶向。下同。

图 3 是单畴KN晶体假立方{100}面（即自然生长面）上的蚀坑照片。因为极化矢量的正极腐蚀得慢，负极腐蚀得快，所以通过蚀坑的观察不但可以看出极化轴方向，而且可以决定其正负极性。

从图 3 可见，$(100)_P$ 和$(00\bar{1})_P$面上的蚀坑指明极化矢量沿$[101]_P$方向。这与$(010)_P$面上蚀坑指明的方向是一致的，两者相互印证。故只要找到其中之一就足以确定极轴方向。

通过上述蚀坑的观察，结合KN晶胞从高温长成到室温出炉时晶格参数及其指向的变化历程，可以得出给生成态KN晶体定向的方法：

264

表 1 文献[16]列出的KN腐蚀特征与本文的结果对照表

Table 1 Comparison of characteristics of etching pits in KN crystal given in the reference[16] and in this paper

Table 2 of reference[16]	Etch plane	$(00\bar{1})_O$	$(001)_O$	$(100)_O$	$(010)_O=(010)_P$	$(00\bar{1})_P$	$(001)_P$

	Spontaneous polarization Ps	$[001]_O=[101]_P$	$[001]_O$	$[001]_O$	$[101]_P$	$[101]_P$	$[101]_P$
	Etch rate	Very fast	Very slow	Medium	Medium	Fast	Slow
	Etch pits	None	None	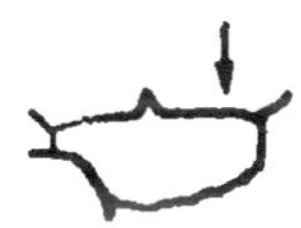			None
Result of this paper	Etch pits		None				None
	Illustration	Fig. 6	Fig. 6	Fig.6	Fig. 3,6	Fig. 3	Fig. 3

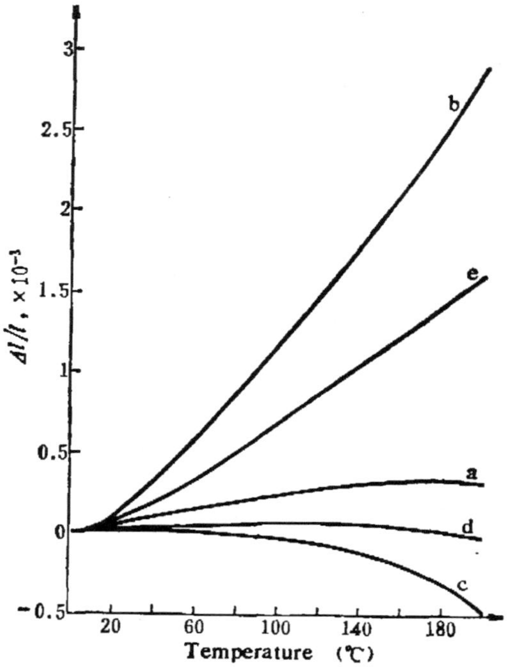

图 2 KN的热膨胀曲线

Fig.2 Thermal expansion curves for KN crystal

a,b,c are the thermal expansion curves for single-domain KN crystal along the *a*, *b*, *c* axes of psudocubic crystal cell respectively, e, d are the thermal expansion curves for polydomain KN crystal along one of the natural edges and one of the diagonals respectively

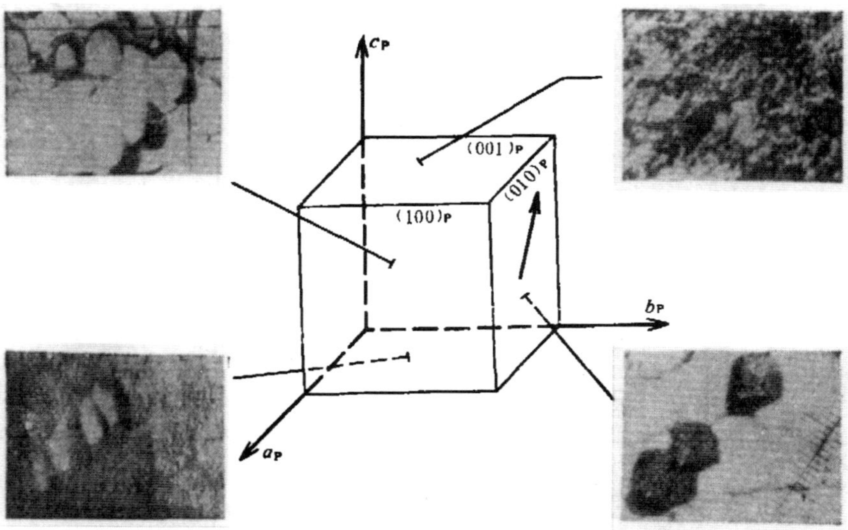

图 3 单畴KN晶体假立方{100}面上的蚀坑照片

Fig.3 Pictures of etching pits of single-domain KN crystal on psudocubic {100} planes

The etching pits on $(\bar{1}00)$ and $(0\bar{1}0)$ planes are similar to those on the (001) and (010) plane respectively

将生成态KN晶体放入KHF_2(5g)+HNO_3(25ml)的混合溶液中在100°C水浴15—20 min，取出后在显微镜下观察晶体自然面上蚀坑图形。按上述方法找到极化轴，此即为正交相KN晶胞的*c*轴。它平行于KN晶体自然晶面的一条对角线。该晶面内另一条对角线的方向即为正交相KN晶胞的*a*轴。垂直于该晶面的KN晶体自然棱边，即为正交相KN晶胞的*b*轴。

如此定向之后，KN正交相的晶格参数为：$a=5.697\text{Å}$，$b=3.971\text{Å}$，$c=5.722\text{Å}$。与结晶学上确定的晶轴顺序不一致。

室温下出炉的多畴KN晶体，经过腐蚀观察后，在晶体中确定各个不同畴区的极轴方向，然后按某一极轴取向占优势的原则切割开来，垂直极轴方向布置一对电极，加直流高压进行极化，极化好以后，再按表2所列数据，对单畴正交相KN晶体进行X射线精确定向。

表 2 正交相KN单畴晶体主晶面的X射线衍射数据

Table 2 X-ray diffraction data of single-domain KN crystal in orthorhombic phase

hkl	2*θ*	*d*(Å)	*I*
4 0 0	65.781	1.42	
0 2 0	45.568	1.99	
0 0 2	31.156	2.87	Strong

上述定向方法，只在生成态KN晶体的畴结构较为简单时才用得着。如果畴结构太复杂，晶体出炉时就已产生永久性开裂[15]，也就无须定向了。

三、极　　化

KN多畴晶体定好向并按极化要求切割后，即可施加直流电场进行极化。图4示出我们使用的极化装置。极化炉有两个窗口，一端通光，另一端可在极化时观察极化过程。图中为了便于画出样品夹的结构，已将其旋转了90°。直流高压电源系采用型号为JC-5的稳压电源。用胶体石墨作电极。极化温度为198—200°C。施加的电场强度从400—900V/cm不等，取决于样品电畴的复杂程度。在样品的上表面，垂直于电场方向加上4.5kg/cm²的压强。

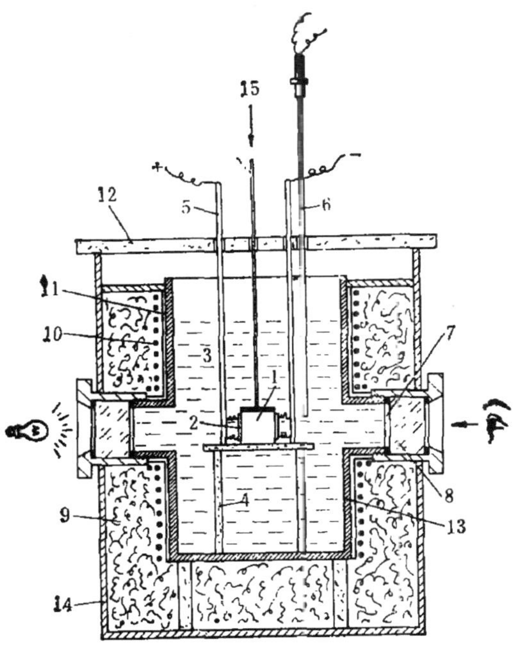

图 4 极化炉构造

Fig.4 Construction of poling furnace

1——Crystal; 2——Platinum contact piece; 3——Silicon oil; 4——Alumina holder; 5——Copper conduction rod; 6——Thermocouple; 7——PTEF washer; 8——Silex glass; 9——Heat insulation material; 10——Heating wire; 11——Asbestos cloth; 12——Alumina plate; 13——Steel pot; 14——Furnace shell; 15——Weight

267

极化电流以15μA/cm^{2}为宜。

一个典型的极化过程如图5所示。从图中可以看到一些因畴壁应力而开裂的裂纹在极化过程中随电场的增加而逐渐消失。图片为原大。图中较明显的长条形裂纹与通光方向成45°，象棱镜一样反射入射灯光，故呈深色。当电场加到130V/cm左右时，裂纹中部的边缘部分开始变得模糊，然后中心部分逐渐透光。电场加到260V/cm时，裂纹下部消失并逐渐变得透明。当电场加到300V/cm左右时，裂纹上部也逐渐消失。KN晶体中的裂纹在电场中逐渐消失的现象，在我们所作的极化实验中多次观察到（裂纹消失不一定都是从中部开始）。有关这里所述的裂纹的详细描写，请参见文献[15]。

图6是极化成单畴的正交相KN样品经腐蚀后各个面呈现的典型蚀坑图形。图7是我们

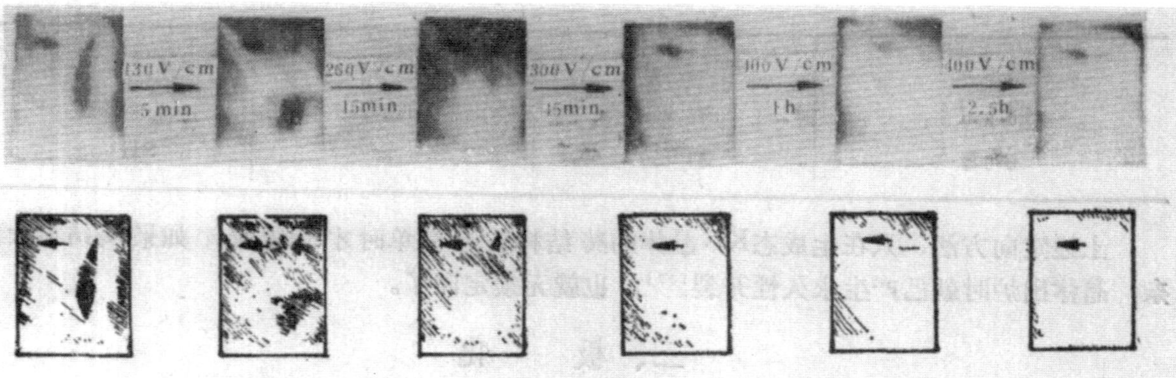

图 5　KN的单畴化过程。随着极化电压的增加，某些裂纹逐渐消失（样品上端的箭头是人工刻上去的）

Fig.5　Process of polarization of KN crystal

Some cracks gradually disappear with the increase of polarized electrical field

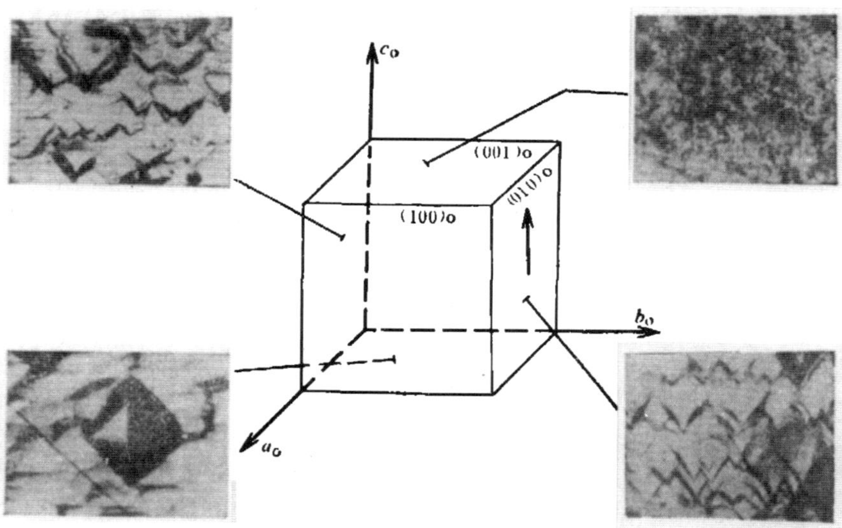

图 6　正交相单畴KN晶体蚀坑照片

Fig.6　Pictures of etching pits of single-domain KN crysyal of orthorhombic phase

The etching pits on the$(0\bar{1}0)_0$ and $(\bar{1}00)_0$ planes are similar to those on the $(010)_0$ and $(100)_0$ planes respectively

268

最近获得的单畴KN晶体，尺寸为34×10×8mm。

文献上曾报导不经腐蚀观察即进行极化的另外几种KN单畴化方法：（1）电场沿生成态晶体$[100]_P$方向，电极涂在相对的两个$(100)_P$面上[19]；（2）电场沿生成态晶体$[110]_P$方向，电极涂在相应的一对$(110)_P$面上[11,20]；（3）电极涂在一个$(100)_P$面的四周，呈"L"形状，如图8所示。电场大致指向$[110]_P$方向[21]。

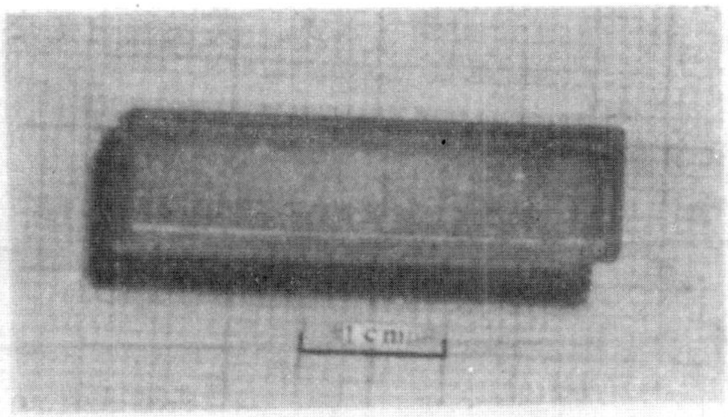

图 7　极化为单畴的KN晶体

Fig.7　Single domain KN crystal obtained after polarization

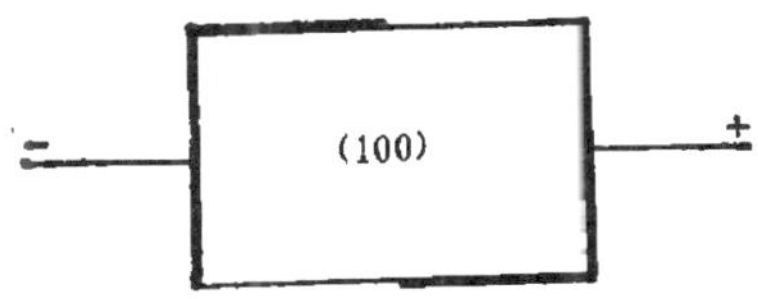

图 8　"L"形电极

Fig.8　"L" electrode

这三种极化方法我们都实验过。按（1）法极化，其结果多是在晶体上形成多个90°畴区相隔的条带，如图9a所示。从来没有将晶体极化为单畴。按（2）法极化，大多数情况下样品首先在靠电源正极一边出现裂纹，随电场增加而越来越多，然后又逐渐减少。达到某一电场值后便不再变化。样品靠负极端仍留下许多消除不掉的裂纹。这说明样品中占优势的极化矢量方向并不在所加的直流电场方向上，致使样品在强大的直流电场作用下晶格在较大范围内重新取向。极化电流可达60μA/cm²。

按（3）法极化，同样也出现上述（2）法的现象。但有时尚可得到3—4个以60°或120°畴壁为界的单畴区，如图9b所示。极化电流有时可达170μA/cm²。

另外还有一种极化方法[12]，极化前也先通过腐蚀找出自发极化方向。但有两套电极：

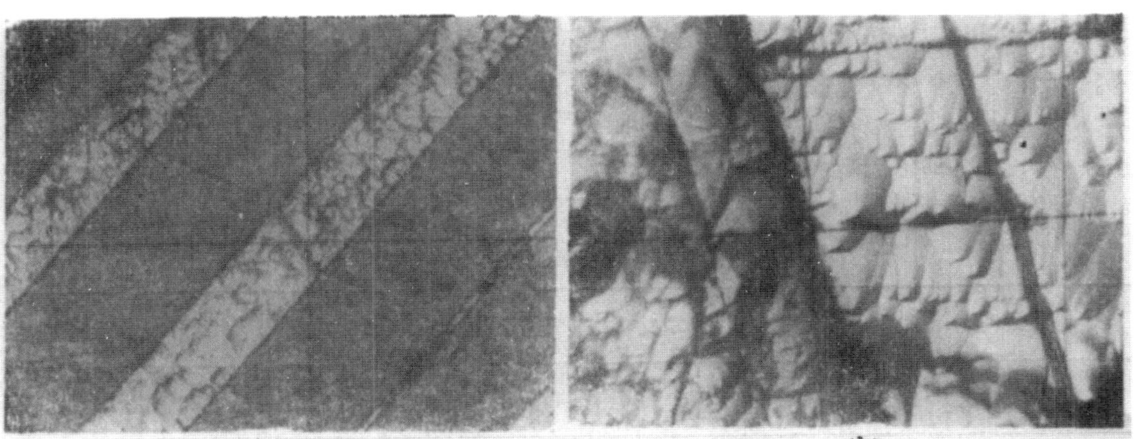

(a)　　　　(b)

图 9　90°畴区间隔的条带（a）和120°畴界（b）

Fig.9　Stripes separated by boundary of the 90° domain (a) and boundary of 120° domain (b)

269

一套用在四方相，一套用在正交相。因为四方相的极化方向在[100]$_P$方向，而正交相的极化方向在[110]$_P$方向，两套电极加上极化电场后其作用区域并不完全重合，故极化也不太可能完全。笔者曾于1985年8月有机会与文献[12]的作者之一H.Arend教授就这一问题进行交谈，他说他们已放弃了这种极化方法。

四、相 位 匹 配

我们测得的KN室温折射率如表3所示，与文献[11]报导的相差不多。其误差主要来自切磨加工和对1.06μm值的外推。

表 3 KN的室温折射率测量值

Table 3 Refractive indices of KN crystal measured at room temperature

$\lambda(\mu m)$ \ n	n_x	n_y	n_z
0.5320	2.2022	2.3223	2.3813
1.0640	2.1210	2.2230	2.2600

按文献[22]，欲求KN的相位匹配位置，需解方程

$$n_i^2 E_i = n^2\{E_i - K_i(E\cdot K)\}$$

将此方程按E_x、E_y、E_z展开，取其系数行列式为零，并代入n_x、n_y、n_z之值，用电子计算机求解，可画出KN在主坐标第一象限内相位匹配的子午面投影图，如图10所示。图中

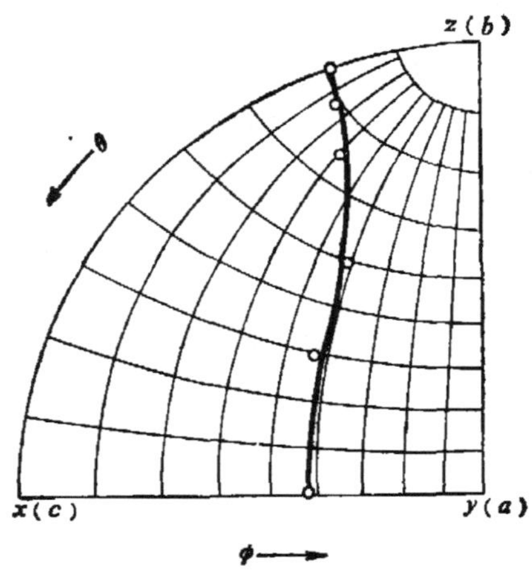

$a=5.697\,Å$，$b=3.971\,Å$，$c=5.722\,Å$

θ	19°4′	20°	30°	40°	50°	60°	70°	80°	90°
φ	0	15°	40°38′	46°50′	48°40′	48°34′	47°43′	46°46′	46°24′

图 10 KN的室温相位匹配图

Fig.10 Schematic diagram of the possible loci of directions for phase matching in KN crystal at room temperature

只存在$n_1''=n_2'$的匹配，故KN在室温下只有Ⅰ型匹配。KN的相匹配曲线已为我们用其单畴晶体作的SHG试验证实（图中的圆圈为实验匹配点）。

五、结　　论

1.通过观察蚀坑并结合偏光检验，可决定生成态多畴KN晶体每一畴区的极化轴方向。

2.在确定极化轴的基础上，结合KN晶格的变化历程以及观察晶棱与极化轴之间的相对位置，可确定室温生成态KN晶体每一畴区的晶轴取向。

3.按某一极化矢量占优势的原则切割供极化的样品，通过施加直流电场和重力，可使多畴KN晶体单畴化。

4.KN晶体单畴化以后，按表2所列数据进行精确的X射线定向。

5.KN晶体在室温下对1.064—0.53μm激光的转换只有Ⅰ型相位匹配。

参 考 文 献

[1] B.T.Matthias, *Phys.Rev.*, **75**(1949)1771.
[2] B.T.Matthias and J.R.Remeika, *Phys.Rev.*, **82** [5](1951)727.
[3] G.Shirane, R.Newnham and R.Pepinsky, *Phys.Rev.*, **96**[3](1954)581.
[4] G.Shirane, H.Danner, and Pavlovic, et al., *Phys.Rev.*, **93** [4](1954)672.
[5] A.Reisman, F.Holtzberg, *J.Amer.Chem.Soc.*, **77** (1955)2115.
[6] V.A.Timofeeva and A.S.Popova, *Soviet Phys.Crystall.*, **7** (1962)233.
[7] W.R.Wilcox and L.D.Fullmer, *J.Amer.Ceram.Soc.*, **49** (1966)415.
[8] D.J.Masshall, *J.Phys.Chem.Solids*, (GB) [1] (1967)557.
[9] S.K.Kurtz and T.T.Perry, *J.Appl.Phys.*, **39** (1968)3789.
[10] J.J.Hurst and A.Ling, *Mat.Res.Bull.*, **6** (1971)163.
[11] T.Fukuda and Y.Uematsu, *Japan.J.Appl.Phys.*, **11** (1972) 163.
[12] U.Fluckiger and H.Arend, *J.Cryst.Growth*, **43** (1978) 406.
[13] G.Metrat and A.Deguin. *Ferroelectrics*, **13** (1976) 527.
[14] 王文山、邹群，耿兆华，硅酸盐学报，**10**（1982）438。
[15] 沈德忠，宋永革，蒋达娅，人工晶体，**14**[2]（1985）81。
[16] E.Wiesendanger, *Czech.J.Phys.*, B **23** (1973) 91.
[17] Y.Uematsu, *Japan.J.Appl.Phys.*, **13**[9] (1974) 1362.
[18] 山国祥，胡百柳，许玉增等，《全国晶体生长与材料学术会议论文摘要汇编》B，（1979）120。
[19] T.Fukuda and Y.Uematsu, *J.Cryst.Growth*, **24/25** (1974) 450.
[20] K.G.Deshmukh and S.G.Ingle, *J.Phys.D, Appl.Phys.*, **4** (1971) 124.
[21] 王德彪，中国军事医学科学院内部报告（1979）。
[22] 李荫远，杨顺华，《非线性光学》，科学出版社，（1974）19。

ORIENTATION, POLARIZATION AND PHASE MATCH OF $KNbO_3$

Shen Dezhong

(Research Institute of Synthetic Crystals, State Administration of Building Materials Industry)

Abstract

Orientation and polarization methods of as-grown $KNbO_3$ polydomain crystal are described. Schematic diagram of the possible loci of different directions for phase matching in $KNbO_3$ crystal at room temperature is given.

铁电晶体铌酸钾

沈德忠

（国家建筑材料工业局人工晶体研究所）

1949年，美国贝尔实验室的B. T. Matthias首次报道铌酸钾（$KNbO_3$，以下简称KN）是一种铁电体[1]．当时正值铁电物理学兴起之时，已发现罗息盐、磷酸二氢钾、钛酸钡等几种晶体具有铁电性．Matthias根据KN与钛酸钡在晶体结构上的相似性，推断KN也应具有铁电性．为了证实这一点，他试图按1877年法国人Joly报道的方法，用CaF_2作助熔剂来生长KN[2]，但重复多次未成功．后来他改用熔点较低的钾盐（KF，KCl）作助熔剂，得到了边长为1—2 mm的透明多畴立方晶体．用这些小晶体作介电性质测量，Matthias观察到了铁电居里转变点，证实了他的推测．这一发现推动了KN晶体的生长和特性研究工作．

五十年代至六十年代，人们用多种方法生长KN，但都未能得到边长大于2mm的单畴晶体．由于晶体尺寸不够大，使其特性研究仅局限于晶体结构、相变历程、自发极化、介电习性等物性方面．

1968年，Kurtz等人用粉末法测出KN具有很大的非线性光学系数[3]．这立即引起人们对获得大尺寸单畴KN晶体的极大兴趣．七十年代初期，T. J. Hurst, W. Huber, T. Fukuda等人用顶部籽晶提拉法和改进的泡生法（Kyropoulous），成功地长出了尺寸较大的晶体，获得边长大于8mm的立方透明单畴KN晶块，从而使KN的研究范围扩大至压电、热释电、电光、激光倍频、参量振荡、相位共轭以及全息存贮等．

KN是一种钙钛矿型氧化物晶体．熔点为1050℃．从熔点降温，要经历三次相变：立方 $\xrightarrow{435℃}$ 四方 $\xrightarrow{225℃}$ 正交 $\xrightarrow{-45℃}$ 三角．在立方相晶胞中，铌离子位于各面心的氧离子构成的八面体中心，钾离子位于晶胞八个顶角（如图1）．整个结构中心对称，正负电荷中心相重合，这时没有铁电性．当温度降到435℃时，KN晶胞沿立方单胞某一主晶棱方向伸长，氧八面体发生畸变，这时正负电荷中心不再重合，晶胞内产生电偶极性，这就是KN的自发极化现象．自发极化矢量沿晶胞伸长的方向即[001]方向．当温度降到225℃时，四方相的KN晶胞又会沿该相的（100）面的一条对角线方向伸长．自发极化矢量沿该面对角线伸长的方向．这时KN转变为正交相．室温下的KN晶体即属于这一晶相（空间群为$Bmm2$）．

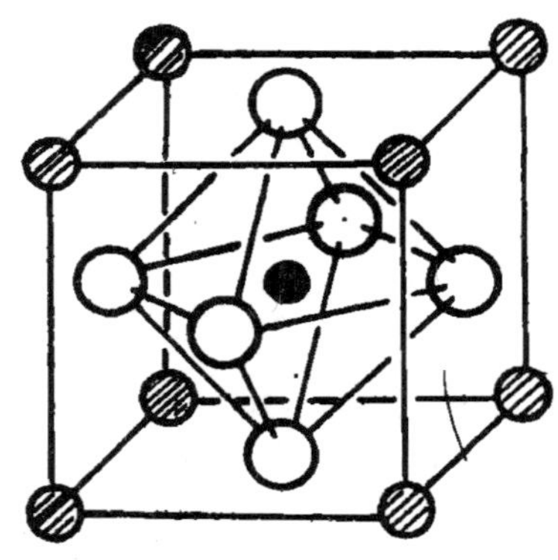

图1 KN的立方（>435℃）或伪立方（<435℃）晶胞构造

许多氧化物晶体的铁电性，都是由于晶胞内氧八面体产生严重畸变，致使正负电荷中心不重合而引起的．若用d^2/n^3（d——非线性光学系数，n——折射率）表征其铁电性解的品质因素，则可通过计算，对含有Nd—O，Ta—O，Ti—O，I—O等铁的各种氧八面晶体的铁电性能进行比较．图2示出P. Günter的计算结果[4]（图中同时示出其他几种不含氧八面体的

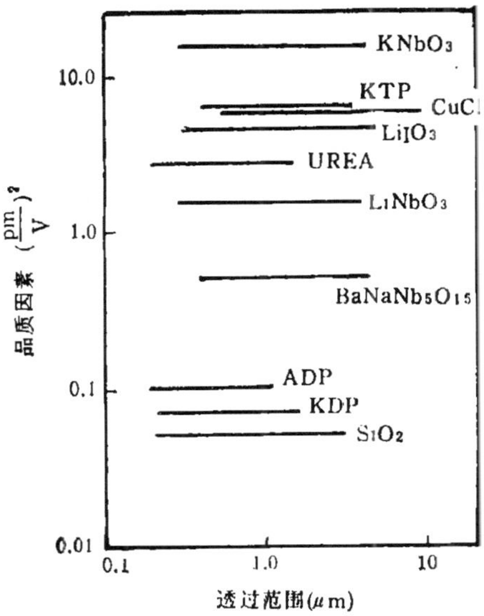

图 2　一些铁电晶体的品质因素 d^2/n^3 及其透过范围

d^2/n^3 值). 从图 2 可见，KN 名列前茅.

由于KN具有很强的铁电性，因此在非线性光学领域有很多应用. 例如，在激光倍频方面，已用 KN 单畴晶体进行 YAG: Nd 1.064 → 0.53 μm 的内腔倍频转换，转换率达 100% (温度匹配 181℃)[5]. KN 至今仍是半导体 GaAlAs 激光器 0.86 μm 的最佳倍频材料，因为它可以对此波段进行 90° 相位匹配.

用 KN 可作成高峰值脉冲功率(达 12MW)和高平均输出功率 (770 mW) 的参量振荡器，调谐范围为 0.88—1.35 μm. 因为不掺杂的 KN 晶体的光损伤阈值比铌酸锂大一个数量级，故用 KN 作成的参量振荡器可在高得多的功率下工作. 在保持泵浦功率始终为 24MW、复重频率为 10pps 的条件下，KN 参量振荡器连续工作七个小时以上，振荡输出或光学质量均未发现降低[6].

KN 不但有很强的铁电性，还有很强的电光特性. 其电光系数 $\Gamma_{42}^{T} = 380 \times 10^{-12}$m/V[7]，在铁电体中仅次于钛酸钡，据此可作出半波电压只有 16V 的电光调制器 ($\lambda = 0.4579$ μm)，用通常的晶体管或集成电路就可以驱动.

近年来，利用晶体的电光特性记录全息信息的研究工作已广泛开展. 将电光晶体在具有干涉花样的光照下暴光，电子或空穴受到激励并转移到其它位置. 结果，在晶体中产生空间电荷场，该场通过电光效应调制晶体的折射率(光致折射率变化效应)，能将干涉花样记录下来. 用一定强度的均匀光照射晶体，即可将记录下来的花样擦除，使晶体回复到初始状态. 许多铁电体如 $LiTaO_3$，$BaTiO_3$，SBN 以及非铁电晶体 KTN，$Bi_{12}SiO_{20}$，$Bi_{12}GeO_{20}$ 等都有这种特性. 而 KN 作为体全息存贮材料，又有它突出之点. 铁掺杂并还原的 KN 晶体，其光敏感性可随施加的外电场而显著地变化. 通过调节外加电场强度，KN 的记录和擦除灵敏度可比掺铁的 $LiNbO_3$ 大三个数量级，达到 $Bi_{12}SiO_{20}$ 和 $Bi_{12}GeO_{20}$ 相同的数值 (后两者的灵敏度与卤化银干板相当，为电光晶体中的最高者). KN 的光导率很大，载流子的漂移长度可以和可见光全息图的条纹间距相比，故全息条纹的形成时间很短，为毫秒数量级(一般氧化物晶体的为数秒级)，铁掺杂并还原的 KN 晶体在强度为 1W/cm² 的光照下，全息图形成的速度比纯 $LiNbO_3$ 快 10^4 倍，而且没有 $LiNbO_3$ 那样的"疲劳"现象[8]，因此可将快速变化的全息信息实现实时全息存贮.

当两束强度相等，传播方向相反的光通过掺杂的 KN 晶体时，光束与从晶面反射回来的反射波相干涉，产生干涉条纹. 而光致折射率变化效应在晶体中产生的记录花样与干涉条纹之间存在一定的相位差，从而在这两束光之间引起能量转移 (光束耦合). 适当调整系统参数，可使其中一束光的透过率比另一束光大一倍. 这种由于两束强度相等、传播方向相反的光通过掺杂的 KN 晶体后产生的透过率不对称性，可以用来制造用于环形激光器或激光陀螺的光二极管[9].

当两束相交成某一角度、强度不等的光射到掺杂的 KN 晶体上时，同样会产生上述的光束耦合现象. 适当调整系统参数，可以使强光束的能量转移到弱光束上去，从而使弱光束得到放大. 若弱光束带有光信息，则这种效应就象光学三极管一样将光信号放大. 现在用掺铁并还原的 KN 晶体，已成功地将弱光束的信号

表 1　KN 晶体的部分参数

名　称	数　　值	条　件
空间群	$Bmm2$	室　温
晶格常数	$a=5.697\text{Å}$　$b=3.971\text{Å}$　$c=5.722\text{Å}$	室　温
电光系数	$\Gamma_{42}=380\times10^{-12}\text{m/V}$	$\lambda=633\text{nm}$　$T=22℃$
压电系数	$g_{15}=0.152\text{m}^2/\text{V}$　$d_{15}=21.5\times10^{-11}\text{C/N}$	
折射率	$n\sim2.2$	
透光范围	0.35～5μm	
居里温度	435℃	
SHG 参数	参见附图：KN 晶体对 1.06—0.53 μm 倍频的室温相位匹配子午面投影图	室　温

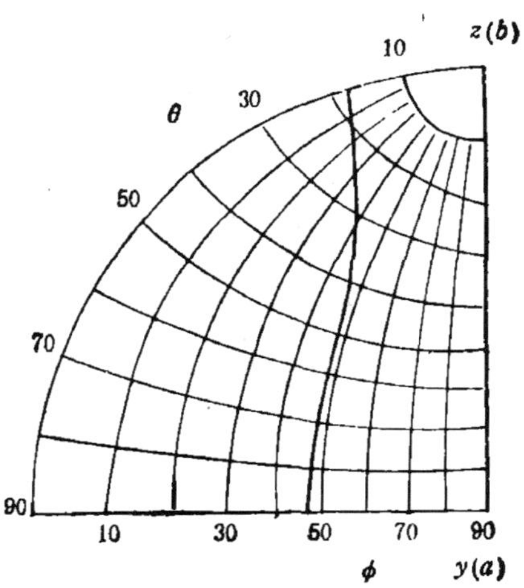

图 4　KN 晶体对 1.06—0.53 μm 倍频的室温相位匹配子午面投影图

放大了三十倍而无明显的畸变[10]。

通过一种叫做退化四波混合的光路，用掺铁并还原的 KN 晶体使畸变的波前得到修复(相位共轭)，如图 3 所示．两束反相传播的泵浦光 R_1 和 R_2，和带有信号的弱光束 S_3 在 KN 晶体上，相互作用，产生第四个波 S_4，这个波与 S_3 复合共轭．若 S_3 因某种原因产生了畸变(例如光路中透镜表面不平)，S_4 可以去掉所产生的畸变，使光信息回复到原来的形状[10]。

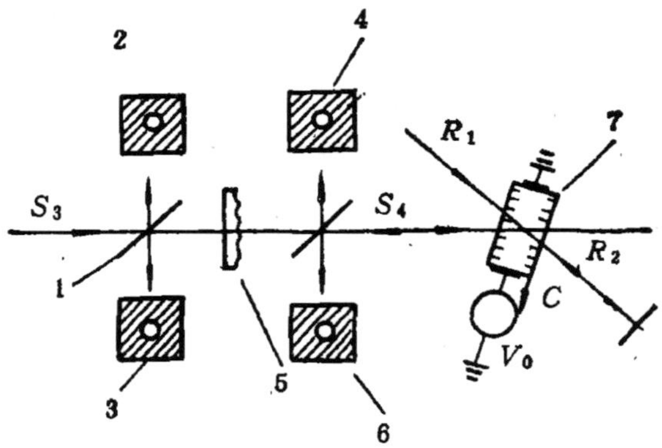

图 3　使用掺杂 KN 晶体在退化四波混合光路中校正相畸变的实验装置

1．分束器；　2．输出光斑；　3．从畸变面后背面反射的光斑；
4．畸变光斑；　5．畸变面；　6．反射光斑；　7．掺铁 KN 晶体

有关 KN 晶体的性能请参阅表 1 及图 4。

KN 晶体虽具有上述各种优良性能和重要的应用价值，但要制造出光学品质合格的大尺寸单畴 KN 晶体却不容易。

生长 KN 晶体的最大困难在于开裂．如前所述，KN 晶体从长成温度降到室温要经历两次相变．在从立方相转到四方相对，其自发极化矢量可沿晶胞 a，b，c 轴中任何一个方向，而且这种取向过程在自发相变时是个随机的，即整块晶体中的自发极化矢量只有极其微小的几率沿同一个方向取向．在大多数情况下，局部区域的自发极化矢量取向相同，整个晶体是由许多自发极化矢量取向互不相同的小区域(称为畴)构成 KN 晶体在经历第一个相变后，便转变为多畴晶体．　当温度降到 225℃ 时，KN 从四方相转变到正交相，自发极化矢量沿晶胞中伸长了的面对角线方向取向(共有十二种可能的取向)．相变时，晶胞的哪一条面对角线伸长，也是随机的，而且这个随机过程是在上一次相变时产生的随机过程的结果上进行的．　所以，当 KN 晶体通过第二个相变温度后，便形成了

表 2　主要国家的 KN 晶体生长进展情况

年份	国别	作　者	方　法	长出的晶体尺寸 (mm^3)	相应的体积	单畴晶体尺寸 (mm^3)	相应的体积
1958	美国	Miller	TS* + Ky**	25×25×25	15625		
1963	苏联	Timofeeva	TS	25×25×9	5625	2×2×1	4
1971	美国	Hurst	TS	10×10×20	2000		
1972	日本	Fukuda	IKy***	40×40×15	24000	8×8×8	512
1974	瑞士	Flückinger and Arend	TS	60×15×15	13500	20×10×10	2000
1978	中国	人工晶体研究所	IKy	42×45×13	24570	32×9×8****	2304

* TS——顶部籽晶法． ** Ky——泡生法． *** IKy——改进泡生法。 **** 人工晶体研究所的 32×9×8 mm^3 的单畴晶体是 1984 年才制得的．

异常复杂的畴结构．由于不同畴之间的交界处(畴壁)离子所受的力不同，所以产生畴壁应力．这些畴壁应力往往使室温出炉的 KN 晶体严重开裂．

当前比较成功地长出大尺寸透明 KN 晶体的方法有两种：提拉法和泡生法．从缓解 KN 晶体开裂这一点来说，泡生法比提拉法好些．这是因为提拉法要求晶体和熔体的接触面——固临界面处有一定的温度梯度．要满足这个条件，生长炉内势必要有较大的温差，这会使 KN 相变时形成的畴变得更加复杂，使晶体严重开裂．而泡生法生长晶体时，是将晶体泡在熔体中生长，要求熔体内和液面以上的温度梯度尽可能地小．这就有利于 KN 相变时形成较为简单的畴结构，缓解晶体的开裂．

KN 的所有应用，都要求晶体是单畴结构的．但是室温出炉的 KN 晶体都是多畴结构的，故需在一定的强度的直流电强和重力作用下将多畴极化为单畴结构．过去要求用来极化的 KN 晶体必须是不带裂纹的，而实际上很少有几块生成态的 KN 晶体没有裂纹，这就大大限制了 KN 晶体的利用率．近来发现，并不是所有带裂纹的晶体都不能极化为单畴．KN 的开裂可分为两种情况．一种是十分严重的开裂，其裂纹呈不规则的扭曲形状．被这些裂纹分割的晶体各个部分呈深浅不同的乳白色．无论怎样改变极化条件，也不能把这种裂纹去掉．另一种类型的裂纹比较有规则，它们在晶体中相互平形排列，与晶体自然棱边成 45° 角，裂纹在晶体中相互交叉成 90°，整个晶体色调相同．在一定的温度和重力作用下，随着极化电场强度的增加，这些裂纹会逐渐消失，最后整块晶体变成完整的单畴晶体[11]．

表 2 列出 KN 晶体生长的主要进展情况．从表 2 所列生成态 KN 晶体的尺寸和单畴晶块的大小来看，我国在 KN 晶体生长方面处于国际领先水平．但在 KN 晶体的应用方面，则还很落后，只在激光倍频中做了一些初步实验．KN 晶体的广泛应用，取决于能否提供批量的优质单畴晶块．这首先仍然是晶体生长工作者的任务．

国家建筑材料工业局人工晶体研究所的蒋达娅同志收集了有关 KN 的性能资料并绘图，北京航空学院的徐淦和航天部第三研究院某研究所的覃衡宇为本文提供了有关 KN 应用方面的资料，特在此表示感谢．

参 考 文 献

[1] B. T. Matthias, *Phys. Rev.*, **75**(1949), 1771.
[2] Joly, *Ann Sci. de l'ecole Norm.*, Sup. Paris, 6(1877), 164.
[3] S. K Kurtz and J. T. Perry, *J. Appl. Phys.*, **39**(1968), 3789.
[4] P. Günter, *Ferroelectrics*, **24**(1980), 35.
[5] V. Uematsu and T. Fukuda, *Japan J. Appl. Phys.*, **12**(1973), 841.
[6] K. Kato, *IEEE J. Quant. Electr.*, **QE**-18-4(1982), 451.
[7] P. Günter, *Optics Communications*, **11**-3(1974), 285.
[8] A. Krumins and P. Günter, *Appl. Phys.*, **19**(1979), 153.
[9] M. Z. Zha and P. Günter, *Optics Letter*, **10**-4(1985), 184.
[10] P. Günter, *Ferroelectrics*, **40**(1982), 43.
[11] 沈德忠，硅酸盐学报，**14**-3(1986)，263．

第19卷　第1期　　人 工 晶 体 学 报　　Vol.19, No.1
1990年3月　　JOURNAL OF SYNTHETIC CRYSTALS　　March, 1990

$Fe:KNbO_3$晶体熔盐法生长及其光折变效应

沈德忠　蒋达娅　童小林

（人工晶体研究所，北京）

张合义　何雪华　陈尔立　刘越

（北京大学物理系）

提要：本文叙述了$Fe:KNbO_3$晶体的生长，讨论了铁离子的分凝系数及$Fe:KNbO_3$的畴结构，介绍了该晶体的光折变测量结果，首次报导了室温自泵浦相位共轭效应，自泵浦反射率达70%。

关键词：非线性光学晶体，光折变晶体，铌酸钾晶体，自泵浦相位共轭

Crystal Growth of $Fe:KNbO_3$ by Kyropoulos Method and Its Photorefractive Effects

Shen Dezhong　Jiang Daya　Tong Xiaolin

(Research Institute of Synthetic Crystals, Beijing)

Zhang Heyi　He Xuehua　Chen Erli　Liu Yue

(Department of Physics, Peking University)

Abstract: The Kyropoulos growth of $Fe:KNbO_3$ crystals is described briefly. The segregation coefficient of Fe ions and the domain structure of the as-grown $Fe:KNbO_3$ crystals are discussed. Measurement results on the photorefractive property of $Fe:KNbO_3$ crystals are given. The self-pumping phase conjugation effect in $Fe:KNbO_3$ crystals at room temperature is reported for the first time. The self-pumping reflectivity reaches up to 70%.

Key words: nonlinear optical crystal, photorefractive crystal, potassium niobate (KN), self-pumping phase conjugatiom

本文1989年10月18日收到。

一、引　言

用于实时光信息处理的光折变材料，需要具有快速响应时间、高的灵敏度及大的衍射效率和放大率。目前可利用的几种晶体如$BaTiO_3$，SBN，BSO，等，都不能同时满足上述需要，因此，它们的光折变应用受到限制。$BaTiO_3$晶体有较高的放大率和较强的自泵浦效应，但响应时间太长。SBN，BSO具有高敏感性，但它们的耦合效率偏低。寻找具有全面光折变特性的晶体在光信息处理及晶体生长领域都是一项有意义的任务。

非线性光学特性很好的铌酸钾，也是优异的电光晶体，其电光系数$\Gamma_{42}=380pm/V$，除$BaTiO_3$外，在氧化物晶体中是最高的，由于$KNbO_3$晶体的介电常数比$BaTiO_3$晶体小得多，故光折变晶质因数Q（$=n^3\Gamma/\varepsilon$）最高，见表1所示。因此，$KNbO_3$晶体光折变特性的研究长期以来一直吸引着研究工作者。

表1　某些光折变材料的晶质因数[1]

Table 1 Figure of merit Q for some photorefractive materials[1]

Material	$KNbO_3$	$LiNbO_3$	$LiTaO_3$	$BaTiO_3$	$SrBaNb_2O_6$	GaAs	$Bi_{12}SiO_{20}$
Q	19.3	[illegible].3	7.3	6.3	4.8	4.7	[illegible].5

V. Flückiger和H. Arend在1978年首次用提拉法长出$Fe:KNbO_3$，然后P. Günter等人探索了该晶体的光折变特性，按他们的结论，$Fe:KNbO_3$具有高响应速度（毫秒级），比$BaTiO_3$快三个数量级，有较高的存贮、抹除敏感性，可与$Bi_{12}SiO_{20}$及$Bi_{12}GeO_{20}$相比，但其它特性如衍射效率，增益等比$BaTiO_3$差得远，也没有自泵浦相位共轭效应存在。

我们用Kyropoulos法生长$Fe:KNbO_3$，其光折变特性测试结果表明，$Fe:KNbO_3$不但具有快响应速度，高灵敏度，大衍射效率及增益，而且在室温下即有高效率的自泵浦相位共轭效应存在。

二、$Fe:KNbO_3$单畴晶体的制备

除了在原料中加入适量的Fe_2O_3外，$Fe:KNbO_3$的生长与纯$KNbO_3$是一样的，在1300℃熔烧原料时旋转坩埚使Fe^{3+}在熔体中均匀分布，这样可以避免由于Fe在埚底凝聚而使铂坩埚受到的损伤。烘烧完成之后，将坩埚置于晶体生长炉中进行生长，生长温度约1055℃，坩埚旋转速率为30～45r/min，长出的$Fe:KNbO_3$晶体呈黄绿色且为多畴结构，晶体尺寸一般可达$40\times40\times15mm^3$。

Fe离子在熔体中的分凝系数很小，当熔体中Fe^{3+}浓度为500ppm时，长出的晶体中铁离子浓度约为75ppm，当熔体中铁离子浓度为2000ppm时，晶体中的约为130ppm，Fe离子的平衡分凝系数约为0.03～0.035，且有随着Fe^{3+}在熔体中浓度的增加而增加的倾向。

用Kyropoulos法生长时，晶体是浸在熔体中的。随着晶体长大，从晶体排到生长层的杂质逐渐增加，但同时搅拌效应也相应地增加，这有利于生长边界层凝聚的杂质迅速输运入熔体。我们使用的铂坩埚直径为120cm，深9cm，可容纳较多熔体。假定熔体重4kg，生长的$Fe:KNbO_3$晶体尺寸为$40\times40\times15mm^3$。刚开始长出的晶体部分与最后长出的晶体部分Fe^{3+}

敏度之差不超出3ppm。

Kyropoulos 法长出的 $Fe:KNbO_3$ 有规则的假立方外形和非常复杂的畴结构．与纯 $KNbO_3$ 的情形相同．图1给出了生成态 $Fe:KNbO_3$ 晶体一个自然面上的腐蚀坑．小水滴状的蚀坑末端显示了自发极化矢量的负极．可以看到一条裂纹穿过一条180°的畴壁。图2(a)和2(b)是以 $Fe:KNbO_3$ 晶体的中心切割出来的立方体表面上的蚀坑图形．从图2(a)上，我们可以看到许多象城市地图上街道一样的黑色条纹，他们是相对于背景的90°畴壁。图2(b)是偏光显微镜下观察到的图2(a)同一表面区域图形，它表明不同

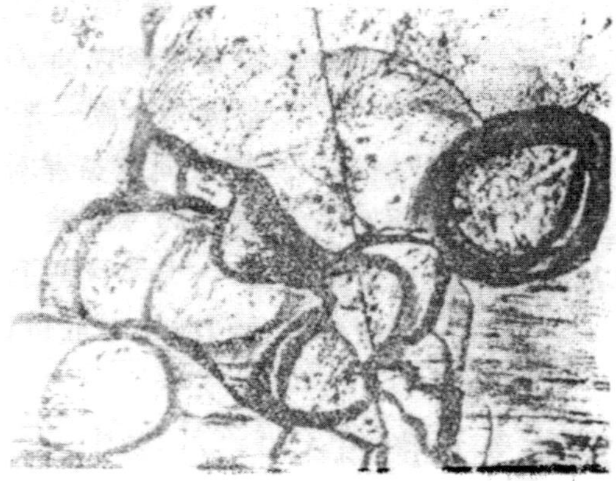

图1 $Fe:KNbO_3$ 晶体一个自然面上的蚀坑

Fig.1.Etch pits on a natural face of an as-grown $Fe:KNbO_3$ crystal

图2 (a) $Fe:KNbO_3$ 晶体复杂的畴结构，(b) 偏光显微镜拍摄图(a)同一区域的照片

Fig.2. (a) Complicated domain structure of $Fe:KNbO_3$ crystals.

(b) Polarization microscopic picture of the same region in Fig. 2 (a)

畴区显示不同的消光。图3中，两条平行且扭断的线穿过一系列平行的90°畴壁，这两条线是S壁，如文献〔9〕所报导的，与90°畴壁的夹角恰是107°。图4示出 $Fe:KNbO_3$ 的一个抛光

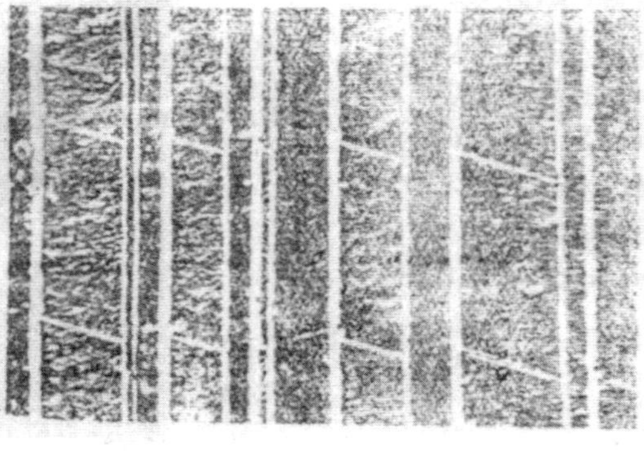

图3 $Fe:KNbO_3$ 晶体的S壁

Fig.3.S-walls in a $Fe:KNbO_3$ crystal

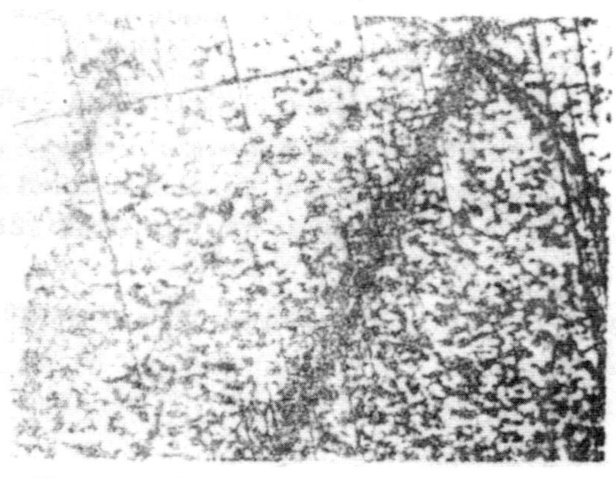

图4 大量交叉条纹覆盖三道划痕的抛光面

Fig.4.A polished surface with three scratches covered by a lot of crossed strips

— 3 —

表面，有三道由抛光不好造成的划痕，这些划痕由大量的交叉条纹所组成，划痕越重，交叉条纹的范围越宽，这些条纹是90°畴区，它们是由产生划痕的局部应力引起的。这清楚地告诉我们，在抛光 $Fe:KNbO_3$ 时应尽量避免划痕的出现，一旦产生划痕，它本身将成为多畴区域，这将给晶体的抛光带来一系列的麻烦。

长出的$Fe:KNbO_3$晶体能被定向并极化为单畴[5]，极化电流密度约10～15μA/cm²，取于决畴结构的复杂程度。象图2（a）所示的那种多畴区域很难极化为单畴。对于大多数光折变应用来说，应将Fe^{3+}还原为Fe^{2+}，这可将极化为单畴的晶体，再置于193℃温度下，通电1μA/cm²，经四天即可将晶体中的Fe^{3+}还原为Fe^{2+}离子。

三、$Fe:KNbO_3$的光折变效应

我们系统地研究了 $Fe:KNbO_3$ 的光折变效应，两波耦合指数增益系数r取决于材料参量（载流子浓度N）和外部控制参量（入射光强度比入射光夹角2θ、光栅矢量K_g与光轴β的夹角），当$N=1.7\times10^{16}cm^{-3}$，$\beta=73°$，$\theta=6.5°$，强度比$I_P/I_s=1000$，$r=13cm^{-1}$。我们测量了$Fe:KNbO_3$的两波混频相干光图象放大特性。当$N=1.5\times10^{17}cm^{-3}$，强度比$I_r/I_s=50000$，$\theta=30°$，$\beta=45°$，图象放大增益$G$为2500对应的$r=39cm^{-1}$。这高于$BaTiO_3$所得到的结果，所有这些数据都与理论计算相符。

张合义教授和他的同事首次观察到 $Fe:KNbO_3$ 的室温自泵浦相位共轭效应[10]，相共轭反射率为30%，在特殊设计的光路下，$Fe:KNbO_3$的自泵浦相共轭反射率可达70%以上。几乎同时，体斯公司的Rytz也观察到不掺杂$KNbO_3$晶体在62℃～124℃区间的自泵浦相共轭，在124℃时，相共轭反射为26%。

参考文献

〔1〕 P.Yeh, *Applied Optics*, **26** (4) (1987) 602—04.

〔2〕 U.Fluckiger and H.Arend, *J. Crystal Growth*, **43** (1987) 406.

〔3〕 A. Krumins and P.Gunter, *Applied Physics*, **19** (1979) 153.

〔4〕 P. Gunter and A.Krumins, *Applied Physics*, **23** (1980) 199.

〔5〕 P. Gunter, *Ferroelectrics*, **40** (1982) 43—47.

〔6〕 E.Voit, M.Z.Zha, P.Amrhein, P.Gunter, *Applied Physics Letters*, **51** (25) (1987) 2079—81.

〔7〕 D.Z.Shen, Y.G.Song, D.Y.Jiang, *J.Synthetic Crystals*, **14** (2) (1985) 81—85 (in chinese).

〔8〕 D.Z.Shen, *Mat.Res. Bull.*, **21** (11) (1986) 1375—82.

〔9〕 E.Wiesendanger, *Czech. J. Phys.*, **B 23** (1973) 91—99.

〔10〕 H.Y.Zhang, X.H.He, E.L.Chen, Y.Liu, D.Z.Shen, D.Y.Jiang X.L.Tong, "SELF—PUMPING PHASE CONJIGUTION IN KNbO3 CRYSTAL" to be published in *Appl. Phys. Letters*.

〔11〕 D.Rytz and D.Z.Shen, *Applied Optical Letters*, **54** (26) (1989) 2625.

—4—

第23卷 第4期　人 工 晶 体 学 报　Vol. 23 No. 4
1994年11月　JOURNAL OF SYNTHETIC CRYSTALS　November, 1994

$KNbO_3$:Rb晶体生长及其快速光折变响应特性*

沈德忠　马笑衍　陈炯尧
（人工晶体研究所，北京 100018）
张宇衡　C. Scott　叶伯琦
（美国加州大学圣芭芭拉分校电子及计算机工程系）

提要：生长了优质的$KNbO_3$:Rb晶体，研究了光折变时间响应特性。发现该晶体的光折变响应时间可分为快慢两个成分，快成分占70%。在总写入光强为1W/cm²时，快成分可达2ms。该晶体不需进行还原处理，光学均匀性不会因此而遭到破坏。

关键词：非线性光学晶体；凯罗泡洛斯法；光折变晶体；掺铷铌酸钾晶体；光折变时间响应

Crystal Growth and Fast Photorefractive Response Characteristics of $KNbO_3$:Rb

Shen Dezhong　Ma Xiaoyan　Chen Jiongyao
(Research Institute of Synthetic Crystals, Beijing 100018, China)
Zhang Yuheng　Campbell Scott　Ye Pochi
(Department of Electrical and Computer Engineering, University of California at Santa Barbara, Santa Barbara, CA 93106)

(*Received* 24 *March* 1994)

Abstract

$KNbO_3$:Rb crystals have been grown in good optical quality. The characters of photorefractive time response have been investigated. Two components both the faster and the slower have been found to contribute to the photoinduced index gratings. The faster component which contributes to appraximately 70% of the index grating, shows 2ms rise time when the total intensity of the writing beams is 1 W/cm². No reduction treatment is needed for this crystal, so the inhomogeneous caused by this treatment can be avoided.

Key words: nonlineal optical crystal; Kyropoulos method; photorefractive crystal; $KNbO_3$:Rb crystal; photorefractive time response

本文1994年3月24日收到。
* 国家科委863高科技项目。

1 引 言

光折变材料要在光学信息处理、光计算等领域得到实质性的应用，一个至关重要的要求是这类材料要有足够快的响应速度。因为响应速度决定着器件处理信息的速率。按文献〔1〕的理论估算，在光强为 $1W/cm^2$ 的激光照射下，对于体积为 $1cm^3$，耦合常数为 1/cm 的光折变晶体，要达到 Gbits/s 的光学信息处理速率，响应时间需要小到 0.1ms。目前广泛使用的光折变晶体，如 $BaTiO_3$、$LiNbO_3$ 以及 SBN 等，在光强为 $1W/cm^2$ 时，响应时间都只在秒数量级[1]，远不能满足这一要求。半导体光折变材料，如 GaAs，GaP 等，有很快的响应速度（μs 量级），但它们的耦合常数又嫌太小。所以，研制具有足够大的增益常数又有足够快的响应速度的光折变材料，一直是光学信息处理领域的重要任务之一。

文献〔1〕指出，光折变材料的响应速率，与该材料的光折变品质因数 Q 成正比（$Q=n^3r/\varepsilon$，n 为材料的折射率，r 为有效电光系数，ε 为相关的介电常数）。在目前已知的氧化物光折变晶体中，$KNbO_3$ 晶体具有最大的光折变 Q 值[1]，这预示着该晶体应有较快的响应速度。1987 年，瑞士 P. Günter 等人在 $KNbO_3$：Fe 晶体上进行光折变二波耦合实验，获得短到 100μs 的响应时间（$\lambda=488nm$，$I=1W/cm^2$）[2]。这对 $KNbO_3$ 晶体潜在的快速光折变响应特性是一次有力的揭示。但掺铁的 $KNbO_3$ 晶体只在进行还原处理，将其中的部分三价铁离子还原成二价铁离子之后，才能有如此快的响应特性。而经过还原处理后的 $KNbO_3$：Fe 晶体，其光学均匀性却受到了严重的破坏。图 1 是从 P. Günter 等人在此 4 年之后发表的一篇论述此种光学不均匀性的专文[3]中摘录出来的。由图 1a 可见，$KNbO_3$：Fe 晶体经还原处理后，形成了空穴导电区（靠近阳极）和电子导电区（靠近阴极）。这两种不同类型的导电区域有不同的色调，且不同导电区的二波耦合常数 Γ 的符号和数值也不同，见图 1b 所示。在空穴导电区，Γ 为正，数值较大；在电子导电区，Γ 为负，数值较小；在这两区域的交界处，Γ 可以为零。这种由于还原处理导致的光学不均匀性，严重毁坏了 $KNbO_3$：Fe 晶体在光学信息处理领域的应用前景。

为了进一步探索 $KNbO_3$ 晶体的快速光折变响应特性，我们生长了 $KNbO_3$:Rb 晶体。因为铷离子是一价离子，不需要进行还原处理，这就保证了该晶体的光学均匀性不致受到还原处理的破坏。经光折变二波耦合的初步测试，该晶体的耦合常数在 3～4 之间，且具有相当快的响应特性。本文拟将 $KNbO_3$：Rb 晶体的生长和光折变测试结果报告如下。

2 晶体生长

我们用改进的泡生法生长了优质的 $KNbO_3$：Rb 晶体。在 1000g 4N 纯度的 $KNbO_3$ 原料（K_2O 过量 5%作为助熔剂）中，加入 4g Rb_2CO_3。混合均匀后盛入 Φ110mm、高 100mm 的铂金钳埚中。在生长炉内升温至 1080℃，保温 24h。然后在 5h 内降到 1050℃，保温 2h 后，下籽晶（〔100〕取向）并缓慢降温进行生长。降温速率为 1℃/d，籽晶不提拉。生长 5 天后，晶体可达到 $40\times40\times20mm^3$ 大小。然后提出液面，缓慢将温度降至室温。因为 $KNbO_3$ 晶体在 430℃和 210℃要发生相变（从立方相变到四方相和从四方相变到斜方相），故在此两温度附近，降温要特别缓慢，以缓解由于相变产生的应力使晶体开裂。长出的 $KNbO_3$：Rb 为多畴晶体，从某些畴壁稀疏的部位看去，晶体无色透明。经测试，Rb 离子的浓度为 28.9×10^{-4}wt -%。按文献〔4〕所述的方法，将长好的多畴 $KNbO_3$：Rb 晶体进行极化，使之变为单畴。按 a、b、c 方向切出 5mm 见方的晶块，六面抛光后进行了光折变时间响应特性的测量。

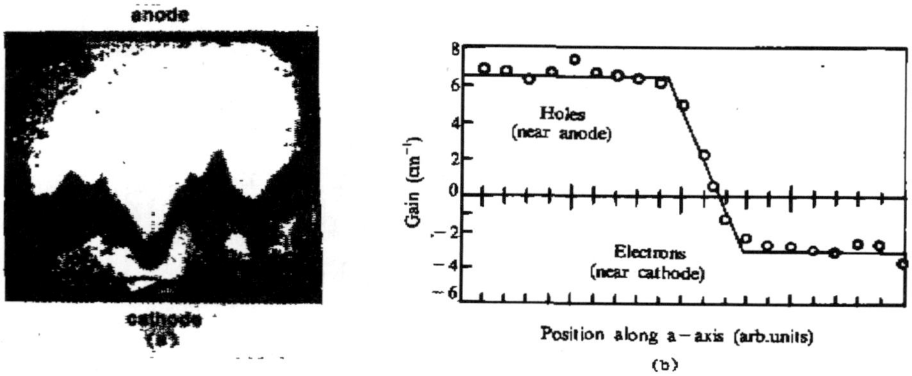

Fig. 1. Inhomogeneity appeared in $KNbO_3$: Fe crystal after reduction treatment (a). Two wave mixing gain (no applied field) in the separation region along a line starting from the anode towards the cathode (the electrodes were used to reduce the crystal) (b) (Quoted from Ref. [3])

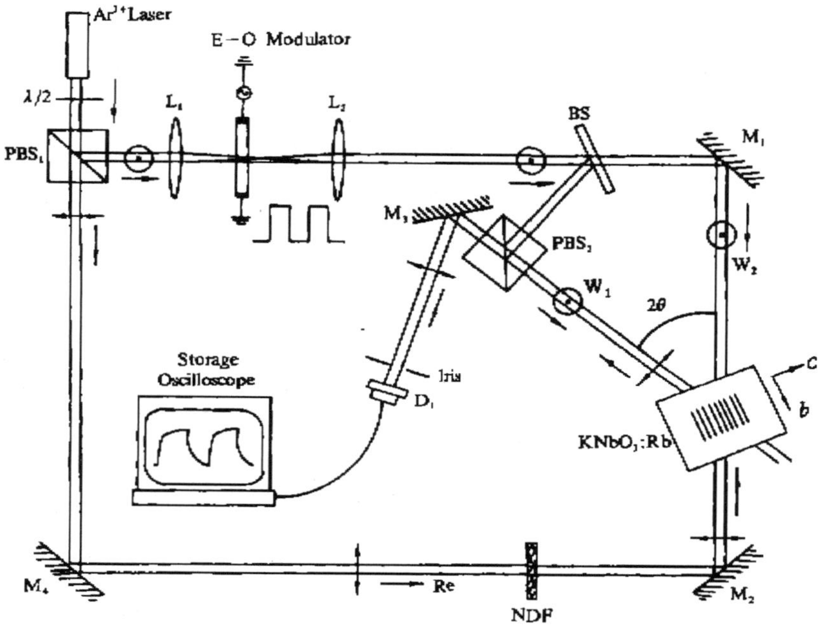

Fig. 2. The experimental setup to measure the rise and fall time of the diffraction gratings
PBS—Polarization beam splitter, BS—Standard 50/50 beam splitter,
NDF—Neutral density filter, W—Writing beam, Re—Reading beam,
D_1—Detector, M—Reflector, L—Lens

3　光折变时间响应特性

所谓光折变的时间响应特性，是指当带有信息的光照射到光折变材料上后，该材料将以多快的速度建立起与信息相当的折射率变化条纹；而当照射光消失后，建立的折射率条纹又会以多快的速度消失。为了研究这种特性，一般是用二波干涉的方法，在材料中形成明暗相间的条纹。这种周期性的光强变化，将在材料中感生出周期性的光强分布：移动的电荷（电子或空穴）趋向于在周期光场的暗区内聚集，从而形成周期性的静电场。此空间静电场经过电光效应调制材料的折射率，形成折射率条纹（以上过程称为信息的写入），在写入的同时，用另一束与此两束写入光非相干的光照射到形成的折射率条纹上，折射率条纹即相当一光栅，对此束非相干光进行衍射（此过程称为信息读出）。测量此衍射光的特性，便可以了解该材料的光折变时间响应特性。

我们的实验安排如图 2 所示：氩离子激光器发射的 514.5nm 激光通过半波片后，被偏振分束器 PBS_1 分为垂直偏振和水平偏振两束光。垂直偏振的光通过一对聚焦透镜 L_1、L_2 后，又被标准分束器(50/50)BS 分为两束，形成写入光对 W_1 和 W_2。W_2 直接射到 $KNbO_3$：Rb 晶体上，而 W_1 则通过另一个偏振分束器(PBS_2)反射到晶体上，与 W_2 进行干涉，形成明暗相间的条纹。此两束光的光斑直径为 3mm。光束在晶体的 $b-c$ 平面入射，两束光之间的夹角 2θ 为 50°，一电光调制器放置在透镜 L_1 和 L_2 之间，稍偏离焦点（以避免焦点处光强太大把调制器损坏），将写入光调制成方波。此调制器上升时间小于 50μs，调制周期为 90ms。与此同时，另一束水平偏振光 Re 穿过 PBS_1 后，经中性密度滤波器将光强衰减到写入光的 1%，然后射到条纹区进行读出。由于此读出光 Re 的偏振态与写入光 W_1、W_2 的垂直，且强度只有它们的 1%，故不会对写入状态产生影响。读出光的衍射信号沿 W_1 相反的方向传播，经过 PBS_2 到达探测器 D_1，然后在数字示波器上显示并存储起来。

图 3 示出读出光 Re 被折射率条纹衍射后，其衍射效率随时间变化的典型图型。图中圆点为数字示波器记录下来的实验点，可分为上升和下降两个部分。上升部分表明写入过程，下降部分表明衰减过程。通过数值分析，可将上升（写入）和下降（衰减）部分分别用(1)和(2)式表示：

$$\eta_w = \eta_s\{C_1[1-\exp(-t/\tau_1)] + C_2[1-\exp(-t/\tau_2)]\}^2 \tag{1}$$

$$\eta_d = \eta_s\{C_1\exp(-t/\tau_1') + C_2\exp(-t/\tau_2')\}^2 \tag{2}$$

式中 η_w 和 η_d 分别表示写入和衰减时的衍射效率，η_s 为饱和衍射效率，C_1 和 C_2 为两个比例系数，τ_1 和 τ_2 为表征条纹建立的两个时间常数，τ_1' 和 τ_2' 为表征条纹衰减的两个时间常数。调整写入光 W_1、W_2 的强度，可得到一系列如图 3 所示的衍射效率随时间变化的图形，然后利用(1)、(2)式通过电子计算机对它们进行拟合，可确定出 C_1、C_2、τ_1、τ_2 和 τ_1'、τ_2' 的数值。对图 3 进行拟合得到的结果如下：

$$\eta_w = 3.7\{0.83[1-\exp(-t/0.74)] + 0.17[1-\exp(-t/9.2)]\}^2$$

$$\eta_d = 3.7\{0.63\exp(-t/95) + 0.37\exp(-t/11)\}^2$$

图 3 中的细实线即为拟合曲线，此曲线与实验点符合得相当好。对其它的 5 种不同写入光强所得到的实验结果也进行了拟合，得到 5 组不同的 τ_1、τ_2、τ_1'、τ_2' 值，这些数值连同图 3 拟合曲线的值，表示在图 4 中。

4 讨　　论

从以上的实验结果及其数值分析可以看出，$KNbO_3$：Rb 晶体的光折变响应速率可分成快、慢两个成分。快成分由 τ_1、τ_1' 表征，慢成分由 τ_2、τ_2' 表征，快成分对光强十分敏感。从图 3 拟合后的数值可见，写入时，总光强 $W_1+W_2=6W/cm^2$，此时 $\tau_1=0.74ms$。当 E－O 调制器处于遮断状态时，总光强 $W_1+W_2=0$，条纹衰减，这时只有强度为写入光 1%的读出光照在条纹上，此时的 $\tau_1'=95ms$，比 τ_1 约长 100 倍。从图 4 中相应于 τ_1、τ_1' 的点随光强的位移也可证实这种敏感性。慢成分对光强的变化不敏感。在图 4 中，光强从 $0.008W/cm^2$ 变化到 $8W/cm^2$，在实验误差内，τ_2、τ_2' 几乎没有变化（10ms 左右）。

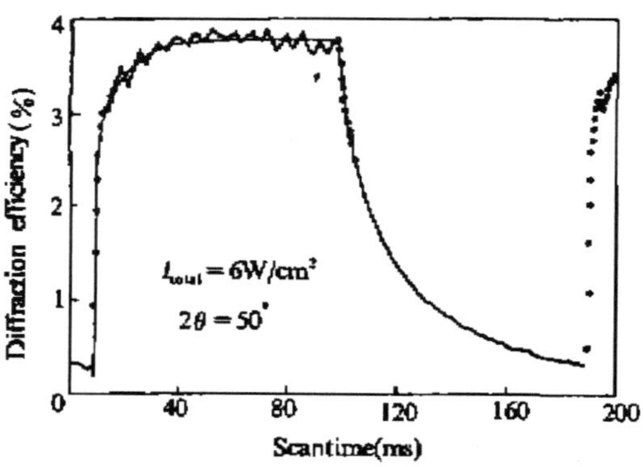

Fig. 3. A typical wave form of the rise and fall of diffraction gratings. The total writing beams' intensity is $6W/cm^2$. Circular dots—experimental data; Solid line—fitted curve assuming rise and fall with 2 different rise/fall times

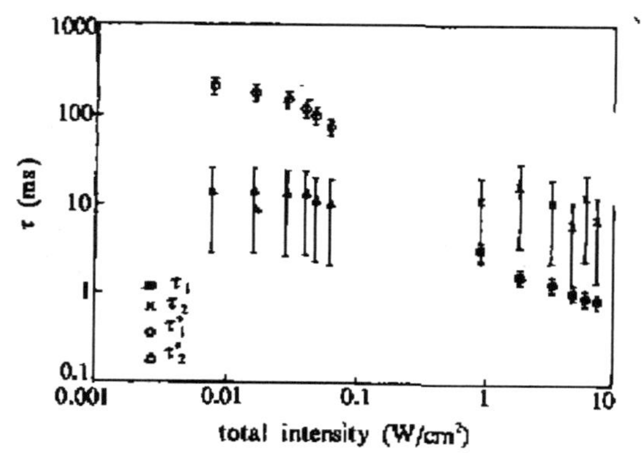

Fig. 4. The light intensity dependence of time constants τ_1、τ_2、$\tau_1'\tau_2'$

从拟合中，我们发现，C_1 在 60～80%之间，而 C_2 在 40～20%之间。考虑到实验误差和拟合的近似性，可认为快成分约占 70%，慢成分约占 30%。$KNbO_3$:Rb 晶体的光折变响应时间分为快、慢两个成分，其物理根源可能是由于两种不同的载源流子，也可能是由于两种不同的电荷迁移机制，还可能是这两者的交混作用。这方面的工作，还有待进一步深入研究。

从以上测试得出，在光强为 $1W/cm^2$ 时，$KNbO_3$：Rb 晶体的光折变响应时间可达 2ms 量级。当光强超过 $5W/cm^2$ 时，可得到亚毫秒的时间响应。在如图 1 所示的二波干涉布置下（即两束写入光在晶体的 $b-c$ 平面入射，偏振矢量垂直于晶体的 $b-c$ 平面）若设体系的量子效率为 50%，按文献〔1〕的理论计算，$KNbO_3$：Rb 的光折变 Q 值为 28.2〔MKS〕。在光强为 $1W/cm^2$ 时，相应的光折变响应极限应为 50μs。这说明 $KNbO_3$：Rb 的光折变响应速度还有进一步提高的潜力。

最近，P. Günter 等人用光强为 $1W/cm^2$、波长为 363.8nm 的紫外光作光源，在纯 $KNbO_3$ 晶体上写入条纹，其光折变响应时间短到 5μs，响应特性也有快、慢两个成分。但是，该文未说明此快慢成分各占多大的比例[5]。$KNbO_3$ 晶体的短波截止波长为 375nm[6]。对 $KNbO_3$ 晶体而言，$\lambda=363.8nm$ 的光已不透明，所形成的光折变条纹深度只有 190μm，这无疑给应用带来许多不便。但无论如何，这也再次证明了 $KNbO_3$ 晶体可以有很快的光折变响应速度。

文献〔7〕曾报道了 $KNbO_3$：Rb 晶体的一些光折变特性，测得的响应时间为 250ms（光强为 $1W/cm^2$），比本文所得到的结果要慢两个数量级。文献〔7〕用的是水平偏振光写入，入射面为晶体的 $a-c$ 平面，晶体中的 Rb 离子含量也不清楚，所以很难对两者进行严格的比较。

5 小 结

我们生长了优质 $KNbO_3$：Rb 晶体，在进行光折变应用时，该晶体不需还原处理，故避免了由于还原处理带来的光学不均匀性。发现该晶体的光折变响应时间可分为快、慢两个成分，快成分约占 70%，慢成分约占 30%。在用波长为 514.5nm，总强度为 $1W/cm^2$ 的光写入时，快成分约为 2ms，光强超过 $5W/cm^2$，可达到亚毫秒的时间响应。这些实验结果距理论预测的速率极限还差两个数量级，具有改进的巨大潜力。该晶体是可能得到真正实际应用的快速响应光折变晶体。有关 $KNbO_3$：Rb 晶体快速响应的机理，还有待进一步研究。该晶体在光学信息处理、光计算等领域的应用正在进行之中。

参 考 文 献

〔1〕 Yeh P. *Appl. Opt.* 1987, **26**(4): 602

〔2〕 Voit E, Zha M, Z Amrbein P, Günter P. *Appl. Phys. Lett.*, 1987, **51**(25): 2079

〔3〕 Amrhein P., Gunter P. Technical Digest of Photorefractve Materials, Effects, and Devices, Serial, 1991, **14**: 166

〔4〕 Shen D. *Mat. Res. Bull.* 1986, **21**(11): 1375

〔5〕 Montemezzani G, Rogin P, Zgonik M, Günter P. *Opt. Lett.*, 1993, **18**(14): 1144

〔6〕 Wiesendanger E. *Ferroelectrics*, 1974, **6**: 263

〔7〕 Reeves R J, Jani M G, Jassemnejad B, et al. *Phys. Rev. B*, 1991, **43**(1): 71

非线性光学材料及其研制概况

■ 中国工程院院士 沈德忠

沈德忠及其同事生长的铌酸钾(六面体)和磷酸氧钛钾(四方锥)晶体

非线性光学材料是在激光问世以后才迅速发展起来的一类新型功能材料。其品种繁多，涉及若干无机和有机晶体、块状和薄膜状的半导体以及液晶和聚合物等材料形态。单是无机非线性光学晶体就有上千种。非线性光学材料在现代科学技术中，特别是若干军事和民用高科技领域中，例如潜艇深水通讯、激光致盲武器、海洋鱼群探测、光盘记录、彩色激光打印、激光投影电视、光计算和光纤通讯等，都有一系列重要应用。

多年来，我国在非线性光学材料，特别是无机非线性光学晶体的研究发展中，取得了令世人瞩目的成就，这些成就惊动了世界光学材料界！一个鲜明的表现是，1986年4月，在美国马里兰州的安纳波利斯市召开了由48位美国材料研究领域有名望的科学家参加的非线性光学材料专题讨论会。他们畅谈形势，找出差距，拟定规划，以图保持美国在该领域的领先地位。从该专题会上可以看出，在1986年，美国还没有可供应用的KN、BBO、LN:Mg等晶体，然而，当时这些晶体在我国已小批量生产了。

一

70年代初期，中科院物质结构研究所开展了新型非线性光学晶体的探索。基于结构和性能的关系，发展了阴离子基团理论，并将实验探索的结果与理论计算结合，经过10年的努力，在国际上首次研制出BBO紫外倍频晶体。后来该所又推出LBO以及KBBF($Be_2BO_3F_2$)真空紫外倍频晶体。这些开创性的工作，在国际上引起巨大反响，BBO、LBO等晶体每年为该所创汇几百万美元。山东大学将无机和有机非线性光学分子基团结合起来，发现了诸如LAP和有机络合物等一类国际上称为半有机的非线性光学材料。在KTN晶体研制过程中，发明了三温区晶体生长方法，长出优质大单晶，使KTN的研究跃居世界前列。山东大学与中山大学合作，在国际上首次研制出KNSBN晶体，开创了光折变材料的一个新品种。中科院物理所革新了BT晶体的生长方法，长出高质量的BT单晶，并在掺杂改性方面作出了国际领先的成绩。南开大学和西南技术物理研究所为提高LN晶体的光损伤阈值进行了多年的研究，通过掺MgO而得到很大改进。中科院硅酸盐研究所对LN晶体缺陷结构和杂质间的相互作用作了深层次的研究，取得了一系列优异成果。南京大学长期从事LN晶体的聚片多畴研究，从理论上提出了多种新颖的设计构想，深得国际同行的赞赏。中国科技大学应用阴离子基团理论发展了 CBO（CsB_3O_5）真空紫外倍频晶体，已获国家发明专利和美国专利。四川大学和安徽光学精密机械研究所对 $AgGaSe_2$ 半导体倍频晶体进行了富有成效的研究，开拓了在长波倍频领域的应用。人工晶体研究所在理论和实践相结合的基础上，解决了 KN 晶体的赋色、开裂、定向、极化等难题，经过 10 年的努力，研制出国际领先的高光学质量的 KN 大单畴晶体。

这里稍为详细叙述一下 KTP 晶体的研制。KTP 是法国人 1971 年首先合成出来的。1976 年美国首先用水热法（3000 大气压、850℃）长出了可用的 KTP 单晶，并报道了该晶体作为倍频应用的各项优异性能。80 年代初，我国某大学老师作为访问学者到了美国。当他通过实验证实 KTP 的优秀倍频性能后，他便萌发买一块带回国使用的想法。那时的 KTP 倍频器十分昂贵，一块尺寸为 $3\times3\times5$ 毫米^3 的晶体，售价 2750 美元！尽管如此，这位老师还是提出要买一块，可得到的回答是“不卖”。因为该项目是美国军方资助的，考虑到 KTP 有潜在的军事用途，故对中国禁运。不久，这位老师使用的那块 KTP 晶体被他的老板不小心打碎了，他便对老板说：“你看，这块 KTP 打碎了，不能再用，能不能给我一块碎片？”回答是：“不行，碎片也不让带出实验室。”这位老师回国后，便到人工晶体研究所、山东大学等单位鼓动生长 KTP 晶体。

在这位老师爱国热情的感染下，人工晶体研究所、山东大学纷纷开展了 KTP 晶体的研制。为了尽快长出 KTP，这两个单位充分发挥了各自的优势，不约而同地选择了熔剂法来生长（在结构配置上有所不同）。不到半年时间，先后长出了优质的 KTP 单晶。这是世界上第一次用熔剂法长出可以使用的 KTP 单晶。这以后，两个单位都建立了 KTP 生产线，批量提供优质 KTP 倍频器，不但产品返销到了美国，为国家赚取了数百万美元的外汇，而且促进了世界熔剂法生长 KTP 技术的发展。

1986 年，美国又发现 KTP 还具有优良的电光特性，并准备用于研制新一代电话机里的电光波导芯片。制造这种芯片需要面积为 20×20 毫米^2 的 Z 向切割的 KTP 晶片，而他们使用水热法生长 KTP 的高压釜直径只有 1.5 英寸（38 毫米），籽晶又在晶体中间，无法长出足以切出所需尺寸的 KTP 单晶来。但是，由于我们人工晶体研究所生长 KTP 晶体的方法独特，最容易长出能切割 Z 方向的 KTP 大晶片的晶体，于是最先长出 KTP 单晶，而对中国实行禁运的美国，反过来向中国的人工晶体研究所每年订购价值十万美元的 Z 切 KTP 晶片。

二

这些非线性光学材料的应用主要包括两个方面：1. 频率转换。例如使入射激光的频率加倍，从不可见的红外光变成可见的兰绿光（倍频），或使两束入射激光耦合而产生频率等于此两束激光频率之和或差的第三束激光（和频或差频）等等。这方面的应用是目前获得新波长激光的重要手段。2. 光学信号处理。例如用来矫正光束中携带的信号在传播过程中产生的畸变（波前畸变矫正）、放大光学图像的强度，等等。

非线性光学材料的品种繁多，单是用作频率转换的非线性光学晶体就有上千种。不过，在这上千种频率转换用的非线性光学晶体中，有实用价值或有一定应用前景的不过二三十种。这是因为对非线性光学晶体的要求十分苛刻。这些要求是：1. 表征晶体非线性性能强弱的非线性光学系数要大；2. 对需转换的频率能实现相位匹配；3. 透光波段宽、透明度高；4. 抗激光损伤的能力强；5. 容易获得较大尺寸和高光学质量的晶体；6. 物化性能稳定，不易潮解，便于加工。就目前的情况来看，还没有能完全满足上述要求的晶体材料。表 1 列出目前比较常用的一些频率转换晶体及其特性。

表 1　一些比较常用的频率转换非线性光学晶体及其主要特性参数

晶体名称	简称	透光波段（μm）	最大非线性系数（pm/v）	光损伤阈值（MW/cm^2）	潮解情况
KD_2PO_4	KDP	0.18-1.5	d36＝0.4	5×10^8	潮解
L-精氨酸盐	LAP	0.19-2.5	d23＝0.83	1×10^6	潮解
$LiIO_3$	LI	0.3-5.5	d15＝5.5	6×10^5	潮解
$LiNbO_3$	LN	0.4-5.0	d15＝5.4	10×10^7	不潮解
$B\text{-}BaBzO_4$	BBO	0.19-3.0	d11＝1.88	10×10^9	弱潮解
LiB_3O_5	LBO	0.16-2.6	d32＝1.24	2.5×10^{10}	微潮解
$KTioPO_4$	KTP	0.35-4.5	d33＝12	2.2×10^9	不潮解
$KNbO_3$	KN	0.38-5.2	d33＝21	2.5×10^9	不潮解
$AgGaSe_2$		0.7-1	d36＝33	2×10^6	不潮解

从表 1 可见，目前常用的频率转换非线性光学晶体其基本特性是各有所长，又各有所短。BBO、LBO、

LAP 的非线性光学系数都不大(非线性效应的大小正比于非线性系数的大小),但光损伤阈值很高,可透过紫外光,故适宜于紫外倍频和大功率激光的倍频。KTP 的非线性系数较大,光损伤阈值适中,但不能透紫外,故宜于近红外到可见光的中功率激光倍频。目前 KTP 已大量用于 YAG:Nd 激光器 1.064—0.532μm 的绿光倍频。LN 的非线性光学系数也不小,但光损伤阈值较低(掺了 Mg 后有很大提高)。LN 比较容易长出大块单晶,价格相对便宜,在光波导、电光、声光等领域有大量应用。KN 晶体的光损伤阈值不算高,但非线性系数很大,最适宜毫瓦级的低功率激光倍频。KN 是目前唯一能将半导体激光直接倍频到兰光的晶体,在光盘、彩色激光打印等领域有巨大的应用潜力。半导体非线性晶体 $AgGaSe_2$ 的透光范围在 0.7－19μm,非线性光学系数很大,是二氧化碳激光器(波长为 10.6μm)等长波长激光的极好倍频材料。KDP 是目前长得比较成熟的倍频晶体,虽然非线性光学系数较小,但因光损伤阈值较高,透紫外,特别是能长出特大的(大于 500mm)高光学质量晶体,所以至今仍然是激光核聚变大功率大束径激光的唯一倍频材料。

表 2 列出了信号处理用的某些光折变非线性光学晶体的特性参数。

表 2　某些光折变晶体及其主要特性参数

晶体名称	简称	折射率 n	有效介电常数 ε	电光系数 r(pm/v)	电光品质因数 Q(＝n^3r/ε)
$BaTiO_3$	BT	2.4	3600	1640	6.3
$KNbO_3$	KN	2.3	240	380	19.2
$LiNbO_3$	LN	2.2	32	31	10.3
$SBaNb_2O_6$	SBN	2.3	3400	1340	4.8
SBN:K:Na	KNSBN	2.3	420	380	11.0
$K(NbTa)O_3$	KTN	2.3	270	400	18.0
$Bi_{12}GeO_{20}$	BGO	2.55	47	3.4	1.2
CdTe		2.82	9.4	6.8	16.2

因为光折变(光致折射率变化)是通过电光效应调制晶体的折射率,所以晶体的电光品质因数在很大程度上表征光折变晶体的性能。从表 2 可见,KN、KTN、CdTe、KNSBN、LN 等的 Q 值都较大,是很好的光折变材料。BT 的 Q 值不算太大,但因 BT 有很大的电光系数,所以 BT 也是十分优秀的光折变材料。

一般希望光折变材料的灵敏度要高,在光作用下的折射率变化量要大,波长响应范围要宽,分辨率要高,有足够的相移,信噪比高等。从信息处理角度来看,对光折变材料最重要的要求是耦合效率高,响应速度快。

在表 2 所列材料中,BT 有很大的耦合效率。掺 Ce 和掺 Rh 的 BT 在近红外波段(800nm 左右)有非常好的响应,可与半导体激光配合。KN 有近亚毫秒的响应速度,是目前氧化物晶体中最快的一种。KTN 有非常大的光导率,存贮时间可达半年以上,在全息存贮领域有极好的应用前景。KNSBN 有较高的灵敏度。按理论计算,其光折变耦合常数比 BT 还高。半导体光折变晶体 CdTe 以及 GaAs、InP 等,有非常快的响应速度,其理论极限速度可快到几十个微秒,是所有光折变材料中最快的。但半导体光折变材料的耦合效率都太低。近年来国外在半导体上加高达上万伏的电压,以产生电致折射率变化,再与光感生折射率变化相结合,大大提高了耦合效率。最近研制的以乙烯基咔唑为基础的聚合物光折变材料,其衍射效率几近 100%,在动态全息和光计算领域很有应用前途。

利用光折变效应来进行信息处理时,只需要很低的入射激光功率,就可以在室温下进行各种不同的光学信号处理和运算。其设备简单,结构紧凑,结实可靠而且成本低廉。目前非线性光学晶体在光折变信息处理方面的应用尚存在响应速度不够快,信噪比较低的缺点,不如在频率转换领域应用得那样成熟。

非线性光学材料的研制,涉及物质的基本结构及各种物理化学性质。只有对材料及其特性有所了解,才能了解材料可能具有的功能。因而才能确定新材料的研究方向。这需要多种学科的研究人员共协作,需要强有力的现代化测试手段。一种新材料,从理论基础预测、材料合成、晶体生长、性能实验以及改进提高,没有五年十年的时间协同努力是完不成的。理论技术性强、发展周期较长、投资强度较大,是这个领域的特点。

三

应当清醒地看到,我国在非线性光学晶体的研制中虽然作出了领先的成绩,但是优势不一定能持久。由于支持强度不足,内耗严重,后继乏人,在国际竞争的大潮中很容易被抛在后面。如何保持我国在该领域的领先地位,继续作出新的成绩,是我们今后应认真思考和解决的问题。

(责任编辑　李济英)

第29卷 第2期　　人 工 晶 体 学 报　　Vol. 29 No. 2
2000年5月　　JOURNAL OF SYNTHETIC CRYSTALS　　May, 2000

非平行通光面激光变频器

沈德忠[1,2]，沈光球[1]，王晓青[1]，
王晓洋[2]，李　卫[2]，王胜军[2]，袁　欣[2]，齐家宝[2]
（1. 清华大学化学系，北京 100084；2. 人工晶体研究所，北京 100018）

摘要：当光通过一个光学器件时，一种减少两通光面反射损耗的方法，是将此两通光面切割成所谓的布儒斯特角且相互平行。这种相互平行的具有布儒斯特角通光面的光学器件，被用来减少反射损耗已经很多年了。激光发明以后，特别是二次谐波发生实现以后，上述这种平行式布儒斯特角切割方法，也曾不断用来降低倍频器的反射损失。但并没有人谈到过实验结果：这种将倍频器的通光面切割成相互平行的具有布儒斯特角的方法，是否真能减少倍频器的反射损耗？我们的回答是：不能。本文将从理论上说明为什么不能，并给出我们认为正确的切割方法。

关键词：布儒斯特角；激光变频器；非平行通光面；
中图分类号：O734.1；O734.2　　**文献标识码**：A　　**文章编号**：1000-985X(2000)02-0095-07

Laser Doubler with Nonparallel Light Pass Surfaces Cut in Brewster Angle

SHEN De-zhong[1,2], *SHEN Guang-qiu*[1], *WANG Xiao-qing*[1], *WANG Xiao-yang*[2],
LI Wei[2], *WANG Sheng-jun*[2], *YUAN Xin*[2], *QI Jia-bao*[2]
(1. Department of Chemistry, Tsinghua University, Beijing 100084, China;
2. Research Institute of Synthetic Crystals, Beijing 100018, China)

(*Received* 8 *January* 2000)

Abstract: When a Light beam pass through a optical device, a way to reduce the reflective loses from two light pass surfaces of the device is to cut those two light pass surfaces in Brewster angle and the two surfaces are always parallel to each other. This kind of Brewster cut optical devices with a pair of parallel light pass surfaces have been used to reduce the reflective losses for many years. After the laser was invented, specially the second harmonic generation was realized, the way of paralled type Brewster cut mentioned above has been used continually to reduce the reflective losses for laser doubler during frequency conversion. However, no one talks about the experimental result: if a doubler with a pair of parallel light pass surfaces cut in Brewster angle can reduce reflective losses in frequency conversion ?Our answer to this question is that it can not al all. We will explain in theory why it can' t, and give the right way to cut the Brewster angle of two light pass surfaces of a doubler for which the reflective losses should be reduced.

Key words: Brewster angle; laser doubler; nonparallel light pass surfaces

收稿日期：2000-01-08

作者简介：沈德忠（1941-），男，贵州人，中国工程院院士，人工晶体研究所教授级高工，清华大学化学系教授。

1 引 言

众所周知，当一束光通过一个光学器件时，有两种方法可以减少其在表面上的反射损失，一种是在通光面镀上相应波长的增透膜；另一种方法是按布儒斯特角平行切割光学器件的两个通光面。后一种方法已经在光学器件制造上使用了许多年，效果相当不错。自从人们发明了激光，尤其是实现了激光的频率变换以后，上面提到的第二种方法也曾不断地被用于激光倍频器的减反射。但是，迄今为止还没有人报道过他们的实验结果，即这种布儒斯特角切割（以下简称为布氏切割）的具有两个互相平行的通光面的激光倍频器在倍频过程中究竟能不能实现减反射的目的？

本文研究了这个问题并给出了答案：对倍频光来说不仅不能，反而还增加了反射损失。同时，我们给出了激光倍频器实现减反射的正确的布氏切割方法。

2 理论分析

为描述电磁波入射到两个介质分界面上产生折射和反射的行为，菲涅尔推导出一组方程组[1]。将其中的振幅反射比公式平方，可以得到如下的方程：

$$R_{\parallel}=\frac{\tan^2(\theta_i-\theta_t)}{\tan^2(\theta_i+\theta_t)},\qquad R_{\perp}=\frac{\sin^2(\theta_i-\theta_t)}{\sin^2(\theta_i+\theta_t)} \tag{1}$$

式中 $R_{\parallel}$表示入射波中电场矢量在入射面内振动部分分量的强度反射比，$R_{\perp}$表示入射波中电场矢量垂直于入射面振动部分分量的强度反射比，θ_i 和 θ_t 分别为入射角和折射角，如图1所示。在图1中，*AB* 为入射通光面。*EF* 为入射通光面的法线。入射光 *IO* 与法线*EF* 构成入射面。相应地，出射通光面 *CD* 的法线*RS* 与出射光*OQ* 构成出射面。

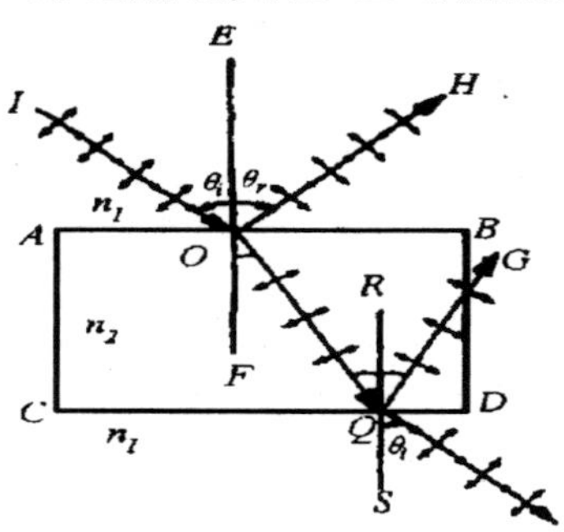

Fig. 1 Reflection and refraction at interfaces

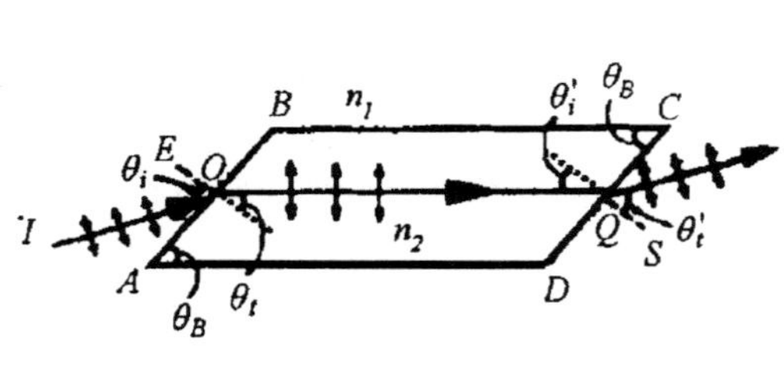

Fig. 2 A laser doubler with a pair of parallel light pass surfaces cut in Brewster angle

由（1）式可见，不论 θ_i、θ_t 为何值，$R_{\perp}$总不为零。即是说，与入射面垂直振动的光分量在界面上的反射是不可避免的。对于 $R_{\parallel}$，则当 $\theta_i+\theta_t=90^\circ$时，$\tan 90^\circ$将为无穷大，所以在界面上的反射为零。通常将 $R_{\parallel}=0$时的 θ_i 表示为 $\theta_B=\tan^{-1}(n_2/n_1)$，就是所谓的布儒斯特角[2]，式中 n_1 和 n_2 分别为介质1和介质2相应于入射光波长的折射率。当光折射到介质2中后，如果入射光对介质2的折射率不发生变化，那么出射光相对于出射通光面的布儒斯特角就可以表示成 $\theta'_B=\tan^{-1}(n_1/n_2)$，正好就是 $90^\circ-\theta_B$，按此切割出的出射通光面与入射通光面平行，图2所示的切割方式就是根据这一原理进行的。这种布氏切割减反射的效果相当不错，如果加工精确，可达到几乎100％的透过。这在光学界早已得到广泛的应用。例如，一束1064nm 波长的激光从空气中射到一根 YAG∶Nd 棒的入射端面，并从另一个端面射出来，在这种情况下，对于入射面而言，$n_1=1$, $n_2=1.800$, $\theta_B=\tan^{-1}(1.800)=60°57'$, $\theta_t=29°3'$。对出射面而言，$\theta'_B=\tan^{-1}(1/1.800)=29°3'$, $\theta'_t=60°57'$。我们可以看到，$\theta_t=\theta'_B$，所以入射通光面和出射通光面互相平行，正如图 2 所示。

当我们用一块非线性晶体制作的激光倍频器代替上述例子中的 YAG∶Nd 棒时会发生什么现象呢？其主要差别在于，在普通光学过程中，布氏切割的具有两个平行通光面的光学器件，例如激光棒、石英玻璃等，通常并不改变入射光的偏振状态，但是在频率转换过程中，倍频器总要改变入射光的偏振状态。我们知道激光倍频过程中基频光和倍频光的振动方向总是不再互相一致，这是由相位匹配的条件要求决定的(在本文中我们只考虑角度相位匹配，因为这是相位匹配中应用最广泛的，目前也只有这种类型的相位匹配器件可以切割成布儒斯特角)，也就是说，倍频器不仅改变了基频光的频率，还同时改变了基频光的振动状态。例如，对于单轴晶制作的Ⅰ型倍频器，相位匹配条件要求基频光和倍频光一个是 o 光，另一个是 e 光(否则不能实现相位匹配)，所以基频光的振动方向必定与倍频光的振动方向垂直，参见图 3[3,4]。如果出射通光面的布儒斯特切割也和入射通光面的切割一样，即两通光面切成互相平行，那么倍频光的振动方向将会垂直于出射面，由于这个原因，在计算倍频光的强度反射比时就应当用 $R_\perp$ 而不是 $R_\parallel$。

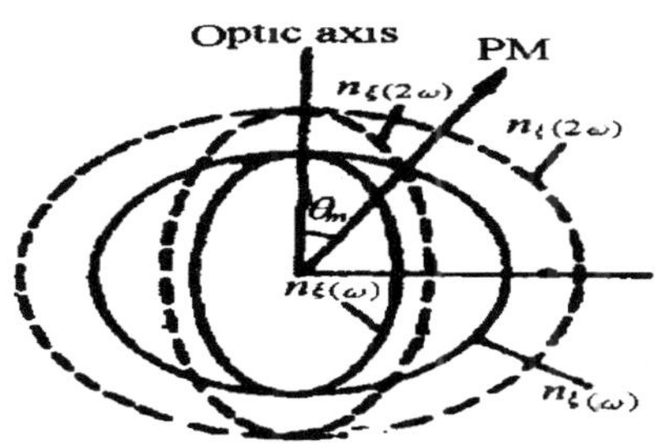

Fig. 3　Schematic drawing of phase matching for a negative uniaxial crystal

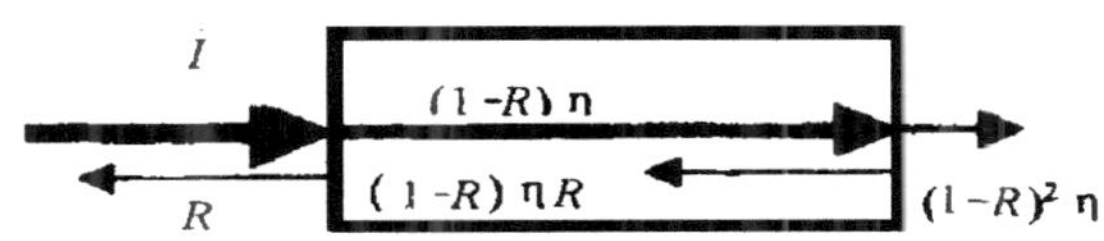

Fig. 4　A laser doubler cut in normal type

由(1)式可见，不论 θ_i 和 θ_t 为何值，$R_\perp$ 总不为零，其反射损失与对应波长的非线性光学晶体折射率 n 及倍频转换效率 η 有关。

令入射基频光的强度为 1，并分别用 R 和 R^* 代表普通型(如图 4 所示)和平行布氏切割型的Ⅰ型相位匹配倍频器(如图 2 所示)的反射损失。很容易推导出用同种晶体制作的这两种倍频器的出射倍频光强度 I 和 I^*：

$$I=(1-R)^2\eta,\qquad I^*=(1-R^*)\eta \tag{2}$$

图 5 是根据公式 2 计算的结果，可以看出平行布氏切割型的倍频器出射倍频光的强度总是小于普通型的倍频器出射光的强度，而不管 n 和 η 是多大(此结果同样适用于其它类型的平行布氏切割型倍频器)。所以，将倍频器的两个通光面切割成相互平行的布氏角通光面，对倍频光的减反射来说是毫无意义的。但是，这决不意味着布氏切割通光面的方法不能用于激光倍频器的减反射，关键在于要按如下原则进行：即将两个通光面切割成布儒斯特角，且使基频入射光和倍频出射光的电场矢量振动方向分别平行于入射面和出射面。

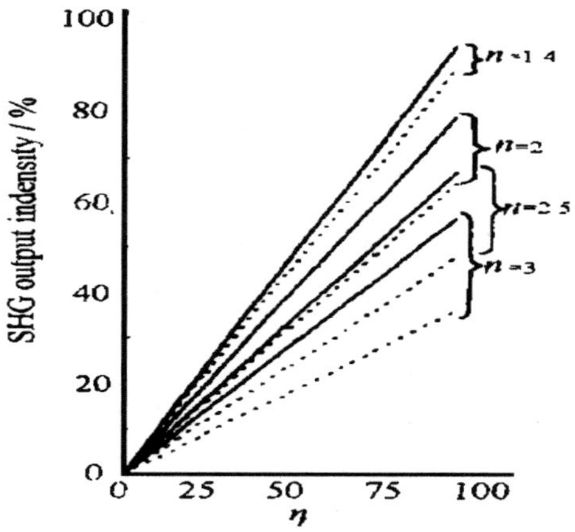

Fig. 5 SHG output intensity versus n and η

—— For a laser doubler cut in normal type.

– – – For a laser doubler with a pair of parallel light pass surfaces cut in Brewster angle.

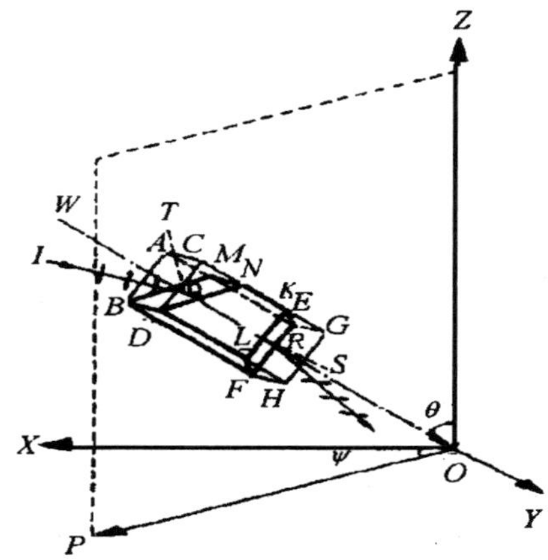

Fig. 6 Stereogram of cutting method for a laser doubler with a pair of nonparallel light pass surfaces cut in Brewster angle(LDNPB)made of a positive uniaxial nonlinear crystal

3 器件设计

按照上述这个原则，减反射激光倍频器的两个通光面经布氏切割后，不应该再相互平行，例如对I型相位匹配，应该使入射面和出射面相互垂直。图6是这个例子的示意图。*OX*，*OY*，*OZ*是1个正单轴晶体的3个主轴，其中*OZ*是光轴，*WO*是相应于某个波长的相位匹配方向，θ和ϕ为方位角。*PO*是*WO*在*XOY*平面上的投影。长方体*ABDCEFHG*表示要用来制作布氏切割的1块非线性光学晶体坯料。如果这块坯料的2个端面*ABDC*和*EFHG*被抛光，那么就成为1个通常的I型相位匹配($e+e\rightarrow o$)激光倍频器，通光方向为*WO*。为了能将两个端面切割成布氏角，坯料的长度*BF*必须大于最后所要加工成的长度。考虑这些条件：首先，入射光必须是*e*光；其次，入射光电场矢量必须在入射面内振动。所以入射通光面的布氏切割必须象图6那样，使入射面(由入射通光面的法线和入射光线方向组成)和*ZOP*平面一致，并使$\angle NDL=\theta_B$。电场矢量在*ZOP*平面内振动，该平面包含光轴*OZ*，所以入射光必须是*e*光的条件也同时满足了。

入射光进入倍频器后转变为*o*光，即它的电场矢量的振动方向垂直于*ZOP*平面，故出射通光面不能平行于入射通光面*BDNM*切割。按照上面提出的要求，出射通光面的布氏切割必须使得出射*o*光的电场矢量振动方向垂直于*OZ*轴(光轴)，所以出射通光面的布儒斯特角切割必须象图6的LFEK那样，使出射面(由出射通光面的法线和出射光线方向组成)和*ZOP*平面垂直，并使$\angle LFB=\theta_B$。出射光的电场矢量在出射面内振动，所以它垂直于*OZ*轴，两个条件同时得到满足。

将这种非平行通光面的激光倍频器BDNMFLEW投影到*ZOP*平面上，我们可以得到其在*ZOP*面上的投影示意图，如图7所示，主要特点显示得十分简洁明了。在以下的叙述中我们都采用这种投影示意图来描述布氏切割的非平行通光面的激光倍频器。

图8是负单轴晶I型相位匹配($o+o\rightarrow e$)的非平行通光面激光倍频器的投影示意图。由图7和图8可以看出对于单轴晶I型相位匹配非平行通光面激光倍频器，其入射面和出射面

的夹角为 90°。

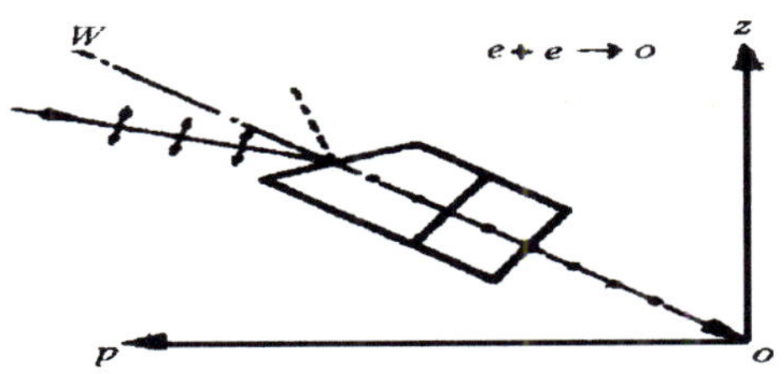

Fig. 7　Projection of a LDNPB phase-matched in type I, made of a positive uniaxial nonlinear crystal

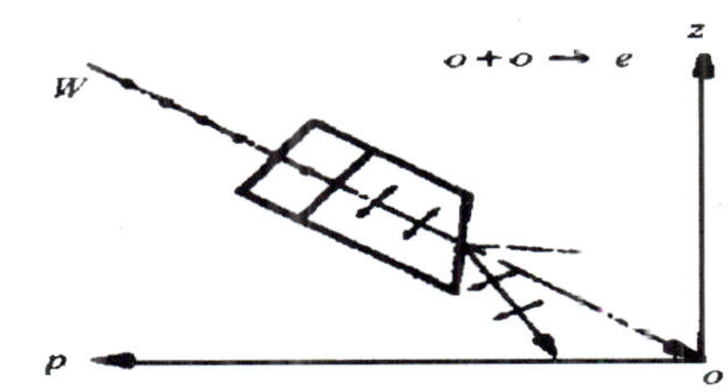

Fig. 8　Projection of type I phase matching for a negative uniaxial crystal

对于单轴晶Ⅱ型相位匹配，线偏振入射基频激光在射入倍频器后分解为 o 光和 e 光，这两束光相互作用的结果产生倍频 o 或 e 光(对于正双轴晶是 $o+e\rightarrow o$ 对于负双轴晶则是 $o+e\rightarrow e$)[5]。我们可以证明只有当基频光的振动方向与主截面 ZOP 成 45°时，产生的倍频光的强度才为最大。因为这个原因，制作单轴晶Ⅱ型相位匹配的非平行通光面激光倍频器要求入射通光面的切割按以下原则进行，即沿图 6 中的长方体 $ABDCEFHG$ 的端面 $ABCD$ 的对角线 BC 或 AD 进行布氏切割。图 9 和图 10 分别是正单轴晶体和负单轴晶体制作的Ⅱ型相位匹配非平行通光面激光倍频器的投影示意图。

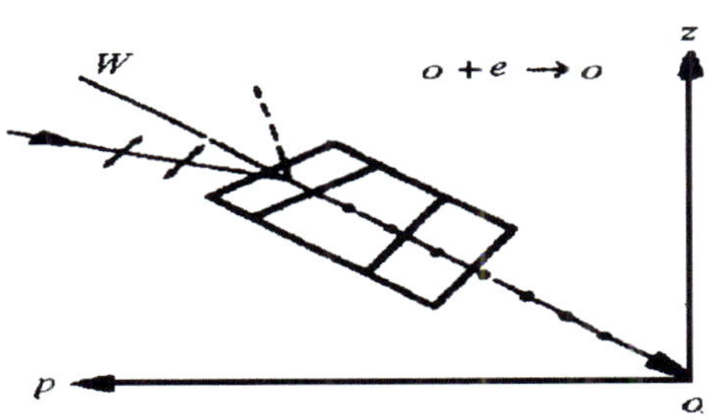

Fig. 9　Projection of type II phase matching for a positive uniaxial crystal

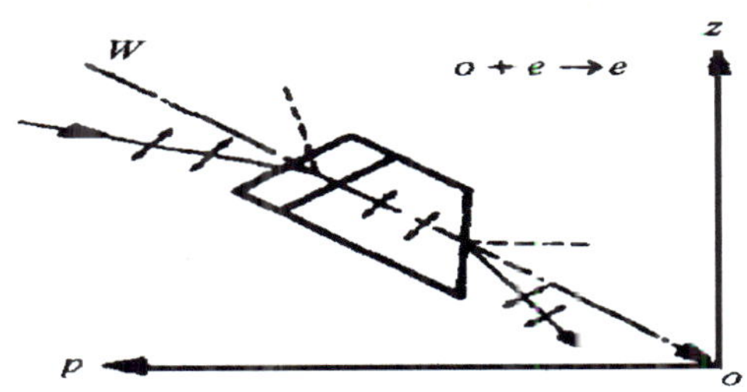

Fig. 10　Projection of type II phase matching for a negative uniaxial crystal

对于双轴晶，情形要复杂一些。在双轴晶中，对于 1 个给定的光束传播方向 WO，光波的振动方向由 Biot-Fresnel 定理确定[6]，如图 11 所示。图中 OA, OB 为双轴晶的两个光轴，同在 XOZ 平面内。入射光束沿 WO 方向传播，方位角为 θ、ϕ(如果在相位匹配方向上，θ、ϕ 即为相位匹配角)。慢光 e_1 总是在 OQA 与 OQB 两平面构成的球面三角 AQB 的角平分面 $OJQD$ 上垂直于 WO 的方向振动。在 Q 点，e_1 与 ZQP 面之间的夹角 δ 可由下式确定：

$$\operatorname{ctg}2\delta=\frac{\operatorname{ctg}^2\Omega\sin^2\theta-\cos^2\theta\cos^2\phi+\sin^2\phi}{\cos\theta\sin2\phi}\tag{2}$$

式中 Ω 为光轴角。对于双轴晶 3 个主轴折射率之间的关系为 $n_x<n_y<n_z$ 的情形，

$$\sin\Omega=\frac{n_z}{n_y}\left(\frac{n_y^2-n_x^2}{n_z^2-n_x^2}\right)^{\frac{1}{2}}$$

对于 $n_x>n_y>n_z$ 的情形[7]：

$$\cos\Omega = \frac{n_x}{n_y}\left(\frac{n_y^2 - n_z^2}{n_x^2 - n_z^2}\right)^{\frac{1}{2}}$$

求出 Ω 后,连同相位匹配角 θ、ϕ 一同代入公式(2)中,即可求出 δ。

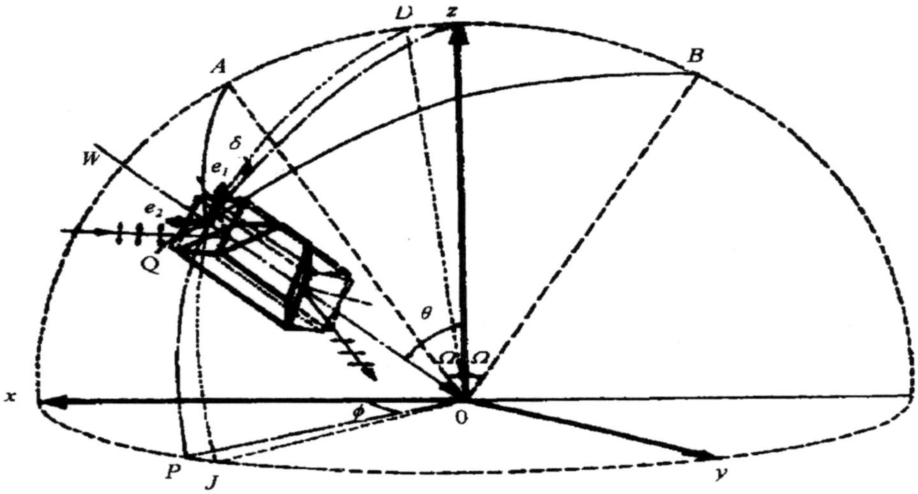

Fig. 11 Stereogram of cutting method for a LDNPB made of a biaxial nonlinear crystal

所以当用双轴晶来制作非平行通光面激光倍频器时必须考虑 δ角。图11是1个例子,入射光的方位角 θ 和 ϕ 是相位匹配方位角。点线表示的长方体就是图6中制作单轴晶的平行通光面激光倍频器坯料,考虑到 δ角,制作双轴晶的非平行通光面激光倍频器必须是用虚线表示的长方体,将点线表示的长方体沿入射光方向 *WO* 转动1个角度 δ即成为虚线表示的长方体。按照上述原则制作的双轴晶非平行通光面激光倍频器,即如图11中的粗线所示。

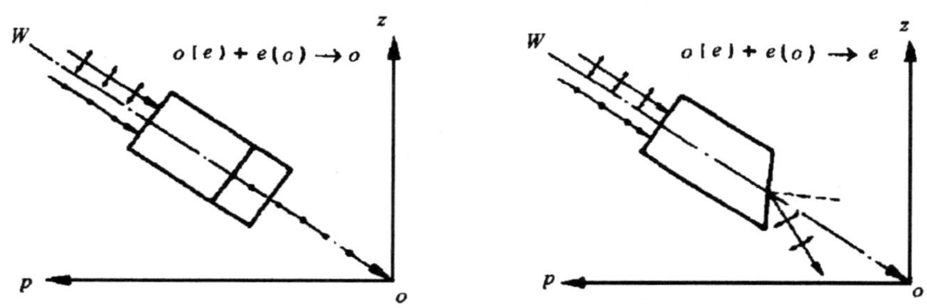

Fig. 12 Projection of a laser mixer with a pair of nonparallel light pass surfaces, among them, one is cut in normal type and the other is cut in Brewster angle

这种方法还可以用于减反射的二波混频器。当然,由于不可能找到1个布氏角能同时满足两束光都能减反射的要求,所以在这种情况下,二波混频器的入射通光面不能切割成布儒斯特角,只能按通常的变频器切割方式进行切割,即使入射通光面垂直于激光入射方向,并镀上对入射的两束光都能减反射的增透膜(又叫双增透膜)。而出射通光面则根据混频后的差频或和频光的振动方向,以保证差频光或和频光在出射面内振动为条件,来进行出射通光面的布氏切割,其投影图如图12所示。当混频光的波长小于350nm或大于2000nm时,用这种方法制作二波混频器是十分有用的,因为在上述2个波长限外增透膜是十分难镀的。关于本文所说的非平行通光面激光变频器的实验验证将另文发表。

4 结　　论

按布儒斯特角切割的有一对平行通光面的激光变频器不能使倍频光达到减反射的目的。为了真正实现不用镀膜就达到减反射的目的，激光变频器在进行布氏切割时，应使基频入射光和倍频出射光的电场矢量振动方向分别平行于入射面和出射面。对倍频光减反射布氏切割的激光变频器其通光面是非平行的，可分为如下两类：

(1)对于所有的 I 型相位匹配倍频器，其出射面与入射面的夹角为 90°(相互垂直)；

(2)对于所有的 II 型相位匹配倍频器，其出射面与入射面间的夹角为 45°。

对于双轴非线性光学晶体，在切割通光面时，还需考虑(3)式中的夹角 δ。

当激光的波长小于 350nm 或大于 2000nm 时，用这种方法制作非平行通光面激光变频器是十分有用的，因为在上述 2 个波长限外镀增透膜十分困难。

参 考 文 献

1 Hecht E, Zajac A. Optics. Addision-Wesley Publishing Company, Inc. 1974: 72

2 Hecht E, Zajac A. Optics. Addision-Wesley Publishing Company, Inc. 1974: 245

3 蒋民华. 晶体物理学. 济南: 山东科学出版社, 1980: 462

4 肖定全, 王民. 晶体物理学. 成都: 四川大学出版社, 1989: 175

5 李荫远, 杨顺华. 非线性光学. 北京: 科学出版社, 1974: 57

6 谢纯武, 郭嘉荣, 赵家驹. 上海交通大学学报, 1982 (1): 37

7 张克从, 王希敏. 非线性光学晶体材料科学. 北京: 科学出版社, 1996: 28

第30卷 第1期　　人 工 晶 体 学 报　　Vol. 30 No. 1
2001年2月　　JOURNAL OF SYNTHETIC CRYSTALS　　February, 2001

KTP晶体的电光研究进展

沈德忠
（国家建材局人工晶体研究所，北京 100018）

摘要：本文简述了KTP晶体的电光性能并与KD*P、LN晶体进行了比较。概括了KTP晶体电光器件研究的主要进展。对水热法生长的KTP晶体和熔剂法生长的KTP晶体在电光应用中的优缺点进行了分析。最后介绍了熔剂法生长的低电导率KTP晶体在电光领域的应用研究。

关键词：电光晶体；KTP晶体；KTP Q 开关；KTP电光波导
中图分类号：O734；O799　　**文献标识码**：A　　**文章编号**：1000-985X(2001)01-0028-08

Progress in E-O Research for KTP Crystals

SHEN De-zhong
(Research Institute of Synthetic Crystals, State Administration of Building materials Industry, Beijing 100018, China)

(*Received* 1 *January* 2001)

Abstract: The electro-optical (E-O) properties of KTP crystal were mentioned briefly and compared with that of KD*P and LN crystals in this paper. Main progress in E-O applications for KTP crystals was summarized. Merits and demerits in E-O applications for KTP crystals grown by the hydrothermal technique and by the flux method respectively were analyzed. Finally, the situation on E-O applications for KTP crystal with low conductivity grown by flux method was presented.

Key words: electron-optical crystal; KTP crystal; KTP Q switch; KTP E-O waveguide

1 引 言

大家知道，电光晶体在现代光学和激光技术中有很重要的应用。快速光快门、Q 开关、振幅调制器、相位调制器、电光偏转器等都需要用电光晶体来制造。这些电光器件的应用提高了激光器的性能，扩大了激光的应用范围，促进了激光技术的发展。当前在激光技术中应用较广泛的电光晶体是KD*P和LN，但这两种晶体在电光性能方面有不少欠缺之处。KD*P的电光品质因素 $Q(=n^3r/\varepsilon$，n 为折射率，r 为电光系数，ε 为介电常数)很小，只达5.94，与此相应的是电光调制的半波电压很高，一般要几千伏，这给系统运作带来很大的麻烦。KD*P晶体用水溶液法进行生长，吸潮厉害，且耐热冲击性能很差，器件加工过程中容易损坏。LN的电光 Q 值虽比KD*P的略高（约为9），但LN的最大毛病是光损伤阈值太低，一般只有10MW/cm^2，掺

收稿日期：2001-01-01
作者简介：沈德忠(1940-)，男，贵州省人，中国工程院院士。

镁后也只到100MW/cm^{2}量级。（新近研制的同成分LN的光损伤阈值大为提高，但同成分LN的晶体生长却十分困难），用LN作成的电光调制器，由于压电效应的耦合，当加上调制电压后，会产生寄生振荡，致使调制频率受到限制，一般不超过1kHz，经过改进后也只到10kHz[1]。这远不能满足高频调制的需要，故人们一直在寻找新的、性能更加优异的新型电光晶体。

70年代中期发现的非线性光学晶体$KTiOPO_4$(KTP)具有优异的倍频性能：非线性系数大，不潮解，光损伤阈值可达GW/cm^{2}量级，相位匹配条件随温度的变化很小。根据实践经验，具有大的非线性系数的晶体往往也具有优秀的电光性能。于是人们把探寻新型电光晶体的重点放到了KTP晶体上。

2　KTP的电光特性

最早报导KTP电光性能的文章是G.A.Massey等人1980年发表的[2]，但因他们用来测量的KTP样品未沿主晶轴取向，且晶体光学质量较差，故测试结果不够准确。1986年，杜邦公司的J.D.Bierlein和C.B.Arweiler两人，使用当时能得到的最好的KTP晶体（尺寸从3mm×3mm×3mm到4mm×5mm×20mm不等），进行了介电特性、电光常数及其与温度的关系、温度延迟系数等一系列电光性能的测量。其测量结果见图1和图2及表1～3[3]。

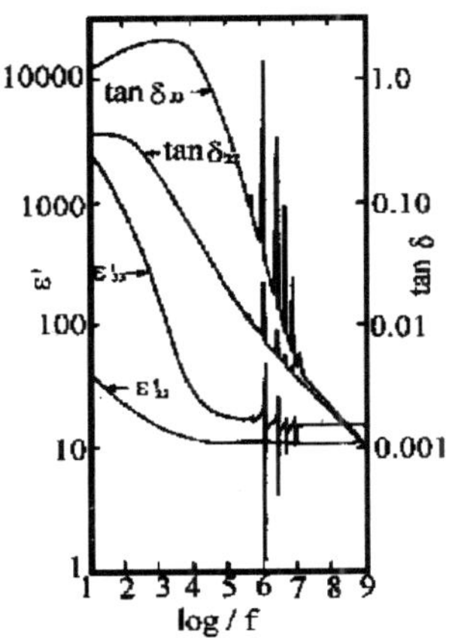

Fig. 1　Frequency dependence of dielectric constants ε_{22} and ε_{33} for KTP

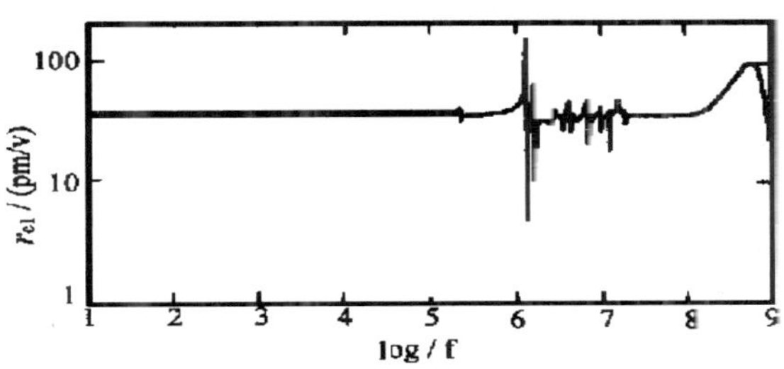

Fig. 2　Electro-optic coefficient $r_{cl}=r_{33}-(n_1/n_3)^3r_{13}$ for KTP from 10Hz to 1GHz. The dc coefficient is equal to that at 10Hz. The peak at～500MHz is due to sample LC resonance

从图1可见，KTP的介电常数ε_{22}（ε_{11}与ε_{22}相当）随频率变化较小，且不受压电耦合效应的影响；ε_{33}随频率变化较大，除500kHz到10MHz区间外，也不受压电耦合效应的影响，特别是在高频（10MHz～1GHz），ε_{22}、ε_{33}均不随频率而变。电光系数$r_{cl}=r_{33}-(n_1/n_2)^3r_{13}$随频率变化的情况如图2所示：

从直流到500kHz一直是平坦的，只在500kHz到10MHz区间有压电共振峰。在500MHz处出现的一个宽峰是由于系统的电容电感感应而引起的。由此可见，除了500kHz～10MHz这一区域以外，用KTP晶体制作的电光器件不会由于压电耦合而产生寄生振荡，而这种振荡在其他电光晶体（例如LN）器件中却很严重。

表1列出了KTP低频和高频电光系数及介电常数的数值，进一步表明KTP的电光系数随频率的变化不大。表2列出了几种用作电光调制（相位调制和振幅调制）晶体材料的电光特

性，以资比较。

Table 1 Electro-optic and dielectric constants of KTP

	Low frequency(pm/V)	High frequency(pm/V)
r_{13}	+9.5±0.5	+8.8±0.8
r_{23}	+15.7±0.8	+13.8±1.4
r_{33}	+36.3±1.8	+35.0±3.5
r_{51}	7.3±0.7	6.9±1.4
r_{42}	9.3±0.9	8.8±1.8
r_{c1}	+28.6±1.4	+27.0±2.7
r_{c2}	+22.2±1.1	+21.5±2.2
ε'_{11}	11.9±0.2	11.6±0.2
ε'_{22}	11.3±0.2	11.0±0.2
ε'_{33}	≥17.5±0.4	15.4±0.3

Table 2 Elcetro-optic modulator materials

Crystals			Phase			Amplitude		
			r	k	n^7r^2/ε	r	k	n^7r^2/ε
	ε	n	(pm/V)	(10^{-6}/℃)	$(pm/V)^2$	(pm/V)	(10^{-6}/℃)	$(pm/V)^2$
KTP[a]	15.4	1.86	35.0	31	6130	27.0	11.7	3650
KD*P	48	1.47	24[17]	9[18]	178	24[17]	8[18]	178
$LiIO_3$	5.9	1.74	6.4[19]	24[20]	335	1.23[19]	15[20]	124
$LiNbO_3$	27.9	2.20	28.8[21]	82[22]	7410	20.1[21]	42[22]	3500

a: This work.

其中 k 为热滞后系数(对于使用 r_{c1}的振幅调制，$k=\partial l\Delta n/l\partial T$；对于使用 r_{33}的相位调制，$k=\partial ln/l\partial T$。其中 l 为通光长度，n 为折射率，Δn 为双折射率，测量波长 $\lambda=0.6328$nm)。很明显，KTP 的热滞后效应比 LN 要小很多。经测量，从-173℃～627℃，KTP 的电光系数 r_{c1}的变化不超过10%，其它6个电光系数可类似地看作与温度无关。这表明用 KTP 晶体制备的电光器件具有很高的温度稳定性。

表2 还列出了电光相位及振幅调制的品质因素 $Q=n^7r^2/\varepsilon$(与带宽和驱动功率之比有关)，KTP 的 Q 值与 LN 的相差不多，但远远大于 KD*P 的 Q 值。表 3 列出了 9 种用于电光波导调制器的晶体材料及其电光特性，KTP 的电光波导品质因素($Q=n^3r/\varepsilon_{eff}$)也名列前茅。

Table 3 Waveguide electro-optic modulator materials[23]

	r (pm/V)	n	ε_{eff}	n^3r/ε_{eff} (pm/V)
KTP, r_{33}	35	1.86	13	17.3
$KNbO_3$, r_{33}	27[24]	2.17	30	9.2
$LiNbO_3$, r_{33}	29	2.20	37	8.3
$Ba_2NaNb_5O_{15}$	56	2.22	87	7.1
KTP, r_{23}	14	1.76	13	5.9
SBN(25-75)	56-1340	2.22	119-3400	5.1-0.14
GaAs	1.2	3.6	14	4.0
$LiNbO_3$, r_{13}	10	2.29	37	3.2
$BaTiO_3$	28	2.36	373	1.0

我们注意到，表 3 所列的某些数据与同年 6 月在洛杉矶举行的有关波导光电材料的 SPIE 会议上报告的有所出入[4]。作为波导电光材料，还有两种晶体的 Q 值比 KTP 的高，它们是：$KNbO_3$(KN)和 $BaTiO_3$(BT)。KN 的 r_{42}其低频值为 380pm/v，高频下也有 270pm/v。电光 Q 值高达 31.6；BT 的电光 Q 值也达 29.3，而不是这里所列的 1.0。KTP 的 Q 值只排在第 3 位。但考虑到 KN 在作电光应用时，若调制电压不是加在 C 轴上（实际应用时往往属于这种情况）则容易退极化，晶体由单畴变为多畴，透过率急剧下降，无法使用；BT 在室温有一个相变点，在相变点附近，性能变化很大，也不宜应用。所以实际上在目前已知可用的无机电光晶体中，KTP 的电光 Q 值实属前茅。

3　KTP 的电光器件研究

在上述基本性能研究的基础上，电光 KTP 的器件制备和性能测试研究很快就发展起来。1987 年，J. D. Bierlein 等人对 KTP 的波导制备进行了探索，用离子交换法成功地制得高质量的 KTP 波导[5]。他们发现，用 Rb、Cs、Tl 等离子进行交换反应时，这些离子沿 KTP 晶体 z 方向的扩散系数要比沿 xy 平面的大好几个数量级。要想得到边界清晰的波导，必须使用 z 切 KTP 基片。图 3 示出他们用 Tl 离子在 z 切 KTP 基片上形成的 6μm 宽波导的相衬显微照片，其波导界面非常清晰。至于波导的深度则取决于 KTP 衬底的电导率。为改进波导的均匀性和减少衬底电导率的变化带来的影响，他们在用作离子交换的单价硝酸盐中加入离子尺寸相当的 2 价离子（如 Ba^{2+}、Sr^{2+}等），制得了在深度方向也被限制得很好的波导。图 4 是从波导的端面看过去的视图，可见该波导在深度方向上的边界也是十分清晰的。

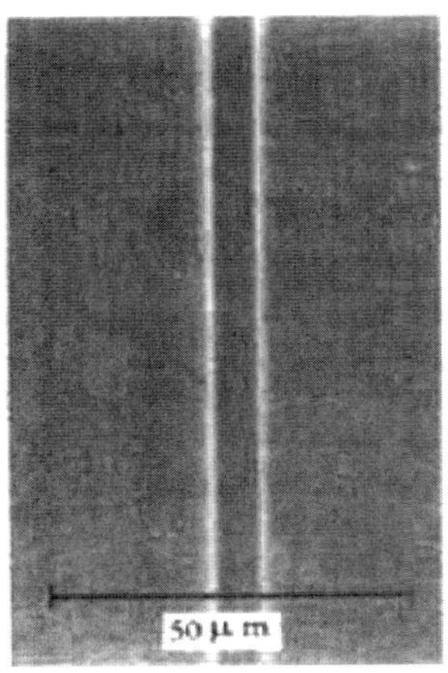

Fig. 3　Top view of a Tl-exchanged channel waveguide in KTP

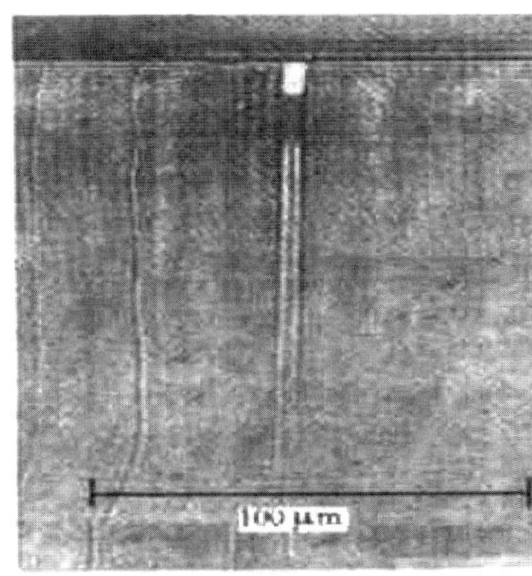

Fig. 4　End view of a Ba/Rb-exchanged channel waveguide in KTP

使用这种技术，杜邦公司 D. B. Laubacher 等人在 1 mm 厚 z 切割的 KTP 衬底上制成了 Mach-Zehnde 调制器，波导宽 6μm，其带宽高达 16GHz，对于 $\lambda=1.3$μm 的激光，半波电压为 10V，对于 $\lambda=0.633$μm 激光，半波电压为 5V，调制性能十分稳定[6]。

1995 年，法国 M. Rottschalk 等人用 J. D. Bierlein 提出的质子交换技术，研制出用于从红光到蓝光的整个可见光区的 KTP 电光波导（晶体尺寸为 5mm×25mm×1mm）[7]。对于 $\lambda=514.5$ nm 的绿光，开关电压约为 5.5V，纵模的半波电压约 21V，且随波长的减小而降低。波导的光折变损伤比 LN 波导的损伤小两个数量级。用此 KTP 电光波导研制成了用于可见光区的 Mach-Zehnder 振幅调制器。

1991 年杜邦公司和诺切斯特大学的 X.D.Wang, H.Vankerzeele 等人, 用尺寸为 4mm× 8mm ×4mm 的 KTP 晶体制成了振幅电光调制器(泡克尔盒), 成功地用作 Nd:YAG 激光系统的 *Q* 开关[8]。KTP 属双轴晶体, 存在自然双折射, 为补偿自然双折射率随温度的变化而对调制器造成的波动, 他们将 KTP 晶体放置在一可调的控温盒内, 将温度调到适当数值即可克服自然双折射的影响。对 He-Ne 激光, 消光比可达 2000:1。对 λ=1053μm 的 100MHz 锁模 Nd:YLF 激光, 静态半波电压为 2.9kV。动态半波电压为 3.2kV, 此值与尺寸为 9mm×9mm× 25mm 的 LN 泡克尔盒的静态半波电压相当, 而比其动态半波电压低 30~40%。特别值得一提的是, KTP 电光调制器在动态工作时, 由于压电效应的耦合而产生的寄生振荡几乎观察不出来。如图 5 所示。此 KTP 泡克尔盒的重复频率可达 30kHz(因受电源性能的限制未作得更高)。

1994 年, 日本学者 Takunori Taira 和 Takao Kobayashi 用一块尺寸为 1mm× 3mm× 5mm 的 KTP 晶体, 同时实现了 $Nd:YVO_4$ 输出的 1064nm 倍频和 *Q* 开关调制器。调制后得到脉宽 18ns 的 532nm 脉冲激光输出, 其峰值功率为 15.4W, 是连续输出的绿光的 616 倍[9]。

上述用控温盒加热来补偿 KTP 自然双折射的技术, 在皮秒超短脉冲的情况下将对波长敏感, 即使光谱带宽变窄。对于一个长为 1cm、泄漏为 2%的 KTP 泡克尔盒, 在对波长为 1μm 的激光进行调制时的光谱带宽只有 0.1nm, 因此作者提出将 2 块通光长度尽可能相等的 KTP 晶体相互旋转 90° 的方法, 来进行双折射补偿。1995 年, 劳伦斯-利弗莫尔国家实验室的 C.A. Ebbers 和 S.P.Velsko 用图 6 所示的双 KTP 晶体调制器成功地完成了这一实验, 晶体尺寸为8.2 mm×10.5mm×6.9mm。图 7 示出其温度补偿的结果, 这种 2 块晶体结构的 KTP 电光调制器的温度带宽和光谱带宽比上述单块 KTP 泡克尔盒的都要高一个数量级。光调制的上升时间快(~15ns), 重复开关 10^9 次(3kV, 长 1μ 的脉冲、频率 2.5kHz), 连续运行一周也没有损坏[10]。这种 KTP 晶体对电光调制器还适用于高平均功率 ($3kW/cm^2$) 的激光系统以及中红外波长(2.02 和 2.9μm, 在这些波段, KD*P、LN 电光器件都不适用)。

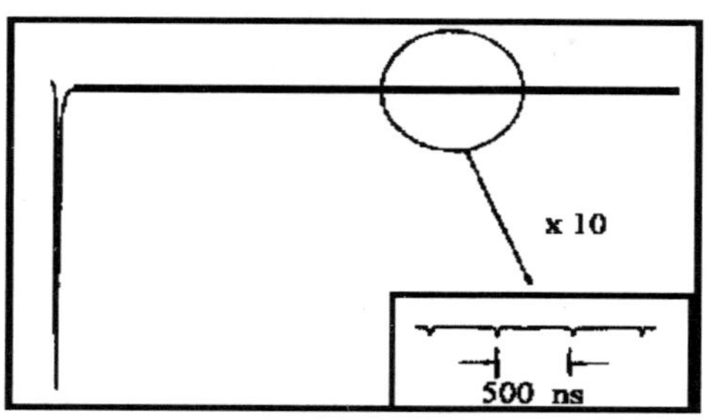

Fig. 5　Single-pulse switch out from a 100MHz pulse train at 1053nm. The nearly complete absence of acoustic ringing is evident from the inset

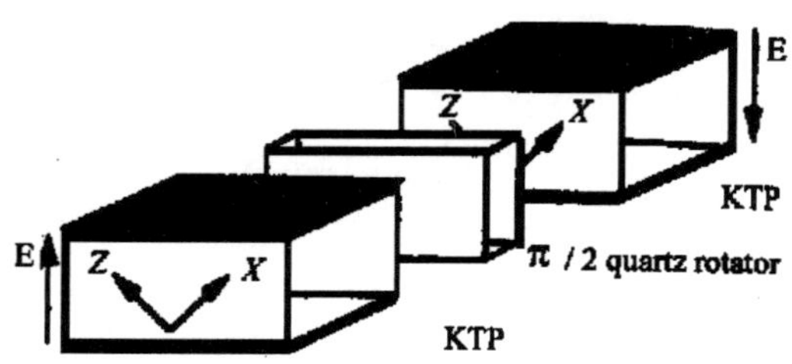

Fig. 6　Transverse, bicrystal, thermally compensated switch

4　水热法 KTP 晶体的局限性

需要指出的是, 上述电光应用的 KTP 晶体都是用水热法生长出来的。水热法生长 KTP 的条件十分苛刻,在杜邦公司研制初期,所用高压釜的工作温度和压力各为600℃,1700大气压[11],高压釜的内径只有1.5英寸(38.1mm),长出的晶体尺寸最大为20mm×20mm×60mm,且籽晶在晶体中间,上下两端又是锥面(如图8中右边的HTH KTP所示[12],HTH—高温水热法),所以能切出用于双块KTP电光调制的晶体尺寸只有6~7mm见方。

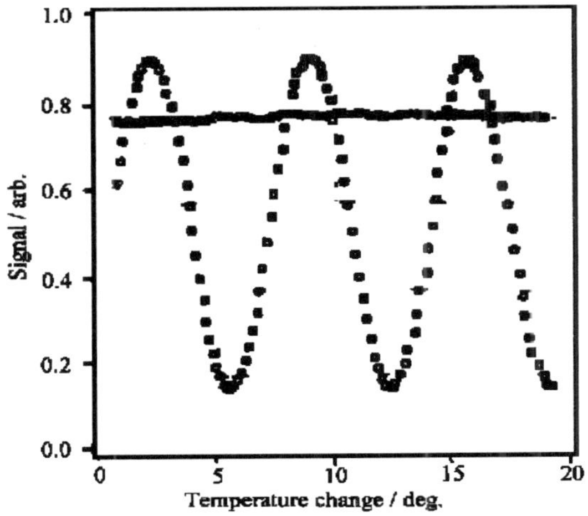

Fig. 7　Compensation for average temperature changes in the Q-switch. × = compensated; □= uncompensated

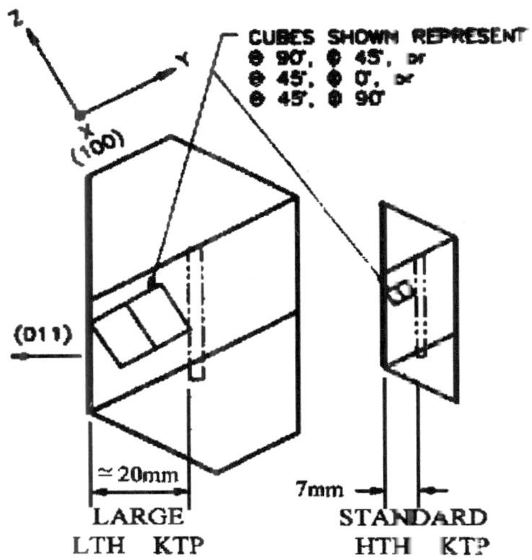

Fig. 8　Standard and large hydrothermal KTP comparison

1986年,美国水热法专家R. A. Laudise指出,水热法生长KTP晶体的条件可以往下降[13],之后将温度和压力降到了500℃,1360大气压。高压釜内径扩大到3英寸(76.2mm),生成态晶体如图8左边的LTH KTP所示(LTH—低压水热法),晶体尺寸可扩大一倍。但考虑到长出的晶体中并不是所有的部位光学质量都能满足应用要求,所以水热法生长的KTP晶体的应用在很大程度上受到尺寸不够大的限制。再加上水热法生长的KTP的价格比LN贵得多,所以尽管用KTP晶体制成的电光器件性能比LN制成的好得多,推广应用也比较困难。

5　熔盐法KTP晶体的问题

生长KTP晶体的另一种方法是熔盐法。此法是在常压下生长,生长条件相对于水热法要宽松得多。生长容器(铂金坩埚)可以做得很大,所以晶体可以长得很大(70mm×80mm×30mm或更大)。生长KTP的熔盐法又分为两种,一种是籽晶浸没法,即将籽晶浸没到熔体中某个部位进行生长。这种方法长出的KTP晶体,其籽晶也在晶体中间,按文献[14]的研究,如此长出的KTP晶体是双晶,所以在切割电光应用的晶块时,仍然要受到一定的限制。另一种方法是顶部籽晶法。此法生长KTP晶体时,籽晶只与熔体表现接触,故生成态KTP晶体中不含籽晶,而且长出的晶体是单晶。所以顶部籽晶熔剂法长出的KTP单晶有最大的切割体积。国际上首次用熔盐法长出可实用的KTP单晶就是用我国人工晶体研究所发明的这种方法实现的。

但是,熔盐法生长的KTP晶体在进行电光应用时,最大的缺点是电导率太大,约为$10^{-7}/\Omega\cdot cm$数量级。在加上调制电压后,晶体会发黑失透,不能使用。水热法生长的KTP晶体的电导率在$(10^{-9}\sim10^{-11})/\Omega\cdot cm$量级,所以不存在这个问题。

6 熔盐法 KTP 晶体的电光应用

上一节中谈到，虽然熔盐法能长出足够电光应用的大块 KTP 晶体，但由于电导率太大，无法进行实际的电光应用。在国家有关部门的支持下，人工晶体研究所又进行了降低 KTP 晶体电导率的研究。经过近5年的探索，找到了解决的办法，终于将熔盐法生长的 KTP 晶体电导率降低了3个数量级，达到 $10^{-10}/\Omega\cdot cm$，使熔盐法 KTP 的电光应用成为可能。以下有关电光应用的低电导率 KTP 晶体，都是由人工晶体研究所用熔盐法长出来的。

1998年，上海光机所陈绍和等人用2块尺寸为 5mm×5mm×12mm 的低电导率 KTP 晶体，制作成高速低压电光开关，其特性是：(1)当工作波长为1064nm时，开关半波电压～1200V；(2)开关信噪比>100:1；(3)通过开关选出的脉冲光学质量优良。经过两年多的使用，未观察到晶体发黑现象。

1998年，上海交通大学用离子交换法在尺寸为 20mm×10mm×3mm 的低电导率 KTP 基片上，制得掩埋式波导，其折射率变化 Δn 符合余弦误差函数分布，器件的光学均匀性和温度稳定性都很好。

1999年天津大学李世忱等人将低电导率 KTP 晶体制作的 Q 开关与 LN 晶体 Q 开关性能作了比较，用钛宝石激光器输出的 800nm 连续激光器作光源。LN 晶体制作的 Q 开关的半波电压约1800V，在各种重复频率和脉宽下做斩波实验，都出现显著的振铃结构(即寄生振荡)，振荡频率 1MHz。如图9所示，而用2块低电导率 KTP 制作的 Q 开关在同样条件下进行测试，半波电压为580V，且显示出正常矩形开关光脉冲，上升和下降沿都是5ns，看不出任何振荡现象。如图10所示[15]。

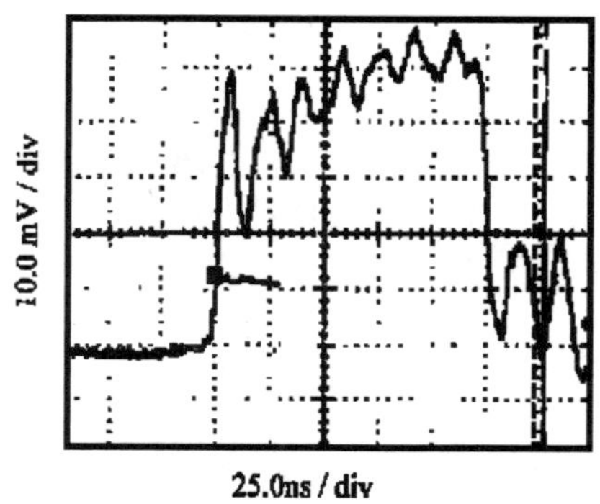

Fig. 9 The oscillograph of switching a CW laser beam of $LiNbO_3$ crystal

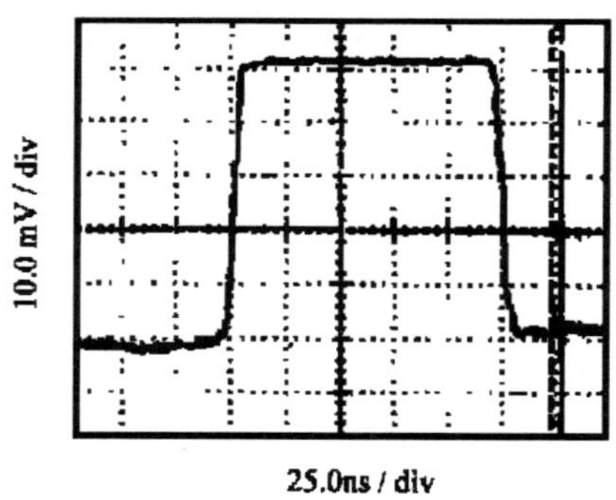

Fig. 10 The oscillograph of switching a CW laser beam of KTP crystal

2000年，中国工程物理研究院隋展等人，用2块尺寸为 4mm×8mm×16mm 的低电导率 KTP 晶体制作成了体式高速行波电光调制器，半波电压仅为760V，脉冲响应时间为297ps，其电光带宽高达2.5GHz。KD*P 电光调制器的半波电压为7～8kV。由于其介电常数高达40，使器件的分布电容很大，故响应速度慢，仅为1纳秒水平，不能满足对1纳秒脉冲进行亚纳秒调制的要求，而低电导率 KTP 高速电光调制器能满足这种高速调制的需要[16]。

7 结　语

KTP 晶体除具有十分优秀的倍频性能外，还具有十分优秀的电光性能。自 1985 年以来，已进行了各种 KTP 电光器件的研究和应用。由于水热法生长的 KTP 晶体尺寸受到限制，且价格比 KD*P、LN 晶体高，故推广应用存在困难。熔盐法生长的 KTP 晶体，虽不存在尺寸限制，但电导率较高，不宜用作电光调制。熔盐法低电导率 KTP 晶体的研制成功，有力地促进了 KTP 电光器件的实际应用，特别是在高频调制领域，有可能取代 KD*P 和 LN 电光器件。目前低电导率 KTP 电光器件尚需在提高大口径器件的光学均匀性、提高 KTP 晶体对（即 2 块 KTP 晶体相互旋转 90°串联结构）的消光比、以及提高器件加工的重复性等方面进一步努力，以便将低电导率 KTP 电光器件推向产业化。

参 考 文 献

1 Wang X D. Basseras P and Dwayne Miller R J. *Optics Letters*, 1990, **15**(15): 839

2 Massey G A, Loehr T M, Willis L J and Johnson J C. *Appl. Opt.*, 1980, **19**: 4136

3 Bierlein J D and Arweiler C B. *Appl. Phys. Lett.*, 1998, **49**(15): 917-919

4 Robert Holman L, Lynda Althouse Johnson M and Doyle Skinner P. *SPIE, Processing on Guided-wave Opto-electronic Materials* 11, Jan. 1986, 19-24 LosAngeles Calif. 后又发表在 *Optical Engineering*, 1987, **26**(2): 134

5 Bierlein J D, Ferretti A, Brixner L H and Hsu W Y. *Appl. Phys. Lett.*, 1987, **50**: 1216

6 Lanbacher D B, Guerra V L, Chouinard M P, Liou J Y and Wyat P H. *Proc. Soc. Photo-Opt. Instrum. Eng.* 1988, **993**: 80

7 Rottschalk M, Ruske J P, Horrig K, Stelnberg S, Hagner G and Rasch A. *J Lightwave Technoly*, 1995, **13**(10): 2041

8 Wang X D, Basseras P, Dwayne Miller R J and Vankerzeele H. *Appl. Phys. Lett.*, 1991, **59**(5): 519

9 Takunori Taira and Takao Kobayashi, *IEEE J. Quantum Electronics*, 1994, **30**(3): 800

10 Ebbers C A and Velsko S P. *Appl. Phys. Lett.*, 1995, **67**(5)593

11 Bierlein J D and Vanherzeele H. *J. Opt. Soc. Am.*, 1989, **B6**(4): 622

12 Irad T E, Technical Digest *CLEO' 94 CFF* 3(Invited), 1994, 415

13 Laudise R A, Cava R J and Caporaso A J. *J. Crystal Growth*, 1986, **74**: 275

14 施路平等.“KTiOPO₄ 的双晶结构及其对晶体生长的影响”. 硅酸盐学报, 1993, **21**(6): 566

15 李世忱, 倪文俊, 等. 光电子·激光, 1999, (2): 1

16 隋展、王朝章等,“高速 KTP 电光调制器研究”(待发表)

17 Sliker T R, Burlage S R. *J. Appl. Phys.*, 1963, **34**: 1837

18 Phillips R A. *J. Opt. Soc. Am*, 1966 **56**: 629; Cook W R. *J. Appl. Phys.*, 1967, **38**: 1637

19 Nash F R, Bergman J G, Boyd G D, Turner E H. *J. Appl. Phys.*, 1969, **40**: 5201

20 Kuzyk M P, ukr. Fiz. zh(Russ. Ed.), 1977, **22**: 1044; Thiserryt J M, Coquet E, Creffez J M. *Opt. Commun*, 1976 **16**: 417

21 Kaminaw I P, Turner E H, Barnes R L, Bernstein S L. *J. Appl. Phys.*, 1980, **51**: 4379

22 Hobden M V, Warner *J. Phys. lett.*, 1966, **22**: 243; Kim Y S, Smith R T. *J. Appl. Phys.*, 1969, **40**: 4637

23 Holman R L. Materials and Devices Issues in Guided Wave Optics, Short Course Presented at Society of Photo-Optical Instrumentation Engineer, Cambridge 1985

24 Günter P. The Polarization Optic Coefficiet and High-frequency Dielectric Constant. *Opt. Lett.*, 1974, **11**: 285

ELSEVIER

Optics & Laser Technology 34 (2002) 277–281

Optics & Laser Technology

www.elsevier.com/locate/optlastec

A right cut method of Brewster angle to reduce the reflection of laser frequency doubler

Dezhong Shen[a,b], Guangqiu Shen[a], Xiaoqing Wang[a,*], Xiaoyang Wang[b]

[a] Department of Chemistry, Tsinghua University, Beijing 100084, China
[b] Research Institute of Synthetic Crystals, Beijing 100018, China

Received 19 April 2001; received in revised form 22 October 2001; accepted 22 October 2001

Abstract

The ordinary method to cut two light pass surfaces of an optical device in Brewster angle parallelly cannot reduce the harmonic's reflective losses of a laser frequency doubler. Right cut method with two unparallel light pass surfaces of Brewster angle of a laser frequency doubler, and preliminary experiment to demonstrate the usefulness of the technique are given.

Keywords: Brewster angle; Unparallel light pass surfaces; Laser frequency conversion

0. Introduction

It is well known that when a light beam passes through an optical device, there are two methods to reduce the reflective loss. One is the coating on the light pass surfaces, the other is to cut two light pass surfaces of a device in Brewster angle, and make them usually parallel to each other (PBA type in short). The latter has been used to reduce the reflection in ordinary optics for many years. After the laser was found, especially the laser frequency conversion which was realized, the method that cut a doubler in PBA type has also been used consequently in laser frequency doublers for the same reason. Unfortunately, this method can not only reduce the reflective loss, but can also increase it.

This work will show where the problem lies and give the right cut method of Brewster angle for laser frequency doublers. Preliminary experiment to demonstrate the usefulness of this technique was also given. This kind of Brewster-cut doubler is very useful for the frequency conversion in which the relative coatings are difficult to make.

1. Theoretical analysis

According to Fresnel equations describing the effects of an incoming plane electromagnetic wave falling on an interface separating two different dielectric media, we square the appropriate Fresnel equations and yield [1]

$$R_{||} = \frac{\tan^2(\theta_i - \theta_t)}{\tan^2(\theta_i + \theta_t)}, \quad R_{\perp} = \frac{\sin^2(\theta_i - \theta_t)}{\sin^2(\theta_i + \theta_t)}. \tag{1}$$

Here, $R_{||}$ is the ratio of reflected to the incident irradiance for linear light which has its electric field parallel to the plane of incidence, and similarly $R_{\perp}$ is that for linear light where electric field is normal to the plane of incidence, θ_i and θ_t are the incident and refractive angles, respectively.

It is known from Eq. (1) that $R_{||}$ is indeed zero when the denominator became infinite, i.e. when $\theta_i + \theta_t = 90^\circ$, the incident angle for $R_{||} = 0$ is called Brewster angle θ_B, and can be calculated from $\theta_B = \tan^{-1}(n_2/n_1)$; here n_1 and n_2 are refractive indexes of dielectric media 1 and 2, respectively. The PBA-type cut for reducing reflective loss is just based on this principle (Fig. 1).

What will happen if the PBA-type cut method is used to make a doubler? The main difference between these two conditions is that: in normal optical process, the optical devices cut in Brewster angle such as laser rod, silica glass etc. usually do not change the polarization state of incident light wave. But in the optical process for frequency conversion, the doubler not only changes the frequency of fundamental light wave, but also always changes the polarization state of incident light wave. We all know that this is caused by the demand of angle phase matching. For example, to a doubler made of an uniaxial crystal and angle phase matched in type I,

* Corresponding author. Tel.: +86-10-6277-2351; fax: +86-10-6277-1149.

E-mail address: xqwang@mail.tsinghua.edu.cn (Xiaoqing Wang).

0030-3992/02/$ - see front matter
PII: S0030-3992(01)00106-2

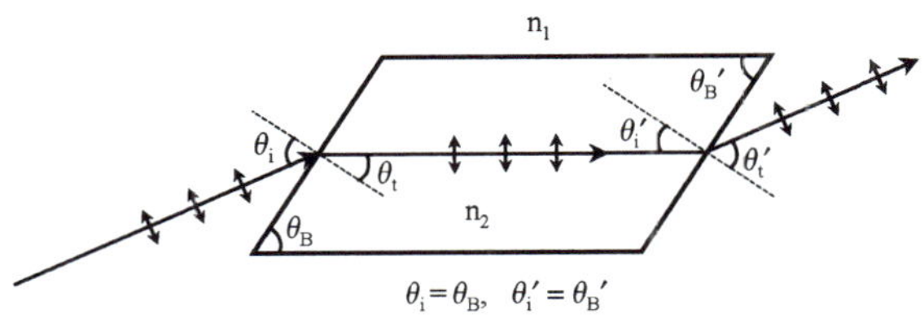

Fig. 1. Optical device with a pair of parallel light pass surfaces cut in Brewster angle.

the two polarizations of fundamental and second harmonic light wave are orthogonal, because one is o-light wave and the other is e-light wave. If the doubler cut is of PBA type, then the electric field of second harmonic light wave will vibrate perpendicular to the output plane. In this situation, the reflective ratio of irradiance for second harmonic light wave on the output surface must be $R_{\perp}$ and not $R_{||}$.

We can see from Eq. (1) that $R_{\perp}$ is never equal to zero whatever θ_i and θ_t are. So the reflective loss of second harmonic light wave for doubler cut in PBA type is not zero. When the refractive index of a nonlinear crystal, $n = 1.57$ (as for LBO), $R_{\perp} = 17.6\%$, and when $n = 2.30$ (as for KN), $R_{\perp} = 46.5\%$. That means almost half of the output harmonic light will be reflected out! But on a no-coating normal cut doubler, the reflective loss on output light surface (which is perpendicular to the light pass direction) is just 4.9% ($n = 1.57$) or 15.5% ($n = 2.30$).

So we need not cut a doubler in PBA type for the purpose of reducing the harmonic's reflective loss as it is of no use. However, this result does not mean that the way to cut light pass surfaces of doubler in Brewster angle cannot be used to reduce the harmonic's reflective loss. The key is to follow the principle: cut two light pass surfaces in Brewster angle in such a way so as to make the electric field of fundamental light wave and second harmonic light wave vibrate in incident and output planes, respectively.

2. Design of devices

According to the principle mentioned above, the two light pass surfaces of a doubler cut in Brewster angle should not yet be parallel to each other (NPB type in short). One of the samples is shown in Fig. 2, where OX, OY, OZ are three main axes of a positive uniaxial crystal, and OZ is an optical axis, WO is the angle phase matching direction for certain laser wavelength, while its position angles θ and ϕ are the phase matching angles, and PO is the projection of WO on the XOY plane. The rectangle ABDCEFHG described a blank of nonlinear crystal for making a Brewster-cut doubler. If its two end faces ABDC and EFHG were polished, then it should be a normal cut doubler for type I phase matching e + e → o; the light propagation direction is just WO direction, except that the length BF is longer than necessary. Considering these demands, the first, the incident light must

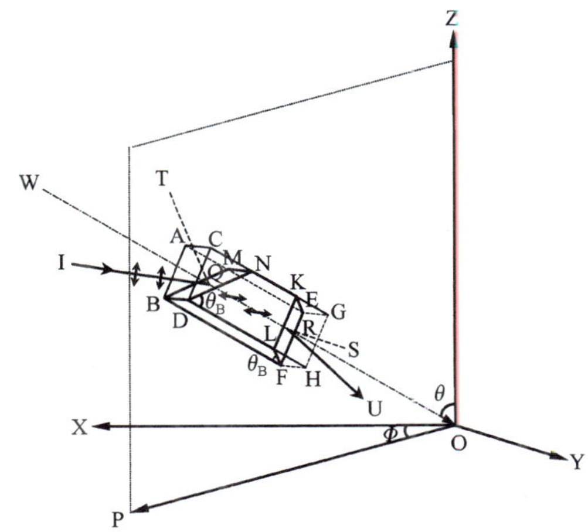

Fig. 2. Stereogram of cutting method for a laser doubler with a pair of nonparallel light pass surfaces cut in Brewster angle (LDNPB) made of a positive uniaxial nonlinear crystal.

be e-wave; the second, the E-vector of the incident light must vibrate in the incident plane. The only feasible way to cut the input surface in Brewster angle is to ensure that the incident plane (which consisted of the normal of input surface TQ and incident light IQ) coincides with ZOP plane. The input surface BDNM was cut like this, $\angle NDL = \theta_B$. The E-vector vibrates in the plane of ZOP in which the optical axis OZ lies in, so, the demand that the incident light must be e-wave was also sufficed at the same time.

The incident laser wave was changed to o-light after it entered the doubler, i.e. its E-vector vibrates perpendicular to the ZOP plane. For this reason, the output surface cannot be cut parallel to the input surface BDNM. According to the requests mentioned above, the output surface must be cut in Brewster angle such that, the output light wave must be o-wave and its E-vector must vibrate perpendicular to OZ axis (optical axis). So the only feasible way to cut the output surface in Brewster angle is to ensure that the output plane (consisted of the normal of output surface RS and the output light RU) is perpendicular to ZOP plane, as shown in Fig. 2 as LFEK face. The angle $\angle LFB = \theta_B$. The E-vector of output light wave vibrates in output plane, thus it is perpendicular to OZ axis, the two requests were sufficed at the same time.

If the nonparallel-light-pass-surface laser doubler BDNMFLKE is projected to ZOP plane, we can get its projection drawing as shown in Fig. 3, which is simple and clear. Next, we just use this kind of projection drawing to show other laser doublers with nonparallel-light-pass-surface cut in Brewster angle (LDNPB in short). An LDNPB made of a negative uniaxial crystal and phase matched in type I ($o+o \rightarrow e$) shows some analogy to that of a positive uniaxial crystal.

We can see that the angle between incident plane and output plane is 90° for type I phase matching frequency conversion of a uniaxial crystal.

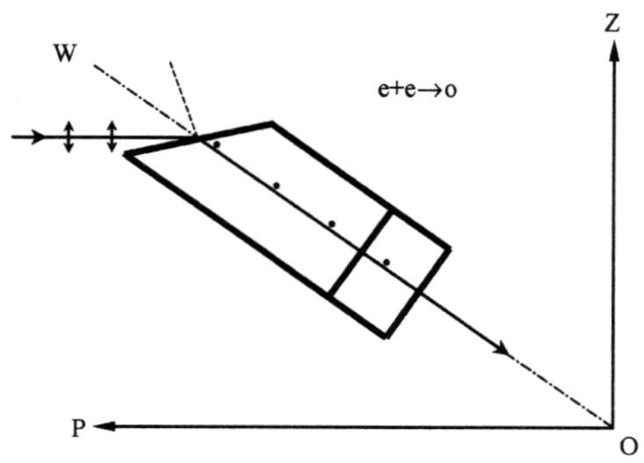

Fig. 3. Projection of an LDNPB phase-matched in type I, made of a positive uniaxial nonlinear crystal.

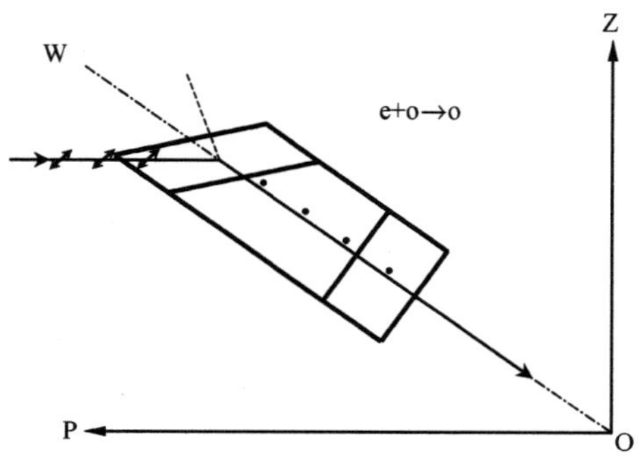

Fig. 4. Projection of type II phase matching for a positive uniaxial crystal.

For type II phase matching of a uniaxial crystal, the fundamental light wave polarized in line would be decomposed to o and e light waves after it is incident into the doubler, then these two beams react with each other and generate o or e light wave ($o + e \to o$ for positive uniaxial crystal, or $o + e \to e$ for a negative one). We can derive that the intensity of second harmonic light wave is largest only when the angle between the vibrating direction of fundamental light wave and the main plane ZOP is 45°. For this reason, the requirement for making a type II phase matching LDNPB of a uniaxial crystal is that the input surface is cut in this way: the incident plane overlapped with the diagonal BC or AD of the end face ABDC of the rectangle ABDCEFHG as shown in Fig. 2. Fig. 4 showed the projection drawing of LDNPB in type II phase matching made of positive uniaxial crystals. For negative uniaxial crystals, we can easily get the projection drawing analogously. We can see that the angle between incident plane and output plane is 45° for type II phase matching frequency conversion of a uniaxial crystal.

The situation for biaxial crystal is rather complex. The possible vibration direction of E-vector of a light wave propagating in a given direction is decided by Biot–Fresnel equation [2]. The results are shown in Fig. 5. OA and OB are two optical axes of a biaxial crystal; they are located together in

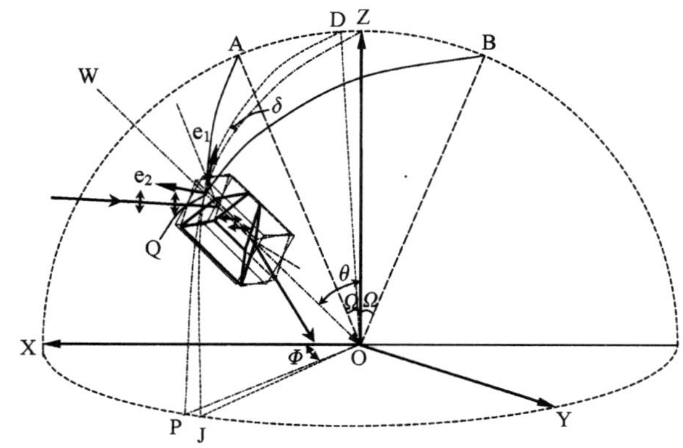

Fig. 5. Stereogram of cutting method for an LDNPB made of a biaxial nonlinear crystal.

the XOZ plane. A light wave propagates in WO direction whose position angles are θ, ϕ (if it propagates in the phase matching direction, then θ and ϕ are the phase matching angles); the slow light e_1 always vibrates perpendicular to WO and is located in the plane OJQD which divided the sphere surface triangle constructed by OQA and OQB planes into two equal parts. In the point Q, the angle δ between e_1 and plane ZOP is decided by the following equation:

$$\operatorname{ctg} 2\delta = \frac{\operatorname{ctg}^2 \Omega \sin^2 \theta - \cos^2 \theta \cos^2 \phi + \sin^2 \phi}{\cos \theta \sin 2\phi}. \tag{3}$$

Here, Ω is the optical axis angle as shown in Fig. 5.

So the angle δ must be considered when an LDNPB is made of a biaxial crystal. A sample is illustrated in Fig. 5. The rectangular blank shown in Fig. 2 for a positive uniaxial crystal was illustrated by a dotted line in Fig. 5, considering the angle δ; the rectangular blank used to make an LDNPB for a biaxial crystal was indicated by a dashed line. It makes the dotted line rectangular blank turn an angle δ around the line WO to the position of dashed line rectangular. Cut the dashed line rectangular blank from a biaxial crystal and make the LDNPB according to the method mentioned above as shown by the thick line in Fig. 5.

This method can also be used to make a reflection-reduced two-wave mixer. However, it is not possible to find a light pass surface cut in a Brewster angle that can reduce reflections for two waves with different frequencies. So, the input surface of the two wave mixer is not cut in Brewster angle, it is kept as a normal surface i.e., the surface perpendicular to the light pass direction was coated with a layer of reflectance-reduced film for the two wavelengths. The output surface was cut in Brewster angle according to the principle mentioned above, the projection drawing was shown in Fig. 6.

This kind of LDNPB is useful if the wavelength of light wave is smaller than 350 nm or larger than 2000 nm, because the coatings are difficult in these two wavelength regions.

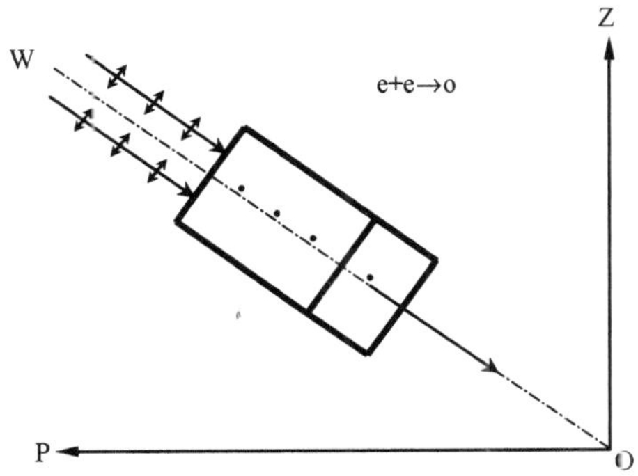

Fig. 6. Projection of a laser mixer with a pair of nonparallel light pass surfaces, among them, one is cut in normal type and the other is cut in Brewster angle.

Fig. 7. Three laser doublers made of CLBO crystal and cut in normal, PBA and LDNPB types, respectively.

The experimental verification about the LDNPB was carried out. In order to compare with one another, we prepared doublers of CLBO crystal ($n = 1.4849$), cut in normal (without AR coating), PBA and NPB types, respectively as shown in Fig. 7. The light pass length is the same (10 mm). An Nd:YAG laser was used at a repetition rate of 10 Hz, pulse duration of 10 ns (FWHM). The input pulse energy density of a fundamental wave of 1064 nm was 1 J/cm^2 for these three doublers. The conversion efficiencies of 1064–532 nm were measured as 38% (normal), 35% (PBA) and 40.5% (NPA), respectively. Obviously, the conversion efficiency is largest for NPB type, and smallest for PBA type. Since the cut accuracy of PBA doubler is difficult to determine (it cannot be determined by optical interferometer as for two parallel surfaces such as in the normal or PBA doublers), in our preliminary measurement, the conversion efficiency of the NPB doubler is slightly smaller than the result of theory calculation.

Fig. 8 illustrated intensity distributions of harmonic light spots for these three doublers. We can see from this result that the distribution of second harmonic light from

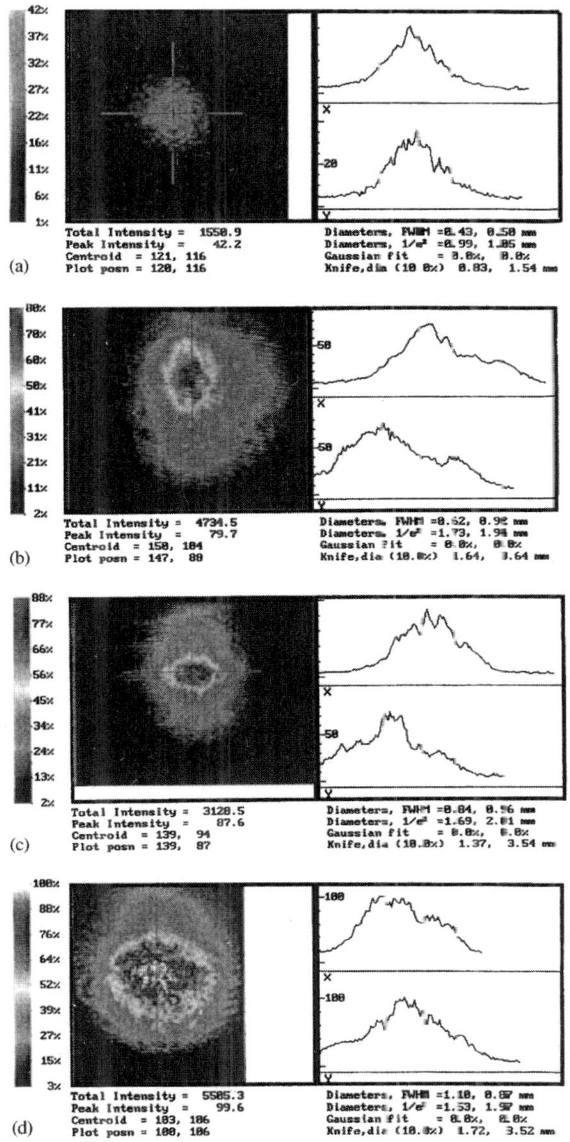

Fig. 8. The intensity distributions of light spot for: (a) fundamental light; (b) second harmonic light generated from a doubler cut in normal type; (c) second harmonic light generated from a doubler cut in PBA type; (d) second harmonic light generated from a doubler cut in LDNPB type.

NPB-type doubler is not bad compared to the normal-type doubler.

3. Conclusions

A laser doubler with a pair of parallel light pass surfaces cutting in Brewster angle cannot reduce the harmonic's reflective loss at all. To reduce the harmonic's reflective loss of laser frequency doubler without coating, the two light pass surfaces cut in Brewster angle must be nonparallel, which can be classified in two types:

1. For type I phase matching, the angle between input plane and output plane is 90° (the two planes are perpendicular to each other);
2. For type II phase matching, the angle between input plane and output plane is 45°. For biaxial crystal, we must consider the angle δ described according to Eq. (3).

This kind of LDNPB is very useful for the frequency conversion in which the input or output laser wavelength lies in these regions: smaller than 350 nm and larger than 2000 nm.

Acknowledgements

We deeply acknowledge Dr. Shiwen Zhang and his assistance in the measurement of intensity distributions, and thank our colleagues Xin Yuan, Wei Li, Shengjun Wang and Jiabao Qi for their forceful help and useful discussions. This research was supported by the 985 project of Tsinghua University.

References

[1] Hecht E, Zajac A. Optics. Reading, MA: Addision-Wesley, 1974, p. 245.
[2] Ito H. J Appl Phys 1975;46(9):3992–8.

第31卷 第3期 人 工 晶 体 学 报 Vol. 31 No. 3
2002年6月 JOURNAL OF SYNTHETIC CRYSTALS June, 2002

铁电晶体 $KNbO_3$ 的研究进展

沈德忠
（中非人工晶体研究院，北京 100018）

摘要：本文评述了近年来国内外对铁电晶体 $KNbO_3$ 在激光倍频和声表面波应用研究方面取得的显著进展，简述了新近生长该晶体的几种方法。最后对 $KNbO_3$ 晶体产业化前景作出了评估。

关键词：铁电晶体；铌酸钾；蓝光激光；倍频；声表面波
中图分类号：O78；O799　　**文献标识码**：A　　**文章编号**：1000-985X(2002)03-0192-09

Research Progress in Ferroelectric Crystal $KNbO_3$

SHEN De-zhong
(Research Institute of Synthetic Crystals, Beijing 100018, China)

(*Received* 22 *March* 2002)

Abstract: Notable progress achieved recent years in application researches for ferroelectric crystal $KNbO_3$ in SHG and SAW aspects has been reviewed. Several methods to grow this crystal have been simply mentioned. A discuss about the future of industrialization for $KNbO_3$ crystal has been given.

Key words: ferroelectric crystal; $KNbO_3$; blue laser; SHG; SAW

1 引 言

具有典型钙钛矿型结构的铁电晶体铌酸钾($KNbO_3$，简称 KN)，由于其优异的非线性光学性能[1]、电光性能[2]及光折变特性[3]，在激光倍频和光折变研究领域早已为人们所知。1986年，美国48位非线性光学专家在马里兰州安娜波利斯市开会，将 KN 定为计划在10年内投资5000万美元进行重点研究的五种非线性晶体之一[4]，把 KN 的研究推向新的高潮．近年来，又发现 KN 晶体具有优异的压电特性，其声光 Q 值比 $LiNbO_3$ 和水晶的都要高一个数量级以上。由于篇幅所限，本文仅就 KN 晶体近年来在激光倍频和声表面波方面的研究进展作一简要介绍，最后对 KN 晶体产业化前景作出评估。

2 激光频率转换

由于铌酸盐系列晶体的激光损伤阈值都不高(KN 的光损伤阈值约为 $350MW/cm^2$[5,6])，故 KN 倍频主要是用在低功率、特别是半导体激光器发射的毫瓦级激光的倍频领域。由于倍频转换效率与基波输入功率的平方成正比，对于像 BBO、LBO 甚至 KTP 这些晶体来说都不能胜任毫瓦级输入的频率转换。而 KN 的非线性系数很大(当 $\lambda=825nm$ 时，$d_{33}=33.3pm/v$，$d_{32}=20.5pm/v$，$d_{31}=16.1pm/v$[7])，因而能够在此领域大显身手。表1列出了 KN 与其它一些非线性晶体对毫瓦级激光倍频性能的比较[8]，由表1可见，KN 对毫瓦级激光的转换效率比 KTP、BBO 等要高出三到四个数量级。

收稿日期：2002-03-22
作者简介：沈德忠(1940-)，男，贵州省人，中国工程院院士。

Table 1　Comparing of SHG properties at miniwatt 946 nm laser for several NLO crystals

非线性晶体	ρ(度)	L_a(cm)	$Rel.\ d_{eff}^2La^2/n^3$	θ_n, ϕ_m
$KTiOPO_4$(KTP)	2.7	0.11	1.5×10^{-3}	53°, 45°
$LiIO_3$	4.6	0.066	1.7×10^{-4}	56°
β-BaB_2O_4	3.4	0.089	1.5×10^{-4}	25°, 30°
$KNbO_3$(角度配匹)	0.85	0.36	0.44	90°, 60°
$KNbO_3$(非临界配匹)	0	0.5	1	90°, 90°
$LiNbO_3$(周期极化)	0	0.5	1.6	90°

ρ—走离角; La—孔径长度; θ, ϕ—相位匹配角; $Rel.\ d_{eff}^2La^2/n^3$—相对转换效率[8]

图1是室温下KN对七组激光波段进行倍频的Ⅰ型相位匹配曲线，由图中第1~4条曲线可见，KN对857nm到983nn范围内的激光波长，都可实现相位匹配(其中对857nm和983nm两个波长，还可实现非临界相位匹配)，而这正好与半导体 $Ga_{1-x}Al_xAs$ 激光器的输出波长相吻合(调节异质结构、Al的含量 x 以及激光器温度，可使 $Ga_{1-x}Al_xAs$ 激光器的发射波长在700nm到985nm之间变化)。因此，用KN晶体对半导体 $Ga_{1-x}Al_xAs$ 激光器输出的激光进行倍频(加上温度控制)可得到从430nm到490nm的蓝色激光。近年来，由于高密度光盘读写、彩色激光打印以及激光全色显示等具有巨大市场潜力的领域，急需小型、全固态毫瓦级蓝色激光，因而大大地促进了KN晶体在倍频转换方面的研究。表2列出了近年来在这方面的主要研究进展情况。

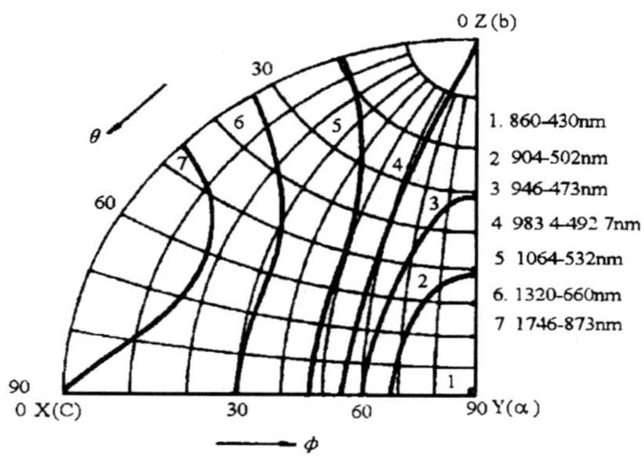

Fig. 1　Ⅰ-type phase matching curves for $KNbO_3$ crystal at room temperature.

Table 2　Main research work to get blue laser through SHG of semiconductor laser with KN crystal as a doubler in recent years

年份	频率转换波长(nm)	$P_{2\omega}(P_\omega)$(mW)	转换频率 η	频率转换机制	代表作者	所属单位
1989	842→421	24(167)	14%	共振腔倍频[9]		美国海军实验室
1989	864→432	1.5(15)	10%	低损耗外腔倍频(参见图2)[10]	J. Dixon	美国Amoco公司
1990	858→429	39(101)	38.6%	单片铌酸钾环形腔(参见图3, 4)[11]	W. Lenth B. Kozlovsky	IBM公司
1992	862→431	400(6400)	6.3%	使用半导体宽范围行波放大器作基频输入[12]	L. Goldberg	美国海军实验室
1993	860→430	17(100)	17%	用稳定的外共振腔直接倍频[13]	J. Ambroseo	美国相干公司
1994	860→430	型号为D³430的商品蓝光激光器		寿命15000h, 电耗40W TEM_{00}模式 $M^2<1.3$		美国相干公司
1996	946→473	25(1200)	2%	半导体二级管泵浦Nd: YAG以KN倍频[14]	D. G. Matthews	St. Andrews大学, 英国

续表

年份	频率转换波长(nm)	$P_{2\omega}(P_{\omega})$(mW)	转换频率 η	频率转换机制	代表作者	所属单位
1996	946→473	50(?)		半导体二级管泵浦(Nd:YAG+KN)微片激光器[15]	Y.Shimoji	New Lambda 公司，美国
1997	982+779→435	65(890)	7.3%	用KN 对982和779 半导体激光和频得 435±3 可调[16]	D. Fluck	瑞士苏黎世高工
1998	980→490	35(1000)	3.5%	用3块KN 串联单次通过倍频[17]	P.Gunter	瑞士苏黎世高工
1999	926→463	3.8(1900)	0.2%	准相位匹配(PPKN)倍频[18]	D. Rytz	德国GmbH
2000	946→473	12(1000)	1.2%	用取向相差 90°的两块 KN 晶体来压缩 SHG 噪音[19]	Z.G zhang	中国科学院物理所
2001	860→430 980→490	2~10(?)		KN 波导倍频(商品小型蓝光激光器)	P.Gunter	瑞士 Rainbow Photonics 公司

表中所列 90 年 IBM 公司采用单片铌酸钾环行共振腔结构(图 2)，通过光学外差稳频技术，即从单片 KN 环行腔中取出一部分倍频光反馈到稳频器闭环系统，控制激光二极管的驱动电流，使激光二级管的频率精确地与 KN 共振腔的共振频率相匹配，从而保证该系统输出蓝光的稳定性。经测定，其蓝光输出的振幅波动小于0.5%，蓝光光束具有稍带椭圆(1∶1.1)的高斯强度分布。用数值孔径为 0.65 的透镜聚焦后，束斑为 0.4μm (半高宽)衍射极限光斑非常适合高密度光学数据存储应用。

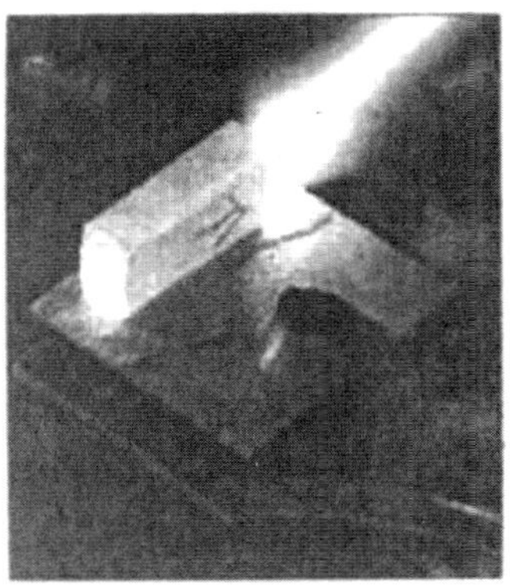

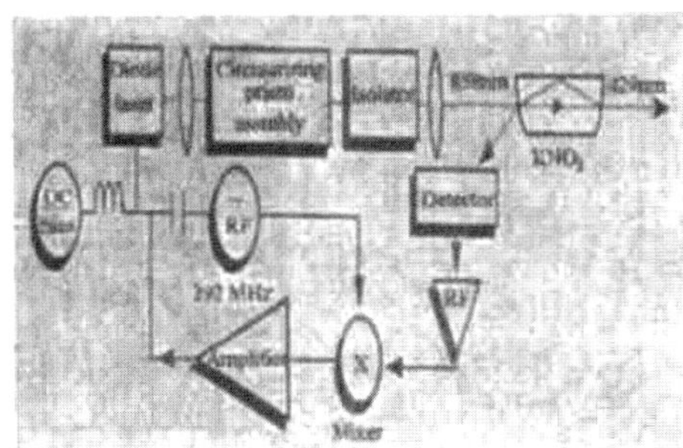

Fig. 2　Photograph of KN-double-temperature controller (left) and the monolithic KN-ring resonator construction (right)

但是，KN 光学共振腔要求很高的加工精度，光学外差稳频系统也会使产品的成本大大提高，所以，人们又把工作重点转移到半导体二极管泵浦 Nd:YAG 等激光介质产生 946nm 激光，再通过 KN 倍频得到 473nm 的蓝光方面来。

美国New Lambda 公司是几年前才成立的一个小公司，总共只有四个成员，但已得到大量投资。该公司的创建者 Yutaka Shimoji 一心想生产一种低成本、高质量、能大量生产的小型蓝光激光器。通过两年的研究，制备出三种发蓝光的半导体二级管泵浦的全固态微片激光器(图 3)，激光腔由两种不同的晶体粘贴在一起构成，即：Nd:YAG+KN(发射 473nm 蓝光)；Nd:YVO_4+KN(发射 457nm 蓝光)；Cr:LiSAF+KN(发射 430nm 蓝光)。每两种晶体按激光腔的要求镀好膜贴在一起组成一个微片。基于这种微片结构，既利于大批量生产，又可提高信噪比。这些激光器可以在单纵膜下长期稳定运行，8 小时内输出波动不超过 2%，噪音小于 0.2%，其光束质量如图 4 所示[15]。

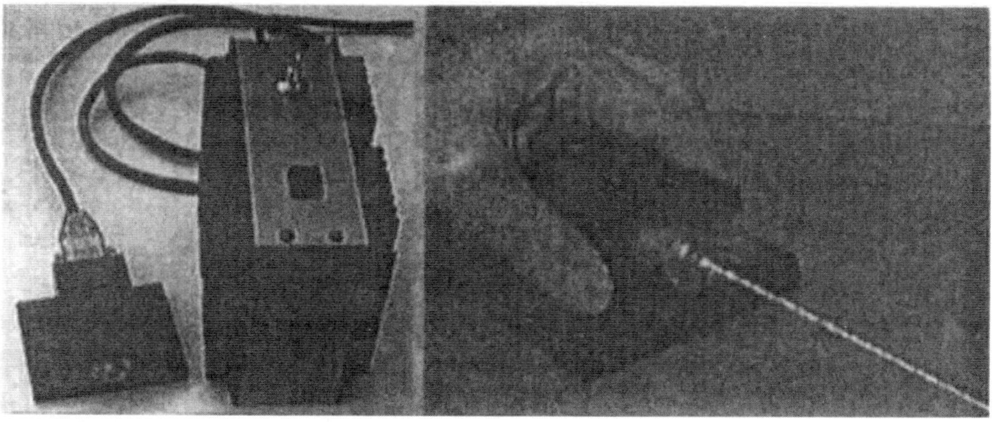

Fig. 3 Prototype of microchip laser with power supply by New Lambda company (left) and the laser head emission at 473nm (right)

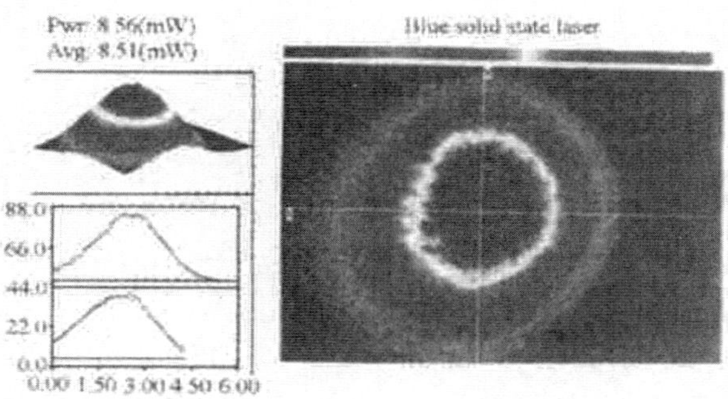

Fig. 4 Beam quality of monolithic diode-pumped solid-state laser operating at 473nm

Yutaka Shimoji 认为,这种微片蓝光激光器完全可以和气体激光器竞争。如果上述微片可以从某个公司购买,他将能够使这种激光器以400~600美元的价格向市场销售。尽管现在的价格是2000~3000美元,但销售量大到一定程度,价格可大幅度下降。

看来,New Lambda 公司将以KN为基本倍频元件的小型全固态蓝光激光器的实用化向前推进了一大步,但400~600美元的价格还是很难使这种蓝光激光器进入千家万户。

表1中所列非线性晶体的最后一项是周期极化的 $LiNbO_3$(LN)晶体,其对半导体泵浦激光器发射的946nm倍频的相对品质因数达1.6,比KN还高。经过20多年的实验检验发现情况并非如此。因为现在一般能够使用的是同成分生长的LN,此种晶体的畴反转电压(即矫顽场强)高达上万伏,故目前制备出来的周期极化LN倍频器的通光面沿极化方向的尺度只有0.5mm。光斑直径小,单位面积的平均功率就大,而同成分LN的损伤阈值又很低(几十兆瓦/cm^2),入射激光的强度大了,LN倍频器就被打坏;小了,转换率就提不上去。所以现在正在加紧生长化学计量比的LN晶体。到目前为止,尚未有用化学计量比的LN制成周期极化LN倍频器进行倍频的报道。最近,将KN做成周期极化倍频器(PPKN)进行激光倍频的工作也已有报导[18]。宽度为30μm的畴反转带平行于 b 轴方向,极化时的矫顽场强为500V/mm。波长为926nm,功率1.9W的基频光沿 a 轴入射,经PPKN倍频后得到3.8mW的463nm的蓝光,转换效率为0.2%,并不如一般准相位匹配所期望的那么高。其原因在于,作者并未选择KN具有最大有效非线性系数的方向进行倍频,因为KN晶体中

不同方向折射率不同，其畴反转周期与近红外光波长之间有如图5所示的对应关系，限于作者的光刻条件只能刻蚀30μm左右的条纹，故只能选择KN的d_{31}来进行实验。在作者的具体实验条件下，有效非线性系数只有3.7pm/v，所以未能体现KN倍频的优越性。尽管如此，作者仍观察到输出的倍频光十分稳定，并未出现人们担心的反转畴退化从而使输出下降的现象。这只是KN周期极化倍频器进行倍频的第一例。随着光刻条件的改善和极化工艺的提高，KN准相位匹配倍频器的激光倍频定能取得更好的成绩。

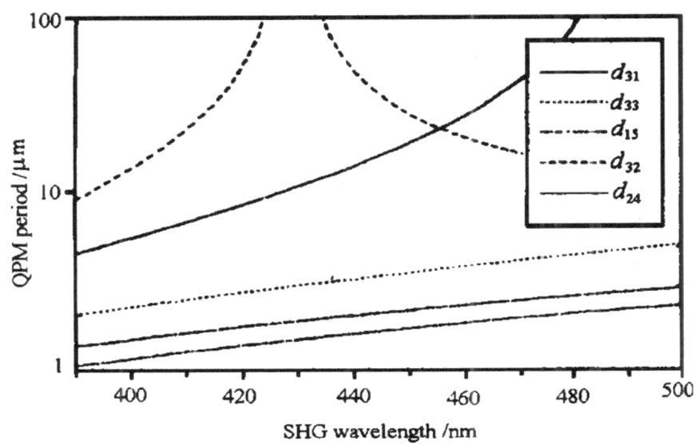

Fig.5　QPM periods required for near-infrared SHG in PPKN for different nonlinear optical tensor elements

Fig.6　Blue solid-state laser based on KN wave guiding SHG produced by Rainbow Photonics Company, Switzerland

2001年，在美国Baltimore召开的CLEO会议上，瑞士Rainbow Photonics公司展出了一种小型蓝色激光器（图6），是根据P.Gunter博士在KN晶体上制作波导[20]进行倍频的，可输出TEM_{00}模的430nm（5～10mW）和490nm（2～5mW）蓝光。光束质量$M^2<1.2$，输出功率噪音<1%，在环境温度变化不超过1℃的情况下，两小时内输出功率波动不超过5%。由于是波导倍频，所以很容易与光纤耦合，而且可通过配置在波导上的电极进行直接的光束调制，性能不错。问题是价格太贵：每台三万美元！估计与KN波导制作成本高有关。目前还只能在光刻、全息摄影、光盘母盘刻录、生物检测、光存储等领域应用。

最近，在半导体激光器方面又取得了新的进展。一种称作垂直腔面发射的半导体激光器可以直接发射单纵模近红外激光，其光束质量和输出带宽质量都有很大提高，调节半导体组元的含量可输出波长为980nm左右的高质量毫瓦级激光，正好可以用KN晶体进行非临界相位匹配的频率转换，这很可能是KN倍频半导体激光器领域的一个新的亮点。已有文献报道了在这方面所做的工作。[21]

3　KN压电应用研究进展

自1974年以来，为了弄清KN晶体的弹光效应和压电效应对其折射率的影响，不断有学者对KN的弹性系数和压电系数进行测量[22-25]，但对KN压电特性本身的研究却十分少见。直到1997年，日本仙台Tohoku大学电子通讯研究所的K.Yamanouchi等人，利用此前文献上发表的KN弹性系数和压电系数测量值进行计算机模拟，并通过实验验证，发现当表面波沿KN基片的X方向传播时，其机电耦合系数K^2是基片法线与Y轴夹角θ的函数，如图7所示[26]。

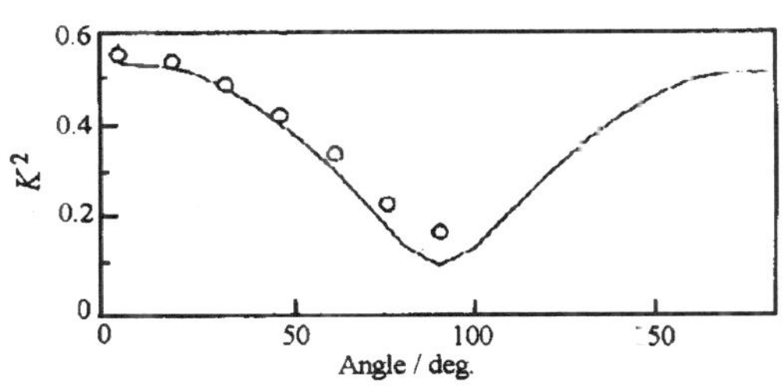

Fig.7　Electromechanical coupling K^2 against angle in $KNbO_3$

由图可见，夹角θ不同，表面波的机电耦合系数也不一样。θ等于零度时，$K^2\approx0.53$，为最大值。此值

要比 $LiNbO_3$ 的($K^2\approx0.055$)大一个数量级。大的机电耦合系数对于制备宽带表面波滤波器、宽带电压控制振荡器(VCO)、高效表面波器件、低插入损耗延迟线、非线性表面波器件及制备与半导体材料组合的高增益表面波放大器等器件来说，是一个非常重要的参量。在 $\theta=45°\sim135°$之间，存在压电开槽表面波(piezoelectric leaky surface waves)。当 $\theta=60°$，采用浮置电极型单相换能器(8 对叉指，指间距 18λ)加电压，此时沿 KN 的 X 方向传播的表面波在频率为 190MHz 时，有最小的插入损耗(2dB)。指向性系数为 10dB，带宽约 20%。可以计算，若采用 Y-X 切割的 KN 晶体作基片(即 $\theta=0°$，声波沿 x 方向传播)制备的阶梯形声表面波滤波器，在使用波长 λ 为该基片的平行共振波长时，插入损耗零，且带宽将高达 40%[27]，如图 8 所示。

测得 Y 切 KN 基片 X 方向传播的声表面波的频率温度关系实验曲线如图 9 所示。由图可见，$\theta=45°$和 60°Y 切 KN 基片具有零温度系数[28]。

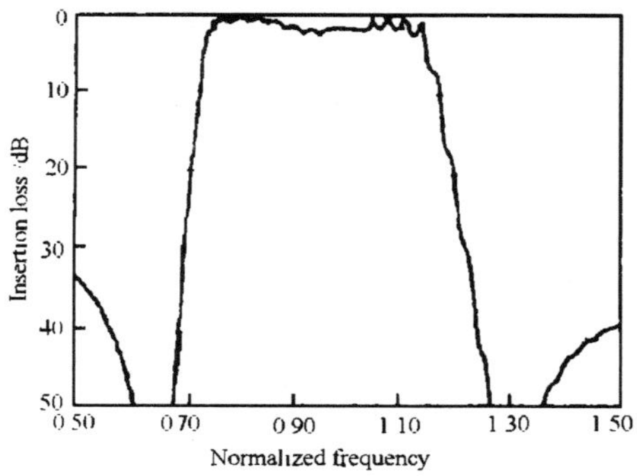

Fig. 8　Frequency response of ladder-type filter using Y-cut, X-propagating $KNbO_3$

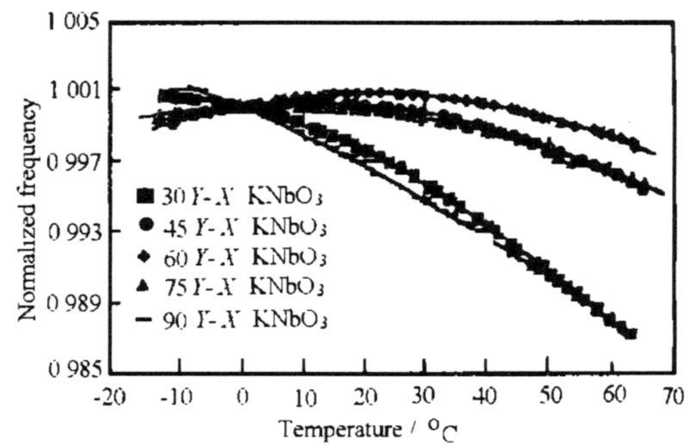

Fig. 9　Frequency versus temperature behavior of selected $KNbO_3$ substrates

1998 年，I. Kuznetsova，S. Joshi 等俄美学者根据理论研究得出，在 KN 单晶薄片(厚度约为 0.5λ)上传播的剪切基横模(SH_0)声波，其机电耦合系数 K^2 可达近 100%，可在多种传感器和信号处理领域广泛应用[29]。

此外日本学者 K. Namura，Y. Kawamura 等对 KN 单晶体声波特性进行了研究，并对具有代表性的一些振动模式的耦合因子进行了计算，其结果对了解体波在不同取向 KN 基片上的传播特性很有帮助[30]。

机电耦合系数 K^2 和频率温度系数是压电材料的两个十分重要的参量。图 10 标出了 $LiNbO_3$、$LiTaO_3$、SiO_2 等常用的压电晶体，以及正在开发的 LiB_4O_7、LGS($La_3Ga_5SiO_{14}$)、LNG($La_3Nb_{0.5}Ga_{5.5}O_{14}$)、LTG($La_3Ta_{0.5}Ga_{5.5}O_{14}$)等新压电晶体的 K^2 和频率温度系数值[31]。如果要把 KN 的 K^2 和频率温度系数也标明在此图上，因为 KN 声表面波的 $K^2=51\%$，所以需将此图的纵坐标向上延伸四倍。

一般石英声表面波的带宽只有 0.4% 左右，$Li_2B_4O_7$ 的声表面波带宽可达 6%[32]，而 KN 晶体的声表面带宽高达 20%，甚至 40%！

1998 年，Y. Yamanouch 等人用 KN 晶体制成了声表面波弹性转换器(Elastic Convolver)，用作高数据率可扩展频谱通讯接受器[33]，如图 11 所示，整个器件制作在 60°Y-X 切割的 KN 晶片上(声波沿 X 轴传播，晶片法

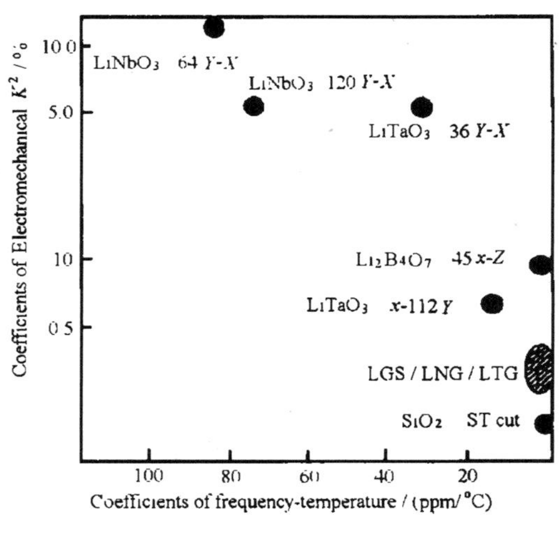

Fig. 10　The comparison between coefficients of frequency-temperature and electromechanical coupling K^2 for different SAW substrates made of several piezoelectric crystal

线与 Y 轴夹角 $\theta=60^{\circ}$)为便于与铌酸锂声表面波器件比较，以同样的结构和尺寸做了一个 Y-Z 切割的 LN 弹性转换器。在完全相同的测试条件下测得的结果表明，用 60° Y-X 切割的 KN 基片制作的弹性转换器的转换效率比用 Y-Z 切割的 LN 作基片的转换效率要大 15 分贝。

两年以后，Y. Yamanouch 等人对上述弹性转换器进行了改进[34]。他们研究测量了 Y 切 KN 晶体的三次压电常数，还发现三次压电常数与弹性转换器的转换效率有很大关系。在此基础上，制作了 45° Y 切(即 $\theta=45^{\circ}$)声表面波沿 X 方向传播的弹性转换器。在相同测试条件下，与同样尺寸和同样结构的 LN 弹性转换器相比较，其转换效率要大 25 分贝。

2001 年，H. Adachi, T. Kamakara 等人用 KN 晶体做成超声换能器以制备高灵敏度的声谐波接收器[35]，用于测量被测物体反射回来的谐波。测量系统结构如图 12 所示。基频超声波发送器是一个圆环。谐波接收器是一个圆片，同心地放置在圆环中心。为了比较由不同材料做成的发送器和接收器按不同结构组合成的测量系统的性能，作者选用了四种压电陶瓷(PZT 两种：C83H, V1；PbTiO 两种：PbX, M6)与 KN 晶体配合，构成 6 种发射—接收组合，在同等条件下测量了它们的发射接收品质因数，最后以 KN 作为接收器的两组品质因数最大，表明用 KN 晶体作超声换能谐波接收器有最高的灵敏度。

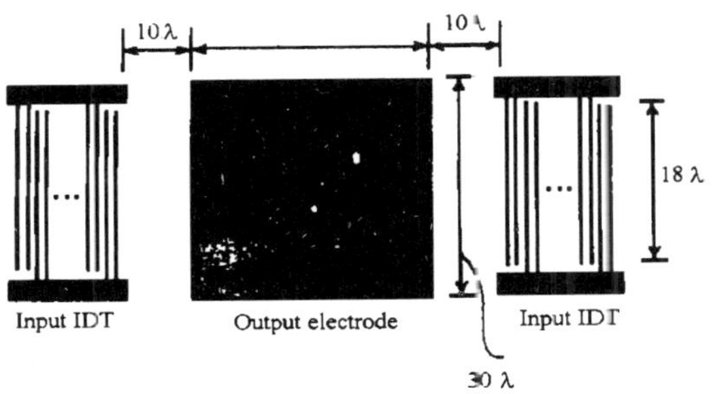

Fig. 11　Schematic structure of the elastic convolver

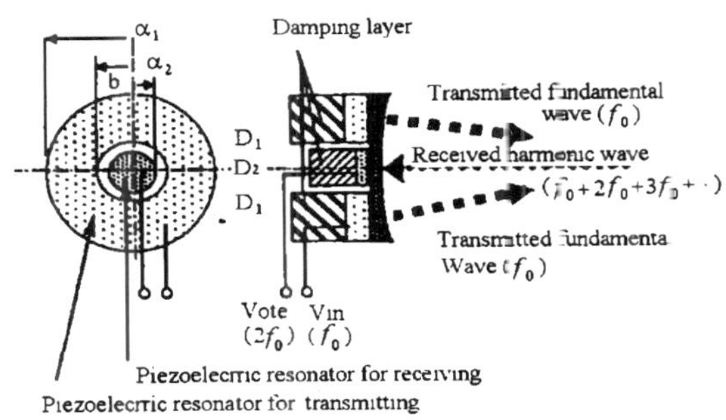

Fig. 12　Basic structure of separately arranged transmitting/ receiving ultrasonic transducer(SATRUT)

4　KN 的应用前景与晶体生长

KN 晶体与其它的非线性光学晶体(例如 KTP、KDP、BBO、LBO、CLBO、LN 等)一样，其非线性性能有优异的一面，也有不足的地方。如前所述，KN 的非线性光学品质因数、电光品质因数、光折变品质因数以及压电性能，在非线性晶体及压电晶体中都名列前茅；KN 不潮解，耐一般酸碱，化学性能十分稳定；KN 晶体的生长速度，虽不如 LN 那么快，但比 KTP、KD*P、BBO、LBO 要快得多，比较容易长出较大尺寸的晶体。但是，KN 的折射率随温度的变化较大，致使相位匹配角随温度变化，从而影响变频输出的稳定性；KN 晶体的光损伤阈值每平方厘米只有几百兆瓦，不能在大功率激光系统中应用；KN 的光谱带宽也较窄。此外，KN 晶体结晶速度虽快，但晶体生长的成功率却很低，当年吴乾章先生就把 KN 晶体列为最难生长的晶体之一进行过研究。这主要是两方面的原因，1)在用泡生法生长晶体时，从新配制的原料中长出的头几块 KN 晶体总是带蓝色的。蓝色 KN 晶体对可见光的透过率差，也不能极化为单畴，等于废品。不但浪费原料，还耗费了大量时间；2)KN 晶体从生成温度(1050 ℃)降至室温的过程中要经历两次相变，[1050 ℃(立方)→432 ℃(四方)→225 ℃(斜方)]相变后晶体变为多畴，复杂的畴壁应力往往使生成态晶体严重开裂，很难得到完整不开裂的晶体。除了晶体生长方面的困难外，对多畴 KN 晶体的极化，以及单畴 KN 晶体的冷加工，特别是 b 面和近 b 面的抛光，都碰到不小的困难。由于上述这些原因，限制了 KN 晶体在激光频率转换领域的应用。

自从氮化镓半导体激光器室温下发射蓝光的实验取得成功后，人们曾一度把广泛应用小型蓝光激光器的希望寄托在氮化镓上。但随着时间的推移，人们逐渐认识到，用氮化镓制作蓝光激光器成品率很低，一些关键的技术问题(如衬底等)并没有很好得到解决。此外，价格也是个问题。目前发射黄光的半导体激光器每只售价尚且为两千美元，可想而知发射蓝光的氮化镓激光器售价一定会更高。因此一些研制全固态小型蓝光激光光源的注意力又回到了以半导体泵浦氧化物激光介质，以非线性光学晶体进行倍频上来。近年来，New Lambba 公司、Rainbow Photonics 公司研制的以 KN 晶体为倍频器件，蓝光输出性能十分稳定的小型全固态蓝光激光器的成功，充分证明了从技术上是能够克服 KN 晶体由于温度带宽太窄而使蓝光输出不稳定的缺点的。当然，目前这些小型蓝光激光器的价格仍然偏高，要进入家庭还有困难。但在高密度母盘刻录、半导体无损检查、全息薄膜、共焦显微镜等方面，已可完全替代气体激光器而且批量供应。

日本学者 K. Yamanovchi 等人在 KN 晶体压电性能方面的开拓性工作，无疑又掀开了 KN 应用的新的一页。不少专家预测，由于 KN 晶体巨大的机电耦合系数(K^2)、零温度系数和非常大的带宽，该材料特别适合于在超声换能、压电共振等领域制作宽带宽、低损耗、甚高频(GHz)的声表面波器件以及高灵敏度传感器和信号处理器。

为了适应压电、蓝光倍频等应用对大尺寸、廉价的 KN 单畴晶体潜在大量需求，近几年来，KN 单晶的生长又热乎起来。K. Yamanovchi 的研究所就曾用高温泡生熔盐法生长过 KN 晶体[28]，但长出的 KN 晶体开裂严重，很难切出可供极化的晶块来。

印度 Alagappa 大学 R. Ilangovan 等人研究了高温熔盐法生长 KN 晶体的原料成份及生长起始温度对生成态 KN 晶体赋色的影响，所得的 KN 晶体尺寸平均为几个毫米[36]。日本仙台 Tohoku 大学 V. I. Chani 等人，用高温熔剂下拉法，长出直径 2 毫米，长约二十几个毫米的 KN 针[37]，效果都不理想。为避开熔盐泡生法生长 KN 晶体的困难，一些学者尝试了用诸如水热法、水溶液法等来生长 KN 晶体。中国台北台湾大学卢崇新(Chung-Hsin Lu)等人，将一定量的 Nb_2O_5 混入浓度为 8M 和 KOH 水溶液中，装入用特氟隆作内衬的高压釜中加热到 200 ℃～250 ℃，并旋转高压釜。2～11 小时后，可得到平均粒度为几个微米的 KN 粉末。随 Nb_2O_5 加入量的不同，生成的 KN 粉末可以是斜方相，也可以是立方相[38]。

日本学者 R.Komatsv 等人，用 K_2NbO_3F(KNF)的水溶液来生长 KN 晶体[39]。将 3 克 KNF 溶在 300ml 的纯水中，在 30～80 ℃下磁搅拌混合 12～24 小时，然后放入抛光的假立方{100}籽晶。随着溶液的挥发，晶片上就出现了一些斑块状淀积层，尺寸在 10μm 左右，经 X 光测试，淀积层为斜方相 KN。

总之，这些方法长出的 KN 晶粒离实际应用还相差太远。

中国非金属矿(集团)工业总公司人工晶体研究院(即原国家建材局人工晶体研究所)从上世纪七十年代中期就开始用高温熔盐生法来生长 KN 晶体，迄今已形成了一套具有自主知识产权的生长工艺，使从新料中生长出来的第一块 KN 晶体就是不带蓝色的透明晶体，并极大地缓解了晶体在经过相变温度时的开裂。原晶生长成功率大于 50%，一般尺寸在 50(长)×50(宽)×15(厚)mm^3 左右。1986 年，解决了 KN 的单畴化工艺[40]成功地将多畴 KN 晶体极化为单畴，彩色附页(见展示篇人工晶体研究院，烁光公司展示页)示出生成态多畴 KN 晶体和极化后的单畴 KN 晶体。由于室温下 KN 处于正交相，其极化轴 c 轴往往在生成态晶体的侧面，与底边(或垂直边)成 45°的方向上，所以极化出来的单畴晶体的尺寸要比生成态原晶小，一般为 10(c)mm×10(a)mm×(15～20)(b)mm 左右，这样大小的 KN 单畴晶体，制作激光倍频器，特别是制作用于 860→430nm 和 980→490nm 的非临界相位匹配蓝光倍频器是绰绰有余的；制作一般声表面波或体表面波器件，也是足够的。但若是要用于声表面波或体波器件的批量生产，单畴 KN 晶体的尺寸至少要能满足在所需切割方向上切出 50 见方(厚度为 1～2mm)的晶片来。这在目前使用的晶体生长设备条件下，还有一定的困难。但若经过试验验证，用 KN 作成的声表面波或体波器件性能稳定，使用寿命合符要求，可以批量生产，到那时对现有的 KN 晶体生长设备和生长技术工艺进行改进，定能制备出尺寸足够大的单畴 KN 晶体，满足规模生产的要求，实现 KN 晶体产业化的目标。

致　谢：本文在撰写过程中曾得到美国多维科技公司杭志强董事长、清华大学张阳、沈光球、王晓青等老师以及孙同庆、潘峰等同学以及中非人工晶体研究院王晓洋、吕文龙、齐家宝、佟学礼、华大辰等同志的大力帮助，作者谨在此表示感谢！

参 考 文 献

1 Kurtz S K, Perry J T. *J. Appl. Phys*, 1968, **39**: 3789

2 Gunter P. *Optics Communications*, 1974 **11**(3): 285-290

3 Gunter P. PhD Thesis, University Zurich, 1976

4 Ballman A A, Byer R L, et al. *Applied Optics*, 1987, 26

5 Seelert W, Rytz D, et al. *Optics Letters*, 1992, **17**(20): 1431

6 龚正烈、沈德忠, 等. 天津大学学报, 1988, (1): 69-74

7 Baumert J C, Hoffnagle J, Gunte S. SPIE, 492, ECOOSA, 84(Amsterdan 1984)374

8 Fan T. Y, Byer R L. *Optics Letters*, 1987, **12**(10): 809

9 Laser Focus World, 1989, 9

10 Dixon G J, Tanner C E, Wieman C E. *Opt. Lett.*, 1989, **14**: 731

11 Kozlovsky W J, Lenth W. Appl. Lett., 1991, 56: 2291

12 L. Goldberg L, Busse L, D. Mehuys D. *Appl. Phys. Lett.*, 1992, **60**(9): 1037

13 Ambroseo, Proc. of Inter Opto., 1993

14 Matthews D G, Mackinnon N, et al. *Optics Letters*, 1996, **21**(3): 198

15 Peach L A. Laser Focus World, 1997, 36

16 Fluck D, Gunter P. *Optics Communications*, 1997, **136**: 257-260

17 Fluck D, Gunter P. *Optics Communications*, 1998, **147**: 305-308

18 J-P Meyn J-P, Rytz D, et al. *Optics Letters*, 1999, **24**(16): 1154

19 Zhang Z G, Shen D Z, et al. *Optics Letters*, 2000, **25**(18): 1343-1345

20 D. Fluck D, P. Gunter P. *Optics Communications*, 1998, **47**: 305-308

21 Schulaz M, Pelaprat J-M. *Photonics Spectra*, May 2001 pp 150-151 and Photonics tech. Brief, March 2002, pp 2a-5a.

22 E. Wiesendager E. *Ferroelectries*, 1974, **6**: 263

23 Gunter P. *Jpn. J. Appl. Phys*. 1977, **16**: 1727

24 Zgonik M, et al. *J. Appl. Phys*. 1993, **74**(2): 1287

25 Kalirichev A G, Bass J D, Han P D, et al. *J. Appl. Phys*. 1993, **74**(11): 6603

26 Yamanovchi K, Odagawa H, et al. *Electronics Letters*, 1997, **33**(3): 193

27 Yamanovchi K, Odagawa H. *IEEE Transactions on Ultrasonics*, *Frequency control*, 1999, **46**(3): 700

28 Yamanovchi K, et al. *J. the European Ceramic Sociaty*, 2001, **21**: 2791-2795

29 Kuznetsova I, Zaitsev B, Joshi S, Borodina I. *Electronics Letters*, 1998, **34**(23): 2280

30 Nakamura K, Kawamura Y. *IEEE Ultrasonics Symposium*, 1999, 1013-1018

31 Kamiyama K Murakami S, et al. *Materials Integration*, 2000, **13**(3): 13

32 Shorrocrs N, M, et al. *IEEE. Ultrasonics Symposium*, 1981, 337

33 Yamanouchi K, et al. *Jpn. J. Appl. Phys*. 1998, **37**(5B): 2933-2935

34 Cho Y. Yamanouchi K, et al. *J. Applied Physics*, 2000, **87**(7): 3457-3461

35 Adachi H, Kamakura T, et al. *Jpn. J. Appl. Phys*, 1998, **40**(9B): 5698-5702

36 Ilangoval R, et al. *Materials Science and Technology*, 1999, **15**: 132-136

37 Chani V I, Shimamura K, Fukuda T. *Cryst. Res. Technol*. 1999, **34**(4): 519-525

38 Chung-Hsin Lu, et al. *Materials Letters*, 1998, **34**: 172-176

39 Komatsu R, Adachi K, Ikeda K. *Jpn. J. Appl. Phys*., 2001, **40**(9B): 5657-5659

40 Shen D Z. *Mater. Res. Bull*., 1986, **21**: 1375

· 特约报告 ·

文章编号：1001-5078(2006)增刊-0766-05

新型紫外变频晶体 CLBO的研究进展

沈德忠，张 帆，王晓青，沈光球
（清华大学化学系，北京 100084）

摘 要：简述了 CLBO晶体的研制历程；介绍了该晶体的非线性光学特性、晶体生长方法、缺陷、在大气环境中开裂的机理、防范措施以及在变频领域的应用情况。

关键词：CLBO晶体；晶体生长；紫外倍频

中图分类号：TN244 **文献标识码：**A

Research Development on the Novel UV Nonlinear Optical Crystal CLBO

SHEN De-zhong, ZHANG Fan, WANG Xiao-qing, SHEN Quang-qiu
(The Department of Chemisty, Tsinghua University, Beijing 100084, China)

Abstract: The recent developments on research of CLBO crystal are introduced, including the NLO properties, crystal growth methods, growing defects, the cracking mechanism of CLBO crystal in air and protectiong strategies, as well as the applications of CLBO in the area of UV frequence conversion.

Key words: CBLO crystal; crystal growth; UV frequence conversion

1 序 言

探索性能优异、适用范围宽、容易生长的新型非线性光学晶体，一直是激光变频领域的热门课题。上世纪九十年代中期，国际上不少非线性光学晶体研究组，包括日本大阪大学、美国俄勒岗大学、我国人工晶体研究所、中科院人工晶体研究中心等，都对 $Cs_2O-Li_2O-B_2O_3$ 三元系进行了仔细的研究。1995年，日本大阪大学 T. Sasaki研究组首先报导了合成出新型非线性光学晶体硼酸铯锂（$CsLiB_6O_{10}$，简称 CLBO）[1]，发现该晶体具有很好的非线性光学性质（如表 1所示）[2]，很适合激光紫外倍频应用，于是掀起了一股研制 CLBO晶体的热潮，开展了该晶体在激光变频领域的应用研究。目前，CLBO晶体已在 1064nm 激光器的四倍频、五倍频方面展示出优异的功能，大有取代 BBO在这些波段进行变频的势头。

2 晶体生长

CLBO晶体属于四方晶系，I42d空间群，整个晶体由 $(B_3O_7)^{5-}$阴离子基团构筑而成。有关 $Cs_2O+Li_2O-B_2O_3$ 赝二元系高温部分的相图如图 1所示，化学计量比的 CLBO晶体对应于 25 mol %的 Cs_2O+Li_2O、75 mol %的 B_2O_3，属同成份熔融，故可以采用提拉法进行晶体生长。提拉法生长晶体速度较快，日本大阪大学仅用 12天就生长出 130mm × 120mm × 100mm 的 CLBO晶体。但生长速度过快，生成态晶体易产生包裹体、生长条纹等缺陷。对 CLBO晶体来说，还会出现如图 2所示的管状缺陷[3]。好在 B_2O_3 的含量在 71.4~81.8 mol %的范围内，都可以生长出化学计量比的 CLBO单晶，故可用 B_2O_3 作助熔剂，用顶部籽晶法来生长高光学质量的 CLBO单晶。图 3为清华大学与人工晶体研究所合作，用顶部籽晶熔剂法，费时一个月，生长出的无管状缺陷、高光学质量的 CLBO 大单晶，尺寸达

作者简介：沈德忠，清华大学化学系教授，中国工程院院士，主要从事无机非金属光功能晶体的研究。

收稿日期：2006-07-04

146mm×132mm×118mm。其位错密度约1.4×10^3/cm^2，晶体的摇摆曲线半峰宽小于99s(图4)。

表1 CLBO与BBO若干性能参数比较

	CLBO晶体	BBO晶体	测试波长/nm
透光波段/nm	180-2750	190-3000	
有效非线性光学	1.01	1.85	532
系数/pm·V	1.16	1.88	438
光损伤阈值/GW/cm^2	26	13.5	1064
能量走离角/°	1.78	3.2	1064
	1.83	4.8	532
	0.98	4.7	438
角度带宽/mrad·cm	1.02	0.51	1064
	0.49	0.17	532
	0.84	0.16	488
光谱带宽/nm·cm	7.03	2.11	1064
	0.13	0.07	532
	0.09	0.05	488
温度带宽/℃	9.4	4.5	532

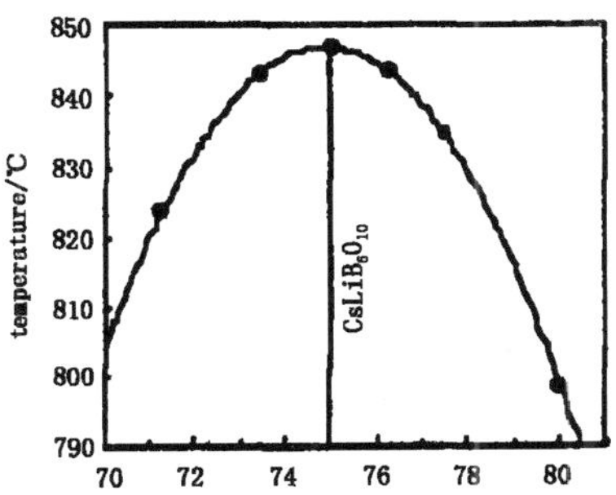

Cs_2O+Li_2O　　mol%　　B_2O_3

图1 膺二元系$Cs_2O+Li_2O-B_2O_3$的相图

图2 生成态CLBO晶体的管状缺陷，有的管径可达毫米级

图3 高光学质量CLBO大单晶，尺寸为146mm×132mm×118mm

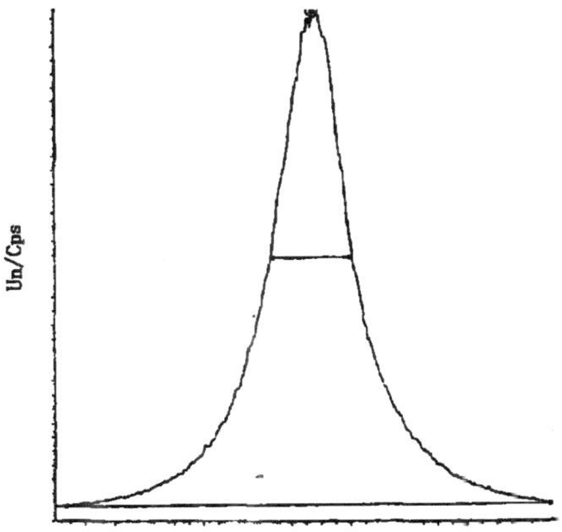

图4 CLBO晶体的摇摆曲线

3 开裂损伤机理

国内外在研制CLBO单晶时，都遇到一个难题：生成态CLBO晶体在大气环境下会自行开裂。有人甚至形象地将此现象称为CLBO晶体的自杀。如果这种开裂现象不能克服，则将会影响到用CLBO晶体作成的变频器件的使用寿命。这也就是国内一些研究CLBO晶体的单位在上世纪末纷纷下马不再继续研究的主要原因。

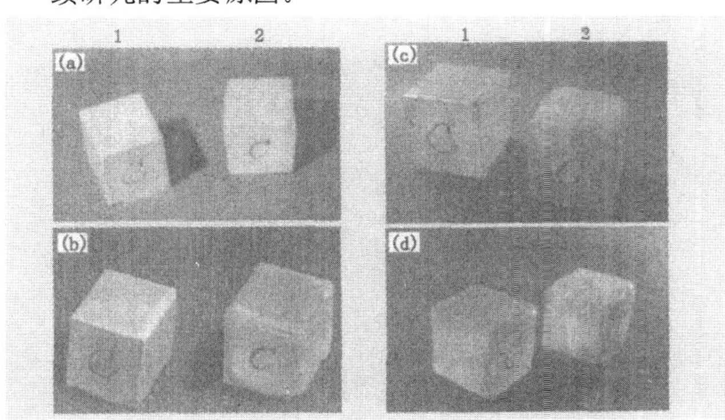

(a)实验开始时　(b)四个月后　(c)六个月后　(d)七个月后

1. a,b面用防水胶纸包裹的样品；2. 未经包裹的样品

图5 CLBO晶体开裂的方向性观察

要克服CLBO晶体的开裂，必须了解该晶体在大气环境中开裂的原因。对此，国内外都有一些说法。有人认为是因为CLBO晶体室温下有相变，但差热分析结果表明，这样的相变点并不存在[4]。有人认为是因为CLBO在晶体生长和加工过程中积累了很多应力，最后应力导致晶体开裂。这种说法解释不了为什么同是硼酸盐的LBO、BBO晶体，同样经历过顶部籽晶熔剂法的生长过程，同样要切割抛光，为什么积累的应力不会致使它们开裂？有的人认为是空气中的水蒸汽进入晶体，导致CLBO的开裂，但水蒸汽是如何进入晶体的？进入晶体后为何

会使晶体开裂？一直没有明确的解释。

通过观察开裂的CLBO晶体，发现裂纹的取向具有一定的规律。它们总是平行于(001)面。于是，我们作了一个有趣的实验，以考查CLBO晶体开裂的方向性。实验结果如图5所示。

从一块CLBO晶体上沿主轴方向切出两块尺寸同为 a×b×c=10×10×10 mm^3 的样品，六面抛光后，在样品1的a、b面上，粘上一层普通的塑料胶带，而样品2的六个面裸露，如图5(a)所示，图中标有“C”字样的表面即为垂直于C方向的(001)面，即C面。将这两块样品放置在水池附近。四个月后，未粘胶带的样品2在棱边和顶角上已可见到开裂如图5(b)；六个月后，样品2上可清晰地看到平行于C面的一层层裂纹如图5(c)；七个月后，将样品1的胶带撕开，可见该样品只在顶角上有些微开裂，而其它部分完好如初，这时未粘胶带的样品2已严重开裂。但两个样品的C面仍保持完好，“C”字仍清晰可见。

这个实验有力地证实了空气中的水蒸汽的确是从CLBO晶体的a、b面进入晶体，从而导致该晶体的开裂的。

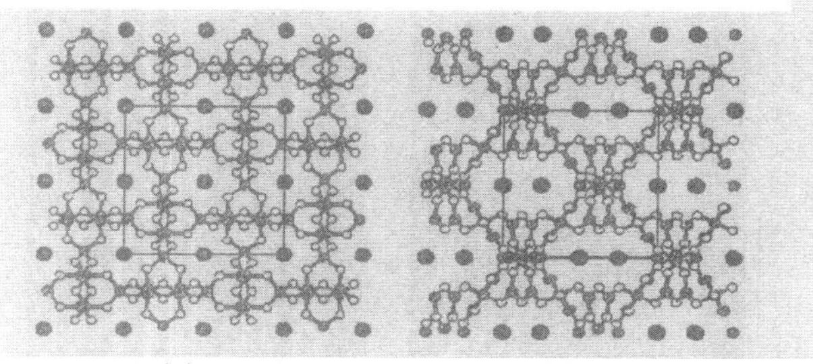

(a) c direction (b) a,b direction

图6 CLBO的晶格结构在c方向的投影(图a)及在a(或b)方向的投影(图b)

图6是CLBO晶体结构在c方向和a(或b)方向的投影图(因为CLBO晶体属四方晶系，a方向和b方向的晶格结构相同)。从图6(a)可见，从CLBO晶体的c方向看去，原子排列比较均匀；从a或b方向看去，却有许多尺寸约为4.2Å×6.4Å的结构通道，而水分子的尺寸只有1.48Å，这些结构通道很容易从a、b面上进入CLBO晶体，并与Cs、Li、B等离子反应，生成 $Cs_2B_{10}O_{16}·8H_2O$、α-$Li_4B_2O_5$ 以及 H_3BO_3 等物质(这些化合物是从开裂粉碎的CLBO晶体样品中检测出来的)。这些反应打断了原来CLBO晶体原子间的化学键，从而导致开裂。

由此可知，CLBO晶体在大气环境中的开裂不是自杀，而是他杀，罪魁祸首就是空气中含的水蒸气。

4 防开裂措施

弄清了CLBO开裂的原因，其防开裂措施就归结到如何防止CLBO晶体与水蒸气的接触。其实早在CLBO之前，KDP、LBO、BBO都需要防潮，所以以前所有的防潮措施都可以用于CLBO。例如形如图7所示的防潮盒(盒内可以抽成真空，也可以充入氮气或惰性气体)，将晶体器件置入其中，在大气环境下进行实验，就可以有效地隔绝水蒸气的浸蚀。北京大学物理学院重离子物理研究所，使用如图8所示的加热套管[3](该套管两端不安装透明窗口材料，直接与大气相通)，将CLBO倍频器置入其中，不间断地加热，使管内温度恒定在135℃进行倍频实验。使用了两年多，到现在CLBO倍频器仍未开裂。加温到135℃，有效地阻挡了空气中的水蒸气与CLBO倍频器的接触。

图7 用于隔绝空气中水蒸汽的防潮盒

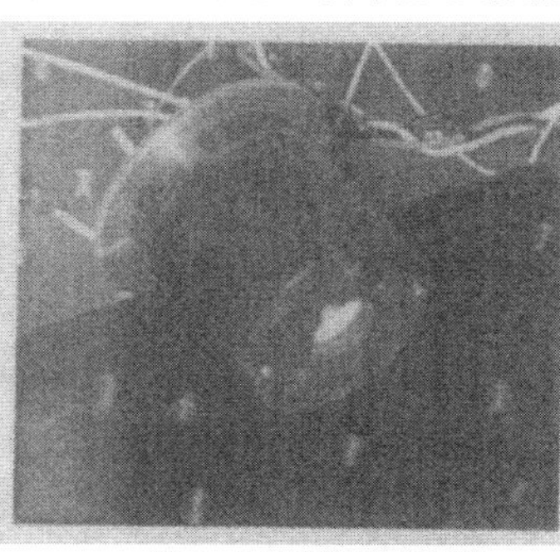

图8 恒温防潮加热套管

5 CLBO晶体的倍频应用

国内首次对CLBO晶体的倍频性能进行测试的是11所的周寿桓教授及其合作者。他们在1998年10月测得的结果如下：

测试条件：Nd:YAG倍频(532nm)激光器，低阶模，工作重复频率5Hz，脉宽10ns，环境温度27℃。

三倍频：532nm激光输出74.3mJ，355nm激光输出 32.6mJ η=44%。

四倍频：532nm 激光输出 74.3mJ 266nm 激光输出 33.4mJ η=45%。

五倍频：266nm 激光输出 22.8mJ 213nm 激光输出 7.5mJ

4HG 到 5HG 的能量转换效率 η=30%。

2002年，中科院物理所许祖彦教授与美国学者张景园利用我们提供的 CLBO 晶体作紫外参量振荡（OPG）和参量放大（OPA）试验。用 266nm 激光泵浦 CLBO 的 OPG/OPA，其调谐范围从紫外 347nm 到近红外的 1137nm；用 355nm 激光泵浦 CLBO 的 OPG/OPA，其调谐范围从紫外 447nm 到 1725nm。当 6GW/cm^2 强度的 266nm 激光泵浦 CLBO，采用双光程 OPG 结构的最大转换效率（包括信号光和闲频光）约 11%，扣除因光学元件表面未镀减反射膜而造成的损失，266nm 泵浦 CLBO 的 OPG 的总效率应大于 16%。由于 CLBO 的角度色散小，所以 CLBO 的 OPG 和 OPA 的带宽特别窄。对于远离简并点的许多波长，在不使用任何色散元件的情况下，266nm 泵浦 CLBO 体系的带宽可窄到 0.22nm。

2003年，北京大学重离子物理研究所的鲁向阳教授使用从瑞士 TBP 公司进口的一台以 BBO 作倍频器的 266nm 激光器（型号为 GE-100-XHP，最大输出功率 150mW），该公司对用户提供质保的指标为 100mW，远远达不到自由电子激光器部件之一的注入器的要求。我们给北大提供了一块 4×4×15mm^3 CLBO 倍频器，鲁教授将其置入图 8 所示的恒温防潮加热套管中，保温在 135℃进行 1064nm 的四倍频试验。一般可输出 800mW 的 266nm 激光，在最优条件下，可输出 1200mW 的 266nm 激光。大大超过 BBO 可达到的 266nm 输出功率，保证了北大有关项目的按时验收。

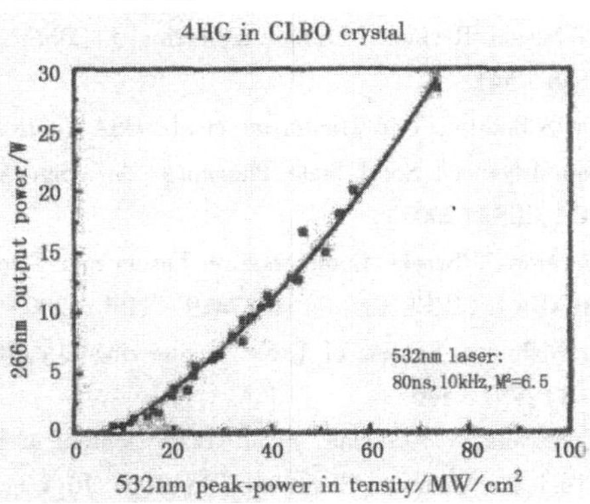

图 9　266nm 紫外光输出功率与输入 532nm 峰值功率强度关系曲线

表 2　国外用 CLBO 晶体作变频应用的主要情况

国别	年份	作者	变频类型	主要结果	参考文献
日本	1995	Y. K. Yap T. Sasaki	1064nm 激光四倍频	获 266nm 四倍频输出 9.7W	[10]
日本	2000	Umemura K. Kato	1404.5nm 与 212.8nm 和频产生 184.8nm 激光	成功实现近紫外吸收边的和频，但未报导 184.8nm 和频光的输出功率	[11]
日本 印度	2000	G. C. Bhar A. Nagahori	Nd:YAG 激光辐射与染料激光辐射倍频光的 I型非线性和频	首次实现 195.3~265nm 可调谐激光输出，转换效率为 14%（晶体长 5.5mm），基频输入，只有 14.6mW/cm^2	[12]
日本	2000	J. Sakuma T. Yokota	用和频得到的 242nm 激光再与 1047nm 激光和频	首次获得深紫外 196.3nm 输出功率为 1.5W，输出带宽 200MHz	[13]
日本	2000	T. Kojima T. Sasaki	1064nm 激光四倍频	获 266nm 四倍频输出 20W，转换效率 19.4%	[14]
澳大利亚	2001	J. Daniel W. Brown	铜蒸气激光 510.6nm 倍频	获 255nm 高平均功率 15W 输出，转换效率 23%	[15]
印度	2001	Chatterjee Kumbhakar	1064nm（或 532nm）激光与染料激光 640.670.2nm 的差频	获 1400~2740nm 可调谐中红外激光，在 5mm 长的晶体上，相对于产生 1800nm 激光的量子转换效率为 5.5%	[16]
美国	2001	S. Mirov V. Fedorov	三倍频紫翠宝石激光与 LiF:F_2^{+**}可调谐输出和频	获 196~204nm 可调谐激光输出，最大转换效率 25%	[17]
俄国	2001	A. Kokh Kononova	Nd:YAP 的四、五倍频	晶体长 11.5mm 绿光输入功率 300MW/cm^2；四倍频（270nm）转换效率 30%；五倍频（216nm）转换效率 23%	[18]
日本	2002	T. Sasaki	大功率四倍频	获 266nm 输出 20W	[19]
美国	2003	M. Bowers Trautmann	非临界相位匹配倍频 473nm	基波 120W，获 27.2W 236nm 倍频光，转换效率 22.6%	[20]
日本	2003	Y. Mori T. Sasaki	大功率四倍频	获 266nm 输出功率 40W	[21]
日本	2003	J. Nishimae	大功率四倍频	获 266nm 输出 20W，保持 50h，输出功率最高达 41.7W	[22]
日本	2004	J. Sakuma Y. Asakama	和频产生连续近 200nm 的紫外、深紫外光	获得大于 100mW 连续波深紫外激光	[23]

2004年 9月，中科院物理所光物理实验室许祖彦教授、王桂玲等利用我们提供的尺寸为 5×5×40mm^3 的 CLBO 四倍频器，在该实验室的大功率准连续激光器上进行四倍频试验，晶体放在 120℃的恒温器中，532nm 激光输出功率为 120W，脉冲宽度

80ns,重复频率 10kHz,光束质量因子 $M^2=6.5$,获得 266nm 激光最大输出为 28.4W,转换效率为 24.7%,输出曲线如图 9所示[7]。

2006年清华大学电子系霍玉晶教授,利用我们提供的 CLBO和频器将 238.7nm的激光与 1064nm 激光和频,得到 195nm 的深紫外脉冲激光输出。脉冲重复频率为 20Hz,脉冲宽度 15ns,峰值功率为 400W。238.7nm的紫外脉冲激光是用 BBO 晶体对钛宝石激光进行二倍频和三倍频而获得的。这是国内首次用 CLBO 晶体实现深紫外激光变频的实验研究。

此外,国内上海光机所张秀荣教授等人也用顶部籽晶法生长过 CLBO 晶体,研制出的 CLBO 单晶尺寸约 Φ70mm×20mm,并对 CLBO 晶体的搀杂生长、开裂机理以及变频应用等做过不少工作[8]。

国际上报导过进行 CLBO 晶体生长的有日本、韩国、英国、俄罗斯和美国等。其中日本大阪大学 T. Sasaki研究组生长出的 CLBO 晶体尺寸较大,达 140mm× 110mm × 110mm[9]。其它国家长出的 CLBO晶体限度不超过 100mm。国内除清华大学外,上海光机所、中科院理化所人工晶体中心等也在生长 CLBO 晶体。国外用 CLBO 晶体作变频应用的主要情况如表 2所列。

6 结 语

1996年,美国 Crystal Associates公司在《Laser Focus Would》上刊登了一则广告,题目就是"CLBO -超越 BBO,进入紫外波段的全新晶体"。这句广告词确实点出了研究 CLBO 晶体的目的和意义。CLBO晶体除了非线性光学系数比 BBO的略小一点以外,其它的非线性光学性质都比 BBO 强,特别是抗紫外激光损伤阈值比 BBO 的高得多。所以在紫外激光变频领域,CLBO 终将取代 BBO;高光学质量、大尺寸的 CLBO 单晶也比 BBO 容易生长。在今后大批量的商业应用中其成本也会较低,这些都将在一定程度上促进紫外激光事业的发展。

目前防止 CLBO 变频器潮解开裂的方法一是用防潮盒,二是用恒温槽。此两法被已证明确实能保证 CLBO变频器的使用寿命超过两年。但防潮盒的价格比较昂贵(美国市场价格约一千美元一只),且两个密封窗口材料的四个通光面的反射损失也不能忽略;恒温槽防潮要不断加热,激光器不工作时,恒温槽也要通电加热恒温,这对某些应用说来也有不便。所以,寻找更方便有效的防潮方法,是今后 CLBO研究的重要内容之一。

参考文献:

[1] Y. Mori, T. Sasaki, et al. Journal of Jpn Assoc Crystal Growth[J], 1995, 22, 310 (in Japanese).

[2] T Sasaki, I Kuroda, et al. Proceeding of Advanced solid state laser conference[A]. Memphis, Tennessee, January 30-February 2, 1995, WD3.

[3] 孙同庆,王晓青,鲁向阳,等.人工晶体学报[J],2004, 33(2):134-136

[4] Pan Feng, Wang Xiaoqing, Shen Guangqiu, et al. Journal of Crystal Growth[J]. 2002, 241: 129-134

[5] Á Péter, K Polgar, E Beregi. Journal of Crystal Growth [J], 2000, 209: 102-109.

[6] Jig yuan Zhang, Zuyan Xu, et al. Applied Optics[J], 2002, 41(3):475-482

[7] Guiling Wang, Zuyan Xu, et al. Optics Communications [J], 2006, 259: 820-822

[8] Zhang Xiurong, et al. Journal of Synthetic Crystals[J], 1999, 28(4):346-349.

[9] Y Mori, T Sasaki, et al. Applied Physics Letter[J], 1995, 67(13):1818-1820

[10] Y K Yap, T Sasaki. OSA Trends in Optics and Photonics Series[A]. Vol. 10, Advanced Solid State Laser, from the topic meeting[C]. 1997, 10-13

[11] N Umemura, K Kato. Applied optics[J], 1997, 36(27): 6794-6796.

[12] G C Bhar, A Nagahori, et al. Optics Communications [J], 2000, 176: 199-205.

[13] J Sakuma, T Yokota. Applied Optics[J], 2000, 39(30): 5505-5511.

[14] T Kojima, T Sasaki, et al. Optics Letters[J], 2000, 25: 58-60.

[15] J Daniel, W Brown, et al. Optics Letters[J], 2001, 26: 1885-1887.

[16] U Chatterjee, P Kumbhakar, et al. Optics Communications[J], 2001, 188: 371-375.

[17] S B Mirov, V V Fedorov, et al. Optics Communications [J], 2001, 188: 403-406.

[18] A E Kokh, N G Kononova. Proceedings of the SPIE[A] - The International Sosiety for Optical Engineering, 2001, 4268: 43-48.

[19] T Sasaki. Review of Laser Engineering[J], 2002, 30(9): 538-541.

[20] M S Bowers, T M Trautmann, et al. OSA Topic Meeting on Advanced Solid State Photonics[A]. San Antonio, CA, USA(2003).

[21] Y Mori, T Sasaki. Conference on Lasers and Electro Optics[A]. (IEEE Cat. No CH37419-TBR)(2003).

[22] J Nishimae. Review of Laser Engineering[J], 2003, 31 (8):530-540

[23] J Sakuma, Y Asakawa, et al. IEEE Journal of Selected Topics in Quantum Electronics[J], 2004, 10(6):1244-1251.

沈德忠 中国工程院院士、博士生导师。先后主持过铌酸盐、卤化物、磷酸盐及硼酸盐等十多种晶体的研究工作，涉及高温高压、熔剂、提拉、坩埚下降、高频冷坩埚等晶体生长技术，其主持研究的“非线性光学晶体铌酸钾(KN)”科研成果1988年荣获国家科技进步一等奖，“磷酸氧钛钾(KTP)”研究成果1987年荣获部级一等奖，KTP在电光方面的研究成果荣获2001年国防科学技术进步一等奖。在国内外著名学术刊物上发表论文上百篇，出版译著1部。

KTP晶体与器件的研究进展及市场展望

◇沈德忠 陈建荣
中材人工晶体研究院

磷酸氧钛钾($KTiOPO_4$，简称KTP)晶体具有非线性光学系数大，热导率高，失配度小及小的走离角，不潮解，化学机械性能稳定等特点，是目前广泛应用于中小功率Nd:YAG和Nd:YVO4激光器输出的1064～532nm激光倍频的晶体材料，此外，也可用于制作光学参量振荡、混频和光学波导等元器件，被誉为非线性光学晶体中的“全能冠军”。

众所周知，具有大的非线性系数的晶体往往也具有优秀的电光性能。KTP的电光综合特性名列前茅，它的电光系数大，半波电压低，几乎无压电耦合效应，光损伤阈值高，不吸潮；此外，它的介电常数是所有已知电光晶体中最低的，用其制成的电光器件分布电容小，响应速度远小于1ns；特别适合在高响应速度、高峰值功率、高重复频率的激光系统中使用，具有替代制作工艺十分复杂的声光开关的潜力。

据市场调查企业美国BCC (Business Communications Company, Inc)研究公司的最新报

告，2005 年非线性光学晶体全球市场规模达到8亿5610万美元，预计未来将以17.1%的年平均增长率扩大至2009年的16亿5600万美元左右。用于激光和电光领域的KTP、KDP、DKDP、BBO、CLBO、LBO等晶体在2005年占非线性光学晶体材料的市场份额为18.5%，其中KTP晶体市场份额为8000 万美元左右，预计AAGR（年平均增长率）为5.4%，其它晶体的AAGR总共为8%。这里要注明一点的是，BCC公司所说的KTP晶体主要是指用作中小功率激光倍频器的普通熔盐法生长的KTP晶体。

目前生长KTP晶体的方法有两种：水热法和熔盐法。水热法生长的KTP晶体要在1600个大气压、600℃的高压釜中进行。由于生长条件苛刻、高压釜内径不能作得很大（目前只到3英寸）、生成态KTP晶体中还包含籽晶。所以水热法生长的晶体尺寸小、可利用率低、产品成本高，尽管水热法生长的KTP晶体质量好、激光损伤阈值高（~GW/cm^2级）、电导率低，但因为生产成本高，在中小功率激光倍频领域，竞争不过熔盐法生长的KTP晶体产品。普通熔盐法又分为两种：籽晶浸没法和顶部籽晶法。籽晶浸没法是把KTP籽晶浸没到熔体中进行生长，故长出的KTP晶体中包含籽晶，且生成态KTP晶体是双晶，利用率相对较低；顶部籽晶法的籽晶仅与熔体表面接触，长出的KTP晶体中不含籽晶，且生成态KTP晶体是单晶，晶体的利用率最高。与水热法比较起来，普通熔盐法是在大气中生长，坩埚可以作得很大，可以长得很大（70mm×80mm×30mm或更大），成本低，但缺点是生成态KTP晶体的激光损伤阈值较水热法KTP的低（600~800MW/cm^2级）、电导率大（10^{-6}~10^{-7}/Ω·cm量级）。中材人工晶体研究院1985年在世界上首次用顶部籽晶熔盐法生长出高光学质量、能实际用于激光倍频的KTP大单晶，并于次年建立了KTP晶体生产线，批量向国内外供应各种尺寸的KTP变频器。这不但打破了美国对KTP晶体的垄断和对我国的禁运，而且在后来杜邦公司为研制KTP波导需用大Z切面的KTP单晶时，反过来向我院购买，使我国的KTP晶体销到美国，赚取数百万美元的外汇（1988年杜邦公司的首获水热法生长KTP专利的J.D.Bierlein还特地汇来9万美元资助人工晶体院生长大尺寸KTP晶体），提高了我国人工晶体的声誉和国际地位。

用普通熔盐法生长的KTP晶体制作成的变频器在大功率、高重频率的激光辐照下，会产生肉眼可见的所谓"灰迹"（gray track）。灰迹一旦形成，会大量吸收辐照光束的光能，导致器件发热、倍频效率降低、激光器输出功率下降、噪声加强等一系列后果，继续运转有可能会造成KTP倍频器件的损坏、击穿。因此，如何提高熔盐法生长的KTP晶体的抗"灰迹"能力，一直是国内外科研人员十分关注的研究热点。

KTP作为一种优秀的倍频晶体已享誉全球，但其优异的电光性能却迟迟得不到实际的应用，对于水热法生长的KTP（电导率在10^{-10}/Ω·cm量级）来说，其根本原因是大尺寸的晶体生长十分困难；对于普通熔盐法生长的KTP，则还因为电导率太大（在10^{-7}/Ω·cm量级），调制电压加上后晶体往往变黑，不能用作电光调制。

近年来，中材人工晶体研究院、以色列Raicol公司对高抗"灰迹"晶体生长技术、降低熔盐法生长的KTP晶体的电导率技术、非线性光学晶体的周期性极化准相位匹配技术（QPM）进行了深入的研究，在KTP晶体、器件的两个重要应用领域——高功率激光倍频和电光调制方面，取得了突破性进展。

高抗"灰迹"KTP晶体

以色列Raicol公司的研究人员从KTP晶体化学组成变化与不同磷酸盐助熔剂、物理性能表征关系等多个方面开展研究，在1999年国际激光电光会议（CLEO）宣称由于在KTP的生长过程中使用独有的改良熔盐组分配方和热处理技术，已经生长出高抗"灰迹"HGTR-KTP（High Gray Track Resistivity $KTiOPO_4$简称HGTR-KTP）晶体，性能优于水热法生长的KTP晶体，适合应用于大功率密度的激光系统中（普通溶剂法、水热法、HGTR法生长的KTP在"灰迹"形成初期吸收系数与时间的关系见图1）。

国内也一直在进行抗"灰迹"KTP晶体的研究，中材人工晶体研究院采用改进的顶部籽晶熔盐法生长工艺，使用高纯原料生长出高光学质量的大尺寸KTP晶体，抗激光损伤阈值达到2200MW/cm2£¬并在此基础上开展了KTP晶体"灰迹"形成机理研究、改良的磷酸盐助熔剂及新磷酸盐助熔剂生长抗"灰迹"晶体生长工艺和制备技术的研究工作，取得了明显的进展和成果，已生长出36×30×30mm^3的水白色晶体（一般熔盐法生长的KTP晶体的颜色都是棕黄色）。图2为普通熔盐法KTP晶体和水白色低电导率抗"灰迹"KTP晶体。

低电导率电光KTP晶体

在目前广泛应用的电光晶体中，

磷酸二氘钾(KD_2PO_4,简称DKDP)的电光系数小,半波电压高、耐热冲击性能很差、且易潮解。铌酸锂($LiNbO_3$,简称LN)的电光系数也不大、光损伤阈值很低(掺MgO后也只到$100MW/cm^2$,近来研制的近化学剂量比LN损伤阈值也只比此值大一些,但晶体生长困难,成本高),不能在高频、高功率调制中应用;在进行电光调制时,还会产生压电耦合振荡。(图3,图4为$LiNbO_3$与KTP的波形图)。

表1是较有代表性的一些电光晶体的性能参数,其中$Q=n^3\gamma/\varepsilon$是用来描述电光晶体的综合性能的品质因数,式中n —折射率,γ —电光系数,ε —介电常数。表1中KTP的电光品质因数Q值只排在第三位。但考虑到铌酸钾($KNbO_3$,简称KN)在作电光应用时,若调制电压不是加在C轴上(实际应用时往往属于这种情况)则容易退极化,晶体由单畴变为多畴,透过率急剧下降,无法使用;钛酸钡($BaTiO_3$,简称BT)在室温有一个相变点,在相变点附近,性能变化很大,也不宜应用。所以实际上在目前已知可用的无机电光晶体中,KTP的电光Q值实属前茅。

中材人工晶体研究院采用改进的顶部籽晶熔盐法(表2)和特殊的工艺技术研制的新型低电导率电光晶体KTP,将熔盐法KTP晶体的电导率降低了三个数量级(从$10^{-7}/\Omega\cdot cm$降到$10^{-10}/\Omega\cdot cm$数量级),在电导率和抗激光损伤阈值两方面达到与水热法KTP相同的水平。并在国际上首次将熔盐法KTP晶体用作电光调制。经中科院上海光机所、天津大学、中国工程物理研究院等有关单位的应用试验,获得良好的调制效果。所制成的高速

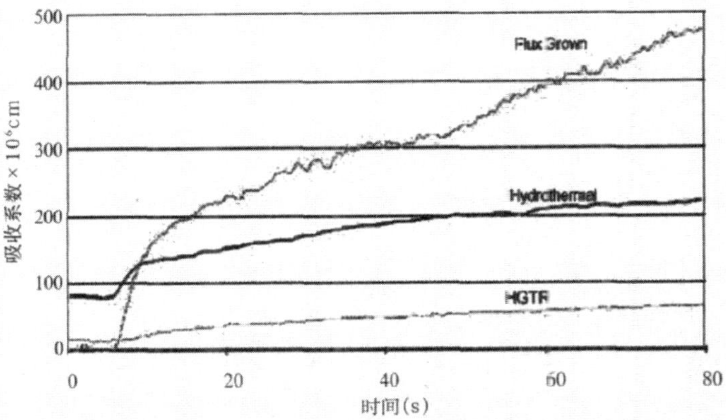

图1 普通溶剂法、水热法、HGTR方法(从上至下)生长的KTP晶体在"灰迹"形成初期的吸收系数与时间的关系(以色列Raicol公司网站)

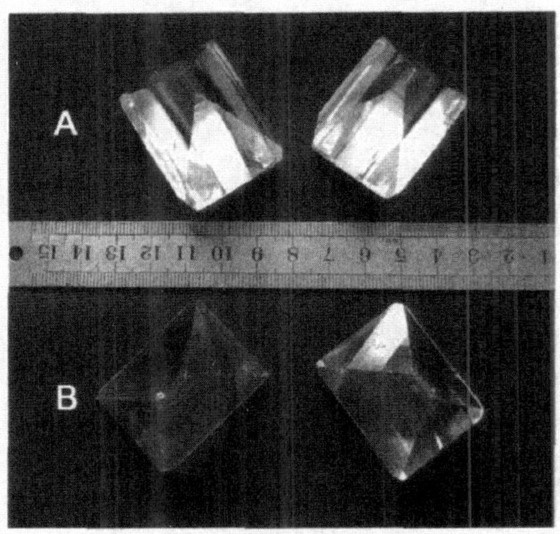

图2 A普通熔盐法KTP晶体 B水白色低电导率抗"灰迹"KTP晶体

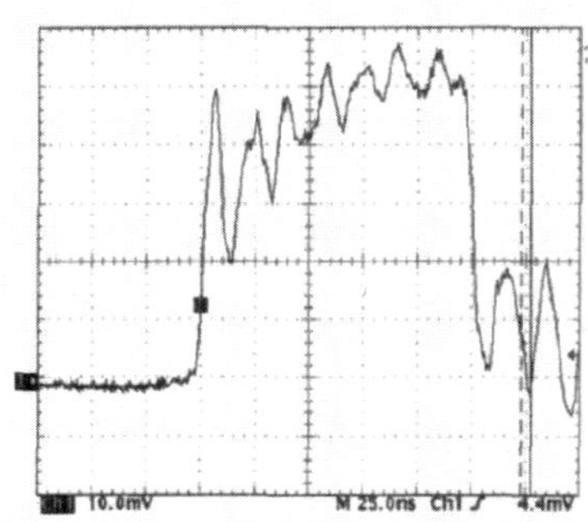

图3 $LiNbO_3$的调制波形图

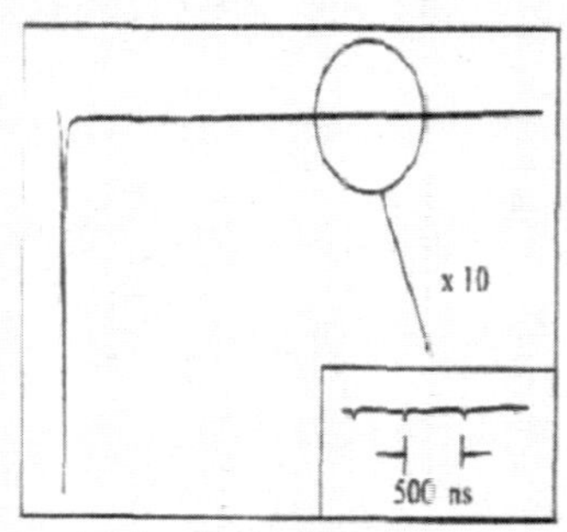

图4 KTP晶体调制波形图

表1　12种电光晶体特性一览表

晶体(电光系数分量)	电光系数r/(pm/v)	折射率n	介电常数e	电光品质因数($Q=n^3r/e$)
$KNbO_3$　r_{42}	380	2.25	137	31.6
$BaTiO_3$　r_{51}	820	2.38	372	29.3
$KTiOPO_4$　r_{33}	35	1.83	15.4	14
$LiNbO_3$　r_{33}	32	2.20	37	9.2
$Ba_2NaNb_5O_{15}$	56	2.20	86	7.12
KD_2PO_4　r_{63}	26.4	1.5	15	5.94
$LiK_3Nb_5O_{15}$	100	2.13	176	5.49
$Ca_2Nb_2O_7$	25	2.16	46	5.47
$La_2Ti_2O_7$	25	2.30	58	5.2
SBN(Tc=300K)	1340	2.30	3401	4.8
BGO	3.0	2.55	39	1.27
BSO	3.6	2.5	57	0.98

图5　中材人工晶体研究院生长的低电导率电光KTP晶体

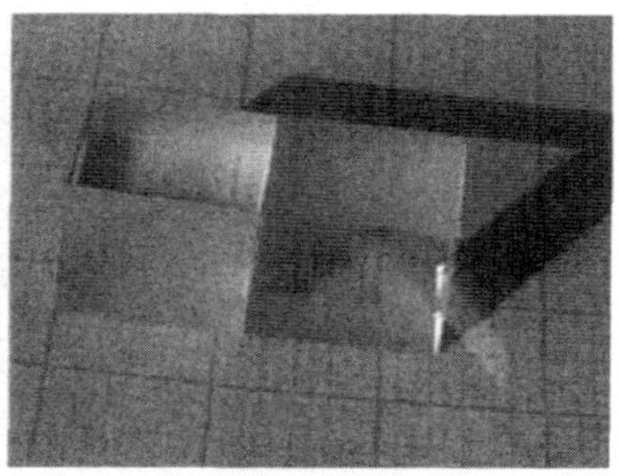

图6　中材人工晶体研究院制备的低电导率KTP电光器件对

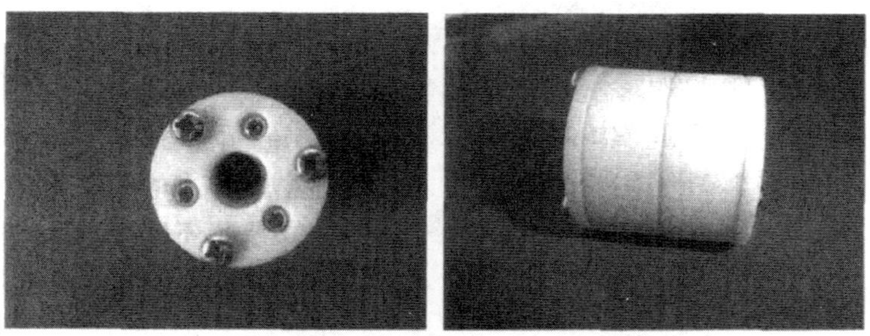

图7　中材人工晶体研究院制作的KTP电光泡克尔盒

电光开关，经两年多使用未出现发黑现象(半波电压1200V)；作成的体式高速行波电光调制器，半波电压仅为760V，脉冲响应时间快到297ps，电光带宽高达2.5GHz，其电光性能完全满足要求，充分显示了KTP用作电光调制的优异性能。

目前低电导率KTP电光器件尚需在提高大口径器件的光学均匀性、提高KTP晶体对(即两块KTP晶体相互旋转90串联结构)的消光比、以及提高器件加工的重复性等方面进一步努力，以便将低电导率KTP电光器件推向产业化。图5、6、7为中材人工晶体研究院制备的KTP晶体及产品。

周期极化的准位相匹KTP倍频器(PPKTP)

KTP晶体是众所周知的优良非线性光学晶体，但是KTP的上述优良的性能在实际应用中还没有得到充分利用。例如，KTP的光透过范围是350～4500 nm，但事实上KTP对1000nm以下的激光就没有相位匹配方向，这就意味着KTP不可能以角度匹配的方式来产生蓝色激光或其它波长短于500nm的激光。又例如，KTP的最大非线性系数可达16.9pm/v，可实际上当用KTP做为倍频器件时，由于角度匹配的关系一般不能利用其最大非线性系数分量，故其有效非线性系数往往只

表2　KTP晶体不同生长方法的对比

		晶体可用情况	生长所需压力	晶体尺寸(mm^3)	可用尺寸(mm^3)	电导率	激光损失阈值
水热法(美国)		中间有籽晶，多畴	1300个大气压	15×15×45	4×8×4	10^{-10}/W·cm	～GW/cm²
熔盐法	籽晶浸没熔盐法	中间有籽晶，双晶	常压	取决于铂金坩埚尺寸	15×20×10或更大	10^{-6}/W·cm 不能用于电光调制	～600MW/cm²
	顶部籽晶熔盐法	中间无籽晶，单晶	常压	取决于铂金坩埚尺寸	20×20×20或更大	10^{-7}/W·cm	～800MW/cm²
改进顶部籽晶熔盐法		中间无籽晶，单晶	常压	取决于铂金坩埚尺寸	20×20×20或更大	10^{-10}/W·cm	(1～2)GW/cm²

有16.9 pm/v的几分之一。

通过对晶体进行周期性极化(Periodically poled，简称PP)处理，晶体的极化方向以一定的间隔周期性地反转，形成了正负两个方向的铁电畴连续相互叠加的周期性结构。只要畴的厚度等于入射光波波长的相干长度，在这种周期性结构，或所谓介电体超晶格中，光波的相速度就是一种空间调制函数，在某一方向的畴片中相互作用的光波在行进时相位失配了，它们在通过下一个方向相反的畴片时，失配的相位就会得到补偿。使相位失配得到纠正，也就是利用晶体非线性光学系数的准周期性结构调制提供的倒格矢作傅里叶变换，补偿非线性频率转换过程中介质色散造成的基波与谐波之间的位相失配，使光线在连续通过每个周期畴结构时它们的相互作用就不断增强，这就是准位相匹配(QPM)。

准相位匹配技术解决了常规角度相位匹配技术中有效非线性系数较小、倍频效率较低、可实现频率转换范围有限等难题，拓宽了非线性晶体的应用范围。

目前在国内外市场上主要采用铌酸锂($LiNbO_3$)晶体做周期性极化器件PPLN，但LN晶体光损伤阈值低($10MW/cm^2$)，自发极化反转电压高(2.1万v/mm)。所以至今PPLN器件通光面厚度一般仅为0.5mm，难以适应高功率频率变换的需要。然而KTP晶体光损伤阈值是$LiNbO_3$晶体的10倍，极化反转矫顽场电压仅是$LiNbO_3$晶体的1/10，较容易极化反转厚度较大的晶体(比如3mm)，有利于高变频功率下应用，且室温下光折变效应不明显，可有效利用二阶非线性系数较大的d_{33}。由于准相位匹配器件具有的诸多优点以及KTP晶体在功率激光变频领域的实用价值，加以KTP的光损伤阈值比LN高得多，极化反转所需电压比LN低，故PPKTP比PPLN在激光变频领域更有竞争力。国外的新型大功率变频器均采用了PPKTP器件。自PPKTP研究成功以来，并屡有新的研究进展报导和相关的专利获得授权。美国、英国、法国、以色列、日本、韩国、瑞典等国以及我国台湾地区都有PPLN、PPKTP商品面世，国内至今没有产品。

中材人工晶体研究院从2000年开始，与南京大学、天津大学合作尝试PPKTP的研制，在国内首次报道了PPKTP器件的研制，并获得了13mW的倍频绿光输出，但PPKTP器件的转换效率急待进一步提高，尚不能制备出有实用价值的PPKTP。

用普通熔盐法生长的KTP晶体制作PPKTP时，因其电导率太大(10^{-6}～10^{-7}/Ω·cm)，高压极化反转操作困难，需在通液氮的低温下才能完成，工艺技术复杂；采用中材人工晶体研究院改进的顶部籽晶熔盐法生长的大Z切面低电导率(10^{-10}/Ω·cm数量级)电光KTP晶体特别适合制作周期极化的准位相匹配器件(PPKTP)。以色列、瑞典人向我院购买一片长×宽×高=(35×25×1)mm^3的KTP晶体，我们卖给以色列的售价是500美元，而他们买回去制成PPKTP，一块长×宽×高=(20×2×1)mm^3的PPKTP器件卖给国内的单位，每片是2300美元，就算制作PPKTP的出成率只有33%，一片(35×25×1)mm^3的KTP晶片也可以作成5片(20×2×1)mm^3的PPKTP，总共值11500美元，是500美元的23倍！以色列还把制好的PPKTP器件卖给我们国内的需用单位，而瑞典买了我们的KTP晶体制成PPKTP后，还向我国禁运。尽管我院很早就开始研究PPKTP的制作，已初步获得了532nm的绿光输出，但关键的技术问题是要用微电子的光刻技术制作使电畴极化反转的电极。一般单位很难筹措微电子光刻车间(线宽为微米级)。受高压电源、光刻机等设备的制约，我院的极化工艺还很不成熟。我们急切的希望能迅速扭转这种尴尬局面！

市场前景

KTP晶体除具有十分优秀的倍频性能外，还具有十分优秀的电光性能。高抗“灰迹”KTP晶体，可用于大功率的固体绿光激光器，将大大拓宽KTP晶体倍频器件的应用范围；熔盐法低电导率KTP晶体的研制成功，有力地促进了KTP电光器件的实际应用。低电导率电光KTP晶体在激光频率转换和电光调制两个方面都有着广泛的应用前景，可以在所有应用领域取代水热法生长出的KTP晶体。

低电导率电光晶体KTP由于其优异的电光性能，一旦实现商品化，将在大部分电光应用领域取代DKDP、LN用作电光调制。低电导率电光KTP晶体的推广应用，不仅可以大大提高我国脉冲整形器的性能，而且使我国在电光开关等多种光学调制器等方面的水平大大提高。此外还将改善我国多种军用激光器的性能，如激光测距机、激光制导、激光雷达和多种军事科研特需的激光器。所以说，低电导率电光晶体KTP的应用，将在目前的相关领域产生巨大的变革，具有十分重要的意义。其经济效益也十分显著，仅KTP替代DKDP、LN作电光开关一项，国际市场份额每年就超过1000万美元；一旦新的KTP电光偏转器研制

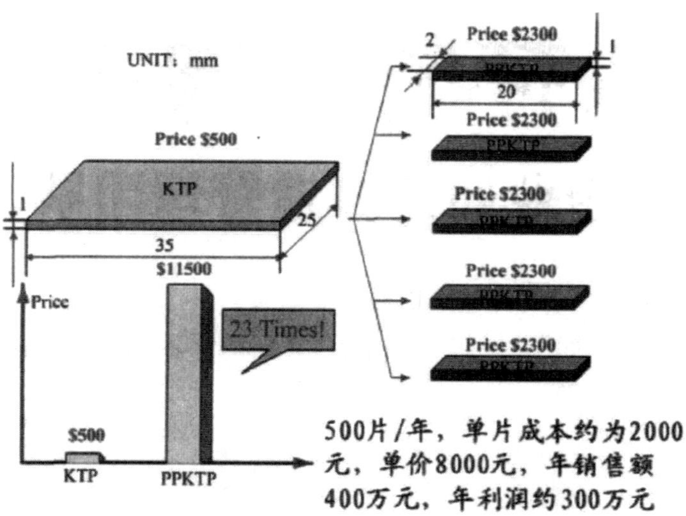

图8 制作PPKTP器件的经济效益

成功，制造出超快速光脉冲测量仪，便可取代目前价格昂贵的高级示波器和条纹照相机等，应用前景不可限量。

PPKTP倍频器的应用前景也十分光明，准相位匹配倍频器不受匹配角度的限制，可在晶体透过率允许的波长范围内进行倍频，能充分发挥晶体最佳非线性特性。KTP晶体具有优良的介电性能，经过周期性极化处理后得到的PPKTP，各项性能明显优于传统用$LiNbO_3$和$LiTaO_3$等晶体制作的周期性极化器件。

由于周期极化KTP晶体(PPKTP)是全固态激光器产业及其应用产业链中的关键性环节，从而在数-模转换器件、激光医学、生化技术、材料科学和光通信等方面具有重要的应用；在近红外到中红外波段的激光可用于分子光谱分析，在环境检测、污染检测及过程控制等领域具有重要应用，可大大提高我国军用激光雷达、大气监测、海底探测等各种军事科研特需的激光器的性能。这种器件又可通过和频、差频、光参量振荡(OPO)和光参量放大(OPA)，获得近红外可调谐激光输出，是小型、全固态、可调谐激光光源的关键材料，在未来战争的激光红外对抗中具有重要意义。

通过周期极化，可在晶体的整个透明波段的任何波长上获得非临界位相匹配，能同时获得多种可见光波段的多种颜色倍频，在彩色激光显示方面具有潜在的应用前景。尤其是PPKTP能够对半导体激光器直接倍频，形成蓝、绿光倍频激光，是未来小型半导体蓝、绿激光器的有力竞争者，在高密度光存储、彩色打印等方面具有重要的应用，如果能够通过大规模的产业化开发，把成本降低到可用于上述商业民用领域，将形成可观的市场规模，经济效益、社会效益巨大。(制作PPKTP器件经济效益见图8)。

国内目前无PPKTP产品，一旦形成规模生产，以我国在晶体材料和人力资源的综合成本优势，将会迅速占领国内市场，并会与国外的公司展开竞争。PPKTP倍频器件在国外售价约1500～4000美元/只，若我们自己研制生产，以500只/年计算，单片成本约为2000元，单价8000元，总销售额400万元，利润约300万元。大批量生产具有成本低，效益高等特点，只要器件性能指标稳定可靠，作为激光光源颜色革命的主角之一，必将对我国的激光光源产业及其应用产业的形成起到巨大的推动作用。

参考文献

[1]Robert L. Holman, Lynda M. Althouse Johnson and Doyle P. Skinner, SPIE, Processing on Guided-wave Opto-electronic Materials 11, Jan. 19-24, 1986, LosAngeles, Calif. 后又发表在Optical Engineering vol. 26, No. 2(1987) pp134-142
[2]A. Alexandrovsky, M. Fejer and G. Mitchell, CLEO 99, paper CFF5
[3]M. Roth, M. Tseitlin et. al., Opt. Mat. 28, (2006), pp71-76
[4]施路平等,“KTiOP04的双晶结构及其对晶体生长的影响”,硅酸盐学报,Vol. 21. No. 6(1993)pp566-567
[5]李世忱、倪文俊等,光电子·激光 第二期(1999)1/8～8/8
[6]沈德忠,“KTP晶体的电光研究进展”,人工晶体学报,Vol. 30. No. 1(2001)pp28-35
[7]桑梅、于建、倪文俊,等,“周期极化KTP晶体532nm倍频连续绿光输出”,光电子·激光,Vol. 14. No. 6(2003)pp574－576
[8]沈德忠、陈建荣等,“大尺寸(60×50×40mm)电光KTP晶体生长技术及应用”, 2006年建材行业科技发展报告

巩固优势　再攀高峰

——记我国无机非线性光学晶体的发展历程

■ 文/沈德忠

材料是人类社会生产力发展程度的重要标志，我们通常用“旧石器时代”、“新石器时代”、“铁器时代”等等来划分不同生产力发展阶段的历史时期。人工晶体也能起到划分时代的作用：水晶及其压电元件的研制成功，将人类带入无线电通讯的新时代；单晶硅及集成电路的普及，标志着电子时代的到来；红宝石及其激光器的研制成功，预示着人类进入光电子时代。

水晶、单晶硅、红宝石都是人工晶体材料，分别是压电材料、半导体材料、激光材料的代表，都已经产业化，在全世界大量生产。随着科技的不断发展，各领域的新材料不断涌现。例如激光材料，继首次实现激光输出的红宝石之后，又出现了激光性能更好的钇铝石榴石、钆镓石榴石、钒酸钇等激光晶体。尽管新型激光晶体不断被研制出来，但是，所输出的激光波长并没有覆盖从紫外到红外的整个光谱范围，而是多半集中在1064nm附近，这就大大制约了激光的应用。于是人们进一步研究、寻找具有改变激光频率特性的材料——非线性光学晶体，利用这类晶体进行倍频、和频、参量振荡等光学变换来获得从紫外到红外的激光输出。

20世纪七八十年代，能用作激光变频的无机非线性光学晶体只有石英、磷酸二氢钾、铌酸锂以及铌酸钡钠等几种，这些晶体都有缺点：石英的有效非线性光学系数太小，频率转换效率极低；磷酸二氢钾不但非线性系数小，而且在空气中还易潮解；铌酸锂的非线性系数虽然比较大，但抗激光的损伤阈值很低，很容易被打坏，且透过波段在325～5500nm范围，不能用紫外倍频；铌酸钡钠晶体十分难于生长，很难制备出高光学均匀性的单晶，所以在激光发明10多年后，其频率转换工作仍没有取得明显进展。

20世纪70年代末，中科院物质结构研究所研制出新型非线性光学晶体——低温相硼酸钡（β-BaB_2O_4，简称β-BBO），见图1，该晶体有适中的非线性光学系数、不潮解、抗激光损伤能力强，透过波段较宽（190～3500nm），对1064nm激光可进行四、五倍频，获得266nm、213nm的紫外激光输出。

此后，南开大学与西南技术物理所合作，在铌酸锂晶体中掺入一定量的氧化镁，生长出掺镁铌酸锂晶体（Mg:$LiNbO_3$，简称Mg:LN），将纯LN晶体的抗激光损伤阈值提高了2个数量级，拓宽了该晶体的应用领域。

原建材部人工晶体研究所在20世纪70年代进行了非线性光学晶体铌酸钾（$KNbO_3$，简称KN）的研究，该晶体有较大的非线性系数，特别适用于半导体激光器输出的弱激光（毫瓦级）的变频。尽管该晶体十分难于生长，20世纪80年代初，人工晶体所仍研制出了尺寸为（52×40×20）mm^3的多畴原晶，极化后获得最大尺寸为（32×18×11）mm^3的单畴晶体。1990年，美国IBM公司的研究人员将KN用作半导体激光器，将输出的

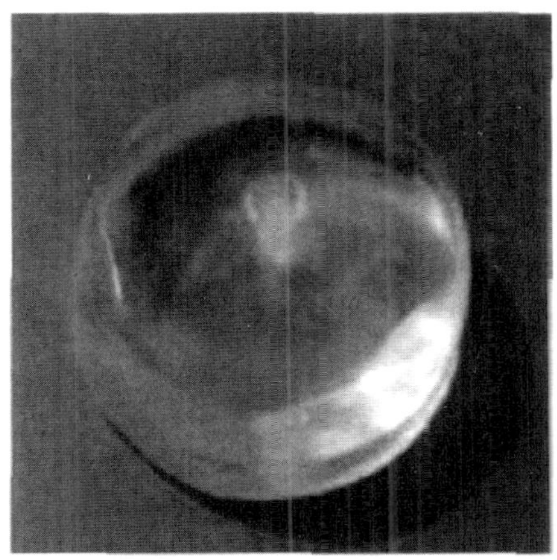

图1　中科院物构所研制的β-BBO晶体

101mW、波长为858nm的激光进行倍频，获得了39mW、429nm的蓝光输出，转换效率为39%。如果将KN用于新近出现的垂直腔面发射半导体激光器的变频，将会有更佳的效果。

我国这些非线性光学晶体的研制成功和突出的应用效果，在国际上引起很大的反响。1986年4月，美国48位材料科学家在马里兰州的安纳波利斯市召开了一个关于非线性光学材料的讨论会，与会专家首先对非线性光学晶体的重要性作了阐述，然后对当时能够接触到的较出色的激光频率转换材料进行了评估，认为中国研制的β-BBO是一种很有前途的新型非线性光学晶体，可是美国那时还没有可供使用的β-BBO晶体；中国的掺镁铌酸锂基本上解决了抗激光损伤阈值低的问题，当时美国还没有供利用的商品Mg:LN晶体；KN是一种可用于半导体二极管激光倍频的材料，当时美国也没有这种材料，并指出KN单晶的制备技术难度大，不易长出(10×10×10)mm^{3}的晶体。在此次会议上，与会专家还对一种名为磷酸氧钛钾($KTiOPO_4$，简KTP)的非线性光学晶体进行了评论，认为该晶体产生频率转化的阈值低、温度带宽大，非常适于中功率激光的变频，而那时美国能买到的KTP变频器尺寸只有(5×5×5)mm^3，且价格昂贵。与会专家感到在非线性光学晶体领域，美国已经落在中国的后面。最后大会通过建议，呼吁美国政府制订有关发展非线性光学晶体的一揽子计划，加强研究队伍，在计划确定之后的最初10年内投资2000万～5000万美元，优先研制包括β-BBO、KN、KTP等在内的5种非线性光学晶体(5种晶体中还有1种是山东大学研制成功的L-精氨酸盐，属有机非线性晶体)[1]。

下文拟对上面提到的适于中功率变频应用的优秀非线性光学晶体KTP做一些较详细的介绍。

KTP晶体是1971年由法国R. Masse等人首先合成出来的，他们测试了KTP晶体的结构，指出该晶体中钛氧八面体畸变很大。在空气中KTP于1172℃就会分解，不能一致熔融，故不能用通常的晶体生长方法，如提拉法、坩埚下降法等方法来生长，只能将KTP熔于某种熔剂中产生过饱和，或是用助熔剂降低体系熔点来生长KTP单晶。Bierlein和Gier在1976年获得的有关KTP晶体的专利，就是用水热法(将KTP在3×10^{8}Pa，800℃下溶于KOH的水溶液中)来生长KTP。由于生长条件十分苛刻，用作生长容器的高压釜不可能做大(内径只有Φ9.525mm，长152.4mm)，长出的晶体宽度不可能大于9mm，中间还有籽晶。后来经过多年的改进，高压釜内径也未超过Φ40mm，考虑到生成态晶体存在包裹体、生长条纹等缺陷，晶体中间有籽晶，倍频器还要求固定的切向，故切出的器件尺寸仍然偏小。KTP在常压下的居里点是936℃，在高压下，尽管生长温度低于800℃，但长出的KTP仍然是多畴晶体，需要极化为单畴才能使用。

鉴于水热法生长KTP的诸多缺点，人们又尝试了熔剂法。用熔剂法生长KTP的困难在于熔体液面会产生自发结晶，这些自发结晶随着熔体的流动会粘到正在生长的晶体上，致使长出的KTP晶体是一簇多晶。杜邦公司的Gier在1980年获得了一份用熔剂法生长KTP的美国专利，专利中列举的效果最好的实施例也只长出一簇多晶，其中最大的一颗晶粒尺寸为(15×8×2) mm^3，也没有多大的用处[2]。

除杜邦公司外，美国菲利浦公司的J. C. Jacco、G. M. Loiacono等人也用除水热法外的多种方法生长过KTP，但效果都不好，他们用顶部籽晶熔剂法生长KTP的结果是："在所有情况下，都只能得到由很小的平行取向的斜方形晶粒组成的多重结晶"[3]。

1982年6月，天津大学姚建铨教授在美国作了2年的访问学者后回到北京，趁下飞机转乘火车回天津作短暂停留之际，会见了人工晶体所研制非线性晶体的人员，介绍他在美国期间使用了一种名为KTP的非线性光学晶体，倍频转换效率比铌酸锂高得多，特别是光损伤阈值比铌酸锂高2个数量级，性能非常好，但是价格也相当贵，一块(3×3×5)mm^{3}的KTP倍频器售价2750美元。他把在美期间的积蓄都凑上，想买一块带回国来，人家不卖。有一天，姚教授的老板作实验，不小心把一块KTP倍频器掉在实验台上打碎了。姚教授一看机会来了，便向他老板说："你瞧，这块KTP已经摔碎了，给我一块碎片拿回去作作实验吧。"他的老板回答说："不行。KTP是美国军方资助的项目，对共产党国家禁运。碎片也不许带出实验室！"因此姚教授迫切希望人工晶体所能进行KTP晶体的生长。

晶体所的同志们被姚教授的爱国热情深深感动！对美国的禁运政策十分愤慨！便着手在他们生长铌酸钾的顶部籽晶熔剂法的工艺基础上进行革新，创造性地设计出一种特殊的、能够控制熔体液面自发结晶的顶部籽晶熔剂法。在研究组同志们的共同努力下，不到半年时间，就长出了尺寸达(25×15×10)mm^{3}的高光学质量的KTP单晶。根据现在查到的有关KTP的文献和了解到的情况可知，这是国际上第一次用熔剂法长出可用于实际倍频的KTP单晶。此后山东大学用籽晶浸没法(即把籽晶插入熔体中进行晶体生长)也长出了KTP晶体。

人工所用特殊的顶部籽晶熔剂法生长的KTP晶体，籽晶在生成态晶体的外部，长出的是单晶，且是单畴结构，故利用率高。这种方法生长的KTP晶体Z向截面比较大，有利于波导的制备和电光应用，见图2。1987年，杜邦公司首获KTP专利的J. D. Bierlein，为开发KTP的波导应用，又苦于水热法生长的KTP晶体尺寸太小，特别是不能得到Z截面大的KTP晶片，于是向全世界寻求，挑来挑去，最后选中了人工所的KTP，并签订了购货合同。人工所每年向杜邦公司提供10万美元的Z切KTP片。当然，在合同敲定之前，我们打报告请示了当时的国家科委：美国此前对我国实行KTP禁运，现在他们反过来要购买我们的KTP晶体，我们能不能卖给美国？经过科委仔细研究后，由当时的汪宗荣司长代表科委作了答复：同意出售。这笔生意一直做到1996年J. D. Bierlein逝世为止。

人工所与J. D. Bierlein合作得很好，为使我们能配合他们发展KTP波导器件的计划，1988年还特地汇来9万美元资助人工所把KTP晶体尺寸长得更大。在他逝世前一年，还给我发来一份传真，第一段写道：“我认识到是您发展了生长KTP晶体的顶部籽晶熔剂法 这是一项十分优秀的工艺技术，对我们的KTP波导计划非常有用，您应该为此项成就而获得某种奖励。”

在“九五”八六三计划实施之前，熔剂法KTP和水热法KTP在电光性能和光损伤阈值方面还存在着差别。水热法KTP晶体的电导率在$10^{-10}/\Omega cm$量级，光损伤阈值为GW/cm^2量级；熔剂法KTP的电导率为$10^{-7}/\Omega cm$量级，光损伤阈值为$700MW/cm^2$。由于熔剂法KTP的电导率太大，故不能用作电光调制。

“九五”期间，人工所在八六三计划的资助下，将熔剂法KTP的电导率降低了3个数量级，达到与水热法KTP相同的$10^{-10}/\Omega cm$量级，激光损伤阈值达GW/cm^2量级，其光损伤阈值也提高到与水热法KTP相同的水平，使其电光特性成功地用在激光聚变小于1ns的精密脉冲整形上，并被将建造的神光III号选用作电光调制。我们现在可以说：顶部籽晶熔剂法生长出的KTP晶体，可以在所有应用领域取代水热法长出的KTP晶体。

在美国CLEO大会上，销售商为吸引顾客，展示了山东大学籽晶浸没法长出的KTP原晶，见图3，有关晶体生长技术人员通过这块KTP晶体中的籽晶位置及其固定籽晶从晶体中伸出来的铂金针就知道该KTP晶体是如何长出来的。于是全世界此后都用籽晶浸没法来生长KTP，就连前面提到的菲利普公司的Jacco和Loiacono也用山东大学的籽晶浸没法生长KTP(做了一些改进，把一颗籽晶改成一串籽晶，见图4)，他们俩还从菲利普公司退出来，成立了一个名为Crystal Associates Inc.的公司，生产和出售包括KTP在内的多种非线性晶体。此后，KTP晶体元器件充斥全世界激光变频领域，一块$(3\times3\times5)mm^3$的KTP变频器从20世纪80年代的每只2750美元降至现在的每只不足50美元。很明显，我们在经济上遭受了重大的损失，但从另外一个角度看，KTP大降价，购买的人就多，激光变频市场因而得到相当大的促进和发展，变频技术的应用得到普及，例如目前我们作报告用的绿色激光指示笔就是KTP倍频Nd:YVO4发射的1064nm激光制成的。

1987年，中科院物构所又研制成功新型变频晶体硼酸锂(LiB_3O_5，简称LBO)。该晶体的激光损伤阈值达$26GW/cm^2$，非线性光学系数虽比BBO略小，但在高功率辐照下变频效果相当好，该晶体最适合做上百瓦大功率1064nm的激光变频。此时物构所吸取了KTP晶体研发的教训，LBO研制成功后即申请了发明专利(2008年到

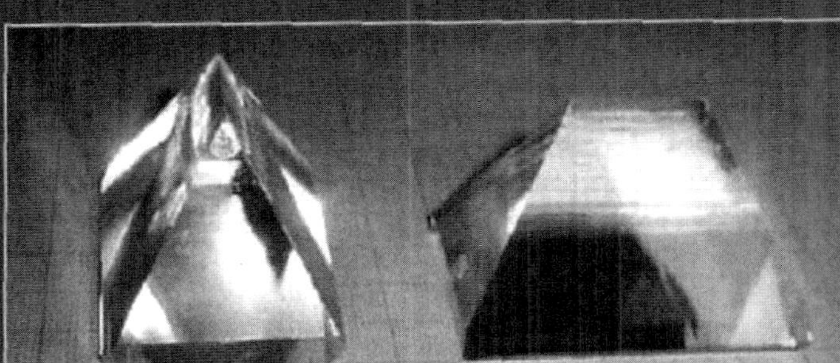

图2 人工晶体研究所用顶部籽晶熔剂法长出的KTP晶体

图3 山东大学用籽晶浸没熔剂法长出的KTP晶体

图4 J.Jacco等人用籽晶浸没熔剂法长出的KTP晶体

期)，因此在产业化过程中进行得比较顺利，到2008年为止，LBO变频器的销售值已超过10亿元。

这里须说明一点，非线性人工晶体作为商品的产值，不能与钢铁、石油等相提并论。如果把钢铁石油比作大米白面，那么非线性人工晶体只相当于食盐，社会需要的量不可能象钢铁、石油那么大，但离开了非线性人工晶体，很多国防设备、工业加工技术、信息传递、信息记录等的运转及其发展都将会受到很大的影响。所以，产值过亿元，对非线性人工晶体来说已不是一个小数目了。

最近又传来喜讯，中科院理化所、物理所与山东大学合作研究的新型深紫外非线性光学晶体氟硼酸铍钾（$KBe_2BO_3F_2$，简称KBBF）取得巨大进展，利用该晶体，在国际上首次实现了1064nm激光的6倍频，即可获得177.3nm的深紫外激光。日本东京大学物性所使用我国研制的KBBF晶体建成的真空紫外激光电子能谱仪，电子态能量分辨率达到0.36meV，用这台仪器首次直接观察到超导材料在超导态时超导能隙和Cooper电子对的形成。用该晶体变频产生的深紫外激光，对大规模集成电路光刻技术的发展、化学动力学的研究以及光电子发射显微镜的制备都有极大的推动作用[4]。

建国以来，我国在无机非线性光学晶体的科学研究方面取得了世界领先的成绩，引领了国际无机非线性光学晶体发展的方向，这些成绩的取得是与国家的支持、相关单位的条件保证、老一辈科学家的引导、关怀、言传身教以及战斗在科研一线的工作人员的顽强努力分不开的。这些成绩的取得并不意味着无机非线性光学晶体的研制走到了尽头，正相反，许多新的领域、新的需求不断涌现，例如激光电视需要的成本低、性能上乘的红、绿、蓝三基色激光变频晶体，这涉及到变频晶体走进千家万户的巨大产业；深紫外变频晶体需要进一步提高质量；用于193nm光刻的深紫外变频器需要提高输出功率(1～5W)；特别是近年来出现的与国防密切相关的太赫兹频率转换等等。这些紧迫的工作都需要无机非线性光学晶体研制业界同仁继续发扬60年来的优良传统，进军学科前沿，改进和提高成熟晶体的性能，进一步深入研究晶体结构与物性的关系，攀登新型无机非线性晶体研究高峰，为我国和世界再作贡献！

致谢：本文在写作中得到周南浩、王海丽、陈建荣等人的帮助，特在此表示感谢。

参考文献

[1] D. H. Auston etal Applied Optics. 1987, 26(2):224-226.

[2] T. E. Gier, Chadds Ford, U. S. Patent, 4, 231, 838(Nov 4. 1980)

[3] J. C. Jacco, G. M. Loicaono etal. Journal of Crystal Growth, 70(1984)484-488

[4] 陈创天，刘丽娟. 硅酸盐学报35卷51期（2007）.

沈德忠　1940年出生，1964年四川大学物理系固体物理专业毕业后，分配到原建材部非金属矿研究所(人工晶体研究院前身)工作。主要从事非线性、激光、电光等光功能晶体的探索、晶体生长和应用研究，系统深入地研究了光折变和变频晶体KN、非线性和电光晶体KTP、紫外倍频晶体CLBO的生长及应用。1996年后兼任清华大学教授。其研究成果获部级一等奖3次，国家级科技进步一、二等奖各一次。1995年5月当选为中国工程院院士。

第41卷 增刊
2012年8月

人 工 晶 体 学 报
JOURNAL OF SYNTHETIC CRYSTALS

Vol. 41 Supplement
August,2012

人工晶体的进展与发展动向

沈德忠,张书峰,陈建荣,王海丽
(中材人工晶体研究院,北京 100018)

摘要:本文综述了新世纪以来人工晶体在大单晶生长、新晶体探索、THz波、周期微结构、纳米技术、宽带隙半导体晶体和LED衬底、光子晶体等方面的最新进展,并对人工晶体的未来的发展进行了展望。

关键词:人工晶体;进展;发展动向
中图分类号:O78 **文献标识码**:A **文章编号**:1000-985X(2012)S1-0001-05

Progress and Developing Trend of Synthetic Crystals

SHEN De-zhong, ZHANG Shu-feng, CHEN Jian-rong, WANG Hai-li
(Research Institute of Synthetic Crystals, Beijing 100018, China)

Abstract: This paper reviews the recent progress of synthetic crystal since new century in the following fields: growth of large size crystal, explore the new crystals, THz wave, period microstructure, nanotechnology, LED substrate and wide band gap semiconductor, photonic crystal. The future development of synthetic crystal is also previewed.

Key words: synthetic crystal; progress; developing trend

1 引 言

人工晶体是材料的重要组成部分,是光、电、磁、声、热、力等各种能量形式转换的重要媒介,是新材料领域的研究热点和发展前沿。我国的人工晶体研究成果及学术水平在国际上曾有过重要的影响,特别是在可见、紫外和深紫外波段非线性光学晶体的研究方面处于国际领先水平,受到世界瞩目,在世界新材料领域占有一席之地。进入21世纪,人工晶体作为高新科学技术和现代军事技术的关键材料越来越受到重视,已进入到体(块状)、面(薄膜)、线(纤维)和点(纳米晶)全方位的发展阶段。信息技术、生物技术、纳米科技、新能源等主导科技为人工晶体的发展提供了新的发展机遇和挑战,现借人工晶体学报创刊40周年之际,评述和探讨人工晶体的进展和发展动向,以供参考。

2 晶体向更大、更完整、更高质量方向发展

近年来,材料科学技术的深入研究和广泛应用极大地带动了人工晶体的研究与发展,人工晶体是晶体生长科学和技术的集中体现,用于光电及其转换的功能晶体成为材料科学与工程研究领域的一个热点。作为电子行业和能源行业的关键材料,几十年来硅单晶一直受到人们瞩目,随着半导体材料技术的发展,对硅片的规格和质量也提出更高的要求,目前多晶硅的纯度要求达到99.9999%,单晶硅要求达到99.9999999%以上,用于制造半导体器件、太阳能电池等。适合微细加工的大直径硅片在市场中的需求比例日益加大,单晶

作者简介:沈德忠(1940-),男,贵州省人,教授,中国工程院院士。E-mail: Dzshen@pudlic.bta.net.cn

硅圆片按其直径分为6英寸、8英寸、12英寸(300毫米)及18英寸(450 mm)等,硅片主流产品由200 mm向300 mm过渡,研制水平已经达到400~450 mm。作为激光惯性约束核聚变的核心材料,大尺寸KDP晶体的生长和研究一直经久不衰。激光惯性约束核聚变需要口径400 mm的大尺寸激光倍频器件,用于生长大尺寸KDP晶体的容器达到2000 L,目前生长的KDP晶体尺寸已达到630 mm×570 mm×550 mm[1]。和KDP相比,LBO晶体拥有更大的非线性光学系数、更宽的接收角、更高的热导率和激光损伤阈值以及不易潮解等优点,因而LBO晶体作为激光倍频器件具有更大的优势,在激光惯性约束核聚变中具有潜在的应用价值。生长大尺寸LBO晶体的研究正越来越受关注,现在生长的的LBO(图1所示)晶体尺寸和重量已分别达到160 mm×150 mm×77 mm和1988 g[2]。同时,紫外非线性光学晶体CBO、CLBO晶体被发现后,人们对CBO、CLBO晶体的研究也在不断取得进展,CBO晶体、CLBO晶体尺寸分别达到65 mm×44 mm×49 mm[3]和146 mm×132 mm×118 mm[4]。CBO、CLBO晶体(图2所示)在激光惯性约束核聚变中同样具有潜在的应用价值,只是由于受限于晶体尺寸和一些其它问题,目前上述晶体在激光惯性约束核聚变中还不能替代KDP晶体。

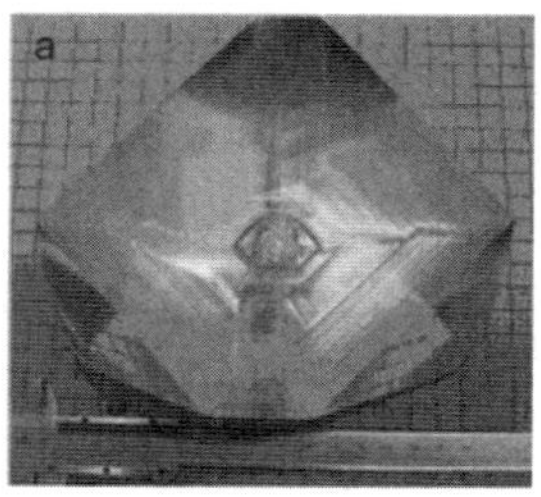

图1 尺寸为160 mm×150 mm×77 mm的LBO晶体

Fig. 1 LBO single crystal with sizes 160×150×77 mm^3

图2 尺寸为146 mm×132 mm×118 mm的CLBO晶体

Fig. 2 CLBO single crystal with sizes 146×132×118 mm^3

3 获得、扩展新激光波段的人工晶体

固体激光器由于受激活离子能级结构限制,应用较广的激光波长主要分布于光谱的红光到近红外波段,在短波方向缺乏可见光波段的蓝、绿激光以及紫外、深紫外激光,在长波方向,缺乏中远红外波段的激光,使激光的发展和应用受到影响。一方面,科研工作者一直在探索研究新的激光晶体以输出新波段激光[5,6],另一方面使用非线性光学晶体,通过变频技术可使长波长的激光转变为短波长激光,或者利用红外非线性光学晶体对可见或近红外激光进行频率下转换,获得所需的中远红外波段激光光源。近年来,KTP、LBO等非线性光学晶体的发展,已基本解决了可见光波段的激光输出问题,BBO、CBO、CLBO等晶体的发展,基本解决了紫外波段的激光输出问题,KBBF晶体的发展,为深紫外激光的输出提供了可行方案[7]。难能可贵的是,我国在紫外、深紫外非线性光学晶体的研究方面,一直保持国际领先的地位。与可见、紫外及深紫外非线性光学晶体相比,红外非线性光学晶体的研究进展相对缓慢。红外非线性光学晶体主要有黄铜矿结构的ABC_2(A=Cu,Ag; B=Al,Ga,In; C=S,Se,Te)和纤锌矿结构的ABC_2(A=Li; B=Al,Ga,In; C=S,Se,Te),$AgGaS_2$、$AgGaSe_2$等和$LiInS_2$分别属于上述两种结构类型。红外非线性光学晶体虽然有很高的非线性系数,但晶体生长困难,尤其是光损伤阈值低。近年来,科研工作者对硫铟锂($LiInS_2$)[8]、磷锗锌($ZnGeP_2$)[9]、$AgGaGeS_4$[10]等红外光学非线性晶体做了系列探索研究工作,并取得了新的进展。

太赫兹(Terahertz-THz)是介于毫米波与红外光之间的电磁辐射区域,频率范围大致为0.1~10 THz,相应的波长从30 μm到3 mm,太赫兹波在材料研究、工业加工、环境监测、医学成像与疾病诊断、天文与宇宙天体学、国防工业和反恐及太赫兹雷达与通讯等领域具有广泛的应用前景。基于太赫兹波段的重要应用,THz波辐射源是THz领域科技发展的关键。利用非线性光学晶体通过差频获得相干太赫兹波输出,没有输出阈值、可实现宽的可调谐输出、设备简单紧凑易于实现全固化。目前用于产生太赫兹波的非线性光学晶体主要是一些在中远红外波段具有较好非线性特性的晶体,如$ZnGeP_2$、GaAs、DAST(4-(4-二甲基氨基苯乙烯基)甲基吡啶对甲基苯磺酸盐)等晶体。要想获得较高的转换效率和能量的太赫兹波输出,非线性光学晶体应具备的条件是:具有大的非线性光学系数、在太赫兹波段小的吸收、具有高的激光损伤阈值及宽的相位匹配范围。探索研究具有上述特点的非线性光学晶体能够促进太赫兹波的发展和应用,具有非常重要的意义。

基于周期极化晶体的准相位匹配技术(QPM)也是拓宽激光可调谐波长的常用方法之一。准相位匹配技术具有许多优势,与双折射位相匹配相比,准相位匹配技术可通过微结构设计,在材料整个透明波段实现倍频、差频和参量振荡等过程。利用准位相匹配技术使不能用于双折射位相匹配频率转换的晶体实现位相匹配,可大大提高非线性光学过程效率,并可实现多个非线性参量过程的耦合,通过微结构的设计实现对参量波波前的裁剪。另外,准位相匹配技术不受波矢方向和偏振配置的限制,基本上可以消除基频光波和二次谐波的空间走离效应;不再要求正交光束,意味着非线性系数不必是非对角线张量元,允许使用晶体的最大非线性系数;还可以设计成非临界相位匹配,采用非线性系数大的晶体,调谐方式简便,在很宽的光谱范围内提高了倍频转换效率。实现晶体的周期极化有多种方法,目前常用的是室温极化法,用外电场极化的方法大幅度地降低了畴反转极化的难度和成本,成为目前制备周期极化晶体的主流技术[11]。能够制备周期极化晶体的材料很多,包括铁电晶体 $LiNbO_3$、$LiTaO_3$ 和 $KTiOPO_4$,半导体晶体 GaAs、GaP 和石英晶体等。目前主要工作集中于铁电晶体 $LiNbO_3$、$LiTaO_3$和 $KTiOPO_4$。

4 纳米技术为人工晶体的发展注入了新活力

人工晶体的另一个重要发展趋势是向小尺寸方向发展。纳米晶体是指纳米尺寸范围的晶体材料或具有晶体结构的纳米颗粒,它是人工晶体存在的一种形式,由于小尺寸效应而具有许多独特的性能。纳米晶体的电学和热力学性质显现出很强的尺寸依赖性,从而可以通过细致的制造过程来控制这些性质。纳米晶体与陶瓷材料结合不仅可以提高陶瓷的部分性能(如透过率、机械强度等),而且还可以克服陶瓷的部分缺点(如脆性大、抗冲击性能差等。

众所周知,Nd:YAG 晶体是一种非常重要的激光晶体材料,与 Nd:YAG 晶体相比,Nd:YAG 透明陶瓷具有 Nd:YAG 晶体所难以具备的优点,如可制作大尺寸、高掺杂、浓度分布均匀以及多功能复合结构等优点。最近几年,Nd:YAG 透明陶瓷取得了长足进展。日本采用高纯 Al_2O_3、Y_2O_3 和 Nd_2O_3 粉体为原料,真空烧结制备出高光学质量的 Nd:YAG 透明陶瓷,陶瓷的平均晶粒尺寸为 10 μm,晶界宽度为 1 nm,散射损耗可与单晶相当,可用作高平均功率固体激光器的激光增益介质[12]。目前,利用 5 块尺寸为 100 mm × 100 mm × 20 mm Nd:YAG 纳米激光透明陶瓷组成的激光器可输出 25 kW 的激光,在 2 ~ 7 s 内可将一块 2.5 cm 厚的钢板击穿[13]。Al_2O_3 属于三方晶系,由于存在各向异性,Al_2O_3 陶瓷一般为半透明。但是,利用纳米技术可以实现这一陶瓷的透明。美国 Ceranova 公司利用陶瓷技术制备出了晶粒尺寸几百个 nm 的 Al_2O_3 纳米晶透明陶瓷,由于陶瓷的晶粒尺寸特别小,为纳米级,远小于入射光的波长,因而陶瓷的透明度特别高,与 Al_2O_3 单晶相当。纳米晶氧化铝陶瓷具有机械强度高、硬度大、光学透过率高等优良性能,在电子、机械、化工、航空航天领域具有广泛的应用前景。

由于陶瓷的制备工艺相对比较简单,制备周期短,同时样品的尺寸又可以实现多样化,因而为晶体材料的发展提供了一个新的发展方向。

5 宽禁带半导体晶体及 LED 衬底

半导体晶体主要有代表第一代半导体材料的单晶硅、第二代半导体材料的砷化镓晶体、第三代半导体材料的 GaN、SiC 及拥有超宽带隙(≥3.5 eV) 的第四代半导体晶体 AlN、高 Al 组份 AlGaN、半导体金刚石和 ZnO 等。第一代和第二代半导体晶体单晶硅和砷化镓晶体生长技术日趋成熟,SiC 晶体生长已经取得重大突破并实现产业化。第三代半导体晶体和第四代半导体晶体具有禁带宽度大、热导率高、电子饱和漂移速度高、热稳定性和化学稳定性好、抗辐照、耐腐蚀等优点,是理想的微电子和光电子器件的基础材料,在高频、高效、大功率微电子器件和深紫外光电探测器件等领域有重要的应用前景,以氮化镓(GaN)为基础的半导体白光照明技术将成为21世纪照明的主流。要制备高质量的GaN基LED,选择高质量的衬底材料是关键因素,衬底材料的的发展水平决定了它的发展与应用,LED衬底的选择原则见表1。从综合性价比看,目前蓝宝石晶体性价比最高,在可预见的将来仍然处于不可替代的地位。近年来半导体照明技术的快速发展,迅速推动了蓝宝石晶体的研究与生长,国内众多公司纷纷投巨资进入蓝宝石晶体行业,蓝宝石晶体生长技术得到极大提高,晶体向大尺寸、高质量、低成本方向发展,并形成了产业化和规模化。

表1 LED衬底选择的原则

Table 1 Selective principles of LED substrate

序号	选择原则	具体内容
1	晶体结构匹配	衬底材料与外延材料的晶体结构和组分相同或相近、结晶性能好、缺陷密度低
2	晶格匹配	一是与外延生长面内的晶格匹配;另一个是沿衬底表面法线方向上的匹配
3	热膨胀系数匹配	衬底材料与外延材料的热膨胀系数应可能相近,相差过大不仅可能使外延膜在生长过程中质量下降,还可能在使用过中因发热而造成器件的损坏
4	稳定性原则	衬底材料具有良好的化学稳定性
5	大尺寸原则	衬底易于生长出较大尺寸的晶体,一般尺寸不小于2英寸
6	集成与散热	易于集成,导热性好,易于散热
7	成本及其它	衬底材料应易于制备,容易加工,且成本不能过高

6 光子晶体

20世纪50年代开始的以半导体为代表的电子带隙材料导致了微电子革命,由于半导体器件的速度和集成度已接近极限,以电子为信息载体的信息技术的发展遭遇"电子瓶颈"。和电子相比较,光子有着许多"与生俱来"的优点:传播速度极快、频率很高、无相互作用。因而光子器件具有极短的响应时间、较宽的频带、很好的空间相容性和很强的抗干扰能力、极强的互联能力和极大的存储能力。光子晶体是一种介电常数随空间周期性变化的新型光学微结构材料,光子在光子晶体中的运动规律与电子在固体晶格的运动规律类似,因此光子晶体中介电常数的周期性变化能产生光子能带结构。利用光子作为信息载体,将可以实现信息的超高速处理,光子晶体被科学界和产业界称为"光半导体"或"未来的半导体"。从1991年Yablonovich制作的世界上第一块具有完全禁带的光子晶体问世以来,光子晶体相关的理论研究、实验科学以及实际应用都已经得到了迅速发展,光子晶体领域已经成为现在世界范围的研究热点。光子晶体产生了许多新的物理性质和现象,目前人们对光子晶体的认识还远不如对半导体的认识那么透彻,可以预见,未来的光子晶体的研究将主要在探求光子晶体的新物理效应、设计有特定带隙结构的光子晶体、制作光子晶体的新方法和光子晶体在实际中的应用等方向展开。

7 展望

我国人工晶体事业经过科研工作者几十年的不懈努力,取得了瞩目的成绩。展望未来人工晶体的发展,主要研究和发展趋势有以下几个方面:

(1) 人工晶体的范畴已经并且在持续地突破传统的定义,不断得到扩展,新的晶体生长方法和技术不断得到应用,推动人工晶体的发展;

(2) 原有的性能优秀晶体的研究不断深入,向高质量、大尺寸、高性能方向发展;非线性光学晶体如KBBF晶体生长厚度会进一步增加,ZGP晶体生长技术进一步成熟;通过对晶体的结构以其赋以的光学性能的研究,探索新型电光晶体;在闪烁晶体方面,一些单位正在研究用BSO(硅酸铋)代替价格昂贵的BGO(锗酸铋);半导体晶体如SiC、GaN、AlN等生长技术会得到关键性突破和进一步发展;

(3) 新晶体不断涌现,晶体种类增多,一些性能优秀的新晶体不断得到研究和应用;

(4) 功能各异的人工晶体,正向扩展波段、高功率、短脉冲、复合化和小型化等方向发展;

(5) 人工晶体生长设备进一步自动化、智能化、标准化,推动人工晶体产业化发展,并不断促进科学技术和社会进步。

参 考 文 献

[1] Zhuang X X, Ye L W, Zheng G Z, et al. The Rapid Growth of Large-scale KDP Single Crystal in Brief Procedure [J]. *J. Cryst. Growth*, 2011, **318**: 700-702.

[2] Hu Z G, Zhao Y, Yue Y C, et al. Large LBO Crystal Growth at 2 kg-level [J]. *J. Cryst. Growth*, 2011, **335** 133-137.

[3] 常 峰, 傅佩珍, 徐子颉, 等. CsB_3O_5(CBO)晶体生长和形貌研究[J]. 人工晶体学报, 2004, **33**(5): 695-698.

[4] Yuan X, Shen G Q, Wang X Q, et al. Growth and Characterization of Large CLBO Crystals [J]. *J. Cryst. Growth*, 2006, **293**: 97-101.

[5] 陆燕玲, 王 俊, 孙宝德. 2 μm 波段激光晶体研究进展[J]. 无机材料学报, 2005, **20**(3): 513-520.
Lu Y L, Wang J, Sun B D. Research Progress of 2 μm Waveband Laser Crystals [J]. *Journal of Inorganic Materials*, 2005, **20**(3): 513-520.

[6] 李坚富, 王 燕, 涂朝阳, 等. 中红外激光晶体 Er: KPb_2Cl_5 的原料制备和晶体生长[J]. 人工晶体学报, 2006, **35**(6): 1214-1217.

[7] Chen C T, Wang G L, Wang X Y, et al. Deep UV Nonlinear Optical Crystal $KBe_2BO_3F_2$-Discovery, Growth, Optical Properties and Applications [J]. *Appl Phys B*, 2009, **97**: 9-25.

[8] 王善朋, 陶绪堂, 刘贯东. 大尺寸红外非线性光学晶体 $LiInS_2$ 的生长与性能研究[J]. 人工晶体学报, 2009, **38**(4): 851-855.
Wang S P, Tao X T, Liu G D. Study on the Growth and Properties of Large Infrared Nonlinear Optical Crystal $LiInS_2$ [J]. *Journal of Synthetic Crystals*, 2009, **38**(4): 851-855.

[9] 杨春晖, 张 建. 新型中、远红外波段非线性光学晶体磷化锗锌[J]. 人工晶体学报, 2004, **33**(2): 141-143.
Yang C H, Zhang J. Development of New Middle and Far Infrared Nonlinear Optical Crystals $ZnGeP_2$ [J]. *Journal of Synthetic Crystals*, 2004, **33**(2): 141-143.

[10] 王振友, 吴海信, 倪友保, 等. $AgGaGeS_4$ 晶体生长及性能研究[J]. 人工晶体学报, 2010, **39**(1): 25-28.
Wang Z Y, Wu H X, Ni Y B, et al. Growth and Properties of $AgGaGeS_4$ Crystal [J]. *Journal of Synthetic Crystals*, 2010, **39**(1): 25-28.

[11] Zhu S N, Zhu Y Y, Zhang Z Y, et al. $LiTaO_3$ Crystal Periodically Poled by Applying an External Pulsed Field [J]. *J. Appl. Phys.*, 1995, **77**: 5481-5483.

[12] Ikesue A, Kinoshita T, Kamata K, et al. Fabrication and Optical Properties of High-Performance Polycrystalline Nd: YAG Ceramics for Solid-State Lasers [J]. *Journal of the American Ceramic Society*, 1995, **78**(4): 1033-1040.

[13] Heller A. Transparent Ceramics Spark Laser Advances [J]. *Science & Technology Review*, 2006, **4**: 10-17.

机遇只垂青那些有准备的头脑

沈德忠

2006年，全国科学技术大会胜利召开，确定了我国走自主创新道路、建设创新型国家的战略决策，并动员全党全社会坚持走中国特色自主创新的道路，为建设创新型国家而努力奋斗。作为培养社会主义接班人的高等学府，应该抓住这个机遇，迎接挑战，不但要在科研工作中不断作出创新的成果，而且更重要的是，为国家培养出高水平的创新人才。

创新有多种形式，最重要的是原始创新。什么是原始创新？我认为：独立自主地创造出前人没有的，能提高、改进人类的生存质量，促进社会发展进步的知识、技术或艺能的活动，叫原始创新。这当然包括自然科学和人文科学的创新。由于决定社会发展的动力是生产力，所以，在当前，与发展社会生产力直接相关的原始创新尤为重要。

中华民族是一个创新能力很强的群体，众所周知的火药、指南针、造纸、印刷术四大发明为世界所公认。英国李约瑟教授积多年的心血编辑出版的宏篇巨著《中国科学技术史》，收集整理了我国古代的创造发明，指出："在人类了解自然和控制自然方面，中国人是有过贡献，而且贡献是伟大的！"中国曾经是经济最发达的世界第一大国。但是，自从实行科举制度以后，有为的年轻人都去追求"十年寒窗，金榜题名"去了，把读书做官当成他们毕生的奋斗目标，而把与知识和生产活动有关的科学技术研究当作雕虫小技，不屑一顾。这种教育制度使社会发展停滞。社会生产力虽有量的增长，但没有质的飞跃。日积月累下来，我们就落后了，因为不进则退。当那些金榜题名而飞黄腾达的官员们沾沾自喜地享受太平的时候，西方的科学技术因不断地创新而取得巨大的发展。蒸汽机的发明引发了工业革命，生产力大幅提高，其结果是，西方人用中国人发明的火药制成枪炮，中国人发明的指南针制成罗盘，漂洋过海不远万里跑到中国来抢掠，而当时的统治者只能割地赔款、丧权辱国。历史告诉我们：没有创新就会落后，落后就要挨打！

所以，我们现在能在全国科技大会上，确定我国要走自主创新的道路，建设创新型国家，实在是中华民族多年来的宏愿能付诸实践的千载难逢的大好时机！

下面根据我的体会，谈一谈创新人才应具备的品质，如何培养？

我认为，创新人才应具有强烈的创新意识，扎实而广泛的基础科学知识，勤于思考善于实践的能力，以及不畏艰难、不怕失败的顽强精神。

创新意识并不单纯是一个个体所具备的性格特征，创新意识还与社会环境密切相关。举一个简单的例子。改革开放前，家家户户用的那种水龙头，即形如烟袋锅，有个弯头，一个旋钮：往上旋开出水，往下拧紧关闭的水龙头，一用就是几十年，形状和功能没有任何改变。可是到国外一看，让人大吃一惊！多种多样的水龙头：有往上一抬出水，往下一按关闭的；有往右一旋出凉水，往左一旋出热水的；有往右一旋是喷淋，往左一旋是束水的。我们国家并不缺乏推陈出新、头脑灵活的人才，为什么当时就没有人想到要去改变一下这个普普通通的水龙头？即是说，为什么没有这种创新意识？这就是因为在当时那种计划经济大环境下，没有要改变那种水龙头的需要。现在国家把创新的主体定在企业，并以市场的需求为导向，其中一个原因就是要增强各个行业从业人员的创新意识。

有了强烈的创新意识，要在科技发展到今天这种高水平的时代背景下进行创新，没有扎实广泛的基础科学和专业知识是很难办到的。当然，并不是每一种发明创造都需要高深的数理化知识，不同行业的创新所依据的基础原理不一样，但力图创新者要掌握本行业的基础原则、原理、基本技能是不言而喻的。

原始创新有多种形式，可以是个人对某领域的新现象进行研究，发现新的原理，推寻新的定律，创立新的理论：也可以是企业或单位组织一个团队改进老的产品、开发出全新的产品等等。但不管是哪种形式，都有一个认识、分析、提出新模型或设计新结构，然后去应用、实践的过程。因为是创新，这个过程往往是十分复杂的，即是说，实践的结果与企望达到的目标往往不一致。宋代著名词人辛弃疾写过一首词牌名为“青玉案”（元夕）的词作，其中那句名句“众里寻他千百度，蓦然回首，那人却在灯火阑珊处”，可以用来形象地描述大多数创新过程：为了实现一个创新理念，总要千方百计地去寻找解决办法，通过多次的失败，却在意想不到的地方发现了解决的办法。所以，创新往往是与失败相伴而行的。爱因斯坦是全世界公认的伟大物理学家，但是直到他逝世，也没有完成他毕生力图创建的统一场论。国内一些公司的老板发出感叹：搞创新往往是九死一生，十个创新项目有一个成功就算不错的了。所以，要创新，不但要勤于思考，善于实践，还要有不畏艰难，不怕失败的顽强精神。

在创新实践中，还会遇到类似于“有心栽花花不发，无意插柳柳成荫”的偶然情形，法拉第发现电磁感应，伦琴发现X射线就是很好的例子。发现虽属偶然，却是实践的必然，关键是要把握住偶然发现的现象，去分析、解释，然后去利用。这与研究者敏锐的观察能力、熟练的实验技巧和深厚的学术功底密切相关。

当前的社会环境，十分有利于培养学生的创新意识。在教育学生掌握扎实广泛的基础科学知识方面，我国做得也不比国外差，许多在国外举行的数学物理奥林匹克竞赛，中国学生夺冠的也不在少数，但在勤于思考、善于实践、不畏艰难、不怕失败等方面，尚需加强训练。我很赞赏中国科协举办的鼓励大学生创新的“挑战杯”竞赛活动，该活动为大学生创新实践提供了一个很好的平台，希望能将此活动长期、广泛地办下去。

据顾秉林校长透露，清华大学准备拿出三亿元人民币，支持校内那些潜在的创新性强、有可能出重大科技成果，但难度大、短期内不易见成效的项目。就目前国内大学科技管理领域而言，这项措施本身就是一种创新。这里预祝清华大学这种大力促进创新研究的风险投资政策取得成功！

创新的目标既定，如何引导创新、鼓励创新，对科学技术成果的评价是一个重要环节。

早在2003年，科技部会同教育部、中国科学院、中国工程院以及国家自然科学基金委五部委，共同下发了一份名为《关于改进科学技术评价工作的决定》的国科发基字〔2003〕142号文件，强调对不同对象、不同层次、不同类型科学技术活动的特点，确定不同的评价标准，采用不同的评价方法和指标，避免简单化，“一刀切”。但目前在一些高等学校，还是以论文篇数及其发表刊物的影响因子来评价不同领域、不同类型的科研成果，这种做法不利于创新工作的开展。即或是在以论文作为成果载体的知识理论创新领域，也不应该以此作为评价的唯一标准。有人在评价爱因斯坦时曾说：“如果有人能写出一篇像爱因斯坦狭义相对论那样的文章，他就能永垂不朽！”可见文章不在多少，而在于文章的科技创新程度。至于影响因子，那是刊物出版社用来衡量该刊物在所属研究领域影响程度的，其计算方法是：在某一时期内该刊物发表的文章被引用的次数（包括正面引用和负面引用的）除以发表文章的总数。所以刊物的影响因子与具体每一篇文章的质量没有直接的关系，故没有必要一味地追求高影响因子。至于其它领域的创新，就更没有必要去数文章的篇数。例如对于那些进行工艺技术创新的，往往不愿意把发明的内容随便公之于众，因而也不会有多少文章。对这种情况，应该看获得多少专利授权以及专利的实施效果。

美国微软基础研究部主任里克·拉希德说，他所管理的研究单位在考核研究人员的业绩时，不是按其在技术杂志和技术会议上发表论文的数量，而是按其是否有创造性的发明和发现来评价的。

2003 年，英国帝国理工学院计算机系要聘一名教授。在英国，按惯例一个系只有一个教授。在通常情况下，获得这个职位，干得好的平均需要 15 年。可最后评下来，是 1987 年从清华大学硕士毕业后赴伦敦大学帝国理工学院攻读博士学位，97 年拿到博士学位后任该系讲师的郭毅可被聘，从讲师到教授只用了五年时间。当记者问他，帝国理工学院破格聘他为教授，是如何对他的业绩进行评价的？郭毅可说，理工学院没有采取什么量化的标准。他在应聘之前，并没有在国际重要杂志上发表过什么文章，在英国的刊物上也没有，只是他发明的某一项技术被美国的国家部门采用了，就这么一项硬指标。接着郭毅可又说，“量化”是评价一般人才的标准，选拔优秀人才不能用这个指标。“量化”本身意味着：你自己认为你没有能力来鉴别人才，所以你只能通过最外在、最容易、最直观，也是最简单的方式来进行评价。

评价体系就是政策，就是对创新实践者努力方向的引导。如果一味地追求文章的篇数和影响因子，那么那些容易出文章的项目就被抢着去做；需要克服很多困难，花很多时间才能出点成果而又写不出多少文章的项目就很少有人去做。而创新的项目往往就是后者，所以这样的评价体系不利于创新。不但如此，由于不易出文章，又要交账过关，就可能出现拼凑文章，抄袭文章，浮躁，甚至剽窃、造假等弄虚作假的行为。

一直以来，国内外都有在校际间比较发表文章数量的活动。当看到自己的学校因发表文章数量不够多，因而名次没排在前面，做领导的心里很不好受，这种情况是可以理解的，鼓励多发表创新程度高的文章，也是义不容辞的。但是，如前所述，只以发表文章的多少来衡量学术水平的高低，这种评价方法本身就是片面的。还应该看到，“学术水平”只是校际间排名的指标之一，要评定一个学校在国内或者世界上的排名，除“学术成果”之外，还须考查诸如学校声誉、学术资源、学生情况、教师资源、物质资源等指标。如果今后还要进行高校排名的话，“学术成果”这一项应按不同学校学科专业制定不同的评价标准，重点应在于衡量其创新程度的高低，而不仅限于统计文章的篇数和影响因子。我们不能因为举办这种所谓的高校排名活动而给学生造成“创新就是出 SCI 文章”的错觉。

其实，原始创新是相当不容易的。有句格言说得好：“机遇只垂青那些有准备的头脑。”我认为这句格言在一定程度上描述了原始创新的实质。那些为了某种理念、某种构想而百思不得其解，文献、资料中翻不着答案，专利、专著里也找不到方法，成天渴望弄个明白的人，偶然看到某种实验现象或听到某种议论，突发联想，产生灵感，找到了解决问题的办法，从而导致原始创新。在这里，“有准备的头脑”是关键。如果不是对某个要解决的问题朝思暮想，机遇来了也会擦肩而过。我希望能有比较宽松的环境，足够充裕的时间，让那些有创新意识的头脑去做好准备，不要过多地去打扰他们。

2008 年 6 月，本文改写自 2002 年作者在科技部召开的创新座谈会上的发言——编者按

迎春花

沈德忠

北国南来是他乡，冰天雪地炼好钢。
才罢新屋添新意，不觉严冬卸严装。
簇簇红云追暖树，片片黄花撵春光。
谁说南墅春来晚？石墨闪处看群芳。

作者注释：1964 年 6 月我由川大毕业后，被分配到建材部非金属矿研究所工作。按当时的国家政策大学毕业生要到基层劳动锻炼一年。

1964 年 11 月底，我被派到山东南墅石墨矿机修车间钳工班劳动锻炼，当时的工作主要是改造选矿车间。到车间后，我就投入到了那热火朝天的工作中，时间过得很快，转眼已近春天。有一天上班，看到厂房旁边的桃花开了，远处一片淡黄的迎春花也开了，使我感到北方的春天到了。当我正在欣赏春色美景时，一群下夜班的选矿工人正好走出车间，他们的脸上沾满了石墨，一张张黑黝黝的笑脸在晨光下闪光，在桃花的红色和迎春花的黄色映衬下，显得格外漂亮，令我激动不已。本来以为北方的春天会比南方来得晚，可眼前的景色让我感到，石墨工人忘我的劳动热情，已经把南墅的春天迎来了！

深切怀念吴中伟院士

沈德忠

在得知吴先生又住院后，我和我所(人工晶体研究所)党委书记胡光亚一直在商量，什么时候去医院探望他。每到阴历年底，杂事总是很多，好不容易找到一天我俩都有空的日子，那是2000年元月27日，但当我们与吴先生家人联系，打听病房房号，并告知27日要去探望时，他们说吴先生身体虚弱，诸多不便，但我们仍决意要去，如果实在不能见面，送盆花给吴先生也好。

那天下午，我先准备好两条红纸贺带。一条上写着:“祝吴中伟院士”，另一条写:“早日恢复健康”。与胡书记一起驱车先到莱太花卉市场，选了一篮盛开的康乃馨，然后到达北京肿瘤医院，很顺利就找到吴先生所住的病房。但吴先生的家人在门口对我们说，“吴先生刚服过药，现正在睡觉，最好别进病房了。”当时听说吴先生住院是因为发高烧，我们以为烧退了后就可以出院，那时再到吴先生家里去问候。于是我拿出准备好的贺带，固定在花篮上，请吴先生的家人将花篮送进去放在吴先生床前，我们就离开了。

万万没有想到，我们竟这样错过了与吴先生见最后一面的机会。春节过后，我去工程院开会，才得知吴先生已于大年卅去世了。

我和吴先生不在一个单位工作，所从事的专业又不同，原来彼此并不熟悉。但我早就听说吴先生是建材部为数不多的有真才实学的老专家之一，所以一听到他的名字，我就肃然起敬。后来我兼任《硅酸盐学报》编委，才有机会与任该学报主编的吴先生一起开过几次编委会，但相互交谈也不多。只是在1995年中国工程院增选院士后，我才对吴先生有了较深入的了解。

那次增选院士，我被推荐为候选人。当时建材系统就吴先生一人是工程院院士。他为了在遴选会上介绍我的情况以及回答其他院士提出的问题，需要对有关我的申报材料中所涉及的内容尽可能弄明白。那次增选院士先后一共开了七次评审会，碰到不明白的地方，吴先生就来找我谈话。每次谈话他都认真作记录，对一些关键数字都加以核实，回去后还要写成发言稿，以便在下次评审会上发言。吴先生为了我的当选，花了不少时间和精力。自此以后，我和吴先生的接触就比较多了。我们同在一个学部，开会时经常交换意见和看法，过年过节也常到吴先生家里去问候。我们虽然相见恨晚，但在与吴先生交往的短短几年中，我向他学到不少宝贵的东西。

“爱祖国，惜寸阴”是吴先生一生的座右铭。吴先生说得好:“前者是动力，后者是实践。全心做有利于祖国的事，充分利用好宝贵的时间。”他的一生，正是这样度过的。由于当年军阀混战、日寇侵略，吴先生年轻时过着颠沛流离的生活。“多少年、多少回的国耻啊!刺痛了亿万人的心，把中华民族唤醒!”吴先生一生的志向就是要为祖国的富强贡献自己的全部力量。到了八十高龄，吴先生还要写本专著，甚至在逝世前几天，在病床上还给前来探望的建材局领导谈工作、提建议，实践着充分利用宝贵时间全心做有利于祖国的事情。

吴先生是我国水泥混凝土业内公认的开创者，但他从不以此自居，总是把名誉让给他人。经工程院化工冶金材料学部常委会讨论，决定提名吴先生为1999年度何梁何利奖候选人，并请吴先生准备材料。吴先生得知后，一再表示请常委会推荐其他院士，他不愿意提供任何材料。当我了解到在吴先生的领导下，我国研制成功水泥电杆、水泥枕木、水泥船等水泥制品，取代了原来使用的木头电杆、枕木等木材制品时，我对吴先生说："这为国家节省了多少木材，少砍了多少树木！您对国家的贡献真不小啊！"吴先生却说："这是多少人共同奋斗的结果，我的作用就那么一点点。"

吴先生提携后学，举荐人才，不遗余力。我作为一个例子前面已经说过了。唐明述院士，是吴先生推举的混凝土耐久性的研究专家；顾真安院士，也是吴先生推荐的特种玻璃研究专家；张鸿直，现在美国华盛顿州政府任桥梁抗震专家，出国前一直得到吴先生的大力帮助；金宗哲、徐德龙、张明等有突出贡献的专家，吴先生也多次在增选院士会上为他们介绍业绩。吴先生总是赞扬别人的工作，我却从来没有听他说起他自己取得过何种重大成绩。他总觉得自己学得不够。有一次他对我说："攀登科学高峰不能有杜甫登泰山的那种'会当凌绝顶，一览众山小'的感觉，科学高峰是没有绝顶的，得永远往上攀。"

吴先生一生工作勤奋，惜时如金，但生活也充满情趣，我们从他的诗集《寸阴集》中可以深刻体会出来。有一次在京丰宾馆开会，用罢晚餐，我陪吴先生在丰台体育馆附近散步。走到一片树荫下面，听见鸟在头上叫，却又看不见鸟的身影。这时吴先生对我说，他到过我的家乡贵阳，风景秀丽，气候宜人，还写过一首诗为记。接着吴先生朗诵起来："云隐山尖竹隐鸟，贵州风物多妖娆。更有花溪花不断，清流激石过坝桥。"花溪是贵阳远郊一个公园。我念初中、高中时，到过花溪公园玩过很多次，却从来没有体味出吴先生诗中那种意境，特别是第四句最为精彩。所谓坝桥，其实就是沿河腰用石墩垫起来让人能踩石过河的通道。因为花溪溪流湍急，河水清澈见底，当人们踩着石墩过河时，清亮的急流激打着垫脚石，疾速而下，十分壮观。吴先生只用了七个字，便把这般风景生动地表达出来，使我钦佩不已。吴先生的夫人张凤棣女士精于国画。《寸阴集》第二页有一幅照片，是吴先生八十一岁生日时在夫人绘赠的"梅、兰、竹、菊"四图前照的，从这四幅画便可看出吴夫人有相当高的艺术水平。我去吴先生家有好几次都碰到他们在品评吴夫人的新作。先生吟诗、夫人作画，这恐怕也是他们都能长寿的原因之一吧。

吴先生离开我们已经一年了，他那慈祥谦逊的音容笑貌经常浮现在我的眼前，先生的英灵将与他对祖国所作的贡献永存！

最后，献拙诗一首，以示对吴先生崇敬怀念之情：

高山久仰敬莫及，才沐雨露又身分。
流离颠沛蕴壮志，虚怀若谷惜寸阴。
永攀高峰无绝顶，善举贤才有公心。
音容笑貌哪得见？砼杆泥船映松青！

（本文发表在《中国混凝土科学一代宗师——吴中伟院士纪念文集》，北京：中国建材工业出版社，2001，P27 ～ 30——编者按）

啊，贵阳，我们的家乡！

我于1956年夏天于当时的贵阳二中（校址在会文巷）毕业，被保送到贵州六中念高中，考虑到住在都市路，离贵阳一中很近，便与分到一中的同班同学綦朝诗交换（他家距六中很近），这样便促成了我到贵阳一中难忘的三年学习。

来到一个新集体，尽管原来多不相识，但很快就能融洽相处。由原来一中初中部升上来的同学，对一中的情况十分熟悉，便随时帮助新到一中的同学适应校园环境，了解应遵守的规章制度，介绍各位任课老师的性格特点。

当时正值国家召开了第一届全国科学会议，制定了十二年科技发展规划、要超英赶美，鼓励年轻人攀登科学高峰，所以我们都很兴奋，学习劲头十足。我记得那时在同学间流行一首歌，其歌词是："学习好比上高山，高山顶上有平川，抓住枝藤拉住手，我们个个紧相连。祖国希望担在肩，庄严誓言要实现。科学本领掌握了，建设祖国大花园。我们要建设祖国大花园，大花园！"可见当时的学习气氛十分浓厚。一中老师对我们要求也很严格。下课后不但要求同学们好好复习当天所学的功课，做好家庭作业，而且要预习第二天将要学习的课程。个别同学认为，复习功课，完成作业，也就够了，干嘛还要预习？把预习当成额外的负担。而我却从预习中尝到不少甜头。因为通过预习，你可以知道书本上哪些内容你能自己读懂，哪些内容你看不懂；第二天上课时，就可以把注意力集中在你看不懂的地方，仔细听老师讲，还可以针对难懂的部分向老师提问。所以往往是不到放学，当天的家庭作业我就完成得差不多了。

课余时间，我们过得很愉快而且内容丰富。那时围绕一中校园的南明河还没有受到洗煤厂的污染，河水碧波荡漾，清澈见底。一到夏天，就下河游泳，我就是在一中学会游泳的。球场上也会见到我们的身影，我打篮球虽然技艺不高，但还是喜欢到球场上去拼抢。当时一中的图书馆藏书已很丰富，在校三年，我从图书馆借了不少国内外名著阅读，诸如《水浒传》《三国演义》《红楼梦》；托尔斯泰的《战争与和平》《安娜·卡列尼娜》；狄更斯的《大卫·科波菲尔》《双城记》；萧霍洛夫的《静静的顿河》；以及巴尔扎克、马克·吐温、契诃夫等等作家的著作。可以说，我阅读小说最多的时期是在贵阳一中。

那时我国和苏联的关系亲如兄弟，广播、电影无处不接触到苏联的文化艺术。特别是俄罗斯民歌和苏联卫国战争时期的歌曲，如"伏尔加船夫曲""三套车""红莓花儿开""喀秋莎""列宁山""共青团员之歌"等等，我们都经常传唱。直到今天，我还一直沉浸在这些歌曲之中。"列宁山"那首歌里有句歌词是："当我们想起年轻的时光，当年的歌声又在荡漾。"我现在的感受的确如此，不但在我想起贵阳一中的时候，胸中会回荡着这些苏联歌曲，而且在听到这些苏联歌曲时，也会回想起在一中学习时的年轻时光。

我们不但经常引吭高歌，还跳舞；不止是跳集体舞，还在学校组织的一些晚会上演出一些有完整内容的舞蹈剧，例如"鄂尔多斯舞""花儿与少年""猎归"等，下面这张照片就是跳完"鄂尔多斯舞"后照的彩装照。

从左至右，前排：袁慎伦、叶晓英、谢后丽、徐翠英、龙峻成

后排：杨　龙、袁明林、沈德忠、易泽荣、朱宗辉

我在贵阳一中学习的三年，正好赶上57年的“反右”和58年的“大跃进”。虽然入学后的第二年便遭遇反右派斗争，但该运动只在老师中进行，对中学生只是进行正面教育，所以同学之间的情谊并未受到影响，对划为右派的老师也一如既往地尊重，因为那时学生根本不知道被划为右派意味着什么。我记得一位教我们数学的老师叫杨世济，年纪较大，教学经验丰富，教学效果很好，一直受同学们喜爱。他个子不高，后脑勺长得比较突出，同学们都赞扬说，杨老师有这么一颗赤金脑袋，所以才会这么能干！快毕业时我们才知道，杨老师57年被划成了右派。

如果说57年的反右运动对学生没有什么冲击，那么接下来的58年大跃进、全民炼钢，则触及到每个同学。我记得为了超英赶美，58年的钢产量要达到1800万吨，要求每个同学都要为此作出贡献，高中生也要炼钢。炼钢没有炼钢炉可不行，于是我们把邻近学校后边的一些坟堆挖开，把里面的砖头拆下来建了一个炉子；没有煤也不行，我们就借来一辆大卡车后面的拖斗，班里的男同学就像蚂蚁啃骨头那样簇拥在拖斗的四周，从学校把拖斗推到郊区一个叫“××冲”的地方，装上煤后又簇拥着推回学校。现在回想起来还感到后怕。那时贵阳郊区的马路高低不平，拖斗又没有刹车装置，近千公斤的煤装在拖斗里面，四周都是年轻学生，上下坡时万一控制不住，其后果真不堪设想！但我们就是这样把煤运到了学校。

煤运来了，把炉子生起来，随着炉温的升高，一股令人作呕的刺鼻臭味从炉内冒了出来。这时我们才意识到，这些砌坟的砖头已被腐烂的尸体流出的尸水浸泡透了。尽管如此，钢还是照炼。我们把各家捐来的破锅碎铁扔到炉子里，使劲鼓风，加煤，那些碎铁总算熔了。等到冷却后拿出来一看，就是一堆铁块，谁也不知道有什么用处，但肯定不是钢！此后再也没有人去理会这些铁块。

现在回头去看，58年的全民炼钢实在不是科学的举措。去年我国钢产量两亿多吨，世界第一，并没有发动全民来炼钢，而是按照科学规律去建设、发展搞出来的。我们这些亲身经历全民炼钢的学生，对当今提倡的科学发展观的正确性有更深刻的认识和领会。

58 年以后，我们除通常的正规学习外，还参加一些生产劳动，例如到近郊的农村去帮助公社锄草，收割庄稼，到工厂去实习锻炼。这些活动虽然占用了一些上课时间，但也能学到一些课堂上学不到的知识。例如我曾去过三桥汽车修配厂的钳工班实习了一段时间，初步掌握了钳工的锯、锉、钻等加工技能，增强了我的动手能力，这对我后来的科研工作很有帮助。参加生产劳动，还能获得一些难忘的体会。我们班有一位女同学，在农村参加了一次劳动后，写了一篇作文，很得语文老师王慎馀的赞赏，并作为范文念给我们听。我印象最深刻的是这样一个情节：当她挑着一担水准备去浇地时，一位老大妈对她喊道："小姑娘，你的扁担挑反了！"这位女同学写道，她从来没有下过农村，连扁担的正反都分不清楚，这件事虽小，但对她触动很深，一辈子也忘不了。当然，现在的学生不一定都要下乡去体验这样的体力劳动，但针对所学的课程和将来拟从事的专业需要，抽出一段时间去参加一些相应的社会实践，训练并掌握一些基本技能，还是很有必要的。

在贵阳一中三年高中学习时间，很快就过去了，同学们绝大多数考上了大学。我们班的李明智考上了北大，周国强考上了清华，熊易芬、张明考上了中国科技大学，鲁永福考上了西安交大，我则考上了四川大学等等。大学毕业后，又奔向各自的工作岗位。很多同学远离了贵阳，远离了贵阳一中，但我们忘不了贵阳，忘不了贵阳一中，忘不了为了教育我们成长而作出无私奉献的老师们。每当我有机会回到贵阳，总要到一中的校园去漫步，找回当年的感觉。老同学们也经常聚会，共叙当年的师生情谊。下面这张照片就是 61 年暑假原高三（5）班同学聚会的留影。

去年贵阳一中庆祝建校一百周年时，我写了如下一副贺联，以表达我对贵阳一中百年华诞的庆贺及对母校的感激和怀念。

百年华诞，天长路漫。山城学府，南明河畔。

英才辈出，严师代献。育绩辉煌，前景灿烂。

我在北京工作和生活了四十四年，但总是怀念我的故乡贵阳，这不仅因为我的父母、弟、妹在贵阳（父母前几年才去世），而且还因为我在一中学习时，我们的音乐老师胡启文谱写了一首当时深受同学们欢迎的歌："啊，贵阳，我们的家乡！"这首充满贵州原生态山歌优美旋律的歌曲深深地印在我的心里，每当我唱起这首歌，我就回想起我的故乡贵阳，从而回想起诞生这首歌的母校——贵阳一中，回想起我在一中度过的三年难忘时光。作为这篇回忆录的结尾，我将这首歌的部分歌词录出如下，与老师同学们共享：

啊，贵阳，我们的家乡，你是祖国的好地方！青青的黔灵山高接白云，静静的南明河碧波荡漾；中曹稻谷肥又香，田野歌声多悠扬，人民勤劳又勇敢，山城处处是宝藏。

贵阳一中59级校友

沈德志

2008年2月于北京

读《虎溪茅苇集》有感

在我们老同学中，爱好格律诗词的不乏其人。例如诞生于四川诗词之乡——阆中的廖由新就是响当当的一位。廖经理最近还出了一本诗集《逐浪吟怀》，龚主编和作家吴雯女士均有过高度的评价。

我也喜欢格律诗词，但由于西南地区的方言有平仄不分的特点，往往把仄声念成平声，要准确按照格律诗词的平仄要求去遣词造句有相当的困难。我也写过几首七言诗句，从形式上看，好像格律诗，其实并不严格符合七言律诗的格律要求，所以我都不标注为“七律”，意为只是一般的七言诗而已。

最近读到一本名为《虎溪茅苇集》的古体诗集，作者是四川虎溪乡周家堡人士龚乐天。龚老先生虽也生长在西南，但集子中的律诗格律却都经得起推敲。我一边读诗，一边惊诧龚老先生为什么能如此精通汉语韵律？！这本诗集还有另一个特点：引经据典特别丰富，到处是《诗经》《楚辞》《左传》《晋书》《史记》《离骚》《三国志》《韩非子》等古典著作中引来的典故，如果没有诗后附上的注释，像我们这样对古文只了解一鳞半爪的读者，绝大部分看不懂。读到最后，我才明白，原来龚老先生就是中国古文学、古诗词专家，先后在省立重庆中学、四川教育学院、重庆大学等十余所大、中学校教授古汉语文学，在古文学、古诗词等学术研究方面有很深的造诣，曾被誉为“活字典”“活辞源”！

这本近200首的诗集，只是龚老先生上千首诗作的五分之一，但只要翻开目录，就会立刻认识到这其实是一本用古典诗歌形式表达的中国近代史：日军攻陷济南（1928）、蒋桂之战（1929）、记成都巷战（1930）、“九一八”事变（1931）、讨杨森（1932）、记上海之役（1932）、迁都洛阳、毛主席枉驾重庆与蒋介石谈判（1945）、庆祝十月社会主义革命四十周年（1957）、斥赫鲁晓夫、中国第一颗原子弹爆炸成功、巴西拘我九名干部，被禁干部不屈不挠，胜利归国，诗以庆之、李宗仁由美归国、苏军犯我珍宝岛（1969）、我国第一颗人造卫星上天（1970）、恭读毛主席诗词以后、喜赋联大恢复我合法席位（1971）、西沙风云（1974）、挽陈毅元帅、悼周恩来总理（1976）等等。龚老先生把对祖国、对党、对新中国的热爱，用古典诗歌的形式表达出来，是这本诗集的第三个特点。

这里不可能把这些诗作都抄列出来，只把那首“巴西拘我九名干部，被禁干部不屈不挠，胜利归国，诗以庆之”抄在下面。我之所以选这一首，是因为对同一事件，我也曾作过一首诗，抄列出来可对此历史事件给予印证，并且请各位老同学斧正。

巴西拘我九名干部，被禁干部
不屈不挠，胜利归国，诗以庆之

龚乐天

御侮折冲持正义，风驰电掣奋春雷。
纵嗟圜土羁身久，终毁爰书得意回。
海峤飞声传大节，都门夹道仰英才。
公称盛世威棱著，云雾重重齐拨开。

【1】折冲：制敌取胜，比喻外交谈判。宋《苏洵·嘉佑集》十四“丈夫生不为将，得为吏，折冲口舌之间足矣。”

【2】圜土：牢狱。司马迁《报任安书》：“幽于圜墙之中”。幽：囚禁。羁：扣押，关押。

【3】爰书：古时根据被告的供词写下的罪状文书。《汉书·张汤传》："传爰书，讯鞫论报。"九人被判刑十年，终宣布无效。

【4】威棱：威势，高适《同李员外贺哥舒大夫破九曲之作》："威棱慑沙漠。"

贺我驻巴西九名干部胜利归来

沈德忠

途穷路末日下坡，欲加之罪患词何？

黑牢不忘经四卷，酷刑岂摧心九颗！

任凭蠢驴搅肠断，敢将法官当囚驳。

平托国柱千千万，护回一船凯旋歌。

【5】平托：在法庭上为我九名被拘人员辩护的巴西著名律师。

（写于1965年5月18日）

喜欢格律诗词的老同学可能会问，这位龚乐天老先生现在何处？如何联系？能否向他老人家要一本《虎溪茅苇集》来拜读拜读？我愿意在此告诉大家，龚老先生就是《望江楼》主编龚正烈教授的父亲！想拜读《虎溪茅苇集》的同学，找龚主编就行。现在我们很清楚了，为什么《望江楼》能办得这么好？原因很简单，四个字：基因使然！同学们看看下面这副对联对得多工整：

望江公园望江楼楼前留影依依惜别

同窗学友同窗情情中叙旧款款欢聚

这就是龚主编撰写的！那句老话："有其父必有其子"，何其正确也！

自　述

我的童年是在贫困中度过的。一家七口，全靠当筑路工人的父亲养活。小学上到三年级，换了四所学校。新中国成立前两年，因实在缴不起每学期八斗米的学费，只好失学在家。直到 1949 年冬贵阳解放，人民政府免了我的学费，才于 1950 年春得以继续上学。当时家境仍很困难。别家孩子能够享受的乐趣，在我家仍属奢侈。例如玩具，父母就从来没有给我们买过，看到别的孩子玩玩具，自己又没有，怎么办？动手做。我记得当时有一种玩具叫作孙悟空翻筋斗，十分有趣。回到家里就找来木板仿照着做。自制的孙悟空居然也能翻几个来回，感到十分满足。有一回看见幻灯机很好玩，也试着做了一次，但不管我怎么摆弄，映在墙上的影像总是电灯泡里的灯丝，而不是画在玻璃片上的图形。由于我把外公的老花镜从镜框上拆下来当幻灯机的镜头，挨了我母亲好一顿揍，但从此我对光学系统有了浓厚的兴趣。

我对绘画也十分喜欢。从小学到中学，一直是美术课的课代表。班里出墙报，都是由我画刊头和插图。平时在黑板上、书本上总要画上点什么。有一天晚上我在马路上凑着街灯用粉笔画拿大刀的关云长。一位街道办事处的主任在一旁看了好久，然后问我叫什么名字？住在什么地方？上哪个小学？我都一一作了回答。过了几天，我班班主任告诉我，那个街道办事处为参加市政府举办的声援“抗美援朝”的游行活动，要临摹漫画杂志上的 40 幅漫画，叫我去帮忙。我去画了一个多星期，40 幅漫画顺利完成。办事处十分满意，奖给我 30 斤大米和一双皮鞋。记得当我穿上锃亮的皮鞋时，真是高兴得合不拢嘴，因为我在那以前还从来没有穿过皮鞋！

临近高考，我曾一度想报考美术学院。遗憾的是那一年除了贵阳师范学院美术系外，没有其他美术院校到贵阳招生。于是报了理工类，从此以后，画画的时间就不多了。

大学毕业后，分配到建材部非金属矿研究所工作，这个所原来是从事非金属矿山设计、选矿、采矿研究的，1965 年按上级指示精神，将与矿山有关的研究设计人员下放到所属矿区，北京只留下搞水晶、云母、金刚石等人工晶体生长部分。1976 年后又发展了氟化物晶体、非线性晶体、激光晶体、宝石晶体等人工晶体生长及其制品的研究，并更名为人工晶体研究所。

30 多年来，我先后研究了不少晶体的生长及其应用，饱尝了其间的酸甜苦辣。但最使我难忘的，是对用于激光频率转换的非线性光学晶体 KTP（磷酸氧钛钾的简称）的研究。

80 年代初，天津大学的姚建铨老师结束了在美国两年的进修回到祖国，准备在北京停留几天后再返回天津。他爱人的同学正好是我的同事，当他从我的这位同事那里了解到我们正在研究非线性光学晶体时，便约我去和他见面。

姚老师是搞激光器及其应用的。在美进修期间，曾在美国某公司进行激光频率转换的研究。他对我说：“现在美国杜邦公司用水热法研制出一种新的倍频晶体 KTP，倍频性能十分优异。”接着姚老师对我说，这种晶体很不容易长大，性能很好，所以十分珍贵，不但价格高昂，一块 3 毫米 ×3 毫米 ×5 毫米的 KTP 倍频器，售价 2750 美元，而且卡得很紧。姚老师准备倾其所有，花 2750 美元买一块带回国来，美国公司不卖。因为该晶体是由美国军方资助研制的，考虑到 KTP 有潜在的军事用途，故对中国禁运。这以后不久，姚老师使用的那块 KTP 晶体被他的老板不小心打碎了。姚老师以为机会来了，便对他的老板说:“您瞧这块 KTP 已经打碎，不能再用。能不能给我一块碎片？”他的老板说:“不行，碎片也不能带出实验室！”姚老师见到我，就鼓励我生长 KTP 晶体。在姚老师这种爱国热情的感染下，我们决定生长 KTP。

杜邦公司当时生长 KTP 晶体是在高压釜内，在 3000 大气压、800℃的压力和温度下进行的。那时在国内还很难找到在 800℃下能耐 3000 大气压的钢材。要生长 KTP，只能另想办法。

在仔细分析 KTP 的化学组成、晶体结构、晶体生长习性等基本情况后，我们选择了顶部籽晶熔剂法（简称 TSS 法）来生长 KTP。那时我们已用该法成功地长出了质量上乘的铌酸钾晶体。在此基础上，针对 KTP 晶体的生长特点，对 TSS 法进行了革新，创造出一套适合 KTP 晶体生长的新 TSS 法。不到半年的时间里就长出了可供性能测试的高光学质量的 KTP 单晶。

姚老师回到天津后，又到山东大学等单位去宣传 KTP 的优越性。不久，山东大学也用熔剂法长出了可供性能测试的高质量的 KTP 晶体。我们和山东大学用的都是熔剂法，不同之处在于，山东大学是将籽晶浸没在熔体中生长，而我们则是只将籽晶与熔体表面接触。因此，山东大学长出的 KTP 晶体中心包含着籽晶，而我们长出的 KTP 其籽晶在晶体外边。

这是世界上第一次用熔剂法长出可用的 KTP 晶体。这以后，两个单位都建立 KTP 生产线，批量提供优质 KTP 倍频器，不但打破了美国对我国的禁运，其 KTP 产品大量销售到包括美国在内的许多国家，为我国赚取了数百万美元的外汇，而且促进了世界熔剂法生长 KTP 技术的发展。

1988 年，美国又发现 KTP 还具有优良的电光性能，并拟用于研制新一代光波导基片。制造这种基片需要面积大于 20 毫米 ×20 毫米 Z 向切割的 KTP 晶片，而美国使用水热法生长 KTP 的高压釜直径只有 1.5 英寸（38 毫米），籽晶也在晶体中间，无法长出足以切出所需面积的 KTP 单晶。由于我们生长 KTP 的方法独特，最容易长出能切割 Z 方向 KTP 大晶片的晶体，于是最先长出 KTP 单晶并对中国实行禁运的美国，反过来向中国人工晶体研究所每年订购价值十万美元的 Z 切 KTP 大晶片。

第二章 晶脉手泽·墨华流芳

编者按：沈先生出生于1940年。那个年代出生的科学家成长的时代里，没有电脑、没有网络、没有人工智能，只有智慧的人脑和灵巧的双手。他们还有积极向上的学习精神，有开拓创新的探索精神，有百折不挠的抗压能力。他们的实验，没有计算机模拟，要靠双手去做；他们的论文，没有键盘和打字机，要靠一笔一画地手写；他们的设计，没有AI绘图，要靠自己大脑的想象并用尺规手绘。所以那一代的科学家几乎都是全能人。

沈先生就是那一代科学家的杰出代表。他不但有灵活的头脑，还有一双灵巧的大手；他不但能干大活儿——自己动手拆装高达2米的晶体生长炉，缠几十米长的炉丝，铺几十斤重的保温棉；还能做小活儿——用比发丝粗不了多少的铂金丝一圈一圈缠绑籽晶，绘制精确到毫米的各种装配图等等。他的各种文稿也都是自己手写而成，后期是自己手写，再请学生帮忙用电脑录入成电子文件。

这一章中，我选择影印了沈先生部分手写的文稿、译稿、信件、图稿、表格，以及书法、画作等等原始文件。一方面，想通过这些第一手的原始资料内容，反映出他不仅科研严谨、治学认真，而且文章字斟句酌、行文流畅；另一方面，古语说“字如其人”“见字如面”，这些手稿能反映出他平易近人、和蔼可亲一面。沈先生在硬笔书法和绘画绘图方面的异禀天赋，令人叹为观止。

这些手稿资料的展示，既拉近了沈先生与读者的距离，又让人感到沈先生那些高山仰止的成果皆来自他脚踏实地的实干。

非晶态硅太陽能电池
薄膜材料的初步调查

1981.12.26.

北制 79.2 20×20=400（1406）

目录

北制 79.2 20×20=400（1406）

一、一则简介（剪自北京科技报）

北京科技报　第225期

太阳能电池是利用半导体P——N结的光电效应，将太阳辐射能直接转变为电能的装置。太阳能电池在阿波罗飞船、天空实验室、人造卫星上作为主要电源，在地面上则用于无人灯塔、无人通讯中继站等特殊应用场所。目前，广泛利用太阳能电池的主要障碍是作为电池主要材料的单晶硅成本很高。为了有效利用极为丰富、密度又很低的太阳辐射能，需要制作大面积的电池进行采收。为此，降低电池材料的成本，就成为能否推广利用太阳能发电技术的一个关键。

近几年来，一种大有希望的廉价的太阳能电池材料——无定形硅，引起了人们的极大重视。①无定形硅太阳能电池的成本仅为单晶硅太阳能电池的百分之一。其中成本低的重要原因是，为制造单晶硅需要摄氏一千度以上高温，而制造无定形硅只需要三百度就够了，因此，后者所消耗的能源比前者少得多。②无定形硅在炼制材料本身的同时即可形成作为太阳能电池的基本结构的P——N结，因此，制作电池的工艺简单。③无定形硅太阳能电池所需厚度仅为单晶硅太阳能电池的三分之一，因此，可大大减少所需用的材料。④此外，无定形硅由于是采用气相反应法制造的，容易实现大面积化，所用的玻璃等基片材料也很便宜，同时在电池结构设计上也较容易获得较高电压。

太阳能电池最重要的性能指标之一，是太阳辐射能转变为电能的效率。目前，单晶硅太阳能电池的光电变换效率可达百分之十五左右，而无定形硅太阳能电池的光电变换效率才有百分之六。现在，科学工作者正在通过提高无定形硅薄膜质量、改善光电单元的结构等途径，争取在数年内将无定形硅太阳能电池的光电变换效率提高到百分之八至百分之十。

无定形硅太阳能电池一方面作为电力用太阳电池，正在向着大面积、高效率方向努力；一方面，正在应用于消耗电能很少的民用电子产品中。目前，在国外市场上已经出现采用无定形硅太阳能电池的电子手表、计算器、室外时钟等商品。

无定形硅不仅是很有前途的太阳能电池材料，而且也是很有前途的半导体器件材料，可用以制作晶体管、二极管、固体摄像器件、电子复印感光体等等。

无定形硅太阳能电池的研究，是一项可能在较短的时间内取得很大经济效益的很有搞头的实用研究。不少国家正在积极投入力量进一步开展对无定形硅、其它无定形半导体以及无定形物质材料的研究。但是，如同无定形这个名称本身所含有的意义那样，无定形物质的许多物理性质对于人们来说仍然暧昧不清，因此，应当组织多学科的力量，对无定形物质进行扎扎实实的基础研究，进而促使各种重要的无定形材料的应用研究，实现新的突破和飞跃。

冯昭奎

现代科技

北制　79.2　20×20=400（1406）

1

二、太阳电池的简单原理

当光照射到某些半导体材料时，由于某些光子的能量足以使电子摆脱原子的束缚并把电子由满带激发到导带中去，使得半导体内部的自由电子—空穴对的数量迅速增加。它们在半导体材料中扩散漂移，很快又重新结合在一起而使电荷消失（所谓"复合"）。为了不使这些电荷消失，就必须在材料内部构造p-n结。在热平衡状态下，p-n结内部有电场（所谓"自建电场"）存在，能够防止各区域里的电子—空穴（载流子）发生"复合"。

于是，在阳光照射下，半导体材料吸收太阳光能量，产生电子—空穴对，它们扩散到p-n结区后被电场分开，电子被拉入n区，空穴被转移到p区，这样在p-n结两端便产生了光电动势。如果在p-n结面两侧引出电极并加上负载电阻，便有电流通过，从而获得电能。

由此可见，制造太阳能电池的关键一步，

就是构造 p-n 结。

太阳电池的能带图如图(1)

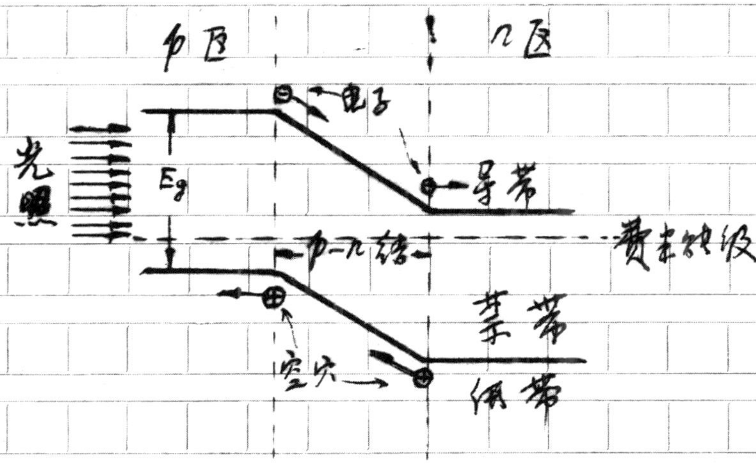

图(1). 太阳电池的能带图

投射到电池表面的太阳光，有一部分会被反射掉而不进入电池内部。例如纯净的硅表面的反射率在0.4～1μ的波长范围内约为30%左右。其他材料表面的反射率也相当高。为了减少反射损失，需在太阳电池表面形成一抗反射层。一般是一层ITO（铟—锡—氧化物），氧化钛、三氧化铈等。抗反射层一般在太阳电池的工作光谱范围内是透明的，并具有牢固的机械性能和不受温度变化和化学作用的影响。

射入光电池内部的太阳光子，只有那些能量大于所用半导体材料禁带宽度 E_g 的光子，才能

北制 79.2 20×20=400（1406）

3

被材料吸收产生电子—空穴对[太阳辐射到地面的光波之波长大约在0.3～3.0μm范围，按公式解 $E=h\nu=hc/\lambda=1.2398/\lambda$ 计算，换算成能量大约是4.0～0.4eV（电子伏特）。硅的 $E_g=1.1$ eV，非晶态硅的 $E_g=1.7$] 可见，每种材料都存在一个吸收截止波长。波长大于截止波长的光子不能产生电子—空穴对，变成热能消失在电池中。而能量大于禁带宽度的光子产生电子—空穴对后，尚有剩余的能量，这些多余能量也转变为热能传给材料，造成损失。对单晶硅太阳电池来说，这项损失约占入射太阳光总能量的53%！

此外，还有收集效率的损失、内部复合损失、内部电阻损失、电压因素损失等。所有这些损失加在一起，使得目前太阳电池的转换效率不可能太高（转换效率：太阳电池的输出功率与投射到其表面上的太阳辐射功率之百分比）。

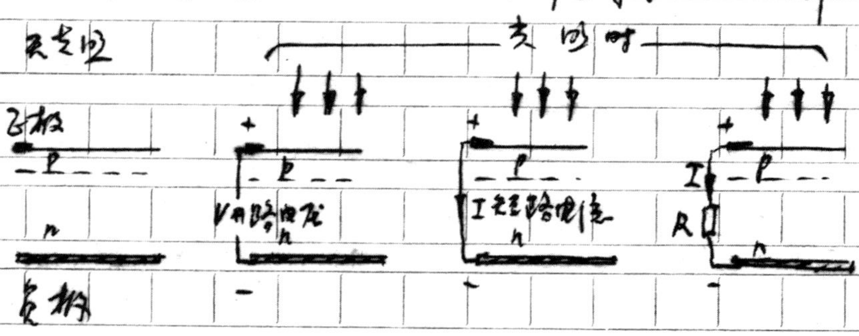

图(3) 太阳电池示意图

三. 非晶态硅太阳电池的构造

非晶态硅是1969年首次研制出来的一种新材料，1974年发现具有光电效应。由于其中含有5～30%原子百分数（一说含有5～50%）的氢，而且以薄膜形式出现，故又叫氢化非晶态硅薄膜。文献上一般写成a-Si:H。（"a"是英文amorphous——"非晶态"的第一个字母）。

用a-Si:H构造的太阳电池一般有三种结构。

1. MIS结构。

MIS是金属—绝缘体—半导体的缩写。该结构简图如下。

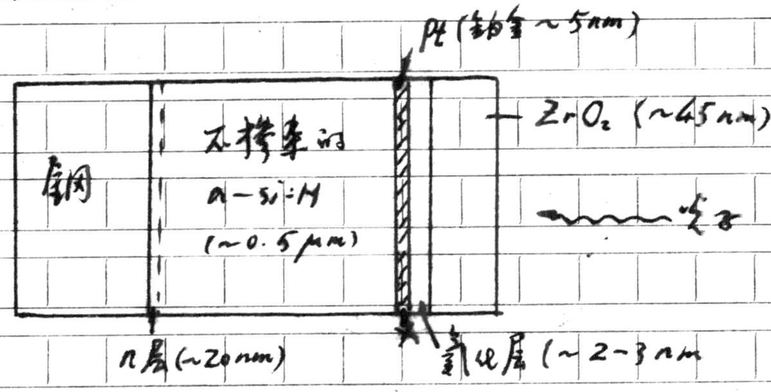

图(3) MTS电池结构示意图.

（μm—微米. 1μm=10^{-6}米.　nm—毫微米，1nm=10^{-3}μm）

北制 79.2 20×20=400（1406）

5

这种结构的电池用钢作衬底，然后依次制造n型 a-Si:H 层，不掺杂的 a-Si:H 层，氧化绝缘层、高逸出功金属层（铂、铱等）最后是氧化物抗反射层。各层厚度均如图上所注。

这种电池类似于肖脱基势垒电池，它的开路电压较低（<600 mV）。开始研究时转换率提高很快，后来就逐渐慢了下来。主要是因为这种结构的器件暴露于空气之后，性能逐渐退化。因为水蒸汽在金属和 a-Si:H 之间的间界面起了作用。此外，在金属层接触处构成一结面，而这也会在生产中很难保证均匀性。

MIS器件的转换率按年提高的速度示意图如图(4)所示。

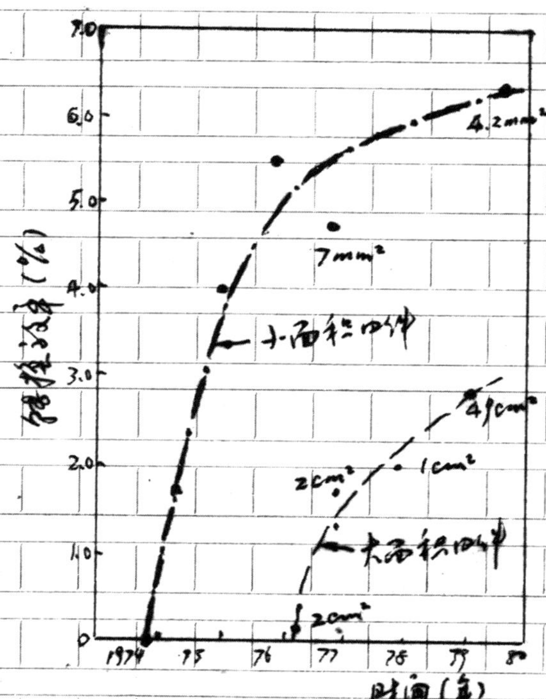

图(4) MIS电池性能提高速度

2. n层入射的p-i-n结构。

p-i-n是p型层—绝缘层—n型层的缩写。其电池结构示意图如下：

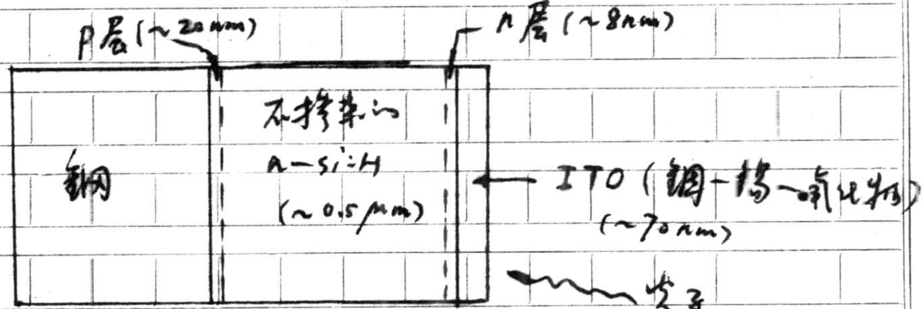

图(5) n层入射的p-i-n结构电池示意图

这种结构的衬底是不锈钢。然后依次制造p型a-Si:H层，不掺杂的a-Si:H层，n型a-Si:H层，最后是抗反射层。各层厚度如图所注。光子由n层入射。ITO抗反射层起顶部电极和抗反射两个作用。

3. p层入射的p-i-n结构。

其电池结构示意图如下：

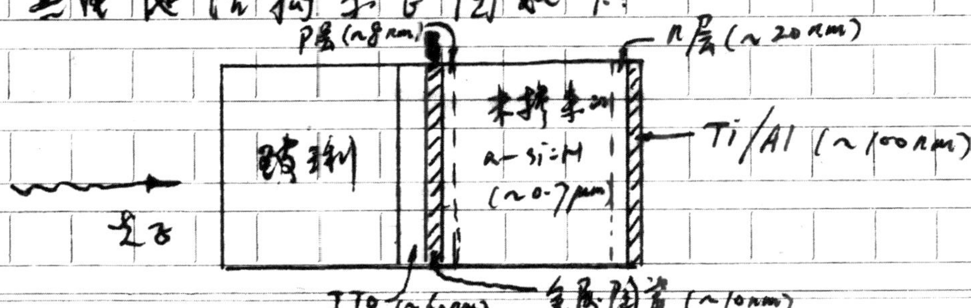

北制 79.2 20×20=400 (1406)

图(6) p层入射的p-i-n结构电池示意图

7

这种结构是用玻璃作衬底。依次为透ITO抗反射层、金属陶瓷层(如PtSiO$_2$、IrSiO$_2$等)、p型a-Si:H层、不掺杂的a-Si:H层、n型a-Si:H层，最后是Ti或Ti/Al层。金属陶瓷层主要是用来保证必有良好的电接触。Ti/Al层主要是用来作背电极。

p-i-n结构电池的性能按年提高的速度图表如图(7)所示。由图可见，在这几年，p-i-n结构的性能提高不是太快，但在最近几年，面积大于1cm^{2}的大面积p-i-n电池的性能有显著提高。大面积p-i-n电池不用密封也有较长的使用寿命，而且在某种程度上比MIS结构的电池比较起来，

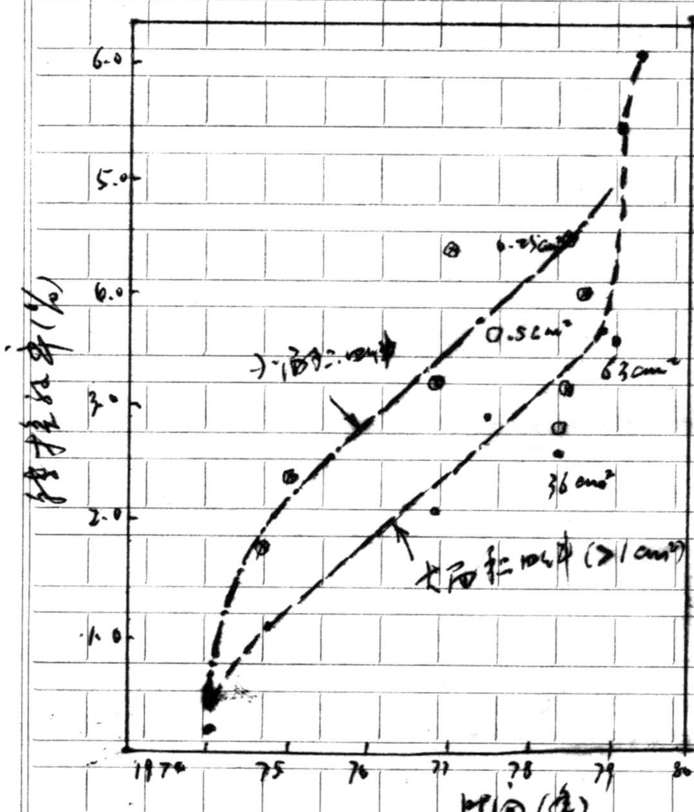

图(7) p-i-n结构电池的转换效率按年提高的速度示图。

制造也要容易得多一些。

上述结构只是最基本的结构。根据不同的设想，在此基础上还可派生出许多具有特殊性能的设计的各种复杂结构。这里不一一列举。现有类型的a-Si:H太阳电池的薄膜总厚度不超过1μm，真可谓薄膜[illegible]。

四　非晶态硅薄膜的制备

a-Si:H薄膜通常是利用硅甲烷SiH_4在直流(或射频交流)辉光放电系统中制造出来的。先将一置有电极的容器抽空至10^{-3}~10^{-6}或10^{-6}托的真空度，通入纯的或掺杂的SiH_4气体[n型的是在SiH_4中掺入百分之1~2体积比的PH_3或$Sb(CH_3)_3$，$Bi(CH_3)_3$；p型的是在SiH_4中掺入1%体积比的B_2H_6]。在电极上加上一定的直流或射频交流电压，两极间的气体产生辉光放电。辉光放电一旦开始，电子就从衬底表面发射并撞击硅烷分子，两极间的气体变成等离子体。电离的和分裂的Si^+和SiH^+离子被衬底吸引，从而沉积到衬底上形成

北制 79.2 20×20=400（1406）

9

a-Si:H，H的存在有利于改善薄膜的电子学性质。

最早制备a-Si:H薄膜是在如图(8)所示的无电极辉光设备中进行的。气体SiH4从顶部注入，压力约为0.1~2.0托。放电着火和维持能量由外部的射频线圈控制。无电极射频电源频率为0.5~13.5兆赫。功率为1~20W。（在某些无电极射频放电系统中，射频功率由外部电容器提供），气体流速为0.2~10标准立方公分/分（简写为sccm）。

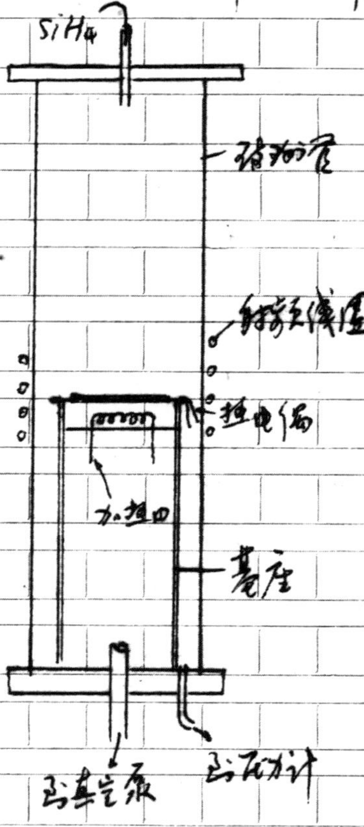

图(8) 无电极辉光放电示意图。

在所有制造a-Si:H的辉光放电系统中，衬底都必须加热到200~600°C，以获得结构上良好的a-Si:H。

这种设备的缺点是放电系统容量小（管子直径5~10cm）而且薄膜的均匀性受管壁临近性(proximity)的影响。

北制 79.2 20×20=400（1406）

10

后来对此系统作了改进，其结构如图(9)所示。装置名为"直流阴极辉光放电系统"。在这种系统中，电极放置在放电腔里，导电的衬底作阴极，阳极是由金属板或栅网组成，放置在距阴极几厘米之上。

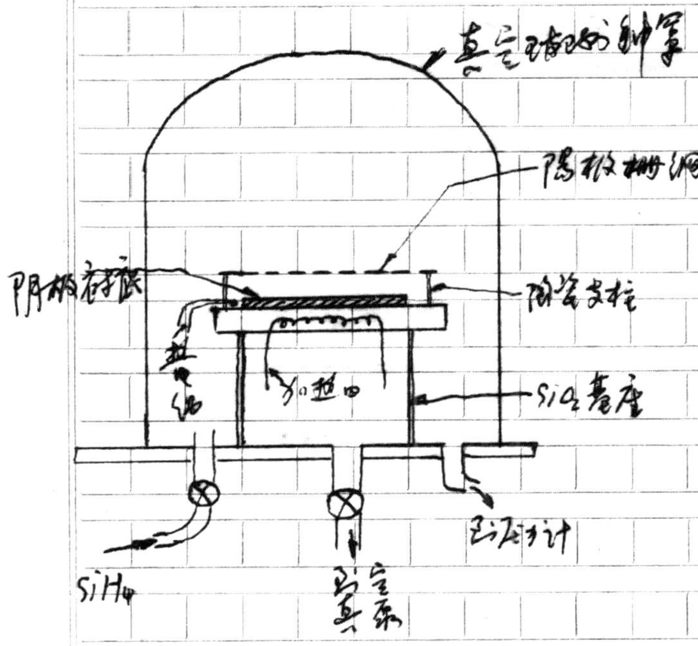

图(9) 直流阴极辉光放电系统。

操作电压600~1500V，SiH_4的压力约0.3~2.0托。阴极衬底上的功率密度约为0.1~2W/cm²，沉积速率在100~1000nm/分之间。气体流速取决于系统的尺寸，对于100cm²的阴极，典型的流速为30 sccm。

这种类型的辉光系统有两个优点：易于在大面积衬底表面上沉积均匀一致的a-Si:H薄膜，沉积速率较大。缺点是由于正离子轰击阴极衬

北制 79.2 20×20=400（1406）

11

底表面，因而在a-Si:H中产生附加的缺陷。其薄膜质量不如用其他方法得到的好。

这种离子轰击的损伤可在距衬底上面1~2cm处置一阴极栅网来减轻。但这样一来沉积速率将减至20~80nm/分。

现在最流行的放电系统如图(10)所示。它类似于用在二极溅射中的系统。工作操作压力为5~250毫托。在大多数情况下一个电极接电源，而另一个电极接地。电源电极相对于地有100~300V的负偏压以维持放电条件。

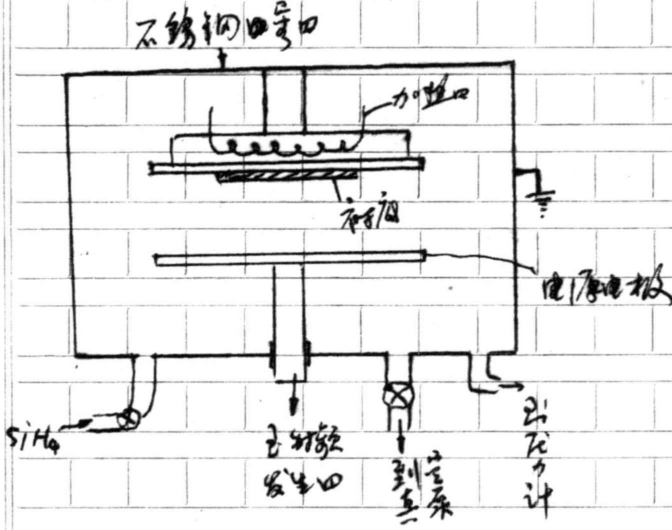

图(10) 最流行的放电系统示意图

其它典型操作条件是：功率密度0.1~2.0W/cm²，射频频率13.56兆赫，流速，对于50cm²电源电极为10~100 SCCM，沉积速率5~50nm/分。某些电容的放电系统有两个独立的电源电极，或dc偏压能在很大范围内的改变。

这种系统的优点是加偏压并能有效地减少缺陷密度。能生长大面积及优质均匀一致的a-Si:H薄膜。设备容易商品化。

实际制造a-Si:H薄膜的流程图如下

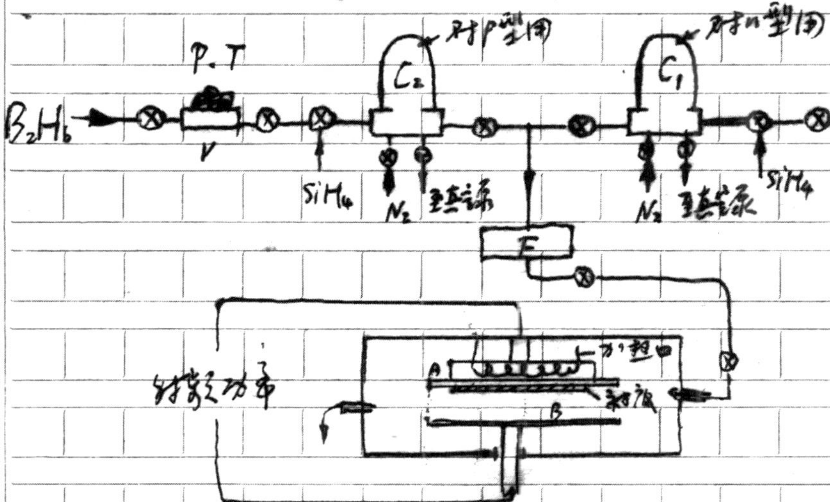

C₁.C₂ 玻璃容器.
P.T. 压力传感器.
F 流量计.

图(11) 实际制造a-Si:H的流程图.

硅烷和掺杂气体先后通过混合室C₁或C₂混合(取决于是n型或是P型a-Si:H薄膜而定)。例如要制备n型，首先让PH_3进入一个小的已知容积的容器V，其压力用压力传感器P.T测量。然后注入抽空的容器C_1中膨胀，再加入硅烷到所需压力。用这种方法可精确地控制到百万分之几个原子的磷（约10^{17}个原子/cm^3）加到硅烷中去。流速用电子流量计测量。因为所用气体会带来污染，故在装置中还安置了独立的排气和真空泵装置。

现在可以淀积出面积大于0.1米²的均匀一致的a-Si:H薄膜，淀积速率约为5～20nm/分。所用设备均可在市场中买到。

五、几个背景情况

1. 利用太阳能的重要性无论怎样强调也不为过。这里不必多费笔墨。

根据多年观测，北京地区太阳辐射的年总量对水平面说来为140千卡/cm^2·年。每天的太阳辐射能平均为~~4.45度~~ 4.45度·小时/米²，~~如果a-Si:H薄膜电池的转换效率达10%，那么每个家庭使用一个面积仅为二平方米的a-Si:H太阳能电池板，安置在屋顶或阳台侧面（水平放置）平均每天可得电能0.89度。如果把太阳电池板朝南方向放置，并按月份调整坡面，则可每天可得约一度的电能。这对一个普通家庭一般用电是够~~

北制 79.2 20×20＝400（1406）

14

来已经足够了。

2. 美国加州内瓦拉斯有一个试验农业灌溉设计，每年的降雨量为500毫米。只要一台相当于25千瓦发电量的太阳电池电机就可以满足32公顷土地的灌溉及其农业电力的全部需要。这样一个太阳能发电机已用单晶硅片试制成功，设计效果相当理想。但用了大约150公斤的高质量硅单晶。目前全世界的半导体单晶硅的总年产量只有3000吨，就一不能想象这种发电机能大量投入生产。

3. 据最新报导，今年5月份，日本osaka大学研究已已制得转换效率达7.5%的a-Si:H太阳能电池。其结构为 玻璃/SnO_2/pin/Al.

目前a-Si:H太阳能电池的转换效率比多晶硅低一倍。但它改进性能的余地很广。它可以通过各种材料的配搭寻求最佳的转换效率。为了充分利用射入电池里的各种波长的光，正在发展一种叠层结构电池，就不同禁带宽度的材料按[illegible]大小结合在一起，以减少入射光中因截止波长而造成的损失，从而提高转换效率。要 吸收当前 a-Si:H 薄膜太阳能电池在世界上成了相当热门的研究项目。

4. 在我所能找到的资料中，都没有提到关于 a-Si:H 所用气体的纯度。这是因为辉光放电是一种较先进的技术。大家都清楚所用气体要有高的纯度。在辉光放电技术中，气体的纯度和电极表面状态对辉光放电的性质有很大的影响。非常少量的某些杂质（在某些气体中十万分之一）能使放电电压产生百分之几百的变化。从而严重影响放电的稳定和均匀。另外，气体纯度对产品本身的性质也会有影响。只要涉及到 p-n 结、掺杂，原料的纯度就是一个不得不考虑的问题。不过好在 SiH_4 高纯气体由于集成电路发展的需要纯度已基本过关，而且辉光放电的腔体体积不大（我估计不超过半米³）其清洁度比起制作集成电路对环境的清洁度的要求来，要容易达到得多。

5. 估计在一两年内 a-Si:H 还不能大量投入民用。目前对我们来说，可提高性能所需的一些必备设备，如高真空度的压力传感器、电子流速

16

计、超薄厚度测量设备以及椭偏模拟的光谱(用一测量、转换程序)等，都必须从头制备。这一a-Si:H薄膜太阳电池(这一项目)在我们这样的单位是否能上，如果能上，什么时候上，以及在材料上有重大问题，这都须经多方仔细地论证、认真地考虑。

三室．沈傅生

81.12.26.

资料主要来源

1. D.E. Carlson. Sol. Energy. Mater. 1980 3(4) p503-18.
   《Recent development in amorphous sillicon solar cell》.
2. W.E. Spear. adv. phys. 6. 811 (1977)
3. D.E. carlson. prog. crystal Growth ~~Potam~~ charact. 1981. Vol.4 p173~193.
   《Amorphous silicon》.
4. F. Llewellyn-Jones. 《The Glow Discharge》.
5. A. madan. J. McGill. Appl-phys. Letter 37(9) (1980)
   《metal-insulator-semiconductor solar cells using a-Si:H:F alloys》.
6. U.S.P. 4,064,521, 4,196,438. 4,272,641. 4,251,287.
7. 《物理》 10 No 11. (1981). 《非晶态硅太阳能电池的研究》
8. 《气体电子学》 南京大学编.
9. 汤寿康 《辉光放电及其应用》
10. 黄文雄：《太阳能之应用及理论》.

17

国家建筑材料工业局人工晶体研究所

一、项目名称

铌酸钾直接倍频的全固态小型兰光（430nm）激光器的研制

二、一般背景

全固态小型兰光激光器在光学数据存贮（光盘）、彩色激光打印、彩色电视投影、水下通讯以及军事等领域有重要的应用价值，具有巨大的经济效益和社会效益。世界各先进国家都在大力进行研制，我国八五"863"计划也早已列为重点研究内容。制造全固态小型兰光激光器有多种途径，但具有实用价值的有三种。一种是用半导体技术制造宽禁带的半导体激光器，直接输出兰光。目前已获得500nm左右的兰光输出，但寿命都很短，最长的也只有几分钟，离实用还差得很远。另一种是用半导体二极管泵浦Nd:YAG等激光介质，使其发出诸如946nm的近红外激光，然后用非线性光学晶体进行倍频，获得473nm左右的兰光。第三种是用非线性光学晶体对半导体激光器进行直接倍频，获得兰光。这种方法的效率比第二种高得多，因为避免了泵浦

国家建筑材料工业局人工晶体研究所

介质的损耗。所以，用非线性光学晶体直接倍频半导体激光器，是制造全固态小型蓝光激光器的最佳途径。

作为直接倍频半导体激光器的非线性光学晶体，铌酸钾（$KNbO_3$，简称KN）晶体是公认的最好晶体。在所有氧化物倍频晶体中，KN具有最高的非线性光学品质因数，对毫瓦级激光（一般使用的半导体激光器的输出功率都在百毫瓦左右）的倍频，KN的转换效率比KTP（磷酸氧钛钾 $KTiOPO_4$ 的简称）等倍频晶体要大三个数量级以上。特别对于波长为860 nm的激光，KN的倍频是非临界相位匹配状态（非临界相位匹配下倍频，可得到最好倍频效果），故KN晶体是进行半导体860 nm激光直接倍频到430 nm的最好材料。

1990年，美国IBM公司就用KN对功率为101 mW的860 nm半导体激光器直接倍频，获得39 mW波长为430 nm的蓝光，在国际上引起轰动（转换率近40%）。但是该技术需要860 nm基频光在特殊成形（以构成环形共振腔）的KN晶体中往返很多次，而且频率控制系统十分复杂，故尚未走向实际的应用。最近，美国海军实验室用KN晶体对860 nm半导体

国家建筑材料工业局人工晶体研究所

激光进行直接倍频，基频光只通过晶体一次，就获得近十毫瓦的430nm蓝光，控制系统也较简单，可望在不久的将来获得实际的应用。

我所有近廿年生长$KNbO_3$晶体的经验，所长出的KN晶体，曾处于国际领先水平。1988年获部级科技进步一等奖，88年获国家科技进步一等奖。KN倍频晶体除满足国内应用外（获“863”资助的长春光精所和清华大学，在研制全固态小型蓝光激光器中使用的KN晶体，都是由我所提供的。）还部分出口，目前报导的日本索尼公司研制蓝光激光器所使用的KN晶体，也是由我所提供的（经由日本代理ASGAL公司）。我们对KN的倍频也有一定的研究基础。

三、合作内容

由我方提供研制全固态小型蓝光激光器所需的KN晶体，与双方共同研制基于KN对860nm半导体激光器直接倍频的可实用的小型全固态蓝光（430nm）激光器。

3、

国家建筑材料工业局人工晶体研究所

四、经费预算、来源

六十万美元，由美方提供。

五、期限、达到的目标

工期两年，以制成可实用的全固态小型473nm蓝光激光器为最终目标。

六、双方单位

我方：国家建材局人工晶体研究所

对方：美国海军实验室，或由该实验室委托美国某大学进行

4.

国家建筑材料工业局人工晶体研究所

有关KTP晶体的研制情况

磷酸氧钛钾（$KTiOPO_4$，简称KTP）晶体，是1971年由法国R. Masse等人首先制备出来的。他们测试了KTP晶体结构，指出该晶体中的钛氧八面体畸变很大。美国杜邦公司的J. Bierlein（J. 贝尔林）等人又是根据法国人的测试结果，发现KTP优异的非线性光学特性，生长出可供应用的KTP晶体，并申请了美国专利（USP 3,949,323）。

1977年春天，美国加州大学伯克利分校美籍华人教授沈元壤回国访问，在台基厂外交部礼堂作有关激光非线性光学方面的学术报告。我与刘玉兰和沈德忠前往参加。会上沈元壤教授提出当时美国成功研制出一种新的非线性光学晶体——KTP，倍频性能十分优异。会后沈德忠找到沈教授，询问美国是用什么方法生长KTP晶体？沈元壤教授回答说，是用水热法，生长条件十分苛刻：3000大气压、800°C！回所后，沈德忠将此消息告诉我们用水热法生长水晶的专家华大展。华一听便说，目前中国还找不到能同时耐受3000大气压和800°C的钢材，于是作罢。

1982年6月，在美国进修了两年的天津大学教授姚建铨学成回国，在北京作短暂停留期间，顺便到他爱人的同学曹梅玲家探望。当他

1.

国家建筑材料工业局人工晶体研究所

了解到贾梅珍当时正在沈德忠研究组内做非线性光学晶体，铌酸钾生长时，便约沈去贾梅珍家面谈。姚教授告诉沈德忠，他在美国期间，使用了一种名为KTP的非线性光学晶体，倍频性能比当时已知的非线性光学晶体都好，价格非常昂贵：一块3×3×5 mm³的KTP倍频器，售价2750美元，对中国还实行禁运。他把在美期间的积蓄都凑上，想买一块带回国来，人家还不卖。有一天，姚教授的老板做实验，不小心把一块KTP倍频器掉在实验台上打碎了，姚教授便向他的老板说："你瞧，这块KTP已经摔碎了，给我一块碎片拿回去做做实验吧。"他的老板回答说："不行，KTP是美国军方资助的项目，对共产党国家禁运，碎片也不许带出实验室！"因此迫切希望人工进行KTP晶体的生长。

沈德忠已经知道那时国内还没有条件用水热法生长KTP，便下决心用生长KN晶体的方法——顶部籽晶熔剂法来生长KTP，以图打破美国在KTP晶体上对我国的禁运。

其实，在当时已有人用顶部籽晶熔剂法生长过KTP晶体了。由于水热法生长KTP的条件要求苛刻，即或是在工业高度发达的美国，用来生长KTP的高压容器——高压釜也不可能做大：内径只有9.525mm，高152.4mm，长出来的KTP晶体的宽度不可能大于9mm，中间还有籽晶。后来经过多年的改进，高压釜的内径也未超过40mm。考虑到生成态晶体存在包裹体、生长条纹等缺陷

2.

国家建筑材料工业局人工晶体研究所

晶体中间有籽晶，传统的还是要求固定的切向，故切出来的器件尺寸仍然偏小。此外，KTP在常压下的居里点是936°C，但在高压下，尽管生长温度低于800°C，长出的KTP仍然是多畴晶体，需要极化成单畴才能使用。

鉴于水热法生长KTP的诸多缺点，水热法KTP生长专利发明人之一的T.E.Gier，早在1980年就尝试过用顶部籽晶法生长KTP，而且还申请了一个美国专利。除杜邦公司外，美国菲力浦公司的J.C.Jacco和G.M.Loiacono等人，也曾用过顶部籽晶熔剂法生长过KTP，但都未取得成功。其原因在于，用熔剂法生长KTP晶体时，熔体液面会产生自发结晶，这些自发结晶随着熔体的流动会粘到正在生长的晶体上，致使长出的KTP晶体是一簇多晶。Gier在他那个专利中列举的效果最好的实施例也只长出一簇多晶，其中最大的一颗晶粒尺寸为15×8×2mm³，也没有多大的用处。Jacco等人用顶部籽晶熔剂法生长KTP的结果是："在所有情况下，都只得到由很小的平行取向的斜方形晶粒组成的多晶结晶"，都没有得到可用的KTP单晶。

正当我们要用顶部籽晶熔剂法来生长KTP时，我们看到了将于1983年9月在西德斯图加特召开的第七届国际晶体生长会议的节目预报，了解到菲力浦公司的Jacco和Loiacono要在会上作一个有关用慢速旋转的球形铂金坩埚（熔剂法）生长KTP晶体的报

3、

国家建筑材料工业局人工晶体研究所

告，按惯例请到会者西德参加这次会议的靳其棣对此报告多加关注。

没有料到，靳其棣开完会回来告知，杜邦公司那两人临阵脱逃，轮到要他们作报告时，却找不到报告人。后来才知道，他们那种加速旋转球型铂金坩埚熔剂法，并不能生长好KTP晶体。时至今日，全世界生长KTP晶体的厂家或公司，没有一家是用这种方法生长的。

没有任何可借鉴的成功经验，我们只好自己闯。1983年9月至次年10月、11月贾福珍与沈德忠开始合成KTP原料和K6助熔剂。在研究组孙连鸣等同志的配合下，进行了试生长。正如国际上碰到的情况一样，长出来的都是一簇簇晶，没有可用的晶体。

此后的几个月，沈德忠在熔剂法生长KN晶体的基础上，结合KTP的结晶习性和熔体动力学特性，创造出一套控制液面自发结晶的技术，有效地克服了顶部籽晶熔剂法生长KTP晶体时熔体液面出现的自发结晶，于1984年6月28日，成功地生长出第一块完整透明的KTP单晶。这也是世界上第一次用熔剂法生长出完整的可供应用的KTP单晶。

此后，在我所化学组薛瑞福、物理组杨子棠和加工组郭世庠等同志的帮助下，我们稳定了KTP晶体的生长工艺。长出了多块KTP大单晶，进行了X光定向、切、磨抛加工，制成了对1064nm倍频进行

4.

国家建筑材料工业局人工晶体研究所

频率转换的倍频器件。经过多次实测，我们得到最佳的倍频方向：23°21′±5′，这比美国公布的相位匹配角26°要小两度多。结果美国人也承认他们使用的匹配角是我们测出的角度。

我所此后建立了KTP晶体生产线，向国内外批量供应KTP倍频器件和其它非线性器件，申请了专利。

八十年代末期，发现KTP非线性光学晶体专利的美国杜邦公司丁·贝尔林，为进一步拓宽KTP的应用领域，研制出用KTP晶体制作的集成光学波导器件。制作这种器件需要用Z方向切割的大尺寸KTP晶片，而杜邦公司用水热法生长的KTP根本切不出所需的大尺寸Z向KTP晶片来，于是丁·贝尔林就向全世界求购。挑来挑去，最后选中了我所生长的KTP。这家首先用水热法生长出KTP晶体，对KTP取得专利垄断，且对我国实行禁运的杜邦公司，却反过来每年向中国人工晶体研究所购买十万美元的KTP Z切大晶片，直到丁·贝尔林1996年逝世为止。

丁·贝尔林逝世前，曾给沈德忠发来一份传真，其中一段写道："我认识到你们是迄今为止生长KTP晶体的顶尖科学家。这是一项十分优秀的工艺技术，对我们的KTP计划非常有用。您

5.

国家建筑材料工业局人工晶体研究所

应该写此项成就而获得某种奖励。”

在“九五”863计划实施之前，熔剂法KTP和水热法KTP在电光性能和光损伤阈值方面还存在差别。水热法KTP晶体的电导率在$10^{-10}/\Omega\cdot cm$量级，光损伤阈值为30GW/cm²（脉宽30皮秒，10Hz，λ=526nm），熔剂法KTP的电导率为$10^{-7}/\Omega\cdot cm$量级，光损伤阈值为15GW/cm²（单个脉冲持续时间一纳秒，λ=1064nm）由于熔剂法KTP的电导率太大，故不能用作电光调制。

“九五”期间，我们在863计划的资助下，将熔剂法KTP的电导率降低了三个数量级，达到与水热法KTP相同的数值，成功地用在脉宽度小于1纳秒的精密脉冲整型上，并将将来的神光Ⅲ号选用作电光调制，其光损伤阈值也提高到与水热法KTP相同的水平。现在顶部籽晶熔剂法生长的KTP，可望在将来的应用领域取代水热法生长的KTP晶体。

1988年，我们的KTP晶体研制成果获部级科技进步一等奖；2001年，电光KTP晶体的研制成果获国防科技进步一等奖，并获2001年度的美国杜邦科技创新奖，2002年获国家科技进步二等奖（已评上，但还未公布）

6.

生长KTP晶体的一种有效方法及KTP的某些特性

沈德忠 黄朝恩

中华人民共和国 北京 733信箱

人工晶体研究所

$KTiOPO_4$(KTP)单晶，在用作倍频器件的非线性光学材料中，被证明是"全能冠军"。现在有不少生长KTP晶体的方法。水热法和坩埚加速旋转法已成功地长出了该晶体单晶。但是，据报导，水热法生长条件十分苛刻——3000大气压，800°C；坩埚加速旋转法(ACR)的操作十分复杂。其它方法，例如顶部籽晶熔液生长法(TSSG)和梯度输运法，还未见到能长出满意的KTP晶体的报导。

在我们实验室里发展了一种生长KTP的有效方法。使用这种方法，我们已长出尺寸达$25\times15\times10\ mm^3$的透明单晶(如果需要，尺寸还可扩

(1458) 20×20=400

北京市电车公司印刷厂出品 八三·九

大)。比起水热法来，该法比较安全、可靠，设备也相对地简单；比起坩埚旋转法来，该法操作方便、准确。特别是这种方法具有相当好的稳定性和重复性，并因此而具有巨大的工业生产潜力。这意味着该方法是KTP晶体生长的真正突破。这种方法在某些方面类似于TSSG法

用四圆衍射仪研究了KTP的晶体结构。它的空间群是C_{2v}^{9}，晶格常数a=6.4196Å，b=10.6036Å，c=12.8093Å。KTP的基本结构是PO_4四面体和TiO_6八面体在三维空间构成的网络。在畸变的八面体中，Ti-O之间最短的距离为1.70Å，最长距离为2.15Å。各向同性温度因子B非常小。

观察我们加助熔剂生长的KTP光透过曲线，在2.8μ处不存在由O-H的振动而引起的吸收峰。通光方向长3.75和9.25 mm的晶体，其透过率几乎相同。这说明该晶体的吸收系数非常小。

在一块通光方向长3.75 mm的KTP晶体上，对1.06μ红外激光的倍频转换效率达68.7%。激光强度达700 MW/cm²时，在KTP上也未发现任何光损伤。

868361-493

(1458) 20×20=400

北京市电车公司印刷厂出品 八三·九

计算了 1.34→0.67μ 的SHG相匹配曲线。对于 $\phi=0$ 的Ⅱ型匹配，匹配角的测量值为 $\theta=59°$。转换率的定量测量正在进行中。

北京市电车公司印刷厂出品 八三·九

（1458）20×20＝400

北京一五二厂公文稿纸

作为能量转换的铁电物质

JULIO A. GONZALO　USA

摘要

根据铁电材料的基本介电和热学性质，研究了它们作为热能到电能的转换器的特性。对完成一个闭合循环过程的随时间而变化的单阶热电—铁电转换器的操作进行了详述，按照静态的和输运的参数，导出了功率、电流和电压输出的表达式。结论是：如果研制出具有相对地大的特征因子的材料作为足够大的ΔT_s之下操作的单阶转换器，则10–15%左右的理想转换效率是可能达到的。

北京一五二厂公文稿纸

1. 绪 言

具有高热电效应的材料，总是突出的铁电体，可作为将热能直接转换成电能的很有希望的候选材料，它们在光电方面也适用于将光辐射转换为电能的研究。热电和光电转换间的广泛应用清楚地说明了这点。

铁电体具有非常大的介电常数，这表明它们能够比其他介电材料贮藏更多的静电能。在居里点（Tc）以下，铁电体具有自发极化，这种自发极化与温度有关，因此可以利用一个有适当温度的热源—（冷源）系统改变这种材料的极化状态从而获得电能。

某些关于“直接能量转换”的论文[1]以相当多的篇幅致力于论述铁电体的作用。但是，自50年代末的几年以来，大多数的论文都是致力于发展供空间飞行器使用的合适的电源。这部分是由于半导体技术更先进的地位，它们比较迅速的发展，同时也限制了铁电转换的发展。近廿年来，这项工作又有了显著的进展。对铁电性和热电材料有了进一步的了解，许多新的铁电体被

1

北京一五二厂公文稿纸

实验和理论研究。过去评价和设计铁电材料是以它的介电常数随温度的关系出发(靠近 T_c 的介电常数有很大的非线性的)。但这种处理方法有着很大的局限性,因为在靠近 T_c 处,电容量也很快地随场强而改变,其值很难估计。这篇论文的主要目的是想从铁电体的基本静电性质(自发极化和自发场)、热学性质(比热)以及输运性质(电和热传导)的观点,来分析铁电体储藏和转换能量的特性。

2. 热力学的考虑。

在介电材料中,静电能量密度(每单位体积)可写为:

$$U_E=\frac{1}{8\pi}ED=\frac{1}{2}EP \quad (\text{高斯单位}) \tag{1}$$

E是电场,P是极化,如果材料是线性介质,P比例于场强,而在电场为E时,每立平板电容中间的这种材料储藏的能量由下式给出

$$U_E=\frac{1}{2}\epsilon E^2 \tag{2}$$

式中 ϵ 是介电常数。如果在电容中没有被充电($E=0$)储藏的能量当然是零。

在铁电晶体中,当 $T<T_c$ 时,即使在没有外场的情况下,也是存在着一个自发场强。对于某些铁电晶体,在

2

北京一五二厂公文稿纸

外场为零且T接近T_c时，能量密度可写为：

$$U_s=\frac{1}{2}E_sP_s=\frac{1}{2}\beta P_s^2 \qquad (3)$$

式中E_s是自发场，P_s是自发极化，且 $\beta=4\pi T_c/C$ (4)

是本构常数，$\beta\equiv\frac{E_s}{P_s}$ 用居里温度T_c和居里常数C来表示。

每单位体积的"铁电"吉布斯"自由能"可规定为：

$$G(E,T)\equiv U\pm EP-TS \qquad (5)$$

式中E和T是独立变量。正负号取决于E和P的相对取向。当$T<T_c$时，它们的符号是同向或者是反向（只要$E<E_c$维持场强），这理论适用于自发极化的所有物理。当零外场下，

$$G_s(T)=U_s-TS_s \qquad (6)$$

当$E=0$时，"铁电"比热ΔC_F可用熵的导数S_s或内能的导数U_s来表示，因此

$$\Delta C_F=C_{E=0}-C_{P=0}=T\left(\frac{dS_s}{dT}\right)=\frac{dU_s}{dT} \qquad (7)$$

对此积分直接用公式(3)

$$\int_T^{T_c}dS_s=\int_T^{T_c}\frac{1}{T}\left(\frac{1}{2}\beta\frac{dP_s^2}{dT}\right)dT \qquad (8)$$

因为在转变点附近 $dP_s^2/dT=P_s^2/\Delta T$ 是常数。

3

$$S_s(T_c)-S_s(T)=\frac{-1}{2}\beta\left(\frac{P_s^2}{\Delta T}\right)\ln\left(\frac{T_c}{T}\right)$$

$$=\frac{1}{2}\beta\left(\frac{P_s^2}{\Delta T}\right)\ln\left(1-\frac{\Delta T}{T_c}\right)$$

$$\simeq\frac{1}{2}\beta\left(\frac{P_s^2}{\Delta T}\right)\left(-\frac{\Delta T}{T_c}\right);\quad S_s(T_c)=0 \qquad (8a)$$

最后我们得出由于极化对于熵的贡献就为

$$S_s(T)=\frac{1}{2}\beta P_s^2\left(\frac{1}{T_c}\right) \qquad (9)$$

代入(6)式得出由于极化对于自由能的贡献就是

$$G_s(T)=\frac{1}{2}\beta P_s^2\left(\frac{T_c-T}{T_c}\right)=\frac{1}{2}\beta P_s^2\left(\frac{\Delta T}{T_c}\right) \qquad (10)$$

此式(10)的适用性将受到一定的限制，因为存在如下条件：

i) 对应于自发应变[3]的弹性是各向同性的。

ii) 相变是第二级的。如果相变是第一级的，但靠近第一级的，即 $(T_1-T_c)/T_c \ll 1$。T_1是实际的(第一级次)相变温度，T_c是外推的居里温度，此式(10)仍然是一个良好的近似。

这些条件互相之间也有联系。另外，对于 $T_c-\Delta T_0<T<T_c$ 之间的温度T要足够靠近 T_c，以保证 $\frac{dP_s^2}{dT}\sim$常数。实质上这个条件相当于限于 ΔT_0

4

北京一五二厂公文稿纸

在一个绝热循环过程中，也就没有的热量交换发生。存储的功由铁电自由能的变化给出。所以，对于温度在 $T_c-\Delta T$ 和 T_c 之间的过程，

$$\Delta W=\frac{1}{2}\beta P_s^2\left(\frac{\Delta T}{T_c}\right) \qquad (11)$$

这里我们直接就算出了卡诺因子 $\left(\frac{\Delta T}{T_c}\right)$。

3. 效率

总之，能量转换的理想效率可表示：

$$\eta=\frac{\Delta W}{\int_{T_c-\Delta T}^{T_c}\rho c' dT}\sim\frac{1}{2}\left(\frac{\beta P_s^2/\Delta T}{\rho\bar{c}'}\right)\left(\frac{\Delta T}{T_c}\right)=\frac{1}{2}\left(\frac{\beta M}{\rho\bar{c}'}\right)\left(\frac{\Delta T}{T_c}\right) \qquad (12)$$

式中 $\beta M=\beta P_s^2/\Delta T$ 是材料的特征常数（在一个确定的极大值 ΔT 内），ρ 是密度，c' 是材料每单位质量的总比热，包括"铁电"的贡献（峰）的贡献。由式(12)表明，在任一绝热过程中，其效率必定比卡诺效率 $\eta_c=\frac{\Delta T}{T_c}$ 低。$\bar{c}'$ 是 c' 在整个温度范围 ΔT 之间的平均值。

按铁电体的统计理论（或偶极理论），可以得到[4]：

$$\beta M=\beta 3(N\mu/\chi)^2/T_c=3\chi^{-1}NK \qquad (13)$$

这样，由式(12)可表为

$$\eta=\frac{\frac{3}{2}\chi^{-1}NK}{\rho\bar{c}'}\left(\frac{\Delta T}{T_c}\right)=\frac{\Delta\bar{C}_F}{\bar{c}}\left(\frac{\Delta T}{T_c}\right)\equiv\frac{\Delta\bar{C}_F}{\bar{C}}\left(\frac{\Delta T}{T_c}\right) \qquad (14)$$

5

北京一五二厂公文稿纸

这里 $\Delta C_F = C_{E=0} - C_P = 0$; $\Delta C_F(T_c) = \frac{3}{2}\lambda'^{-1}NK$ (15)

是有序无序型的铁电比热，而 $\Delta C_F'$ 则相当于位移型的铁电比热。

由此热释电系数表达式(12)，可以看出：为了达到优越的性能，因子(BM)应尽可能地大，而介电(PC′)应尽可能地小。因子(BM)取决于每单位体积内基本偶极子的数目，而且也与 λ' 有关，λ' 是其偶极子和极化偶极子之比的量度。可以指出，在典型的有序—无序铁电体中（如TGS和 $NaNO_2$）低的N与低的 λ' 同时具有，而在具有显著的位移特性的铁电体中（如铌酸锂、SbSI等）中，大的N与大的 λ' 共存。另一方面，介电PC′与化合物之本身的结构有关。如此传释性，对于给定的结构和密度，传释性应尽量选得高一些。

对于些铁电体，则是其相关热释性能的有关参数是已经知道的。表中表Ⅰ给出了这些相关参数以及其几种典型材料的性能因子(BM/PC′)。表中所列的C′之值要大一些，除 $NaNO_2$ 外，实际上是最大值。$NaNO_2$ 该值对应 $T=T_0-1°C$ 时之值，这种材料具有一个异常峰值，出现在第一次相变开始之前的零点几度范围内。对于 $LiNbO_3$ 来说，还没有关于 $P_s^2/\Delta T=|dP_s^2/dT|$ 和C′接近 T_c 时的直接实验资料可以利用。但由于其最大自发极化和比热

6

此也说明对于$LiTaO_3$的参数，我们可以期望它具有一个较大的释电因子。可以看出，在较低温度范围内（从几度到几百度）可以（dP_s^2/dT～常数的）得到高达0.2～0.4的释电因子。

4. 铁电转换过程

在这一部分中，我们讨论发生在单阶段循环过程中一个最简单的热电、铁电转换过程的特性。所谓的单阶段，是指当热源和冷源之间的温度差ΔT较大时，可以将它们分成几个ΔT_i之和，即$\Delta T=\sum_i \Delta T_i$，而对每一个$\Delta T_i$使用单阶段转换，一层可能找到适应此温度的固溶体的最好的温度范围。

图1示意地画出了一个单阶段（循环转换）过程。在一块单畴铁电材料

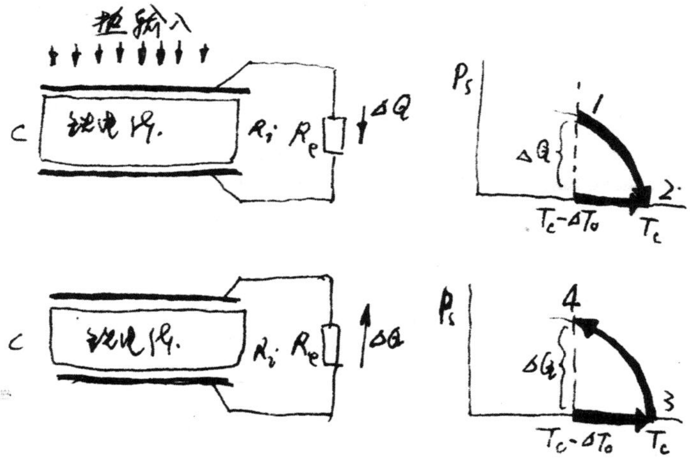

图1. 热电铁电转换（单阶段循环过程）从$T_c-\Delta T_0$到T_c加热时，电荷通过负载R_e流过（$R_e=R_i$，内阻）。在从T_c到$T_c-\Delta T_0$冷却时，电荷ΔQ反向流过R_e，电荷$\Delta Q=AP_{s0}$。电阻$R_e=R_i=\rho_e d/A$；电容$C=\varepsilon(T)A/4\pi d=$ [illegible]

北京一五二厂公文稿纸

的两边用蒸发两个金属电极，两个电极之间用负载连接起来。交替地加热和冷却，使温度从 $T=T_c-\Delta T_0$ 到 $T\approx T_c$（稍低于 T_c 的温度称之为"局极化"）再由此又回到 $T=T_c-\Delta T_0$，自发极化的变化伴随着电流从一个电极流到另一个电极，这样便产生了一个很好的交流电。在 1~2 的过程中，晶体吸热，温度从 $T=T_c-\Delta T_0$ 到 T_c，且自发极化从（温度为 T 时）P_{s0} 到（温度为 T_c 时）的零。

描述热传导（小片）温度的微分方程式的解稍写有些复杂，它描述两个状态（温度为周期大小片温面的分布）的线性的化

$$\frac{dT}{dt}=-\frac{1}{\tau_T}\Delta T,\quad \tau_T\simeq(\rho C'/K)d^2 \qquad (16)$$

式中 τ_T 是热弛豫时间，仅与密度（ρ）、比热（C'）、热传导率（K）和小片厚度有关（除了相当单位周期而外）。由式(16)的解是

$$\Delta T=\Delta T_0 e^{-t/\tau_T} \qquad (17)$$

$\Delta T=T_c-T$ 是瞬时温差，而 ΔT_0 是初始（最大）温差。

描述瞬时电荷流的微分方程可写为：

$$\frac{dq}{dt}=-\frac{1}{\tau_e}\Delta q,\quad \tau_e=RC=\left(\rho_e\frac{d}{A}\right)\left(\frac{\epsilon A}{4\pi d}\right)=\frac{1}{2}(\rho_e/\beta)\left(\frac{T_c}{\Delta T}\right) \qquad (18)$$

式中 τ_e 是电（温度依赖的，热的是时间依赖的）弛豫时间，它由于负载电阻 R_e 兼上跨过小片（介）电容。对应于最大的功率输出 $R_e=R_i$——晶体的内阻，用电阻率（ρ_e）表示，仅稍与温度、小片电极面积和厚度有关。电容（高斯单位）中所决定的依赖于温度的晶体的介电常数在 T_c 一段低于 T_c 时遵从居里—外斯定律：

8

北京一五二厂公文稿纸

$$\epsilon=\frac{1}{2}C/\Delta T=(2\lambda T_c/\beta)/\Delta T \qquad (18)$$

此式(18)中流动的电荷 q 是给定的时间里是比例于有效的自由电荷 (ΔQ) 的，ΔQ(?) 是单位电极上的总电荷与给定温度下的平衡电荷 $(\Delta Q_s=AP_s)$ 之差。所以：

$$\Delta q=\Delta Q-\Delta Q_s\,,\quad \frac{dq}{dt}=\frac{dQ}{dt}-\frac{dQ_s}{dt} \qquad (20)$$

考虑到将式(17)和(20)代入式(18)也就可写成：

$$\Delta Q_s=AP_s(T)=AP_{s0}(\Delta T/\Delta T_0)^{\frac{1}{2}}=\Delta Q_{s0}\,e^{-\frac{1}{2}t/\tau_T}$$

和

$$\frac{dQ}{dt}-\left[-\frac{1}{2}\frac{1}{\tau_T}\Delta Q_{s0}\,e^{-t/\tau_T}\right]=-\frac{1}{\tau_e}\left[\Delta Q-\Delta Q_{s0}\,e^{-\frac{1}{2}t/\tau_T}\right] \qquad (21)$$

根据前面的(最小的)电弛豫时间，瞬时电弛豫时间 (τ_e) 可表为

$$\tau_e=\tau_{e0}(\Delta T/\Delta T_0)=\tau_{e0}\,e^{-t/\tau_T}\,,\quad \tau_{e0}\equiv\frac{1}{2}(\rho_e/\beta)\left(\frac{T_c}{\Delta T_0}\right) \qquad (22)$$

使用简化变量 $y=\Delta Q/\Delta Q_{s0}$，$x=t/\tau_T$，一般规定 $m=\tau_T/\tau_{e0}$，我们有

$$\frac{dy}{dx}=-m\left[ye^{-x}-e^{-\frac{3}{2}x}+\frac{1}{2m}e^{-\frac{1}{2}x}\right] \qquad (23)$$

这是一阶线性微分方程，可一般写：

$$\frac{dy}{dx}+M(x)y=N(x);\quad M(x)=me^{-x};\quad N(x)=me^{-x}\left(e^{-\frac{1}{2}x}-\frac{1}{2m}e^{\frac{1}{2}x}\right) \qquad (24)$$

其解是

$$y(x)=e^{-\int M(x)dx}\left[\int_0^x N(x)e^{\int M(x)dx}dx+C\right] \qquad (25)$$

计算积分 $\int M(x)dx=-me^{-x}$

$$\int_0^x N(x)e^{-me^{-x}}dx=-m^{-\frac{1}{2}}\left[\gamma\left(\tfrac{3}{2},me^{-x}\right)-\gamma\left(\tfrac{3}{2},m\right)\right]+\frac{1}{2}m^{-\frac{1}{2}}\left[\gamma\left(\tfrac{1}{2},me^{-x}\right)-\gamma\left(\tfrac{1}{2},m\right)\right] \qquad (26)$$

9

北京一五二厂公文稿纸

式中 $\gamma(\alpha,x)=\int_0^x e^{-t}t^{\alpha-1}dt$ 是不完全的γ函数[6]。我们有以下的解：

$$y(x)=e^{me^{-x}}\left\{m^{-\frac{1}{2}}\left[\gamma\left(\tfrac{3}{2},m\right)-\gamma\left(\tfrac{3}{2},me^{-x}\right)\right]-\tfrac{1}{2}m^{-\frac{1}{2}}\left[\gamma\left(\tfrac{1}{2},m\right)-\gamma\left(\tfrac{1}{2},me^{-x}\right)\right]+C\right\} \quad (27)$$

可用 $y(x)$ 在 $x=0$ 和 $x=\infty$ 时的限制条件来确定常数 C 和最佳的 m 值：

首先从 $y(0)=1$，也就是 $\Delta Q(t=0)=\Delta Q_{s0}=AP_{s0}$

$$C=e^{-m} \quad (28)$$

另一方面，从 $Y(\infty)=0$，也就是 $\Delta Q(t=\infty)=0$，这意味着电荷全部存储从一个电极转移到另一个电极。

$$\left[m^{-\frac{1}{2}}\gamma\left(\tfrac{3}{2},m\right)-\tfrac{1}{2}m^{-\frac{1}{2}}\gamma\left(\tfrac{1}{2},m\right)\right]=0. \quad (29)$$

γ函数的数值表可以在参考文献[7]中找到，精确地得出满足式(29)的 m 值是 $m=1$。

对于 $m=1$ 的 $y(x)$ 的表示式可写为

$$y(x)=e^{e^{-x}}\left[\tfrac{1}{2}\gamma\left(\tfrac{1}{2},e^{-x}\right)-\gamma\left(\tfrac{3}{2},e^{-x}\right)\right] \quad (30)$$

我们感兴趣的是通过负载的电流，定义

$$I(t)=\frac{dQ}{dt}=\frac{\Delta Q_{s0}}{\tau_T}\left(\frac{dy}{dx}\right) \quad (31)$$

使用公式(23)，令 $m=1$，我们有

$$\frac{dy}{dx}=-e^{-x}\left\{e^{e^{-x}}\left[\tfrac{1}{2}\gamma\left(\tfrac{1}{2},e^{-x}\right)-\gamma\left(\tfrac{3}{2},e^{-x}\right)\right]+\tfrac{1}{2}e^{\frac{1}{2}x}-e^{-\frac{1}{2}x}\right\} \quad (32)$$

我们现在来计算转移电荷所产生的功率。

10

北京一五二厂公文稿纸

$$P_{输出} = R_e I^2 = \rho_e \left(\frac{d}{A}\right)\left(\frac{dQ}{dt}\right)^2 = \rho_e \left(\frac{d}{A}\right)\left(\frac{AP_{S0}}{\tau_T}\right)^2\left(\frac{dy}{dx}\right)^2$$

$$= (Ad)\frac{(\rho_e/\beta)(T_c/\Delta T_0)}{\tau_T}\left(\frac{\Delta T_0}{T_c}\right)\left(\frac{P_{S0}^2}{\Delta T_0}\right)\left(\frac{\Delta T_0}{\tau_T}\right)\left(\frac{dy}{dx}\right)^2$$

$$= 2\left(\frac{\Delta T_0}{T_c}\right)\left(\frac{\beta M}{\rho c'}\right)\left(\frac{dy}{dx}\right)^2\left(\frac{\tau_F}{\tau_T}\right)P_{输入} \qquad (33).$$

式中 $V=Ad$ 为体积，$\beta M=\beta P_{S0}^2/\Delta T$ [illegible]. $\tau_{e0}/\tau_T = m = 1$ 并应用了能量守恒原理.

$$P_{in}\,\tau_F = V\rho c'\Delta T_0 \qquad (34)$$

式中 P_{in} 为输入功率（以热的形式）而 τ_F 是供热的总的时间.

[illegible]在一个半周期内的平均效率是

$$\bar{\eta} = \frac{\overline{P_{输出}}}{P_{输入}} = 2\left(\frac{\Delta T_0}{T_c}\right)\left(\frac{\beta M}{\rho c'}\right)\int_0^{x_F}\left(\frac{dy}{dx}\right)^2 dx \qquad (35)$$

式中 $x_F=\tau_F/\tau_T$ 是[illegible]它是在式(33)中的，因为 $\frac{\tau_F}{\tau_T}$ 的积分

$$\int_0^{x_F}\left(\frac{dy}{dx}\right)^2 dx = \int_0^{x_F} e^{-2x}\left\{e^{-x}\left[\frac{1}{2}\gamma\left(\frac{1}{2}, e^{-x}\right) - \gamma\left(\frac{3}{2}, e^{-x}\right)\right] + \frac{1}{2}e^{-\frac{1}{2}x} - e^{-x}\right\}^2 dx \qquad (36)$$

可以求出数值并由此估计。对于 $x_F=1$，它的值是 0.16，对于 $x_F=\infty$，它近似为 0.24，非常接近于理想值 $\frac{1}{4}$，这就是(35)式和(12)式相符。

5. 电功率输出

如上所述，在一个周期过程中，铁电陶瓷之间的最大的有效的 ΔT_0.

11

北京一五二厂公文稿纸

在这个温度范围内 $|dP_s^2/dT|$ 保持一个高的绝对值，仍接近相当于 $T\approx T_c$ 之值。ΔT_0 的值确定

$$\tau_{e0}=\tau_T=\tau=\frac{1}{2}(\rho_e/\beta)(T_c/\Delta T_0) \qquad (37)$$

通过(16)和(37)式，最佳厚度可找到了

$$d=\left(\frac{K\tau}{\rho c'}\right)^{\frac{1}{2}}=\left(\frac{K\rho_e}{2\beta\rho c'}\frac{T_c}{\Delta T_0}\right)^{\frac{1}{2}} \qquad (38)$$

遗憾的是现在缺乏有关传输参数，热传导率(K)和电阻率(ρ_e)的有用资料，除了某些研究最多的铁电体，如TGS、$NaNO_2$和$BaTiO_3$以外。但这少数几种情况足以说明“热释电”的概念(我们已经提到的特性)。表Ⅱ给出了这三种材料的同一确定驰豫时间(τ)和最佳厚度(d)的相关资料[6.8]。可以看出，相对地低的电阻率可以显著减小驰豫时间，如$NaNO_2$的情况就是这样。可以设想：如果某种晶体的适当的和最佳厚度“掺杂”能够降低电阻率而又不损伤其中一铁电性质，那么从能量转换的观点来看，这就是一种合适的材料。

所谓的比功率输出，就是材料每单位体积的功率输出，可按如下方法计算：

$$\bar{P}_{out}/V_p=\eta(\tau_F^{-1}P_{in})/V_p=\frac{1}{2}\left(\frac{\Delta T_0}{T_c}\right)^3\left(\frac{\beta M T_c}{\rho}\right)(\beta/\rho_e) \qquad (39)$$

式中 $\tau_F=2\tau=2\tau_{e0}$ 是循环的周期。从(39)式可以看出，为了得到高的比功率输出，除了要具有高的热性因子和大的工作温度ΔT_0外，具有低的电阻率也是很重要的。

表Ⅱ 最佳驰豫和厚度

晶体	ΔT_0 (°K)	ρ_e (Ω-m)	参考资料	K (J/cm°C)	参考资料	τ (sec)	d (cm)
TGS	20	10^{11}	(8)	.57	(6)	54.	0.40
$NaNO_2$	5	10^7	(6)	1.3	(6)	0.05	0.01
$BaTiO_3$	10	6.10^8	(6)	(3)	(6)	394.	1.70

12

北京一五二厂公文稿纸

表Ⅲ列出了按照式(39)对TGS、$NaNO_3$和$BaTiO_3$计算得出的比功率输出

表Ⅲ. 比功率输出

晶体	$(\Delta T_0/T_c)^3\times10^{-6}$	$(\beta MT_c/\rho)\times10^7$ (尔格/克)	(ρ_e/β) sec	$P_{out}/V\rho$ (尔格/秒·克)	(瓦/克)
TGS	235.	75.6	10.	86×10^3	8.6×10^{-4}
$NaNO_2$	1.5	445.	1.35×10^{-3}	9.8×10^7	9.8
$BaTiO_3$	15.7	27.	18.8	4.2×10^3	4.2×10^{-4}

对于铁电体 比功率输出 $P_{out}/V\rho=\frac{1}{2}\left(\frac{\Delta T_0}{T_c}\right)^3\left(\frac{\beta MT_c}{\rho}\right)\left(\frac{\rho_e}{\beta}\right)^{-1}$

旧电流（交流初值）、电压和电场强度也可得出如下：

$$\bar{I}/A=\Delta P_{s0}/\tau_F=(MT_c)^{\frac{1}{2}}(\rho_e/\beta)^{-1}(\Delta T_0/T_c)^{\frac{3}{2}} \quad (40)$$

$$\bar{V}=\bar{P}_{out}/\bar{I}=\frac{1}{2}\left(\frac{\beta MT_c\rho_eK}{2\rho C'}\right)^{\frac{1}{2}}(\Delta T_0/T_c) \quad (41)$$

和

$$E=\bar{V}/d \quad (42)$$

$BaTiO_3$的击穿场强比已给出的资料所提高。从这个表也可以看出，铁电体产生非常大的电压输出和非常小的电流[9]。小电流意味着电荷在表面电荷层不足以作电流，大电压有可能加以利用。例如，可利用太阳的辐射能，将一铁电—热电转换器产生的高压"电弧"，或用来生产氮肥。从电压输出的观点来看，我们可以讨论这种方法比其它直接能量转换的方法更好。

我们的实验室程，使用"prepoled"（预先）TGS进行了初步的实验研究。表明它能以任何交流电的形式工作在接循环中，进程是连续很好。达到了一个连续不需要的 续几个小时，更详细的实验工作还在进行。

13

北京一五二厂公文稿纸

6 讨论

一般说来，单晶铁电转换效率是低的。这主要是由于受到卡诺因子$\left(\frac{\Delta T_c}{T_c}\right)$的限制。对于所研究的材料，它不能超过10~25%。对于我们所采用的材料，热电因子$\frac{1}{2}\left(\frac{BM}{PC}\right)$在(5~17)%范围内。某些已知的铁电体具有特别大的自发极化（如$PbTiO_3$和$LiNbO_3$），但它们都具有较大的热电因子。但如果打破较高的可利用的T_c（~1500K）和居所的常温的T_c（~300K）之间的相当高的温度范围，则多晶转换，那么10~15%的理想效率是可以达到的。这需要使用同样很大的温度间隔。这些功率输出将是各个比功率的加权平均值，可以期待。这种功率转换途径似乎可以与其他典型的转换方法竞争。例如太阳电池，它的典型的比功率输出要比表II的材料$NaNO_2$之值低几个数量级！另外，具有沿铁电相变发生的自然特点，可提供重新使用，这样可望减少成本。第一步应吸收到的地方是高功率输出。关于这一点，对于瞬态（高速）转换的试验结果，例如对于电场和……研究。我们将对材料进行系统的调查，努力寻求兼有高的热电因子、大的容许的ΔT_c和低电阻率的材料。

最后，我们简略地提一下将上述讨论"加以必要的变更"用于铁磁转换的铁磁材料的情形。对Fe、Ni和Co的热电因子的估计表明，它们要比典型的铁电体……在铁磁材料的情况下，[illegible]大的比铁电体。

14

北京一五二厂公文稿纸

大的极化强度，而自发极化的平方大(比)且热电系数的极化强度，综合性能的材料也相差不多。钛酸钡材料的热电转换性能值得作进一步的详细分析。

表 IV.

比电流和电压输出

品种	$\bar{I}/A$ (安/cm²)	$\bar{V}$ (伏)	$\bar{E}$ (伏/cm)	$E_{击穿}$ (伏/cm)
TGS	$18.\times10^{-9}$	3.6×10^{4}	9×10^{4}	—
$NaNO_2$	32.5×10^{-6}	1.8×10^{2}	1.8×10^{4}	—
$BaTiO_3$	$15.\times10^{-9}$	0.72×10^{2}	0.42×10^{4}	30×10^{4}.

平均比电流 $\frac{\bar{I}}{A}=\frac{\Delta P_{s0}}{\tau_F}$，输出电压 $\bar{V}=\bar{P}_{out}/\bar{I}$，和场强 $\bar{E}=\bar{V}/d$。将 $BaTiO_3$ 之击穿场强也给出，以资比较

15

RESEARCH INSTITUTE OF SYNTHETIC CRYSTALS
P.O. BOX 733, BEIJING 100018, P.R. China
Tel: 86-10-5762966-498 Fax: 86-10-5762827

TO: Optical Institute, Tech. Univ. of Berlin　　DATE: Oct. 07, 1995
ATTN: Dr. Yi Ding　　PAGE 1 OF 1
FAX: [illegible]　　FROM: Dezhang Shen

Dr. Yi Ding（丁苡 先生）

丁先生，您好！

您24日发来的传真收到，谢谢您对我所生长的KN晶体感到兴趣。

我所进行KN晶体的生长已快廿年了。进行其折变方面的研究也近十年。先后在自泵浦相位共轭、响应速度提高、提高响应速度等方面做了不少工作。但因我所仅仅重于晶体生长，其折变方面的研究主要是我与兄弟单位合作进行的（例如与美国休斯公司、北京大学、物理所等单位合作）。对于您提出的两个方案中我倾向于第一个方案，即合作进行研究：申请资助每年我们派人带着实验用的晶体去Berlin做短期访问。

但因我们与物理所德国订有合作协议，对于我还需要与德国商量。据说他十一月初回来，需要我们双方进一步磋商。您也可以来信谈谈准备在哪些方面进行合作，需要准备什么晶体，等。

祝

秋安！

沈德忠

RESEARCH INSTITUTE OF SYNTHETIC CRYSTALS
P.O.BOX 733, BEIJING 100018
PEOPLE'S REPUBLIC OF CHINA
TEL: 010-65795592　FAX: 010-65795592

TO: 上光所周良智教授　　**FROM:** 沈德忠

FAX:　　**DATE:** 1997.12.17.

##

良智，你好！所附加工的五块晶体，前四块都是二倍频（SHG，S表second），第五块是三倍频（T表Third）。没有四倍频和五倍频，是我记错了。而且这切的角度，都是对1.064μ、0.532、0.355而言的，而对1.053μ的基波，其角度会有误差。

经计算，有相关的折射率数据如下：

折射率＼波长(μ)	1.053	0.526	0.350
n_o	1.4854	1.4988	1.5181
n_e	1.4357	1.4464	1.4623

因为CLBO为负单轴晶，I型匹配为 $o+o\to e$，故对于I型的SHG，1.053μ的入射面镀 $n_o=1.4854$ 的增透膜，0.526μ倍频光的出射面镀 $n_e=1.4464$ 的增透膜。

对于II型的SHG，因为是 $o+e\to e$，怎么镀我就不清楚了，是否应用平均的折射率（$\bar{n}=(1.4854+1.4357)\div 2=1.4606$）？出射面肯定是镀 $n_e=1.4464$ 的增透膜。

对于II型的THG，是 $e_{1.053}+o_{0.526}\to e_{0.350}$，故恐怕也要与II型SHG相同，即1.053、0.526入射的一面镀 $\bar{n}=(1.4357+1.4988)/2=1.4673$ 的增透膜，而0.350出射的一面镀1.4623的增透膜。我对镀膜是外行，还请你找镀膜专家问问。

一般还有镀双通的，这样用起来就不必在乎哪一面是1.053的入射面，具体怎么镀，我也不知道。

本来，已镀好膜的话，即可作倍频试验，但因CLBO是潮解的，空气中易开裂。不知贵所的测试环境是否是除湿的，如果是，就先大致测一下SHG效率，THG的效率还是有的。然后交给我们，据范先生的要求测的温度带宽（他们应需知道的就是CLBO倍频时的温度带宽）。如果测试环境不能除湿，我看镀膜好后就再送给我们，也可托人寄回来，我要先制作工装，上涂上一层防潮膜材料，然后再寄给你们去进行测试。这些研究，本来就是用来探索镀膜方法的，厚料的组合适当，使用效果不会是最理想的。下一次将送来正式的样品，就可正式测一测了。这次所用费请来信告知，一并付清。

祝冬好！

沈德忠

TO: 張佑國 教授　　　　FILE NO.: 1

FAX NO.:　　　　DATE: 1998.12.18.

飞腾，你好！

现将提三个有关问题请你答复。

1. Do you have any housing equipment for the environmental protection of CLBO crystal sample?

2. The phase match angles for the 4HG of CLBO are $\Phi=45°$, $\theta=62°$ (as shown in the Fig below) according to the general expression method, and the mismatch sensibility is much greater for θ than for Φ. Why you want to adjust Φ and not θ?

3. Please tell us, which cutting form (A or B? in the Fig) is that you want for the sample of CLBO crystal?

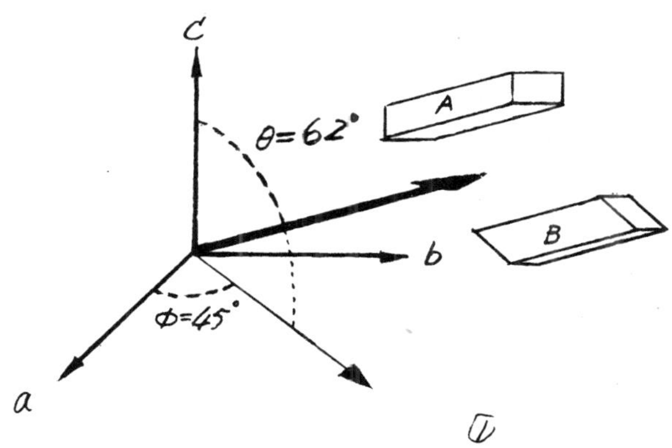

TO: 傅治國教授、沈德忠　　FILE NO.: 1

FAX NO.:　　DATE: 1998.1.13

([illegible]按 Fig 1 切割)

Thanks for your fax of Jan. 12. Up to now, I can cut the crystal simply according to your point of view, i.e. cut the crystal as that as Fig. 1 of my last fax. But there are two contradictions between Fig. 1 and your view. So I kindly ask you again as following.

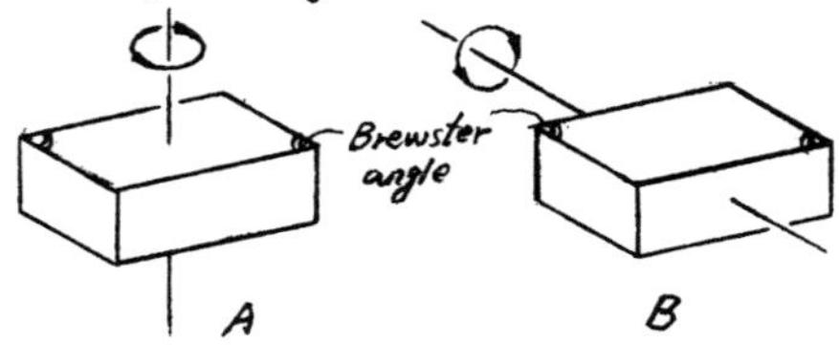

Fig. 5.

1. You said that the angle you wanted to adjust is θ. Which sketch, "A" or "B" in Fig 5, do you want to use for the adjustment? I don't think you would choose sketch "B". If it is true, then the sketch "A" has to be used for adjusting. In this sketch, but, just the phase matching angle φ can be adjusted. Please refer to Fig. 6 which is a projection drawing of Fig. 1 of my last fax on (110) crystal plane. Please notice that the optical axis is perpendicular to the paper plane now, and we just can adjust the φ angle, not θ!

2. You said that you would like to have the crystal's Brewster faces perpendicular to the laser beam at exact phase matching. This demand means that the laser beam should coinside with the normal line of the Brewster face.

I don't know which face is

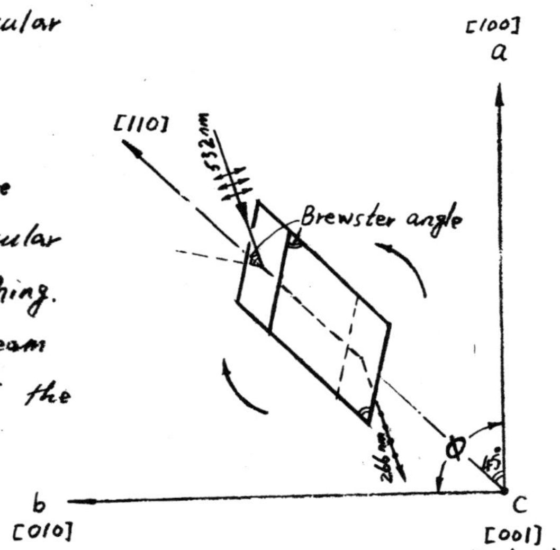

Fig. 6

the face you called it "Brewster face."
In my knowledge, the situation of Brewster cut is that shown in the Fig. 7. When the refractive indexes of air and crystal are n_1 and n_2 respectively, and the laser beam entered into the crystal from air, then the Brewster angle can be got according to the formuna:

$$\text{Brewster angle } \theta_i = tg^{-1}\frac{n_2}{n_1}$$

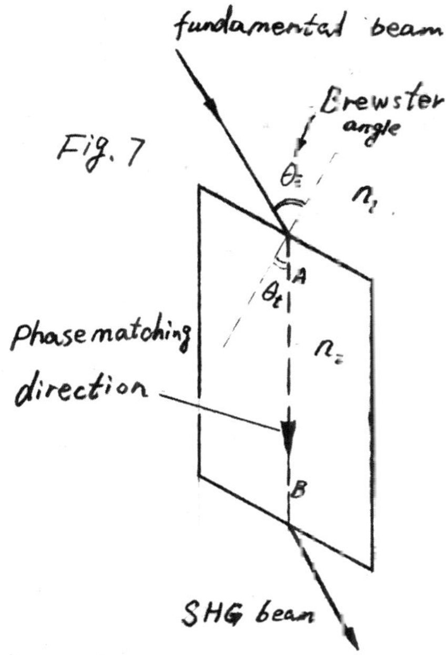

Fig. 7

The refracted angle $\theta_t = 90° - \theta_i$. In order to reach the phase matching conditions, we let the direction of the refractive line A–B (please see Fig. 7) coinside withe the direction of phase match. So, you see, there is no any face perpendicular to the laser beem!

3. According to the Fresnel equation, the reflective ratio $R_\perp$ and $R_\parallel$ are as the following:

$$R_\perp = r_\perp^2 = [E_{or}/E_{oi}]_\perp^2 = \frac{\sin^2(\theta_i-\theta_t)}{\sin^2(\theta_i+\theta_t)}$$

$$R_\parallel = r_\parallel^2 = [E_{or}/E_{ot}]_\parallel^2 = \frac{\tan^2(\theta_i-\theta_t)}{\tan^2(\theta_i+\theta_t)}$$

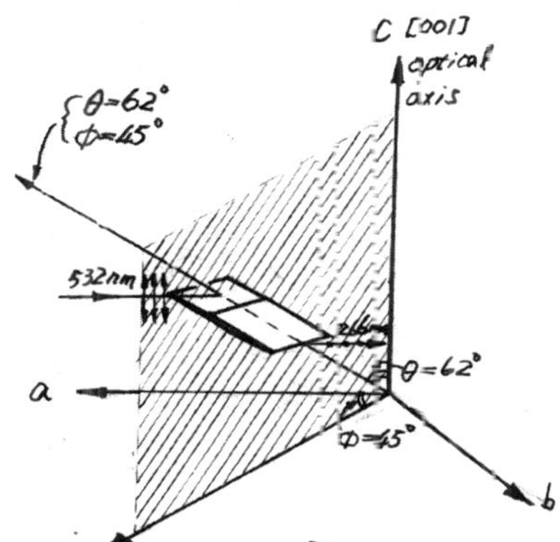

Fig. 8

$R_\perp$ can't becomo zero. But when $\theta_i + \theta_t = 90°$ (Just like the situation mentioned in Section 2 of this fax), $R_\parallel = 0$. So, to reduce the reflective losses, i.e. to make $R_\parallel = 0$ just need to make $\theta_i + \theta_t = 90°$ in the condition: E_{or} and E_{ot} per……

此件未发。图8此传真回答问对满足两个条件，1是532nm偏振是以布氏角入射晶体，2是532nm偏振方向必须垂直于光轴（I型匹配 $n^o_{532}=n^e_{266}$）。图8示出满足这二个条件。

TO: 張治國教授　　　　FILE NO.: 1

FAX NO.: [illegible]　　　　DATE: 1999.7.7

治国，你好！

传真收到，谢谢。对方在传真中提出，对于象CLBO这样的单轴晶，他们通常是在光传播方向和光轴之间来确定角度（相位匹配角？）。这与我们的作法是一致的。遗憾的是，附图中标注的光轴很随意（你能看出它是在哪个方向上？）。这里再次标明我们通常确定相位匹配角θ和φ的规定（图1）。计算表明，对于点群属于$\bar{4}2m$的CLBO负单轴晶，其I型相位匹配的有效非线性系数表达式为：$d_{eff}=-\chi_{14}\sin\theta\sin2\varphi$，很明显，只在φ角为45°时$d_{eff}$才有最大值。所以对于CLBO的[这]类I型匹配，φ角都为45°，在加工时是由X光衍射精确定向切割的，这在一般情况下根本不必进行调整（再说，就是左右调整了一、两度，转换率也不会有多大变化。）而θ角都是由倍频确定，不同倍频θ不同。（对于1.064→0.532 θ=29.5°，对于0.532→0.266，θ为62°左右）。此角度差一点就会明显地影响转换效率，这就要调整θ角。

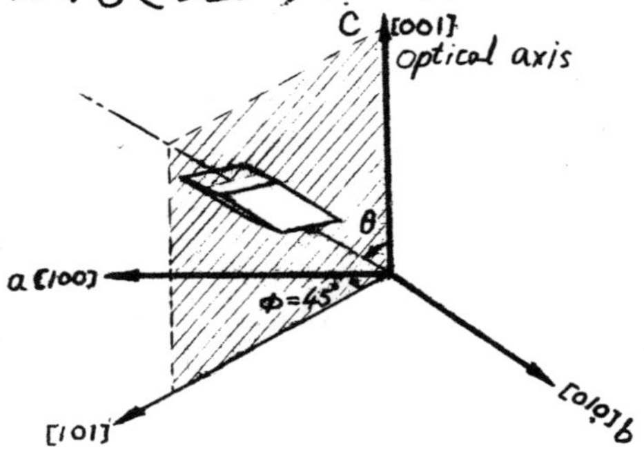

Fig 1. 图

一般说来，总是把倍频晶体中需要进行调整的那一边做得长一些，以便留有调整的余地。具体到这一块4倍频的CLBO晶体，应该是6毫米长的那一边转动，以调整θ角，而4mm长的一边只作平动。如图2所示那样，晶体应围绕垂直于纸面通过中心十字叉（即"十"）处的轴进行转动，调整θ角。

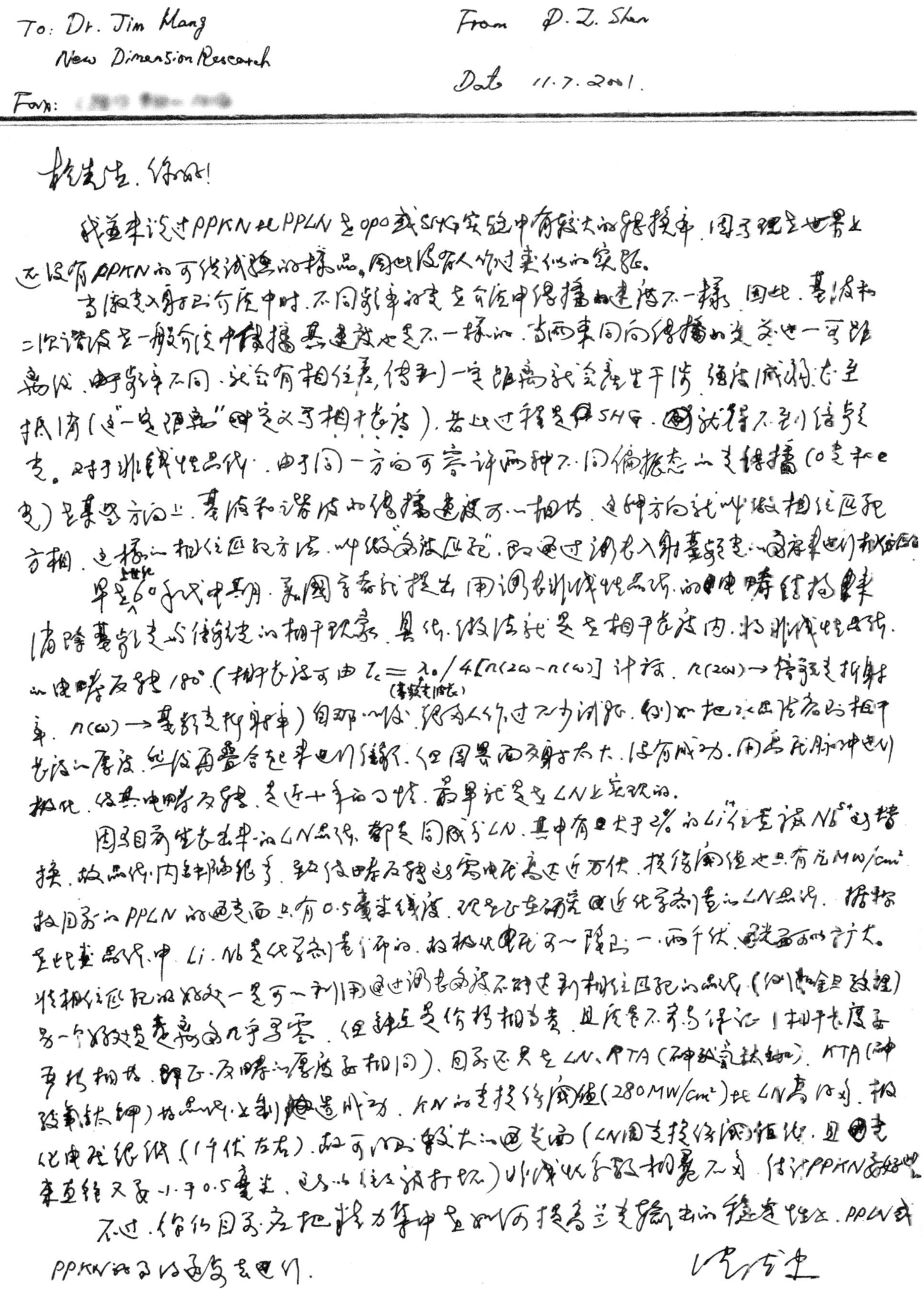

To: Dr. Jim Wang
New Dimension Research
Fax:

From D. Z. Shen
Date 11.7.2001.

杨先生，你好！

我曾来谈过PPKN比PPLN在OPO或SHG实验中有较大的转换率，因为现在世界上还没有PPKN的可供试验的样品，因此没有人做过类似的实验。

当激光入射到介质中时，不同频率的光在介质中传播的速度不一样，因此，基波和二次谐波在一般介质中传播其速度也是不一样的。当两束同向传播的光经过一定距离后，由于频率不同，就会有相位差，传到一定距离就会产生干涉，强度减弱甚至抵消（这一定距离叫做相干长度）。若此过程是SHG，就得不到倍频光。对于非线性晶体，由于同一方向可容许两种不同偏振态的光传播（o光和e光），在某些方向上，基波和谐波的传播速度可以相等，这种方向就叫做相位匹配方向。这样的相位匹配方法，叫做角度匹配，即通过调节入射基频光的角度来达到相位匹配。

早在上世纪60年代中期，美国学者就提出用调制非线性晶体的电畴结构来消除基频光和倍频光的相干现象。具体做法就是在相干长度内，将非线性晶体的电畴反转180°（相干长度可由 $l_c = \lambda_0/4[n(2\omega)-n(\omega)]$ 计算，λ_0（基频光波长），$n(2\omega)$→倍频光折射率，$n(\omega)$→基频光折射率）。自那以后，很多人做过这方面试验，例如把一个个晶片磨成相干长度的厚度，然后再叠合起来进行倍频，但因界面反射太大，没有成功。用高压脉冲进行极化，使其电畴反转，是近十年的事情，最早就是在LN上实现的。

因为目前生长出来的LN晶体都是同成分LN，其中有大于2%的Li位置被Nb^{5+}所替换，故晶体内缺陷很多，致使电畴反转所需电压高达近万伏，抗损伤阈值也只有几MW/cm²，故目前的PPLN的通光面只有0.5毫米线度。现在正在研究近化学计量比的LN晶体，据报导在此类晶体中，Li、Nb是化学计量比的，故极化电压可下降至一、两千伏，通光面可以扩大。

准相位匹配的好处一是可以利用通过调节角度不能达到相位匹配的晶体（例如[illegible]），另一个好处是走离角几乎为零。但缺点是价格相当贵，且质量不容易保证（相干长度要相同，即正、反畴的厚度要相同）。目前已只在LN、KTA（砷酸氧钛钾）、KTP（磷酸氧钛钾）晶体上制备成功。KN的光损伤阈值（280MW/cm²）比LN高得多，极化电压很低（1千伏左右），故可做较大的通光面（LN因光损伤阈值低，且极化电压很高，通光面又只有0.5毫米，这是很难解决的）[illegible]，估计PPKN会好些。

不过，你们目前应把精力集中在如何提高激光输出的稳定性上，PPLN或PPKN的事以后再去做吧。

沈德忠

TO: New Dimension Research

杭志强 先生

Fax:

From: 沈德忠

Data: Feb.9.2002.

杭教授，春节好！

① 《人工晶体学报》邀我写一篇关于$KNbO_3$研究进展的评论性文章，我需要尽可能的收集到有关文献，烦请您将您查到的KN文献通过电子邮件传给我。（第一作者、刊名、期、卷号及年、页号，其他从略。）可按主题分类，请你注明：SHG（倍频）、photo（光折变：photorefractive）或pie（压电：piezoelectric）。

② 我所搞YVO_4晶体的抛光人员，用了一些你给我们买的粒度为0.5μm的金刚石抛光液抛光YVO_4晶体，效果很好，他们还想要。故烦请您代为他们买两瓶粒度为0.5μm的金刚石抛光液，一切费用由他们付给您。

③ 我有个建议，希望您作一下KN沿b轴方向倍频时，输出的倍频光强度的温度变化的关系。由下图可见，KN在b方向的热膨胀系数几乎是a或c方向的10倍，过去文献报导KN温度带宽，都是沿KN的a轴方向测的（即用860nm的光倍频）那时，由于b方向膨胀系数小，故沿a方向的折射率变化较大，温度带宽就不大，但若沿b方向倍频，则b方向伸长，使其内部的倍频光程增加，对折射率变化的抵消作用，这样测一下温度变化对倍频输出的影响，很可能会得到较好的结果。若如此，则可撰写一篇很好的文章，何乐而不为？起码可以了解沿b方向倍频时KN的温度带宽情况。

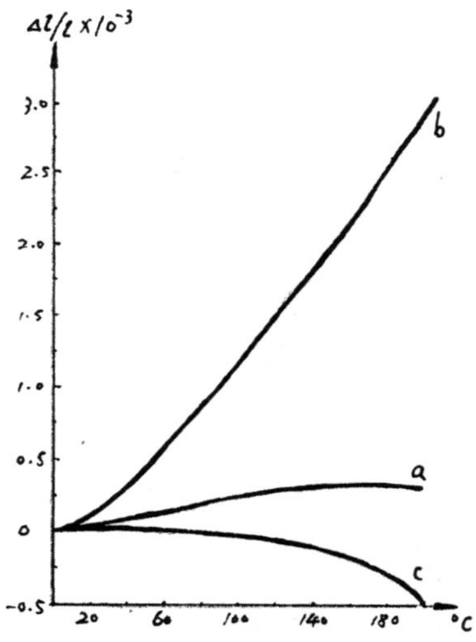

④ 我已经为您加工七块通光长度不同的用于980→490nm倍频的KN倍频器，供您确定最佳通光长度用。（从2毫米到8毫米，每块相差1毫米，即2.3.4.5.6.7.8mm共七块）可能加工时间要长一些，您下次什么时候来北京，但愿届时能够加工完好，待让您带回去。

国家建材局人工晶体研究所

RESEARCH INSTITUTE OF SYNTHETIC CRYSTALS

P.O.BOX 733 BEIJING 100018 CHINA FAX:86—010—65798658 TEL:86-010-65762826

TO: Dr. P. D. Han　　　　FILE NO: 1

FAX NO: [illegible]　　　　DATE: 5.21.2002

老韩，早上好！

我查了一下，磷酸铽大概有如下三种分子式：

$Tb(PO_3)_3$、TbP_3O_9、$TbPO_4$

此外，还有两种Dy、Gd部分取代Tb的：$Dy_{0.52}Tb_{0.48}PO_4$，$Tb_{0.52}Gd_{0.48}PO_4$

未见有形如Tb_4PO_7的分子式。从化合价上看Tb_4PO_7似乎也不合适（Tb是三价，P是5价，$3\times4+5\neq2\times7$）。请核实一下客户所要的确切化合物分子式。

另外，还查出三种含Tb的化合物：$TbFeO_3$、$MnTbO_3$和$BiTb_2O_{12}$应该都有比磷酸铽更好的磁光效应，不知对方为何选用磷酸铽。当然，这里且不去管他，先按客户需要的去办。

但望先弄清楚分子式。问清楚之后，请即时来电话。

5.22日：韩联系：正磷酸铽 $TbPO_4$

沈德忠

To：中央电视台《西部报道》
新闻早报 节目组

From：人工晶体所 沈德忠

Fax：[illegible]

Date：2002年4月25日

沈德忠，男，1940年6月生于贵州贵阳，汉族。

1947~1953：贵阳市荣正小学（现新华路小学）、六洞街小学、河滨小学、甲秀小学读书，1953年甲秀小学毕业。

1953~1956：贵阳二中初中读书直至毕业。1956~1959：贵阳一中读书，直至毕业。

1959~1964：四川大学物理系固体物理专业学习，直至毕业。

1964~1986：北京国家建材部人工晶体研究所从事无机非金属晶体的研究。

1986.7~1987.7：加拿大多伦多大学物理系光波导实验室作访问学者进行光波导。

1987~1993.7：国家建材局人工晶体研究所进行无机非金属晶体的研究。

1993.7~1994.2：美国圣芭芭拉大学物理系合作进行光折变的研究。

1994~ 人工晶体研究所从事无机非金属晶体的研究。

自参加工作以来，一直从事无机非金属晶体的生长、应用和探索新晶体的工作。先后研制出人造金刚石、氟化锂、氟化镁、氟化钡、氧化锆、锗酸铋、铌酸锂、铌酸钾（KN）、磷酸氧钛钾（KTP）、硼酸铯锂等廿多种晶体，涉及高温高压、坩埚下降、提拉、熔盐、冷坩埚等晶体生长技术。对KN晶体在弱激光领域的倍频性能、KTP的倍频及电光应用以及硼酸铯锂晶体的开裂机理、减反射倍频器切割原理等方面，进行了深入的研究。首次在国际上实现了KN晶体的室温自泵浦相位共轭效应，反射率达74%；首次在国际上用熔盐法生长出可用作激光倍频的大尺寸KTP单晶，打破了美国对该晶体的垄断和禁运；首次在国际上用熔盐法生长的KTP晶体进行电光调制，解决了国防的急需。近期进行深紫外倍频晶体的探索研究。铌酸钾（KN）晶体的生长和应用获1988年国家科技进步一等奖。磷酸氧钛钾（KTP）的研究和应用获1988年建材部科技进步一等奖、2001年杜邦科技创新奖和国防科技进步一等奖。在国内外科技刊物上独立或与他人合作发表论文近百篇，四人合译英文《晶体生长》专著一本（共507页），1995年5月被选为中国工程院院士。

自1959年离开贵州以来，无时不在怀念家乡的山山水水、父老乡亲、同学朋友。那首我们在贵阳一中引吭高歌的"啊，贵阳，我们的家乡，你是祖国的好地方！"的歌声，一直萦绕在心头。愿贵州抓住西部大开发的机遇，因地制宜发展经济，提高人民的生活水平和文化素养，把山乡建设成中国的瑞士！

To：刘继秀经理
From：沈德忠
人工晶体研究院

刘经理，你好！

我们那台大炉子要改装一下坩埚托盘，将盘面作成凹球面形，以使坩埚放上后更加稳定，不因底盘转动而移动埚位。其曲率半径如右图所示，右图是一个模板图，作成模板后旋转180°即可得到所需之凹球面。考虑到凹面中心处深50mm，所以你做托盘时要增加厚度，托盘的剖面形状大致如下图所示：

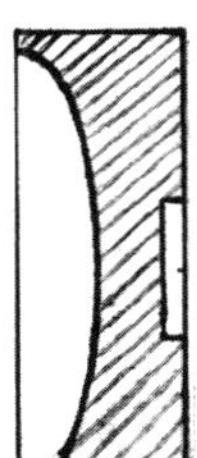

除了厚度增加外，其他外形尺寸不变。

请先加工三个，请告知价格和交货期（越快越好）

祝：生意兴隆！ 2002.8.21.

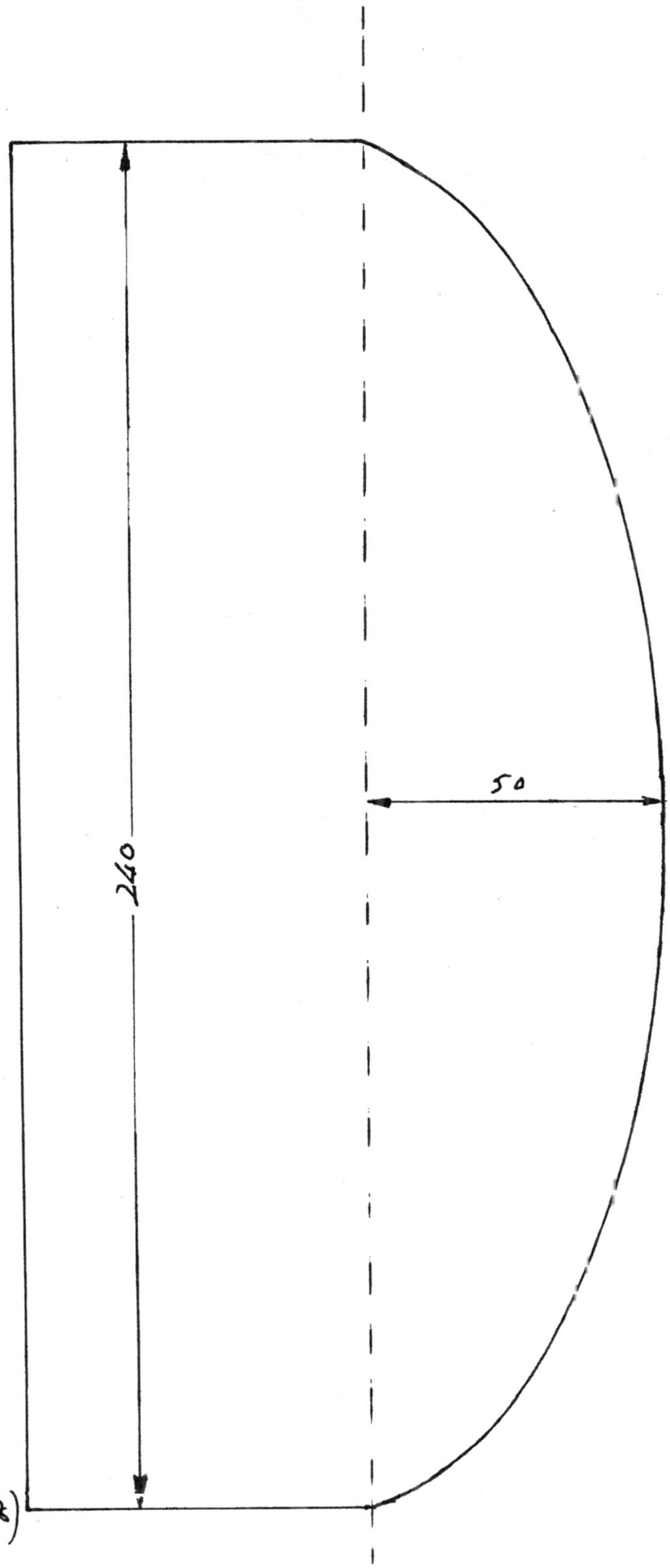

TO：重庆26所一室 何晓亮 同志

你发来的传真已收到，通过对照，知道你们的KN晶片的晶轴取向。现在想请你确认一下，你们的KN晶片的长、宽、厚是否是如下图所示的情况

［X切割是否指θ=0°的切割？（θ=0°时，d_{33}最大）若是，即相当于图中所画的长方片平放在X—Y平面上，是吗？］

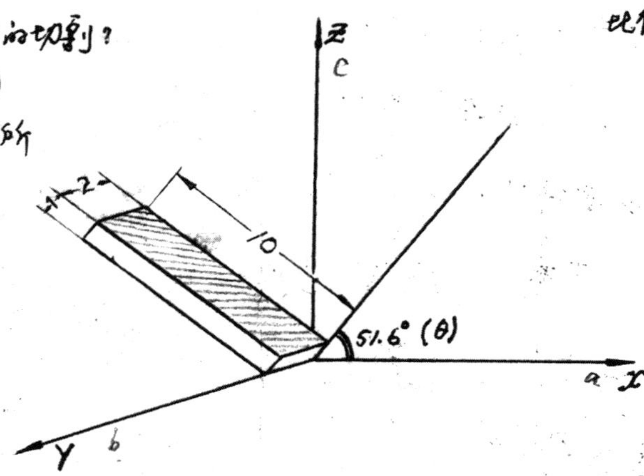

比例：3:1（图上的3毫米等于实际尺寸1毫米）

X方向相当于KN晶胞的a轴方向（晶轴长5.695Å）
Y方向~b轴（3.974Å）
Z方向~C轴（5.721Å）
不同学者对于X.Y.Z与晶胞轴a.b.c的相对定义不一样，容易搞混。

此外，KN晶体在422°C和200°C有两个相变点，在此两温度附近晶体易发生相变，结构很不稳定。这一我需要了解你们是否实施换能器焊时，会产生多高的温度？如果超过180°C，就不能用于KN，只能用其它方法来制备换能器。（用手工涂上去也行吧！我们是极化KN时，就是用胶体石墨来涂在KN晶体表面作电极，它经手工操作，是空气中自然晾干，根本不用加热）

考虑以上述问题，我们现在还不能将KN晶片直接向贵方寄给你，我们先准备将你们的KN晶片各提供一片（θ=51.6°、X切割各一片）给你，供你先作试验，如果合用，再谈供货事宜。不知你的意见如何？请回复。

祝

顺利！

沈德忠

05.4.13

TO：周佳同志 您好！

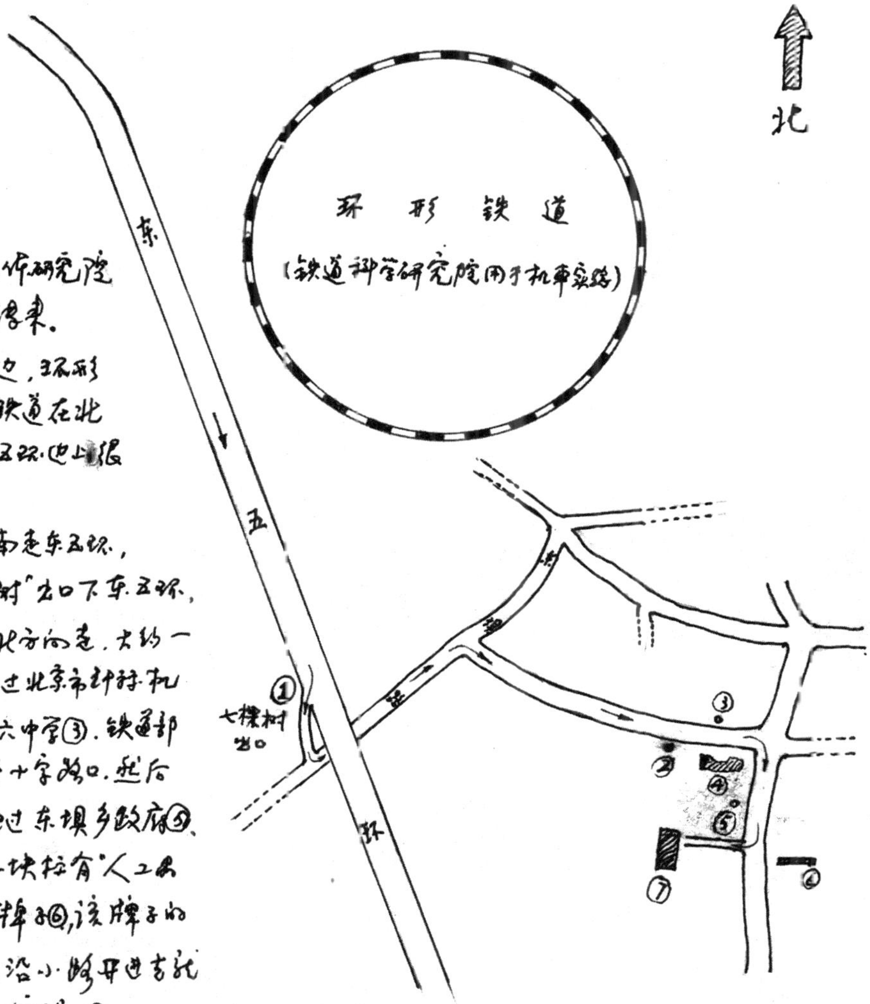

这里是到人工晶体研究院的路线图给您传来。该院位于东五环东边，环形铁道的南面。（环形铁道在北京市地图的东北方，五环也上很容易找到。）

您可乘车从北往南走东五环，在东五环的①"七棵树"出口下东五环，然后沿东坝路往东北方向走，大约一公里后向右拐弯，经过北京市科技职工业学院②、北京第十六中学③、铁道部第十六局④到达一个十字路口，然后向右拐（向南），经过东坝乡政府⑤，即可看到路东有一块标有"人工晶体研究院"的牌子⑥，该牌子的对面有一条小路，沿小路开进去就到达人工晶体研究院⑦。

我刚接到通知，11月18日下午2:00在科工程院开会，我想和他们商量晚一点到会，这样我可以到七棵树出口处来接您，如果可行，那就省下不少找路的麻烦。到时候我会即时与您联系。

祝

一切顺利！

[illegible] 2007.11.13.

锡濬、禾尧，你们好！

这里给你们寄来一张俄罗斯（苏联）歌曲光盘，是北京一家名叫"基辅餐厅"制作的。该餐厅在北京很有名，因为不但提供乌克兰风味的饭菜，而且还请了不少俄国和乌克兰的功勋演员在餐厅里高唱苏联歌曲和俄罗斯民歌。北京有那些热爱苏联歌曲的歌迷，特别是留苏的老知识分子，经常到那里去一边吃一边听歌。当然，我也是其中之一。

记得那首"列宁山"歌曲里有一段词是：

当我们想起青年的时光，当年的歌声又在荡漾！

我们还有这种感受，一想起初中我们同学的时光，苏联歌曲就在耳边荡漾，而且还有：

当耳边荡漾着苏联歌曲，我们就想起青年的时光！

祝愿我们在苏联歌曲的旋律和优美的歌声中，回到欢乐幸福的初中年代。

祝：

新年快乐！

沈德忠 2011.2.20

当我们想起青年的时光　当年的歌声又在荡漾

当年的歌声在耳边荡漾　我们就想起青春的时光

当苏联歌曲在耳边荡漾　我们就想起青春的时光

在YAG中，Y的配位数是8，故Y^{3+}的离子半径应为1.019

元素	不同配位数的离子半径									相应的[illegible]化合物（熔点）
	4	5	6	7	8	9	10	11	12	
Y^{3+}			0.9	0.96	1.019					YCl_3（　　），YF_3（　）
Bi^{3+}		0.96								$BiCl_3$（230~232℃）
△ Ce^{3+}			1.01	1.07	1.143	1.196	1.25		1.34	CeF_3（1430），$CeCl_3$（817）（白色）
Co^{3+}			0.545							
Cr^{3+}			0.615							$CrCl_3$（1150）
Cu^{3+}			0.54							
△ Dy^{3+}			0.912	0.97	1.027	1.083				DyF_3（1154）（绿色），$DyCl_3$（647）（白色）
Er^{3+}			0.89	0.945	1.004	1.062				ErF_3（1140）（粉红），$ErCl_3$（776）（紫色）
Eu^{3+}			0.947	1.01	1.066	1.12				EuF_3（1276）（白色）　$EuCl_3$（分解）
? Ga^{3+}	0.47	0.55	0.62							$GaCl_3$（77.8）（白色）
△ Gd^{3+}			0.938	1	1.107					GdF_3（1231）（白色）、$GdCl_3$（602）（白色）
Ho^{3+}			0.901		1.015	1.072	1.12			HoF_3（1143）（粉红）、$HoCl_3$（720）（黄色）
△ In^{3+}	0.62	0.8			0.92					
La^{3+}			1.032	1.1	1.16	1.216	1.27		1.36	
△ Lu^{3+}			0.861		0.977	1.032				LuF_3（1182）（白色），$LuCl$（925）（白色）
Mn^{3+}		0.58	0.645							
Nd^{3+}			0.983		1.109	1.163			1.27	NdF_3（1374）（紫色）、$NdCl_3$（758）（紫红）
Ni^{3+}			0.6							
? Tm^{3+}			0.88		0.994	1.052				TmF_3（1158）（白色）、$TmCl_3$（824）（黄色）
Pr^{3+}			0.99		1.126	1.179				PrF_3（1395）（绿色），$PrCl_3$（786）（绿色）
Sb^{3+}	0.76	0.8	0.76							$SbCl_3$（73.4）
? Sm^{3+}			0.958	1.02	1.079	1.132			1.24	SmF_3（1306）（白色），$SmCl_3$（682）（黄色）
Ta^{3+}			0.72							
△ Tb^{3+}			0.923	0.98	1.04	1.095				TbF_3（1172）（白色），$TbCl_3$（582）（白色）
Ti^{3+}			0.67							$TiCl_3$（440℃分解）
△ Yb^{3+}			0.868	0.925	0.985	1.042				YbF_3（1157）（白色），$YbCl_3$（865）（白色

八配位的Ce^{3+}离子半径比YAG中的Y^{3+}半径大12%

国家建筑材料工业局人工晶体研究所

江西不同批次及有色院出产Y_2O_3中的含杂质的比较

氧化物	江西料(%)(02.1.23到)	江西料(%)(02.6.7.到)	有色院料(02.5.31到)		氧化物	江西料(02.1.23到)	江西料(02.6.7.到)	有色院料(02.5.31到)	
La_2O_3	0.00003 0.00016	0.00016 <0.0001 <0.0001	La	0.18 ppm " 0.000018%	Y_2O_3	>99.999 >99.99	>99.995 >99.995 >99.99	Y	(主要的)
CeO_2	<0.0001 <0.0005	<0.0005 <0.0005 0.004	Ce	0.14 ppm " 0.000014%					
Pr_6O_{11}	<0.00005 <0.0005	<0.0005 <0.0005 <0.0005	Pr	0.03 ppm " 0.000003%	Fe_2O_3	0.00012 0.00038	0.00041 0.00012 0.00012	Fe	1.4 ppm " 0.00014%
Nd_2O_3	<0.00005 <0.0003	<0.0003 0.0013 0.00042	Nd	0.16 ppm " 0.000016%	SiO_2	0.0029 0.0050	0.0053 0.0034 0.0034	Si	2.0 ppm " 0.0002%
Sm_2O_3	<0.00005 <0.0003	<0.0003 <0.0003 <0.0003	Sm	0.10 ppm " 0.00001%	CaO	0.00023 0.0005	0.0006 <0.001 <0.001	Ca	1.7 ppm " 0.00017%
Eu_2O_3	<0.00001 <0.0001	<0.0001 <0.0001 <0.0001	Eu	0.82 ppm " 0.000082%	Al_2O_3	0.00037 0.0006	0.0007 <0.0017 <0.0017	Al	0.46 ppm " 0.000046%
Gd_2O_3	<0.00005 <0.0005	<0.0003 <0.0003 <0.0003	Gd	0.13 ppm 0.000013%	PbO	<0.0001 <0.0001	?	Pb	0.1 ppm " 0.00001%
Tb_4O_7	<0.00005 <0.0005	<0.0003 <0.0003 <0.0003	Tb	0.012 ppm " 0.0000012%					
Dy_2O_3	<0.00005 <0.0005	<0.0003 <0.0003 <0.0003	Dy	0.02 ppm " 0.000002%	三价稀土氧化物	99.53 99.32	99.10 99.28		
Ho_2O_3	<0.0001 0.00049	0.00049 0.00034 <0.0003	Ho	0.065 ppm " 0.0000065%	杂质限量(LOI)	0.52 0.65	0.22 0.74 0.74		
Er_2O_3	0.00005 0.00042	0.00042 0.00024 <0.0001	Er	0.02 ppm " 0.000002%					
Tm_2O_3	<0.00003 0.00028	0.00028 <0.0001 <0.0001	Tm	0.01 ppm " 0.000001%					
Yb_2O_3	<0.00003 0.00019	0.00019 <0.0001 <0.0001	Yb	0.01 ppm " 0.000001%					
Lu_2O_3	<0.00003 <0.0001	<0.0001 <0.0001 <0.0001	Lu	0.01 ppm " 0.000001%					

注. 有色院试料除含有上表的列杂质外，还含有 Li(0.01)、Be(0.01)、B(0.03)、F(0.25)、Na(0.40)、Mg(0.14)、P(0.05)、S(1.9)、Cl(3000)、K(0.25)、Sc(0.010)、Ti(0.044)、V(0.025)、Cr(0.50)、Mn(0.021)、Co(0.010)、Ni(0.040)、Cu(0.14)、Zn(0.05)、As(≤0.5)、Ba(0.12)、Sr(0.05)、Zr(0.28)、Nb(0.013)、Mo(≤0.5)、Sn(0.081)、Sb(2.6)、Hf(0.01)、Ta(<1)、W(0.05)、Bi(0.05)、Th(0.01)、U(0.01)(单位ppm)

铂金坩埚重量计算

1. 埚壁面积：$2\pi R\times h = 2\times\pi\times 35\,cm\times 80\,cm = 17592.919\,cm^2$

2. 埚底面积：$\pi R^2 = \pi\times 35^2\,cm^2 = 3848.451\,cm^2$

假设埚底、埚壁的厚度同为1mm（=0.1cm）则

铂金总体积为$(17592.919\,cm^2 + 3848.451\,cm^2)\times 0.1\,cm$

$= 21441.37\,cm^2\times 0.1\,cm$

$= 2144.137\,cm^3$.

铂金比重为21.4克/cm^3，则上述体积铂金重量为：

$2144.137\,cm^3\times 21.4$克/$cm^3$

=45884.532克=45.88532公斤！（需1285万元）

下表为埚壁埚底不同厚度时所需铂金的总重量

埚壁厚度(cm)	埚底厚度(cm)	坩埚体积(cm^3)	所需铂金重量(公斤)	
0.1	0.2	2528.9821	54.120217	1515万元
0.2	0.2	4288.274	91.769064	2570万元
0.2	0.3	4673.1181	100.00475	2800万元
0.3	0.3	6432.411	137.6536	3854万元
0.3	0.4	6817.2561	145.88928	4085万元
0.3	0.5	7202.1012	154.12497	4315万元

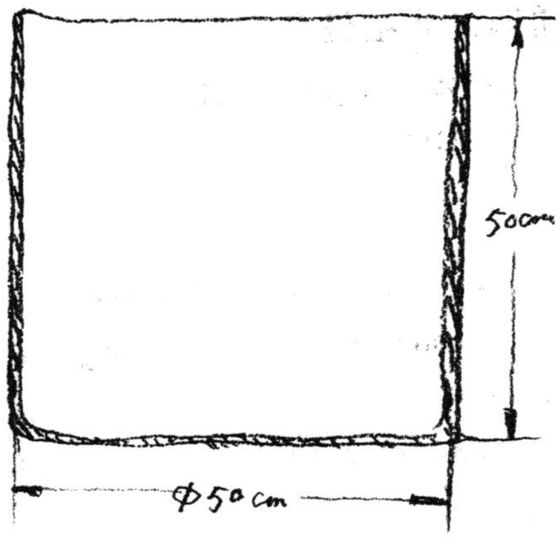

①

埚底厚2mm (0.2cm)

埚壁厚1mm (0.1cm)

埚底体积 $= \pi r^2 \times 0.2$ cm³

$= 3.1416 \times 25^2 \times 0.2$

$= 392.7$ cm³

侧壁体积 $= 2\pi r \times 50 \times 0.1$ cm³

$= 785.4$ cm³

总体积 $392.7 + 785.4 = 1178.1$ cm³

所需铂金重量（铂金比重为21.4g/cm³）

为：$1178.1 \times 21.4 = 25211.34$ 克

$= 25.21134$ 公斤

以每公斤铂金40万元计算

此埚的价值为1008.4536万元

②

若侧壁厚度为1.5mm

则侧壁体积 $= 2\pi r \times 50 \times 0.15$ cm³

$= 1178.1$ cm³

坩埚总体积 $= 1178.1 + 392.7$

$= 1570.8$ cm³

相应的铂金重量 1570.8×21.4

$= 33615.12$ 克

$= 33.61512$ 公斤

此埚的价值为：33.61512×40

$= 1344.608$ 万元

③

如果侧壁的厚度也为2mm

则侧壁体积为：$2\pi r \times 50 \times 0.2$ cm³

$= 1570.8$ cm³

坩埚总体积为：$1570.8 + 392.7$ cm³

$= 1963.5$ cm³

埚重：$1963.5 \times 21.4 = 42018.9$ 克

$= 42.0189$ 公斤

此埚的价值为：42.0189×40

$= 1680.756$ 万元

手绘实验用铂金坩埚和铂金架加工图

（编者拟）

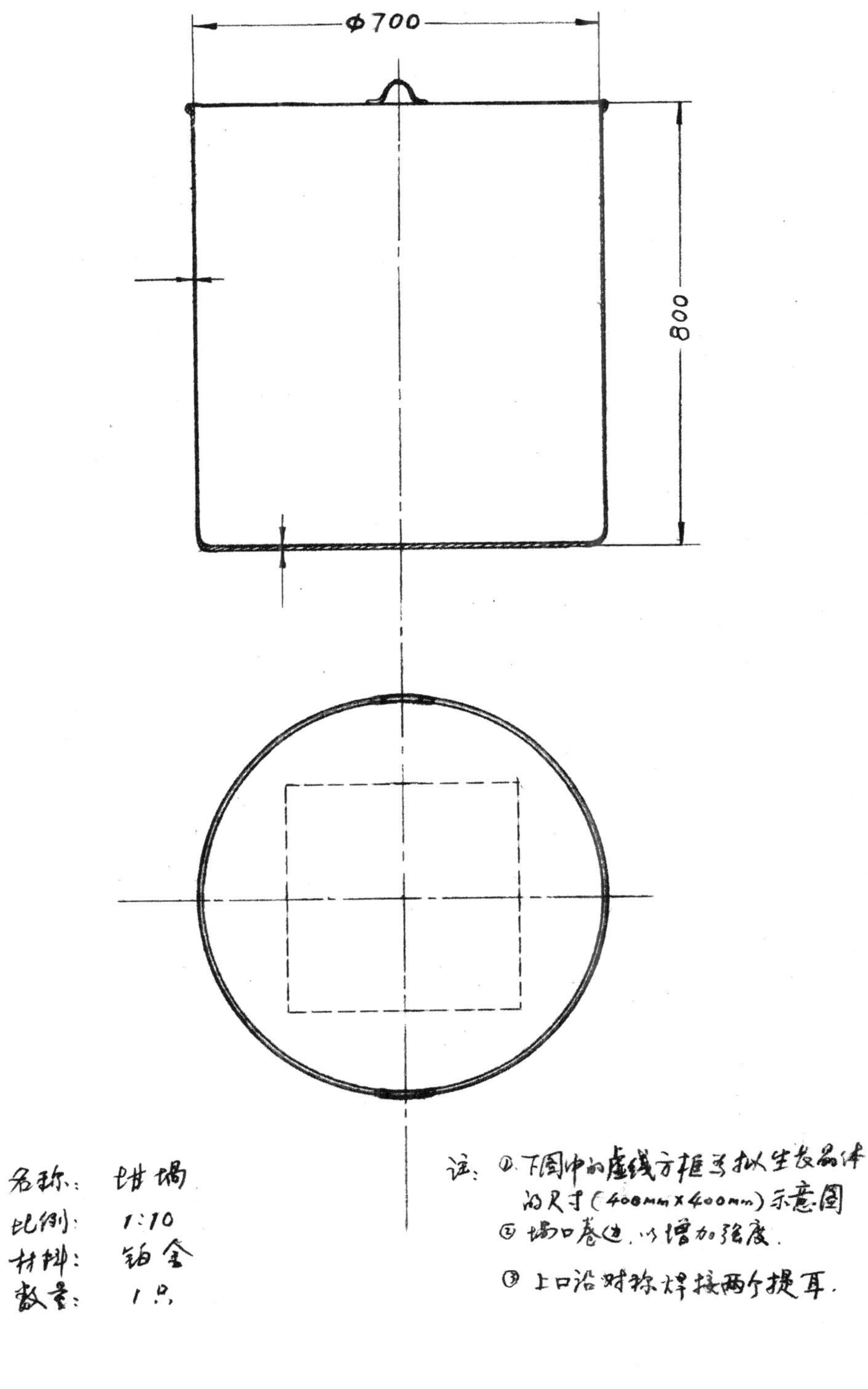

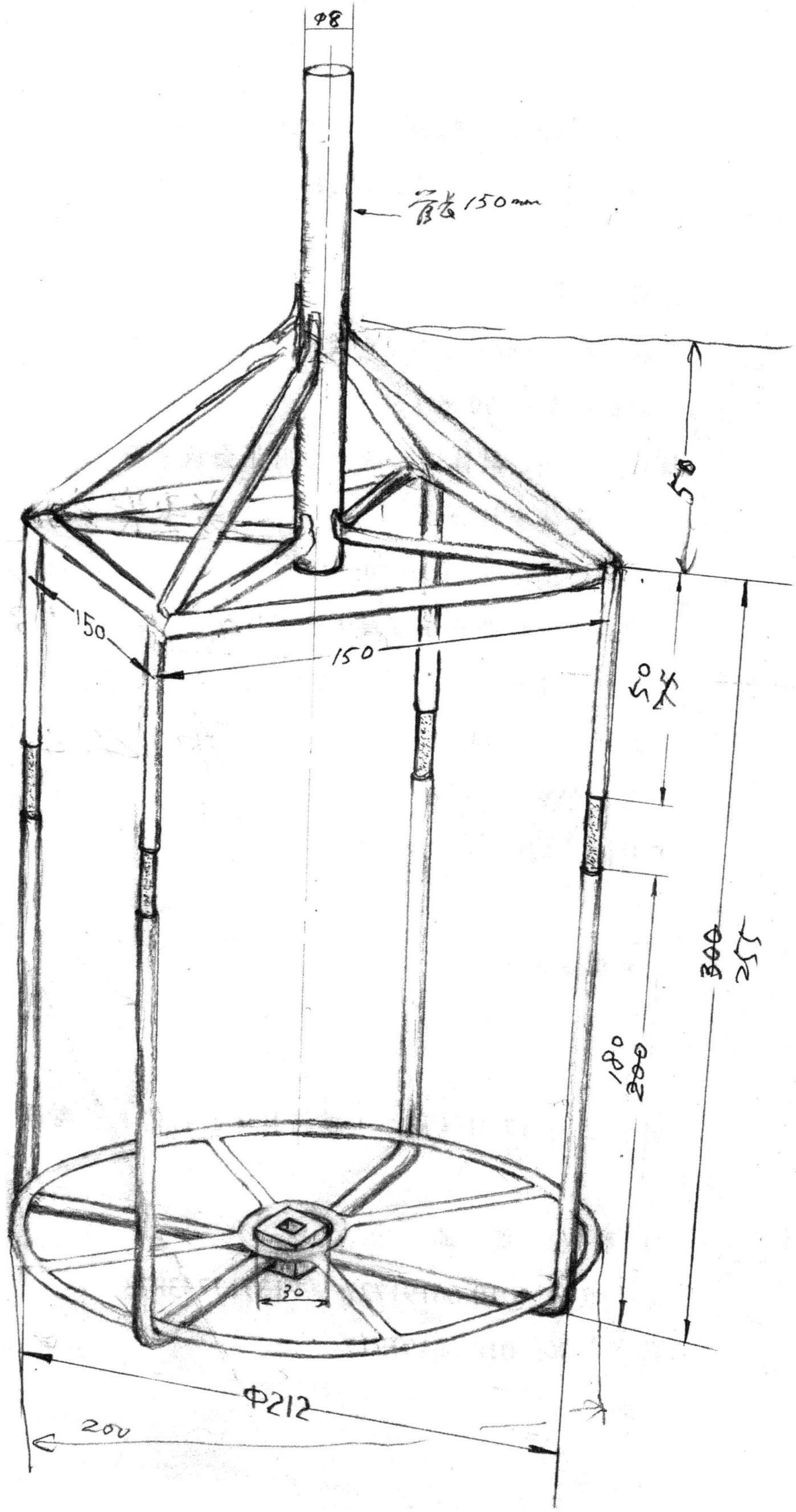

φ8
管长150mm
150
150
50
50
300
275
180
200
30
Φ212
200

手绘实验设备、配件加工组图

（编者拟）

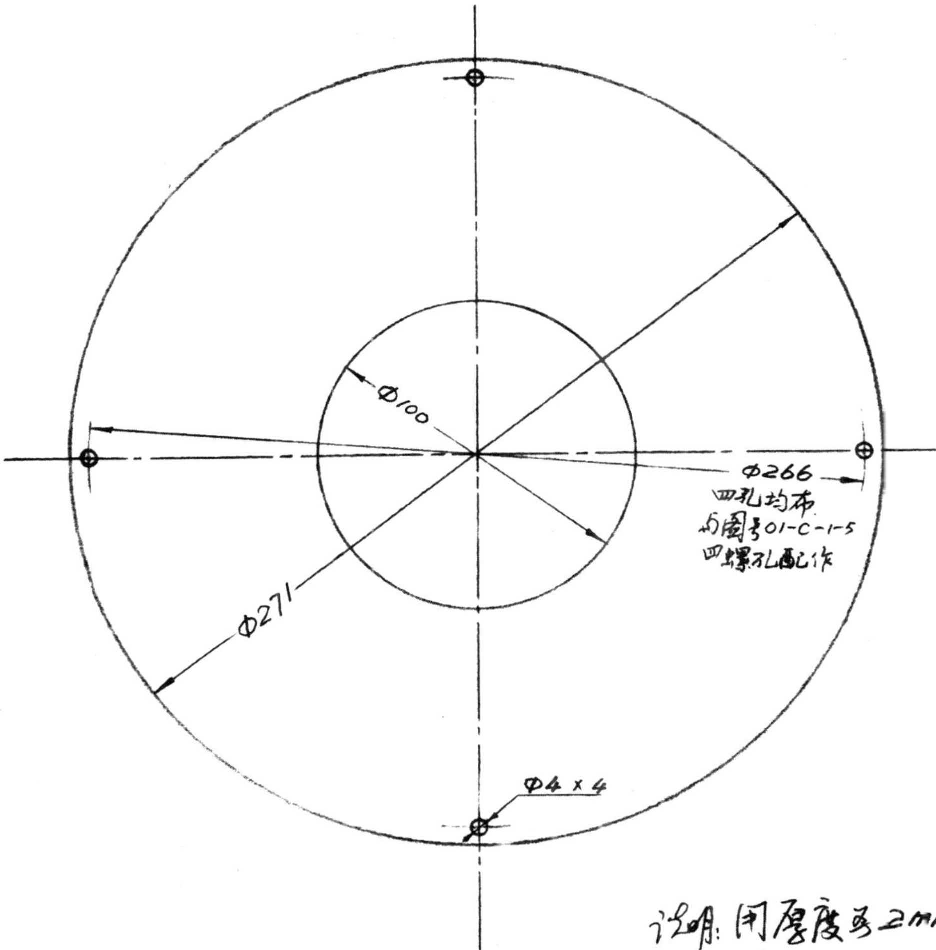

说明：用厚度为2mm的不锈钢板制作

设计		炉顶盖板	图号	01-C-1-6		
描图			材料	不锈钢	件数	1
审核			单重		比例	1:2

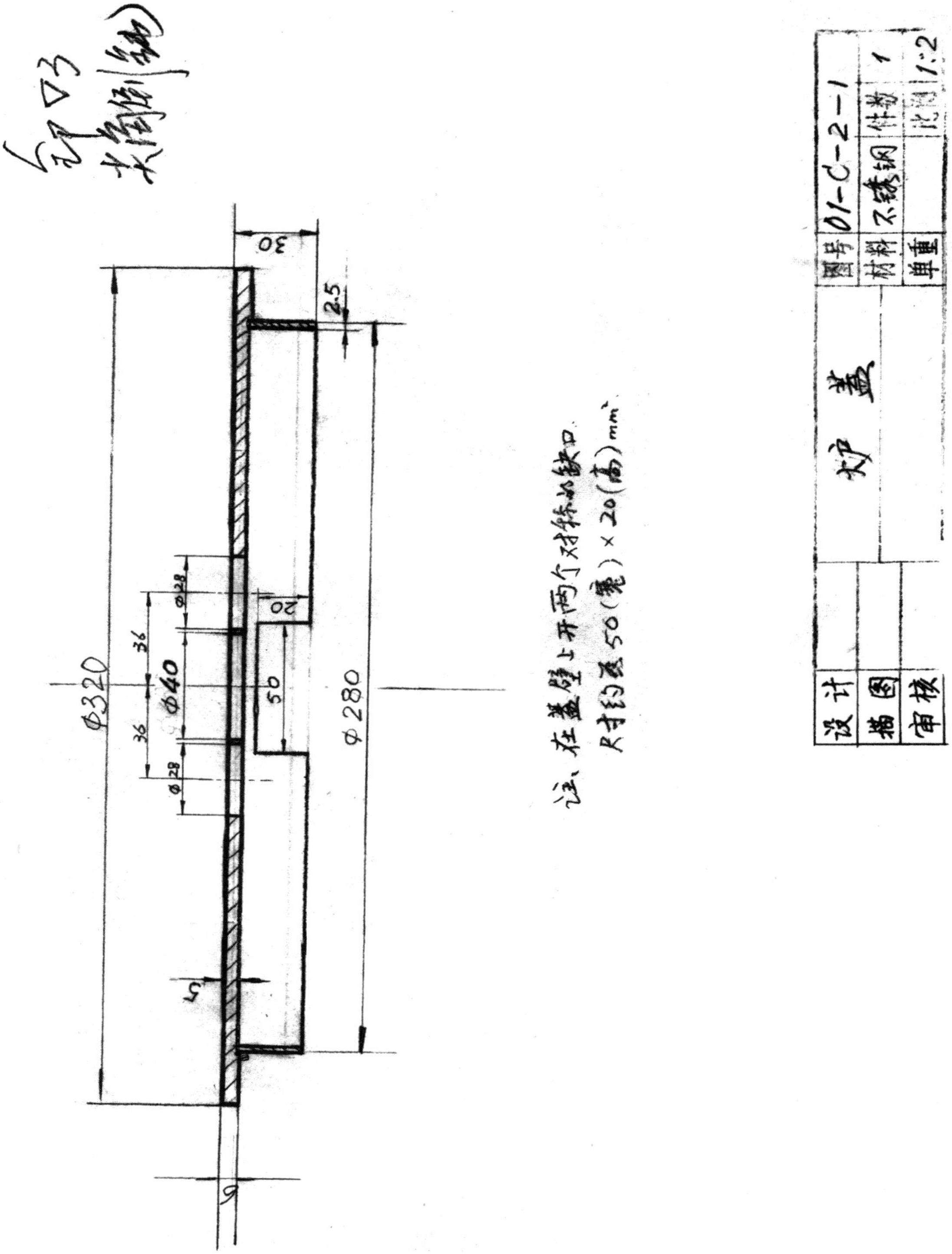

Φ320
Φ280
Φ40
Φ28
Φ28
36
36
30
2.5
20
50
5
6
注：在盖壁上开两个对称的缺口
尺寸约为50(宽)×20(高)mm
炉盖
图号 01-C-2-1
材料 不锈钢
件数 1
单重
比例 1:2
设计
描图
审核

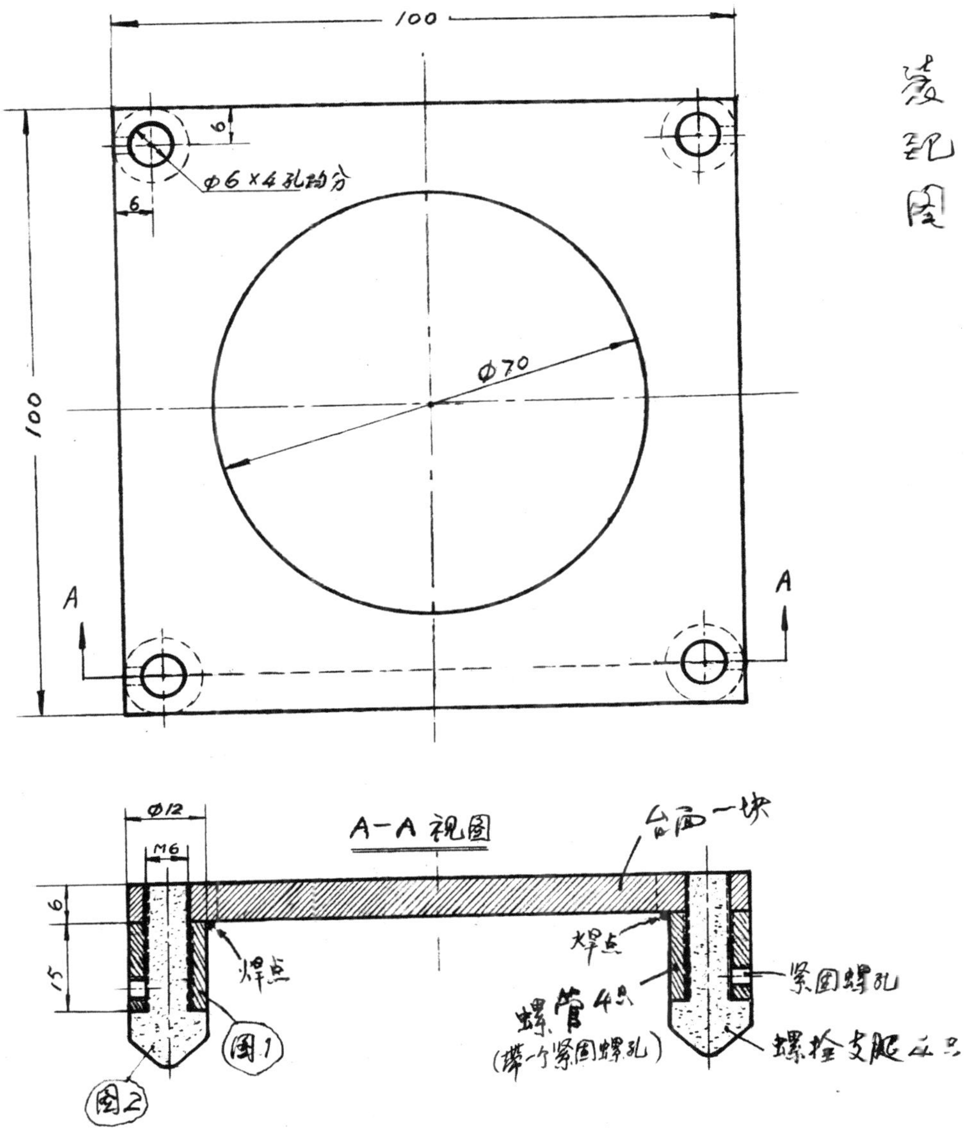

名 称：电机支承架(由一个台面、4个带紧固螺孔的螺管及4个螺栓支脚组成

比 例：1:1

材 料：不锈钢

数 量：一件

清华大学化学系

图 三

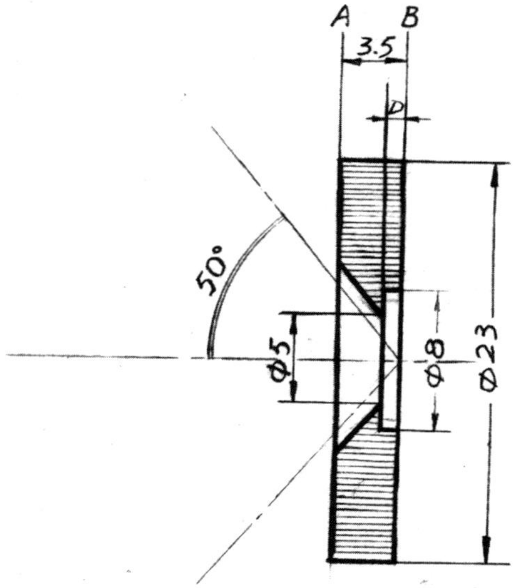

＊注：Φ8空隙深度D取决于需夹持倍频器的厚度。目前需两种厚度的倍频器：1mm，0.3mm。

在加工时，通过A、B面的移动来调节深度D，并保持A－B之间的厚度(3.5mm)不变，即当B面往左移时，为保持厚度不变，A面也需适当往左移，并保持中心开孔角50°不变。

名　称：倍频器夹持片

比　例：2∶1

材　料：聚四氟乙烯

数　量：一种尺寸两片＊

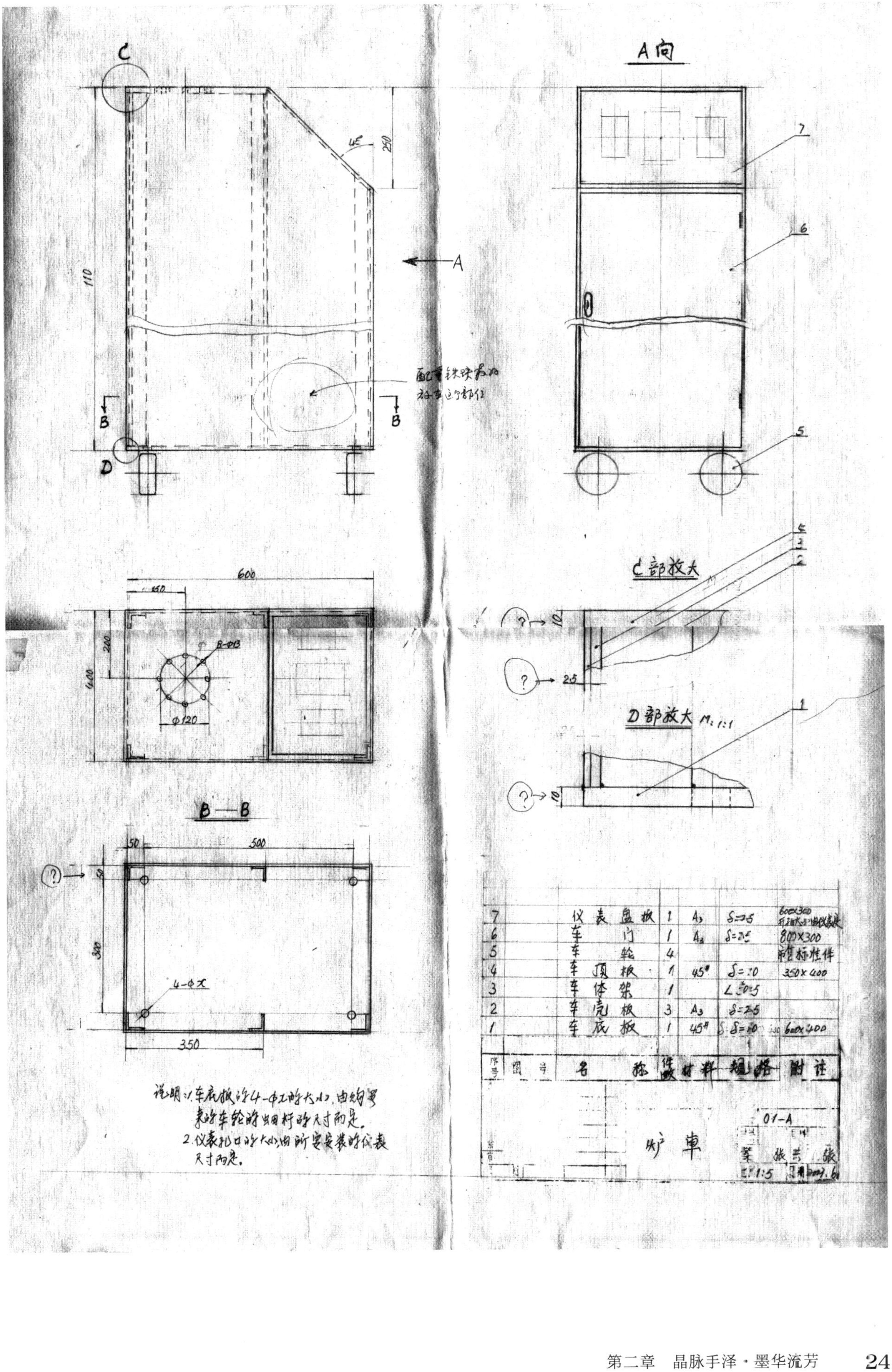

A向
C
D
A
B
B—B
C部放大
D部放大
600
250
110
400
200
350
500
300
φ120
4-φ
7 仪表盘板
6 车门
5 车轮
4 车顶板
3 车体架
2 车壳板
1 车底板
序号 图号 名称 件数 材料 规格 附注
炉車
说明:1.车底板的4-φ孔的大小,由购买的车轮的螺杆的尺寸而定。
2.仪表孔口的大小,由所要安装的仪表尺寸而定。

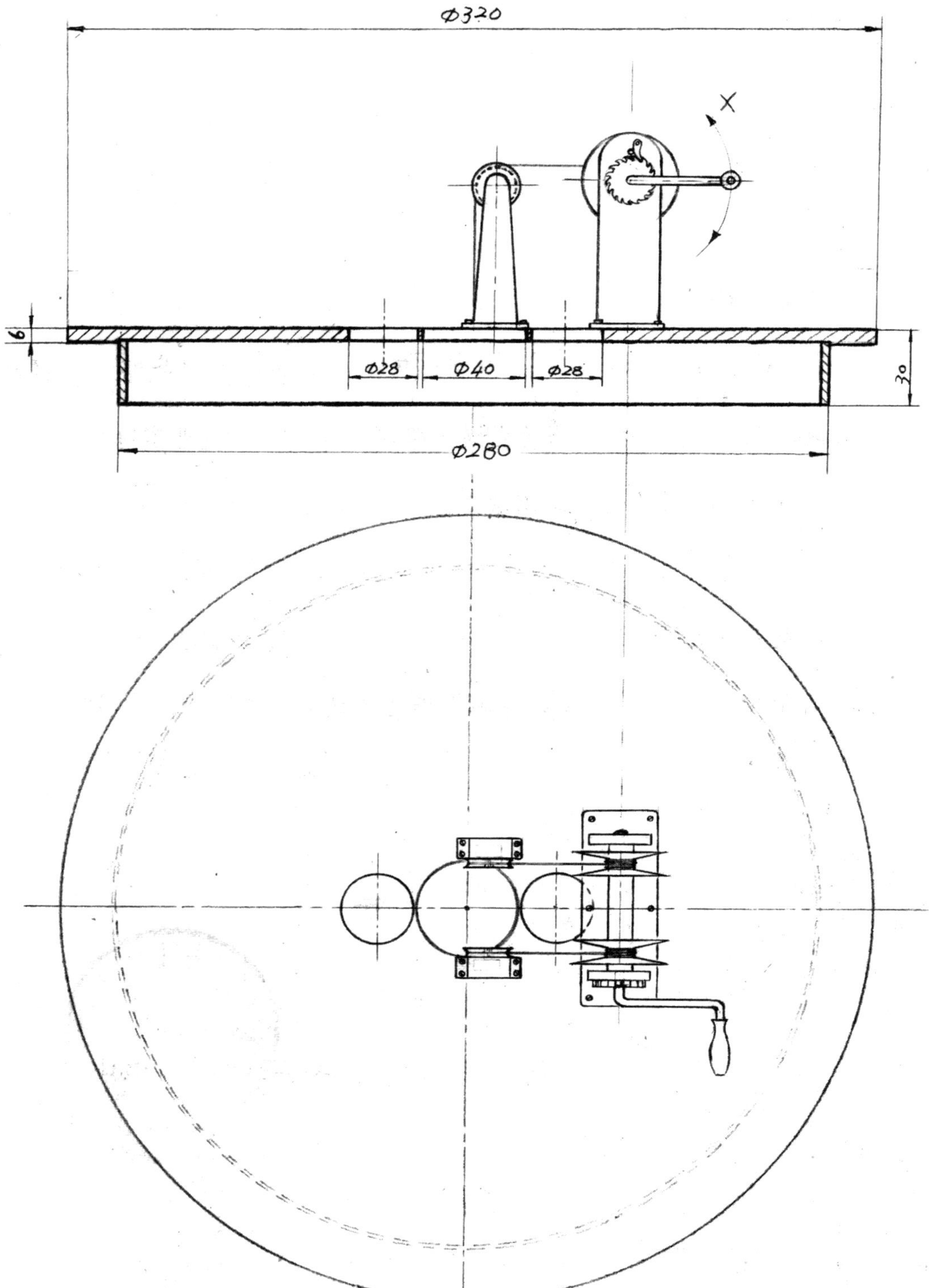

设计		升降机构	图号	01-C-2-3-1		
制图			材料	不锈钢	件数	1
审核					比例	1:2

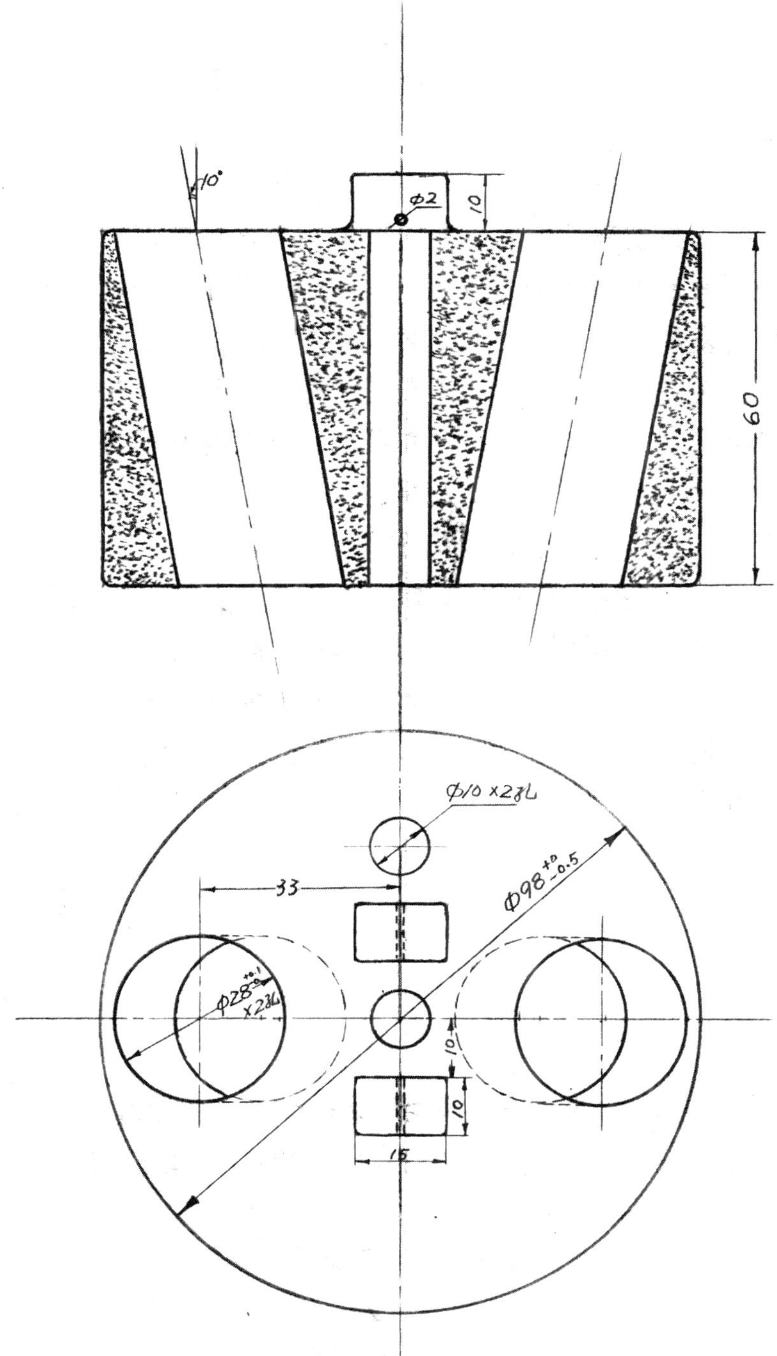

设计		Φ160炉膛盖	图号	01-D-2		
制图			材料	Al_2O_3	件数	10
审核		配件2#	单重		比例	1:2

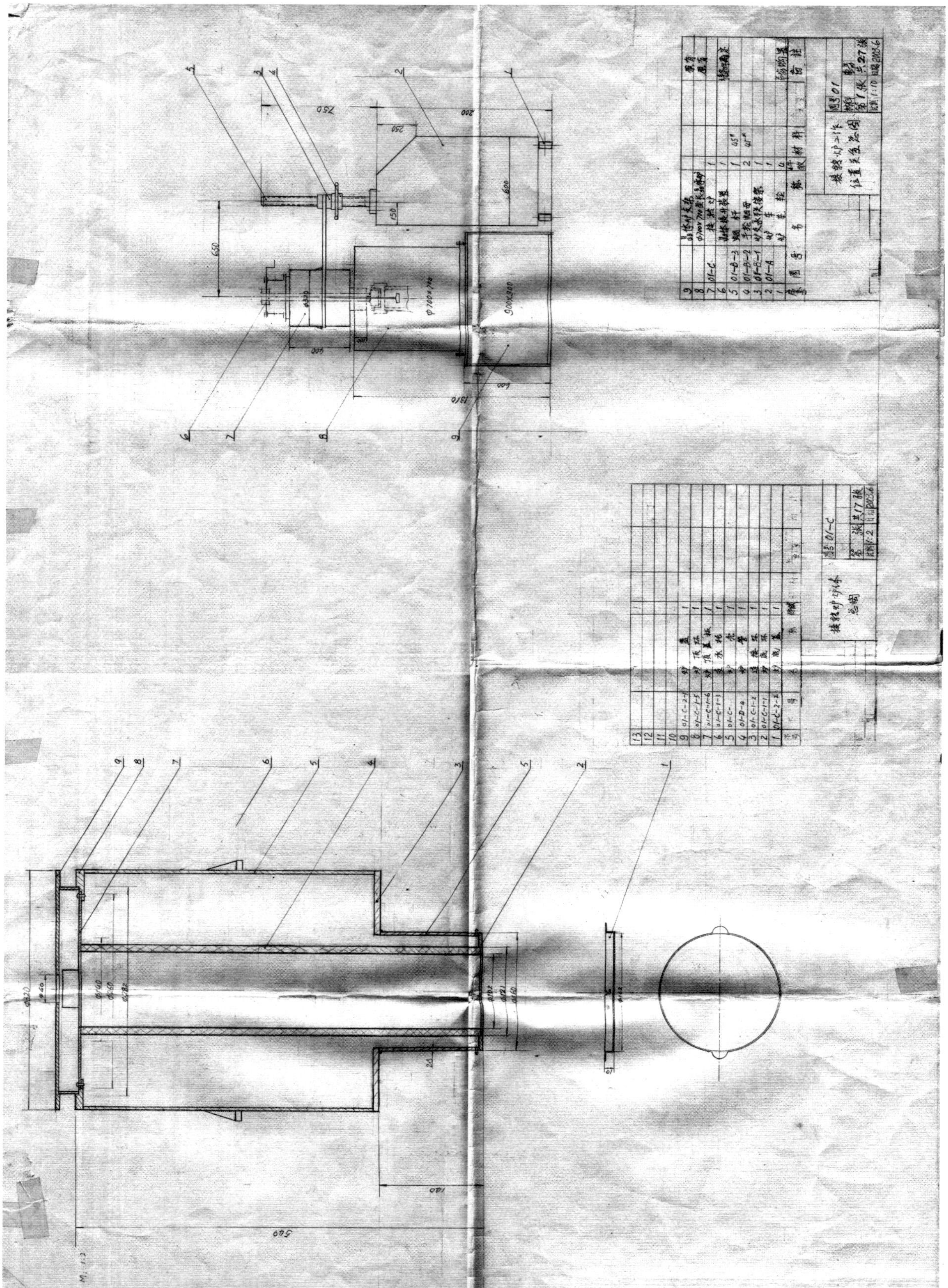

手绘晶体生长装置和晶体生长炉剖面示意图

（编者拟）

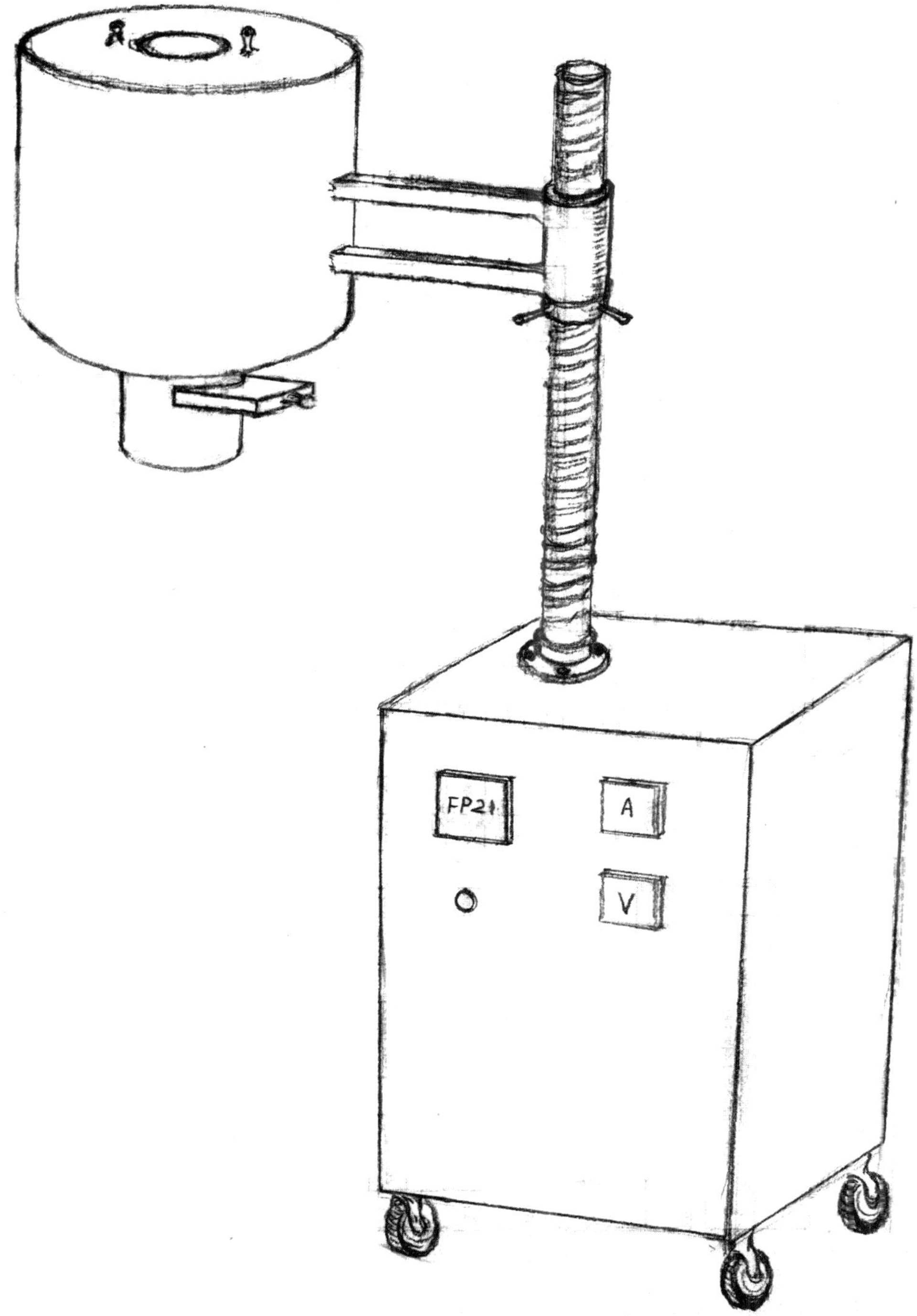

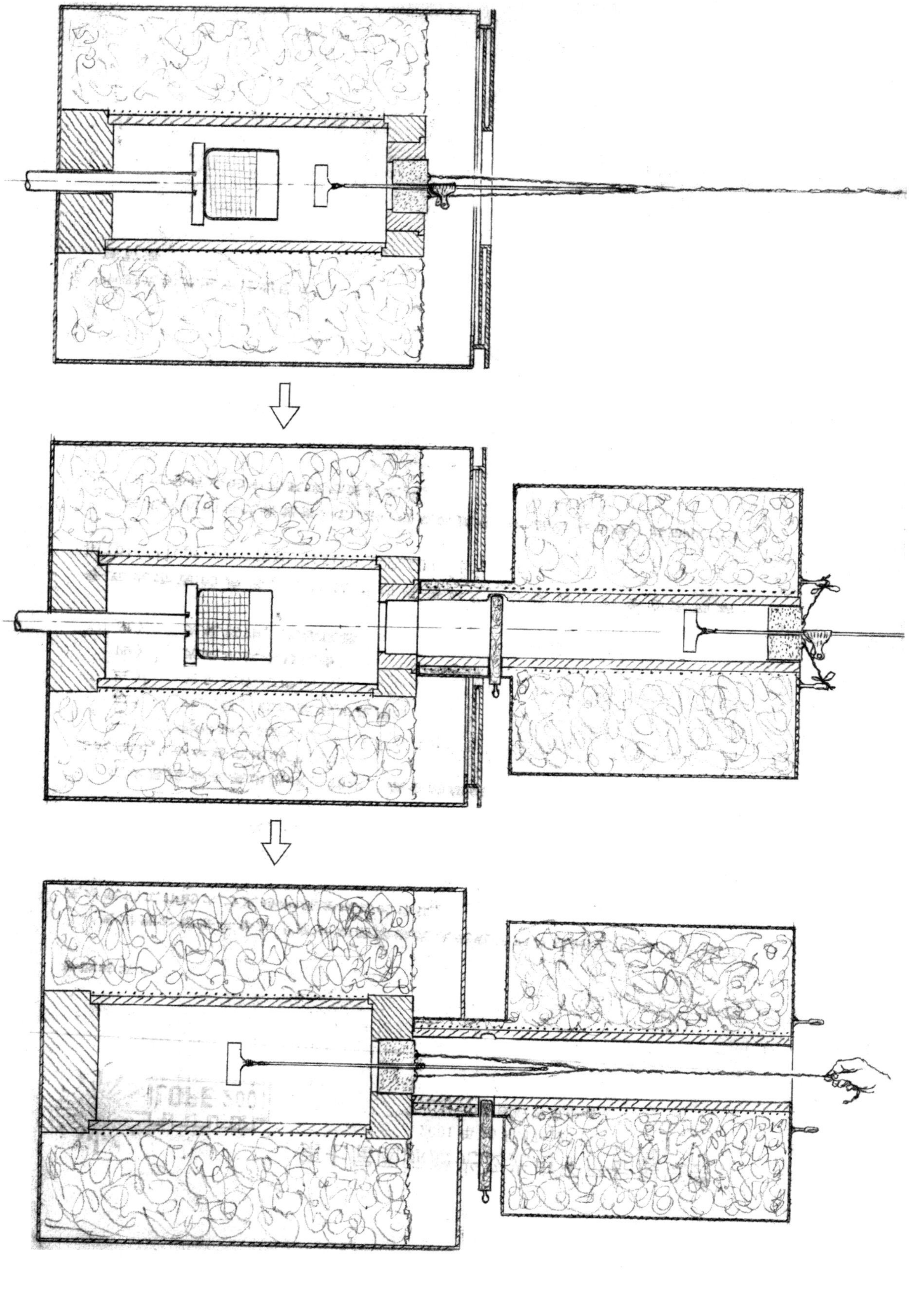

手绘晶体加工、切割示意图

（编者拟）

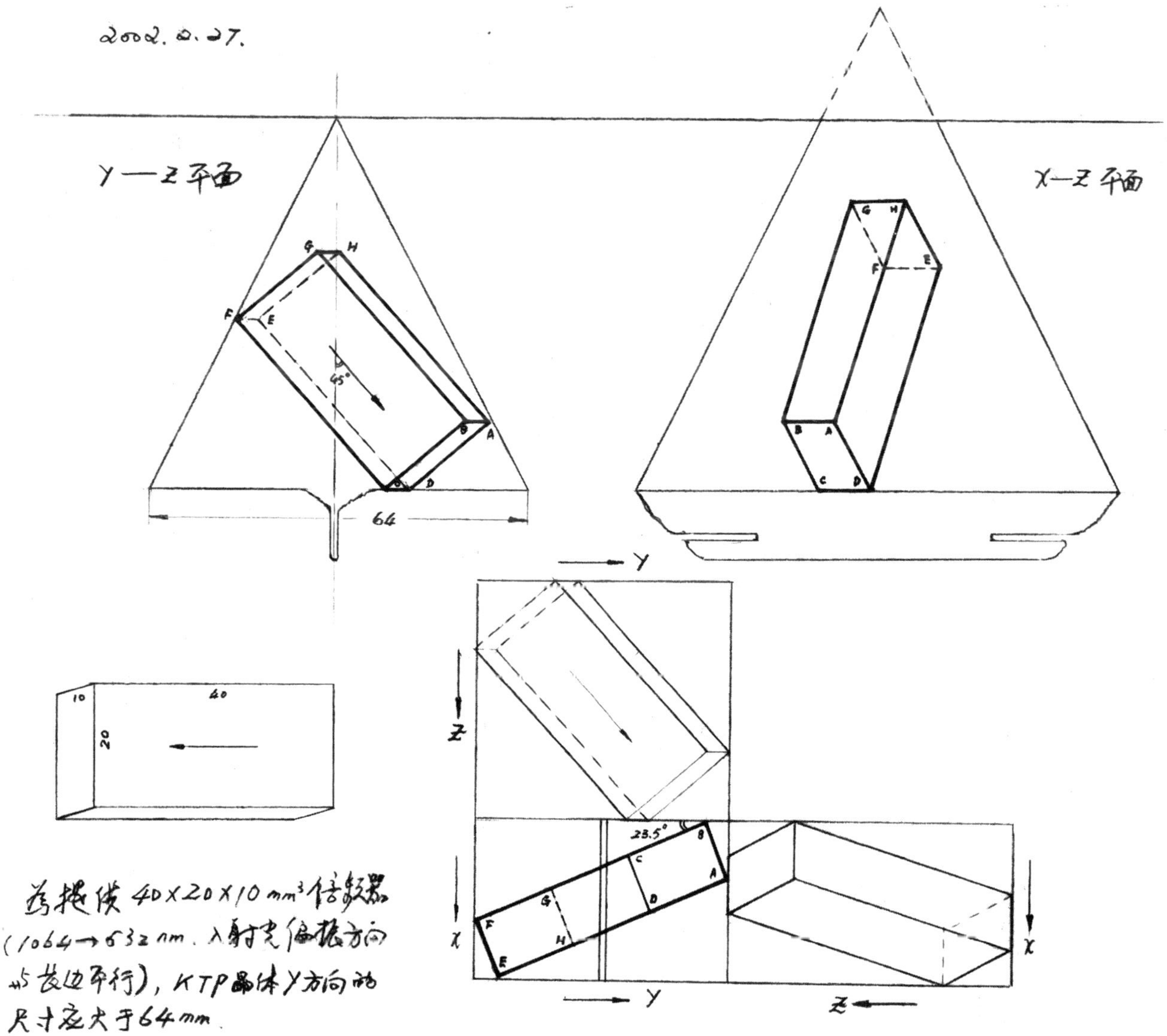

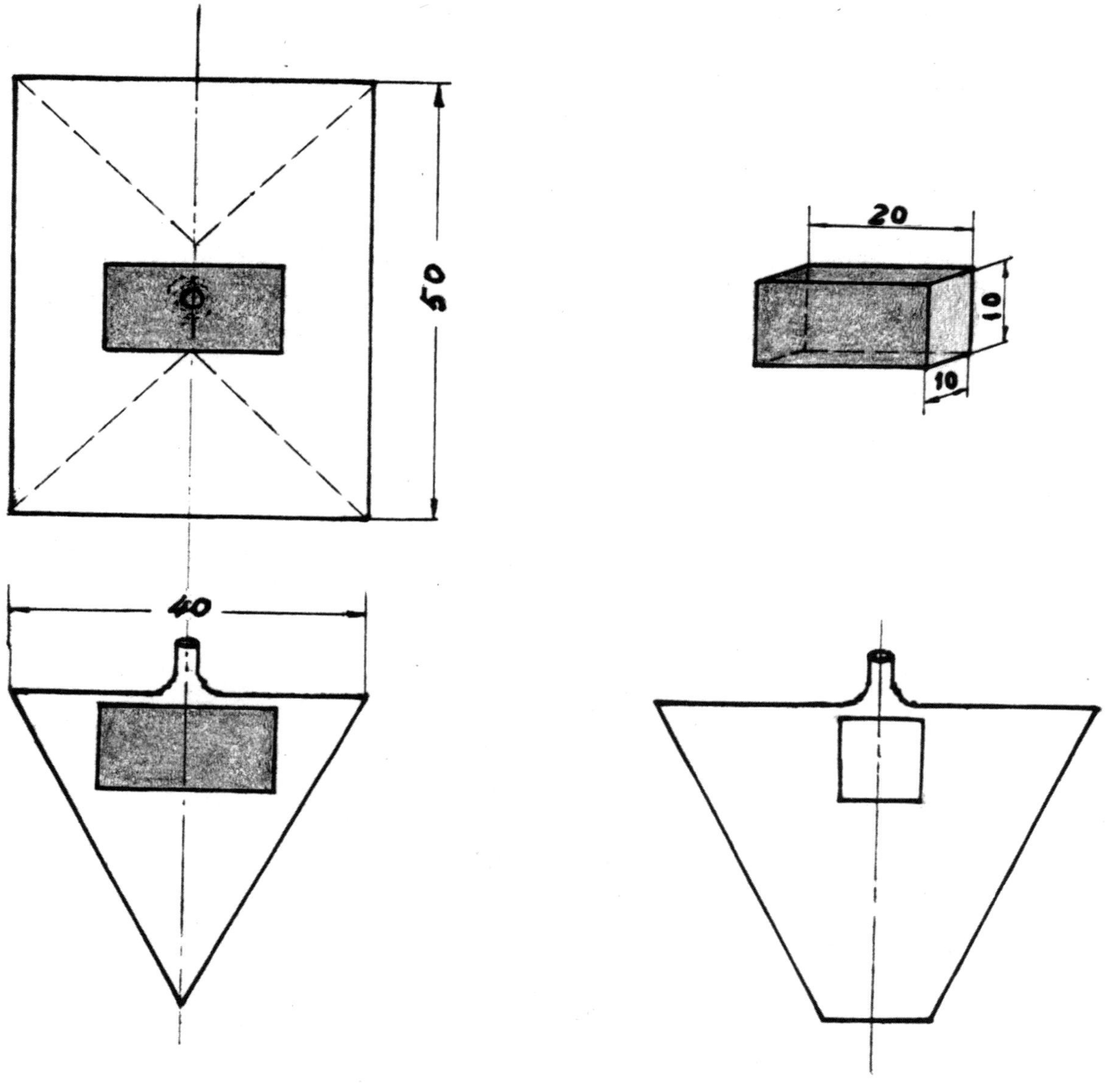
20
10
10
50
40

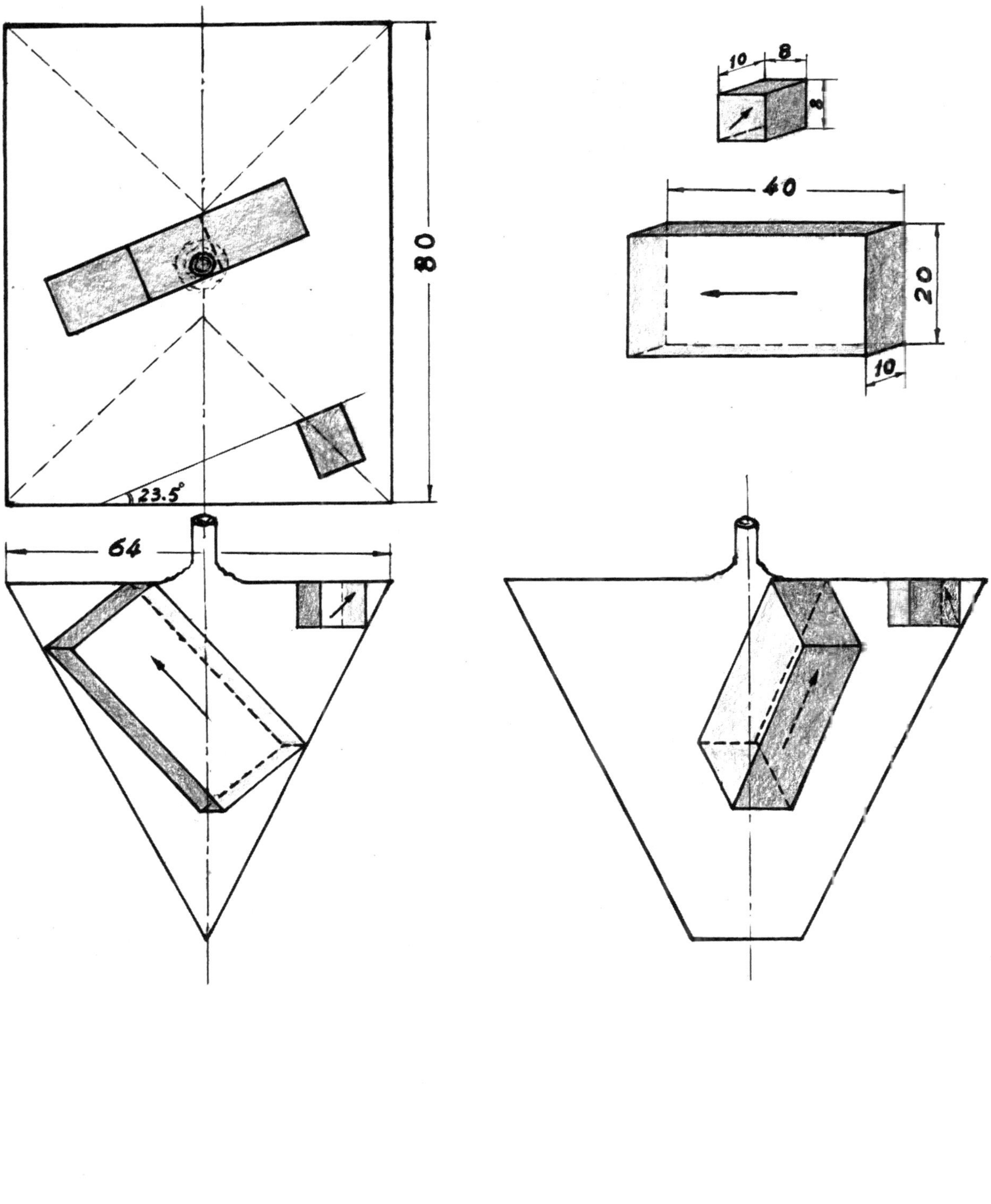
80
23.5°
64
10
8
8
40
20
10

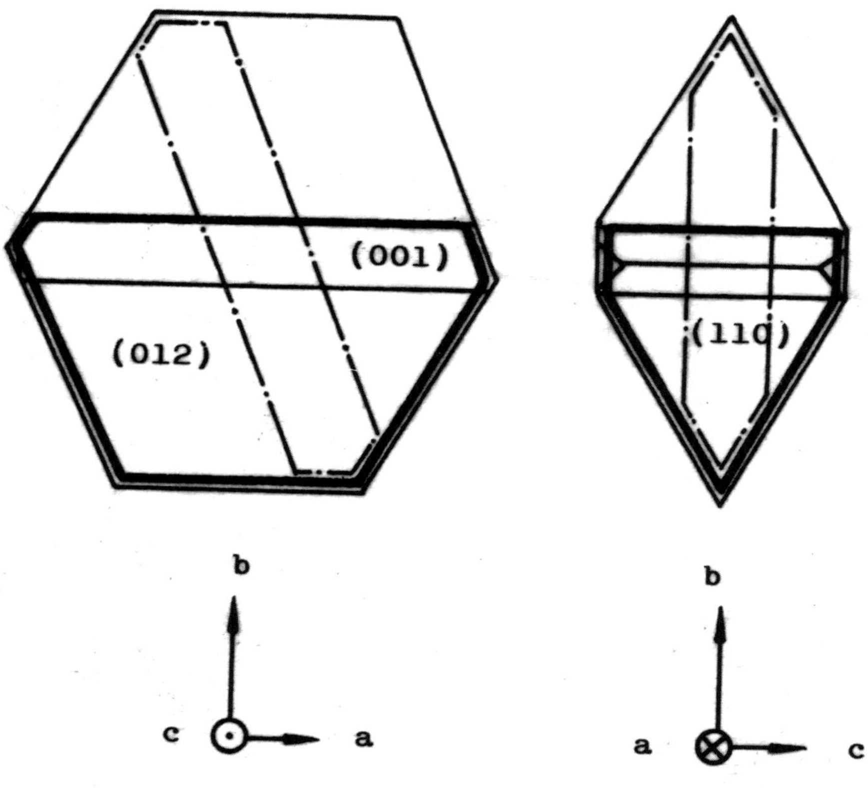
(001)
(012)
(110)
b
c
a
b
a
c

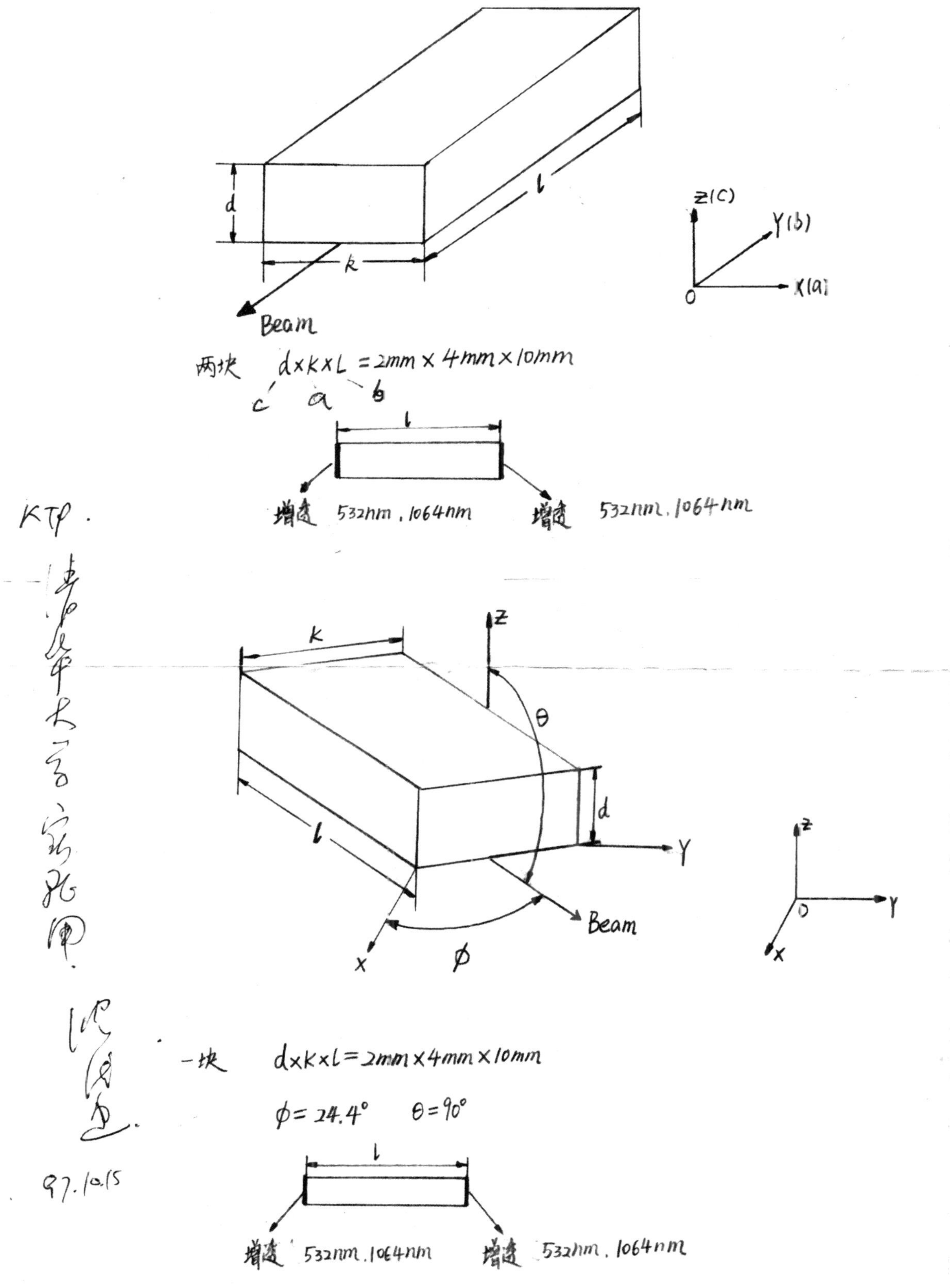
d
k
l
Beam
Z(C)
Y(b)
X(a)
O
两块 d×k×L = 2mm×4mm×10mm
c a b
l
增透 532nm, 1064nm
增透 532nm, 1064nm
KTP.
清华大学实验用.
k
Z
θ
d
Y
l
Beam
X
φ
Z
Y
O
X
一块 d×k×l = 2mm×4mm×10mm
φ = 24.4° θ = 90°
l
增透 532nm, 1064nm
增透 532nm, 1064nm
97.10.15

政协的作用

（编者拟）

全国政协是老百姓和政府沟通的桥梁。当基层群众在生活、工作上遇到不公平的对待、受到打击而又投诉无果时，通过政协解决了他们的难题，这时老百姓对政府的爱戴是非常深厚的！

沈德忠

诗作《迎春花》

院　　士

钢笔连环画

（一九六〇年暑假期间，沈德忠根据当时的一篇苏联短篇小说改编创作于四川大学）

莫霍夫院士讲完了课，打开记事簿正准备记录，却犹豫起来。他回忆起遥远的年代，在没有生暖气的大课堂里面，他第一次讲课的情形……

1

1918年，莫霍夫还是一个农村铁匠。在一个暴风雪的夜晚，他代表村里的农民来见列宁。谈话一直谈到第二天的拂晓，才和列宁告别。

[列宁：莫霍夫同志，谢谢你来见我，我听了你的谈话非常高兴，你对主要问题的理解是正确的……]

2

这时电话铃响了，共产主义大学校长向列宁诉苦说，大多数的老师都参加了武装增粮队，现在没有人讲“共产主义的实质”这门课。这门课很难讲，不是每个人都讲得了的。

［列宁：嗯，嗯...不是每个人都讲得了的......］

3

列宁看着莫霍夫，考虑了一会儿，微笑着自语道：嗐，亲爱的同志，我们总是有办法的。接着，便对共产主义大学校长说："今天，我给你派个讲师去……"

［列宁：我这儿有个人……什么？一小时后就上课？很好，正来得及。用汽车给你送去。］

4

列宁走到莫霍夫跟前，说："现在，让我们来谈谈你马上要到共产主义大学去讲的课吧。"由于这个突然的决定，莫霍夫从椅子上跳起来，惶恐地说："我？在共产主义大学？……这怎么成，弗拉基米尔·伊里奇，我从来也没有讲过课……"

5

列宁让他在自己身边的安乐椅上坐下来，用慈父般的亲切口吻说：“你根本不用害怕，你就讲你在这里跟我谈的这些。讲的时候要补充一些材料。现在我们来商量一下，你补充些什么材料最好……”

6

共产主义大学设在过去沙皇政府一个官吏的公馆里。学员们都来齐了，吵吵嚷嚷的正等待着老师上课。莫霍夫刚走进大厅时，并没有引起人们的特别注意，但当他慢慢地、一步一步地登上讲台时，大厅里鸦雀无声了。

7

莫霍夫登上讲台，向学员们默默地看了几分钟，便用沉着而宏亮的声音说："我是从列宁那里来的。老乡们要我来看列宁，要弗拉基米尔·伊里奇帮我们弄清楚，我们对苏维埃政权的看法对不对。我跟他讲了许多家乡的实际情况，因此列宁同志一夜没有睡觉，请你们原谅我。第二天早晨，伊里奇就派我到你们这里来了。"

8

莫霍夫停了一会，看了看大厅。接着就讲起课来了。他讲得很慢，就好像是跟铁匠铺的伙计谈话似的。有时一个问题要反复讲好几遍，唯恐自己没有把苏维埃政权的实质讲清楚。

［莫霍夫：苏维埃政权是我们自己建立的，它是我们的……］

9

大厅里一点响声都没有，学员们深深地被这堂课吸引住了。由于专心听讲，没有人在准备好了的笔记本上记。只有一个学员的笔慢慢地在笔记本上滑动，但也不是记笔记，而是画了一个五角星、一支带刺刀的步枪和一面在阳光下闪耀的旗帜。

10

学员们在自己面前看到了活生生的苏维埃政权，它象一条宽阔而明确的道路。各国人民沿着这条道路将走向而且一定会走向幸福。因为列宁首先沿着这条路前进。学员们由衷地感觉到苏维埃政权是唯一正确的政权。

11

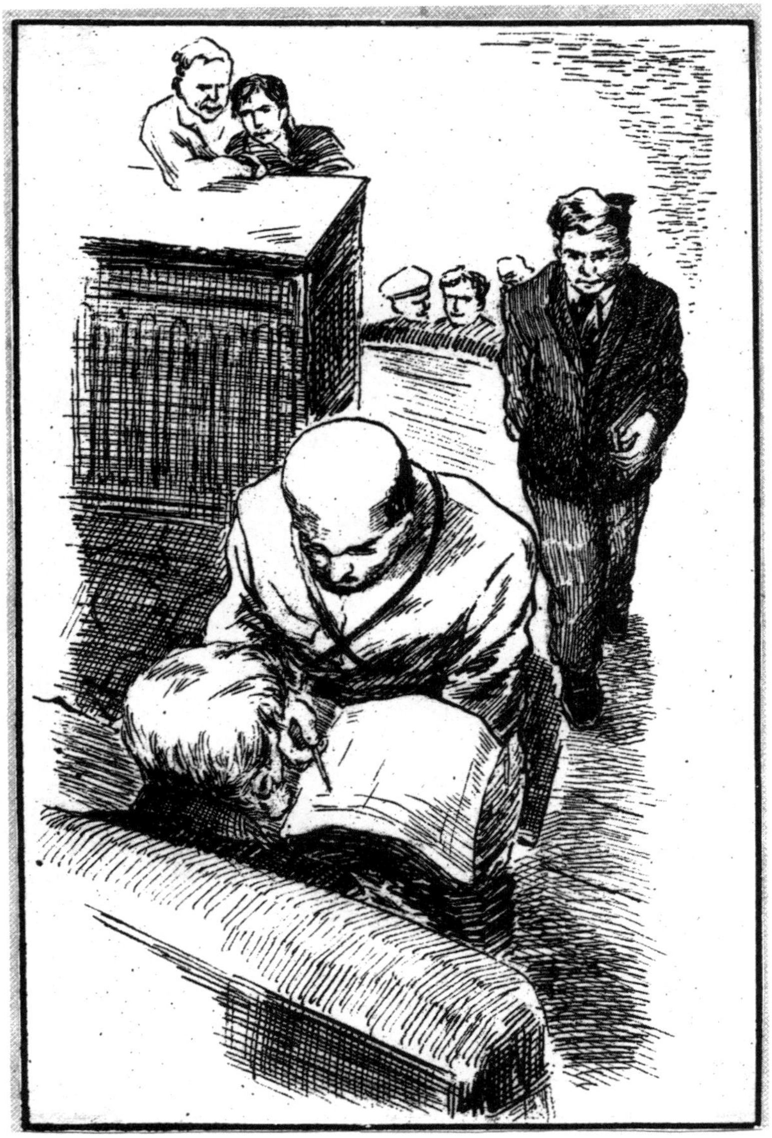

课讲完了。共产主义大学校长走到他跟前来，谢过莫霍夫之后，打开学校记事簿，并递给莫霍夫一支笔，请他在记事簿上签个名。

［校长：写吧，亲爱的同志，就写在这里。］

12

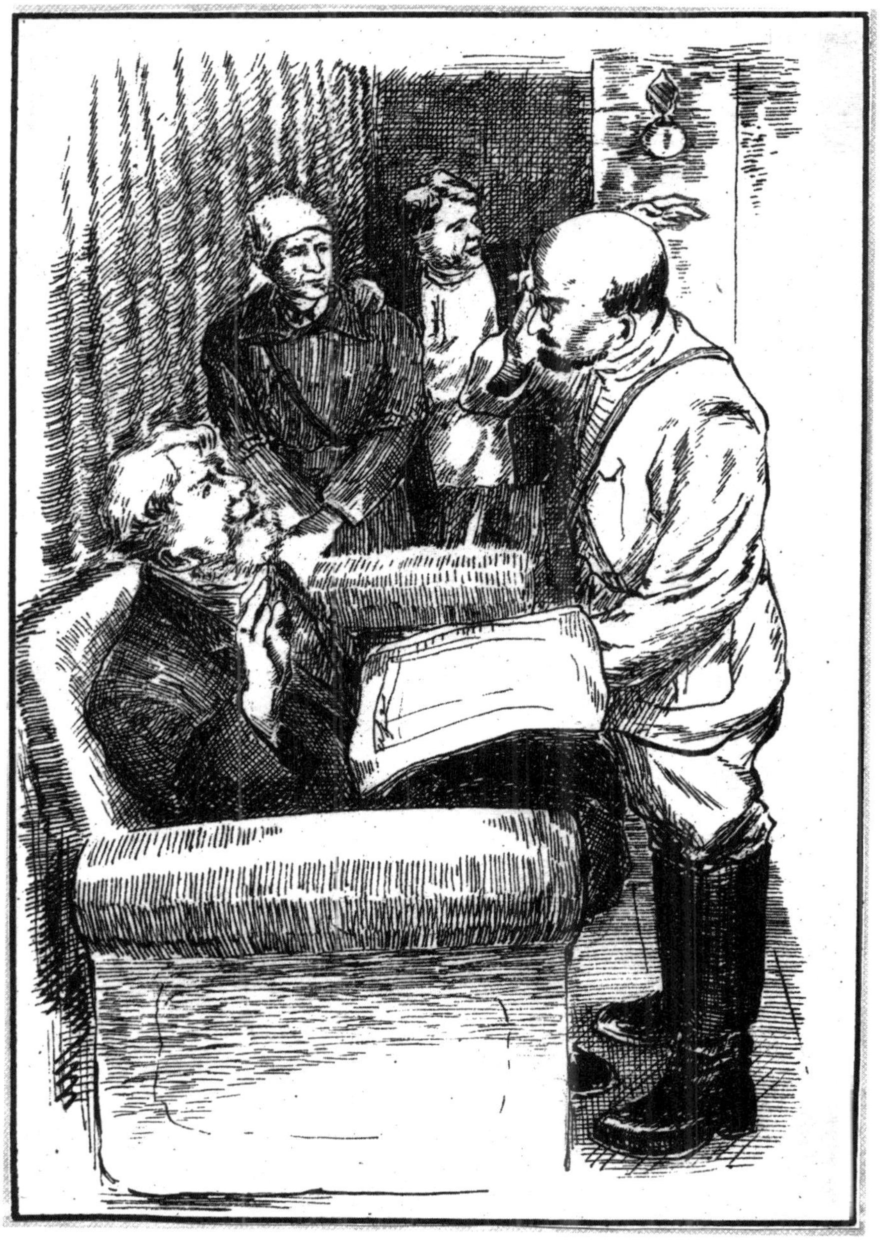

莫霍夫一动不动地呆看着记事本好一会，什么也没有写。校长没有看到莫霍夫这种困窘的处境，又重复了一遍，莫霍夫仍然未动。校长不明白他为什么不签字，还以为莫霍夫忘了戴眼镜，但莫霍夫回答说他根本没有眼镜。

13

莫霍夫聚精会神地瞧着校长手中的笔，脸色很难看，好像内心里一阵剧痛刚刚过去，最后才慢吞吞地说出他为什么不能签字的原因：“我没有上过学……不会写……不识字……”。

14

这时大厅里突然响起暴风雨般的掌声，掌声越来越大，四下里喊出“乌拉——乌拉！”“教授同志乌拉！”“苏维埃政权的教授万岁！”的吼声。

15

莫霍夫院士从沉思中清醒过来，在记事簿里记上："一九六零年一月五日。时间、空间、引力。四小时。莫霍夫院士。"

16

第三章 晶辉建言·光耀民生

编者按：沈先生不仅是一位一直站在科研一线的中国工程院院士、一位在我国最高学府清华大学任教的教授，还是连续三届的全国政协委员、致公党中央委员。更加难能可贵的是，他在自己 70 岁的那一年，还成为了一名光荣的中国共产党党员。

他一生对中国共产党充满感激之情，生前曾多次深情地说："没有党，我上不起学，当不了院士。"《党啊，亲爱的妈妈》、《草原上升起不落的太阳》是多才多艺的沈先生在各种文艺演出时最爱唱的歌曲。2011 年 7 月，在中国共产党建党九十周年之际，沈院士满怀对党的深情与热爱，挥毫写下"热烈庆祝中国共产党建党九十周年"的题词。他的一生，一直在以各种方式报答党和国家的恩情。

这一章中，我选择了一些来自媒体的报道，来自国家的一些党政机构的声音，主要反映他在担任第九届、第十届、第十一届全国政协委员期间，积极参政议政，广泛从群众中收集意见、建议，利用自己政协委员的身份，不断向政协和各机构反映各种情况，努力帮助群众解决民生问题。其中包括他发起撰写的"在 863 计划中恢复人工晶体专题的提案"、国家质量监督检验检疫总局对他提出的"有关修订（水晶）高压釜定期检验的提案"的答复、铁路客运列车车轴钢的选材问题等等。同时他还从自己的专业专长出发，积极向青年学生、广大群众进行科普知识的传播，将晶体学领域的知识传播出去，播撒一个个科学的"晶种"，他期待着未来这些种子能扎根、发芽、长大。

有限的材料，希望读者能从中体会到沈先生广博的视野和无限的博爱。他着眼行业发展，着眼民众民生；他放眼科学事业，放眼祖国未来，体现了鞠躬尽瘁、爱党爱国、仗义直言的科学家风范。

科技日报/2001年/12月/27日/第005版/热点聚焦

是什么卡了我们的脖子（节选）

技术瓶颈纵横谈11·无机非金属新材料

主持人：本报记者胡木成

嘉　宾：中国非金属材料（集团）公司董事长、博士谭仲明

全国政协委员、中国工程院院士沈德忠

中国工程院院士、中材科技股份有限公司总经理张耀明

国家级专家、中材科技股份有限公司副总经理李新华

主持人：在过去的十年时间内，光电子工业经历了一个快速发展的时期，其发展速度甚至能赶上快速发展的计算机网络和新型的数字视频及电视系统的发展步伐。作为重要的光电子功能材料，非线性晶体、光学晶体、压电晶体、闪烁晶体、双折射晶体和激光晶体等人工晶体的研制技术也有了突飞猛进的发展，市场迅速成长起来。我曾多次采访人工晶体院，知道我们有许多优势。人工晶体研究院主要从事非线性晶体、光学晶体、压电晶体、闪烁晶体、双折射晶体和激光晶体等信息功能晶体材料的研究，其研究水平和晶体生长技术在国际上占有一席之地，其中水晶、LBO晶体、KN晶体、KTP晶体、CVD生长技术、晶种法合成云母和金刚石膜生长技术具有国际水平。

人工晶体研究院一直非常重视成果的转化和产品的开发，已建成初具规模的非线性、红外晶体、水晶、金刚石薄膜等生产线，已有多个产业化实体，近几年在国内同行业中成绩卓著。2000年在原有产业实体的基础上组建了天地东方超硬材料股份有限公司和烁光特晶科技股份有限公司，注册资本分别为3000万元和5000万元，在超硬材料和光电功能晶体方面形成了较大的产业规模。说到我们在世界上领先的技术，人们也常举例，譬如人工晶体。

沈德忠：的确，我国人工晶体的成就是公认的。以非线性光学晶体而言，这是我国在世界高科技中占有领先地位的少数几个领域之一。“中国牌”非线性晶体，享誉全世界。非线性晶体应用很广泛，在若干军事和民用高科技领域，如潜艇深水通信、激光致盲武器、海洋鱼群探测、光盘记录、彩色激光打印机、激光投影电视、光计算和光纤通信等都有一系列重要应用。其市场需求很大，美国、日本以及西欧不少国家每年从我国进口很多此类晶体。在光学晶体方面，我国的氟化钙、氟化镁晶体在质量上与国外产品相当，在近紫外波段上我国的氟化镁透过率还略优于国外同类产品，只是在超大尺寸的晶体生长方面与国外还有一定差距。在常规尺寸的应用中，我国的产品完全能够满足用户的要求。我国铝酸镁晶体的研究水平处于国际领先地位，蓝宝石的质量略优于国外产品。压电晶体方面，目前应用最广、技术最成熟的压电晶体仍数水晶。我国的人工晶体研究院以拥有大型设备、生长高质量和大尺寸的水晶著称，近两年在高品质因数、高Q值、耐辐照的研究水平也已达到国际先进水平，推动了该行业的技术进步。随着光通信产业的蓬勃发展，双折射晶体在人工晶体中占的分量也越来越大。目前炙手可热的是钒酸钇晶体，其产业正以惊人的速度发展。近几年由于我国科技工作者在该晶体的生长技术方面取得了突破性的进展，已使其成为分光器件中的核心材料。随着光纤通信的快速发展，对钒酸钇晶体的需求每年以200%的增长速率发展。在钒酸钇晶体的生长和产业化方面，我国在国际上处于领先地位，

我国的产品已占国际市场的三分之一。激光晶体是光电子技术的核心材料，目前最常用的激光晶体是Nd:YAG。美国年生产Nd:YAG棒的能力为3000支以上。国内能批量生产Nd:YAG晶体的单位有6家，其中原电子部十一所的产量占市场的一半以上，质量与国际商品相当，但是价格比美国同类产品低四分之一到三分之一，除满足国内需求外，还少量向第三世界国家出口。除Nd:YAG以外，Ti:Al_2O_3、LiSAF等激光晶体也有较大的市场需求，我国在LiSAF可调谐激光晶体的研制方面很有特色。

主持人：我们的不足在哪里？

沈德忠：以非线性光学晶体而言，我们的晶体深加工不行。尤其是抛光、镀膜不过关。而抛光、镀膜是人工晶体应用的关键。抛光镀膜好了，晶体光学效率就高，做出的元器件性能就优良。美国人买了我们抛光、镀膜的晶体材料，他们要重新抛光、镀膜。我们卖给美国人是4000美元，人家加工一下，就可以40000美元卖给日本人。这大钱让别人赚了。深加工好坏，关键是设备及相应技术。这就是影响我国非线性光学晶体材料产业的瓶颈。大家都知道，水晶在移动通信中用量很大，主要做滤波器。滤波器要求的厚度非常精确，精度达不到，频率就变了。日本人完全采取自动化，从切割到抛光，到频率检测，一整套生产线，不合格马上能检测出来。我们做不到，就得引进。现在我们好多生长晶体的设备，深加工设备都从国外引进。价格贵不说，你总是落在人家的后面。因为人家最好的东西是不会给你的，关键的技术是不会告诉你的。如果不在引进的基础上自己开发，形成自己的设备和专有技术，你的加工的产品就达不到应用要求，你就眼睁睁在市场供不应求的情况下，看别人赚钱。这实际上涉及一个更大的问题，不光是非线性光学晶体，也包括其它晶体。不光是人工晶体这一块，我们的整个机械加工设备都相对落后。我在今年的政协会上也提到这个问题。信息行业和其它行业，都离不开制造业，加工设备是基础，这是不能忽视的。

中国建材报 /2005 年 /8 月 /25 日 / 第 001 版

资源整合优势互补是大势所趋

访全国政协委员、中国工程院院士沈德忠

本报记者　徐彦泓　韩凤凤联合采写

"我非常支持、拥护中国建材集团的作法——资源整合、强强联合、优势互补，不仅为集团的发展壮大打下了良好的基础，同时也为促进产学研结合、加速科技成果转化、拥有独立的自主知识产权创造了优越的条件。"中国工程院院士、中国建材集团高级科技顾问沈德忠在参加中国建材集团 2005 年科技工作会议时非常高兴地告诉记者。

沈德忠是第九届、第十届全国政协委员，中国工程院院士，清华大学化学系教授，中国材料科工集团高级顾问、人工晶体研究院科技委主任，也是中国建材集团特聘的 10 名高级科技顾问之一。

沈德忠，1964 年毕业于四川大学固体物理专业，毕业后即分配到建材部人工晶体研究所（中国建材科工集团人工晶体研究院前身）工作至今。40 年来，沈德忠先后主持过铌酸盐、卤化物、磷酸盐及硼酸盐等十多种晶体的研究工作，内容涉及高温高压、熔剂、提拉、坩埚下降、高频冷坩埚等晶体生长技术，并将所研究的科技成果广泛应用于光学、激光、非线性光学和光折变等领域。

沈德忠主持研究的"非线性光学晶体铌酸钾（KN）"的科研成果，1988 年荣获国家科技进步奖一等奖；"磷酸氧钛钾（KTP）"的研究成果，1987 年荣获部级一等奖。基于 KTP 在电光方面的研究成果，2001 年，他又相继荣获国防科学技术奖一等奖和 2001 年杜邦科技创新奖及 2002 年国家科技进步奖二等奖。沈德忠在 40 年的科研过程中还获发明专利 4 项、申请发明专利两项，在国内外著名学术刊物上发表论文上百篇，出版译著 1 部（4 人合译）。

作为一名科研工作者，沈德忠最关心的就是科技创新、科技成果转化问题。他介绍，在国外，大多数实用新型技术都是在企业完成的，但在我国实现起来却很困难。产学研分离、科研经费不到位、科技成果转化速度慢，导致了企业和科研院所都不能充分发挥其作用。我国像海尔集团那样拥有自主创新能力的企业集团太少了，因而也缺少打进世界 500 强的实力。如今，我国政府已经看到了这一点，并对科研工作给予足够的重视，中国建材集团的资源整合就是一个很好的典范。

集团通过整合形成了以国家级工程中心、检测中心、企业技术中心和相关产业平台作为技术研发依托，集中国建筑材料科学研究院为代表的 12 家具有甲级设计资质的科研设计院所和 12 个专业化装备加工企业于一体的大型企业集团，搭建起了建材行业技术先进、装备优良、工艺齐全配套的综合技术服务平台。这是符合我国发展趋势的，也是符合国际发展趋势的。企业集团要发展壮大，必须依靠先进科学技术的支撑，通过合理的资源配置，支持科研院所的研究工作，再利用科研院所的科技成果壮大企业，促进双方发挥各自优势，达到强强联合、优势互补的目的。

同时，沈德忠还表示，企业如何发展，如何实现科技创新，管理也是非常重要的。企业要通过完善的管理制度，合理调配资金，合理运用科研经费，做到专款专用，以保证科研工作的顺利进行。

科技日报 /2005 年 /9 月 /27 日 / 第 012 版
产业资讯

多彩的人工晶体，曲折的奋斗人生
记著名人工晶体研究专家、中国工程院院士沈德忠

杨　雯

当你通过艰苦的努力，无数次的失败，终于研制出不但具有晶莹剔透、闪闪发光的外形，而且具有巨大应用潜力的晶体时，那种幸福感是什么也不能相比的。——沈德忠

20 世纪 50 年代，硅单晶的研制成功及其在集成电路上的应用，使人类进入到电子信息时代。短短十几年后，酸氧化物激光晶体、半导体激光晶体及其相关调制晶体的研制成功，又宣告了光电子时代的来临。毫无疑问，人工晶体的研究成果在人类历史上起到划时代的重要作用。进入 21 世纪，人工晶体作为微电子、光电子、通信、航天、宇航等高科技领域和现代军事技术所不可替代的关键材料越发受到世界各国科学家的重视。各发达国家一致认为：在日益激烈的高科技竞争中，人工晶体具有不可替代的地位，纷纷投巨资进行研究，抢占人工晶体技术的制高点。

我国的人工晶体事业经过半个多世纪的发展已经取得了举世瞩目的辉煌成绩：多种人工晶体生长技术居国际领先或先进水平；“中国牌”非线性光学晶体享誉全球；一些重要晶体满足了国内重大工程的需求；一批高技术晶体已出口国外等等。这些成绩的取得与我国人工晶体研究领域的科学工作者多年的辛勤工作紧密相关。我国著名人工晶体研究专家、清华大学化学系教授、中国工程院院士沈德忠就是其中之一。

日前，笔者有幸对沈德忠院士进行了专访。访问是从沈院士的最新研究成果“新型紫外倍频晶体硼酸铯锂（CLBO）的研究”谈起的。

谈到晶体，我们自然会联想到水晶、钻石这些用作装饰的天然晶体。其实，在我们生活中发挥重要作用的远不止这些天然晶体，许多是自然界没有，而是用人工的方法制造出来的，这就是人工晶体。人工晶体是在严格控制的实验环境下所制备出的各类符合人们要求的晶体材料。人工晶体研究涉及晶体的生长、结构测定、特性评估、功能应用，以及按晶体微观结构与表观性能之间的联系规律，去探索新型功能晶体。从石英手表中的石英晶体振荡器到高密度信息存储、集成电路的制备等，人工晶体几乎渗透到人类生活的每个方面。非线性光学晶体的一个重要作用是改变激光的波长。

CLBO 是近年来研制出的一种新型非线性光学晶体，它具有较小的走离角、较大的角度带宽、光谱带宽和温度带宽等优异的紫外非线性特性，特别是能够对 Nd:YAG 激光器输出的 1064nm 激光进行四倍频和五倍频。这些优点使 CLBO 晶体适合于在紫外波段进行频率转换，尤其是用于大功率紫外固体激光器。

沈院士领衔主持的“新型紫外倍频晶体硼酸铯锂（CLBO）的研究”是沈德忠院士及其所在的清华大学功能晶体与薄膜研究所于 2002 年 1 月承担的国家“863”研究项目。为了生长出大尺寸的 CLBO 晶体，沈德忠等人改造建成了炉膛尺寸为 Φ350mm×1200mm 的大型单晶生长炉，配置了精密温度控制系统，控温精度为 ±0.5℃，并加配了籽晶旋转和升降系统。由于研究需要，须配置一只价值人民

币 84 万元的铂金坩埚，在研究经费不足的困难情况下，沈德忠等人另谋他法借得所需铂金，成功做成了坩埚。到 2004 年底，沈德忠等人利用自制的设备装置共进行 CLBO 晶体生长试验 51 次，长出各种尺寸的晶体 43 块，其中有突破性进展的代表性晶体有 4 块。尤其是 2004 年 12 月长出的尺寸为 146mm×132mm×118mm 的高光学质量的 CLBO 大单晶，该单晶不但光学质量比日本公示的 CLBO 晶体好，而且尺寸也比日本（140mm×120mm×110mm）的大。

沈德忠介绍说，此项 CLBO 晶体生长技术已经处于国际领先水平。为了让门外汉的笔者对晶体生长有一个直接感性的认识，沈院士特地捧出了上述那块 CLBO 大晶体。该晶体呈正八面体形，晶体通透晶莹、毫无瑕疵。晶体在灯光的照射下，绚丽多彩、熠熠生辉。沈院士特别指出生长这块硼酸盐晶体只用了一个月时间。笔者听在耳中，不禁为能在如此短时间内长出如此高质量、大尺寸的晶体感到欣喜不已，更何况是作为第一培植人的沈院士。沈院士在描述晶体时脸上溢出的幸福感就像看到自己呕心沥血多年栽培的“儿子”终于成才一样。此时，笔者才深深体会到一个做“父亲”的艰难。

虽然 CLBO 晶体具有诸多优异的紫外非线性特性，但在空气中放置过久后，会出现像岩石风化般层层裂开的“自杀”现象。为此，包括国际一些著名的晶体材料学家，都对 CLBO 晶体使用寿命不大看好。但沈德忠等人经过 3 年锲而不舍的刻苦钻研后，最终找到了在空气中长久放置的良方。他们将 CLBO 倍频器放置在一个小巧的恒温在 120℃左右的加热器中，倍频器的通光面直接与大气接触。通过这种方法，使得研制的 CLBO 倍频器在空气中的使用寿命至少达到两年。

我们知道，任何科研成果的最终目的都是实际应用，否则就失去其研究的本质意义。沈德忠的此项研究成果在研制过程中就发挥了实用价值。2003 年，北京大学重离子物理研究所为解决自由电子激光器研究中的注入器关键技术，需要至少 500mW 的 266nm 激光。他们从瑞士 TBP 公司进口的 GE-100-XHP 激光器是用 BBO 晶体做 1064nm → 266nm 的倍频，由于 BBO 晶体在 266nm 紫外激光作用下会产生光折变损伤，最大功率只能达到 180mW。正当他们一筹莫展之际，沈德忠等人给他们提供了一块尺寸为 5mm×6mm×14mm 的 CLBO 倍频器，产生了 1200mW（1.2W）的 266nm 激光，大大超过所需 500mW 的功率。这从根本上保证了注入器技术的顺利完成及验收。2004 年，中科院物理所光物理开放实验室用沈德忠等人提供的尺寸为 5mm×5mm×40mm 的 CLBO 倍频器，在他们的输出为 120W 的 1064nm 全固态 YAG 激光器上进行实验，成功获得 28W 的 266nm 激光输出，转换效率达 24.7%。在 266nm 紫外激光输出功率方面，该成果属国际先进水平。

目前，中科院物理所光物理开放实验室已经与沈德忠所在的功能晶体与薄膜研究所合作，研制一台用于半导体集成电路清洗用的 1W 266nm 全固态激光器。“863”有关专家组也已经批准在“十五”科技攻关计划预留经费中提供 50 万元予以追加资助。

1959 年，19 岁的沈德忠从贵阳一中毕业，本来很喜欢美术的他毅然报考了四川大学物理系，自此奠定了他不平凡的人生道路。1964 年大学毕业后，他被分配到建材部非金属矿研究所工作。按当时的规定，刚参加工作的大学生要下放劳动一年，于是沈德忠下放到山东南墅石墨矿去当钳工。“这一年的钳工对我以后的科研工作帮助很大，为什么呢？因为搞科研总是要动手的，而当钳工，正好就锻炼了这种动手能力，可以按照自己的想法去做。”

1965 年底下放期满，回到北京沈德忠努力搞科研，尽量避免外界干扰，1966 年 5 月 5 日这天，造出了人造金刚石。那天正好是马克思的生日，因此沈德忠至今记忆犹新。然而个人的力量在那滔滔历史洪流当中太渺小了，1968 年，他再次被下放到内蒙古卓子山去锄草、打麦子。“一个月半斤油”，生活的艰辛程度不言而喻。即便如此，沈德忠在回忆这段历史的时候仍说：“到农村去也有好处，就是我知道了什么时候播种，什么时候收割，并且也了解到农村的情况。”1969 年，他又被转学到河南板桥“五·七干校”继续劳动，一直到 1971 年底才回到了阔别 3 年之久的北京，已基本可以进行科学研究，不过一切都要重起炉灶。沈院士风趣地说，这样也有一定的好处，因为有些自制的设备坏了可以自己动手修。

当时，沈德忠对 KN（铌酸钾）晶体的生长产生浓厚兴趣，那时美国、瑞士等国都在研究，但成效甚微。“世上无难事，只怕有心人”。从 1972 年起沈德忠用了 10 余年时间，采用独创的工艺技术解决了晶体带色、开裂、定向、极化等技术难题，制备出当时国际上最大的 KN 单畴晶体，使我国 KN 晶体生长技术处于国际领先水平。1988 年，其研究成果荣获国家科技进步奖一等奖。目前沈院士所在的中非人工晶体研究院是世界上能批量供应高质量 KN 晶体的 3 家供货商之一。今天，KN 晶体在半导体激光倍频领域显示了巨大的应用潜力，成为下一代 DVD 蓝光光源的首选倍频材料。

此后，沈德忠又对 KTP（磷酸氧钛钾）晶体进行研究。当时，掌握 KTP 晶体水热法生长技术的是美国杜邦公司。但用水热法长出的 KTP 晶体尺寸很小，售价也极为昂贵。由于 KTP 卓越的激光倍频性能和潜在的军用前景，美国对我国实行严格的技术封锁和禁运。沈院士另辟蹊径，创造性地设计出新颖的顶部籽晶熔剂法（1987 年获得部级科技进步奖一等奖），在半年时间里就生长出高光学质量、大 Z 切面的大尺寸 KTP 单晶。这种具有自主知识产权的 KTP 晶体生长技术，不仅打破了外国的垄断，而且使我国的 KTP 晶体返销到美国，创造了数百万美元的外汇。接着，沈德忠又用熔剂法生长出可用于电光调制的 KTP 晶体。在国际上首次将熔剂法 KTP 晶体用作电光调制，大大提高了相关军事激光装备的性能，达到国际领先水平。该研究成果获 2002 年国家科技进步奖二等奖和科技部代颁的美国杜邦科技创新奖。

进入到 20 世纪 90 年代以后，他又从事 CLBO 晶体的生长和应用研究。目前 CLBO 晶体的研究不仅达到国际领先水平，而且具有立竿见影的实用价值，这让沈德忠在回首过去近半个世纪坎坷的育晶生涯时无怨无悔。采访中，沈院士告诉笔者，晶体生长是一个漫长的过程，动辄需要三两年；而且要观察它生长的一些现象，有时要不分昼夜泡在实验室，很难在短时间取得突破性进展，“好几年也不见得能写出一篇像样的文章，而别的学科一年能写好多篇。在目前这种按发表多少文章论英雄的评价体系下，人才流失严重、后继乏人啊！”面对现实的无奈，他没有动摇，也从不气馁。作为一位有远见卓识的科学家，沈德忠最懂得“只有好晶种才能长出好晶体”的道理，所以他十分关注人工晶体知识在青少年中的普及。为此，沈德忠在科研任务异常繁重的情况下，仍抽出宝贵时间积极投身于人工晶体的科普活动。多年来，沈德忠在清华大学、北京理工大学、天津大学等全国高等院校为广大有识青年讲述题为“多彩的人工晶体”的学术报告。此外，还接受如央视科普性栏目《科技博览》等众多媒体的采访。希望通过自己的不懈努力，为中国人工晶体知识普及尽献自己的绵薄之力。

采访中，沈院士还多次重复“ten million and ten years”这句英语——这是美国晶体生长界流行的一句话，意思是说：研制一种新晶体，要花一千万美元，10 年时间。他说，自己虽然没有“ten million”，但会为了自己热爱的人工晶体事业无悔地奉献出自己下半生所有的“ten years”。相信沈德忠院士将会在未来为我国乃至世界人工晶体事业做出更大的贡献。

专家档案：

沈德忠，清华大学化学系教授，中材人工晶体研究院高级工程师。1940 年生于贵州贵阳。1964 年从四川大学物理系固体物理专业毕业后，分配到人工晶体研究院（前身为国家建材部非金属矿研究所）从事无机非金属人工晶体的探索、生长和应用研究工作。1986 ～ 1987 年在加拿大多伦多大学进修光波导，1993 ～ 1994 年在美国圣芭芭拉大学合作研究光折变效应。1985 年被授予国家有突出贡献的中青年专家，1995 年当选中国工程院院士，1988 年获国家科技进步奖一等奖，2001 年荣获国防科学技术一等奖和杜邦科技创新奖，2002 年获国家科技进步奖二等奖。荣获中国发明专利 5 项、美国发明专利 1 项、申请发明专利 2 项，发表论文百余篇，出版译著 1 部。现为十届全国政协委员、中非人工晶体研究院科技委主任。

中国高新技术产业导报 /2005 年 /11 月 /15 日 / 第 004 版
技术前沿

沈德忠：抢占人工晶体技术制高点

杨　雯

人工晶体的研究成果在人类历史上起到划时代的重要作用。进入 21 世纪，人工晶体作为微电子、光电子、通信、航天、宇航等高科技领域和现代军事技术所不可替代的关键材料越发受到世界各国科学家的重视。各发达国家纷纷投巨资进行研究，抢占人工晶体技术的制高点。

在我国科技人员的努力下，人工晶体事业经过半个多世纪的发展已经取得了举世瞩目的辉煌成绩。我国著名人工晶体研究专家、清华大学化学系教授、中国工程院院士沈德忠就是这些科研人员中的典型。

要了解沈德忠就要先了解他的最新研究成果“新型紫外倍频晶体硼酸铯锂（CLBO）的研究”。

沈德忠领衔主持的“新型紫外倍频晶体硼酸铯锂（CLBO）的研究”是沈德忠及其所在的清华大学功能晶体与薄膜研究所于 2002 年 1 月承担的国家“863”研究项目。为了生长出大尺寸的 CLBO 晶体，沈德忠等人改造建成了炉膛尺寸为 Φ350mm×1200mm 的大型单晶生长炉，配置了精密温度控制系统，控温精度为 ±0.5℃，并加配了籽晶旋转和升降系统。由于研究需要，须配置一只价值人民币 84 万元的铂金坩埚，在研究经费不足的困难情况下，沈德忠等人另谋他法借得所需铂金，成功做成了坩埚。到 2004 年底，沈德忠等人利用自制的设备装置共进行 CLBO 晶体生长试验 51 次，长出各种尺寸的晶体 43 块，其中有突破性进展的代表性晶体有 4 块。尤其是 2004 年 12 月长出的尺寸为 146mm×132mm×118mm 的高光学质量的 CLBO 大单晶，该单晶不但光学质量比日本公示的 CLBO 晶体好，而且尺寸也比日本的大。

沈德忠介绍说，此项 CLBO 晶体生长技术已经处于国际领先水平。上述 CLBO 大晶体呈正八面体形，晶体通透晶莹、毫无瑕疵。晶体在灯光的照射下，绚丽多彩、熠熠生辉。沈德忠特别指出生长这块硼酸盐晶体只用了一个月时间。沈德忠在描述晶体时脸上溢出的幸福感就像看到自己呕心沥血多年栽培的“孩子”终于成才一样。

虽然 CLBO 晶体具有诸多优异的紫外非线性特性，但在空气中放置过久后，会出现像岩石风化般层层裂开的“自杀”现象。为此，包括国际一些著名的晶体材料学家，都对 CLBO 晶体使用寿命不太看好。但沈德忠等人经过 3 年锲而不舍的刻苦钻研后，最终找到了在空气中长久放置的良方。他们将 CLBO 倍频器放置在一个小巧的恒温在 120℃左右的加热器中，倍频器的通光面直接与大气接触。通过这种方法，使得研制的 CLBO 倍频器在空气中的使用寿命至少达到两年。

目前，中科院物理所光物理开放实验室与沈德忠所在的功能晶体与薄膜研究所合作，研制一台用于半导体集成电路清洗用的 1 瓦 266nm 全固态激光器。“863”有关专家组也已经批准在“十五”科技攻关计划预留经费中提供 50 万元予以追加资助。

中国建材报 /2006 年 /3 月 /3 日 / 第 001 版

科技发展　材料先行

访全国政协委员、中材高新材料股份有限公司科技委主任沈德忠

本报特派记者　韩凤凤

俊彦荟萃，群贤毕至。踏着春天的脚步，全国政协委员们带着治国安邦的诤言良策，担负着下通各界、上达中央的神圣职责，从祖国的四面八方聚首北京。

作为第九届、第十届全国政协委员，致公党中央委员会委员、中国工程院院士、清华大学化学系教授、中国材料科工集团高级顾问、中材高新材料股份有限公司科技委主任沈德忠已经是第九次参加两会了。虽然是第九次，但沈德忠依然饱含激情，用他自己的话说就是："积极性非常高。"其实不仅仅是沈德忠的积极性高，他周围职工群众积极性也高。大家都盼着沈院士能把大家关注的焦点和热点问题带到两会上。沈院士准备了 5 个提案，其中有自己想说的，也有群众想说的。

沈德忠 1964 年毕业于四川大学固体物理专业，毕业后即分配到建材部人工晶体研究所工作至今。40 年来，沈德忠院士先后主持过铌酸盐、卤化物、磷酸盐及硼酸盐等十多种晶体的研究工作，涉及高温高压、熔剂、提拉、坩埚下降、高频冷坩埚等晶体生长技术，并将所研究的科技成果广泛应用于光学、激光、非线性光学和光折变等领域。

沈德忠主持研究的"非线性光学晶体铌酸钾（KN）"的科研成果，1988 年荣获国家科技进步奖一等奖，"磷酸氧钛钾（KTP）"的研究成果，1987 年荣获部级一等奖。基于 KTP 在电光方面的研究成果，2001 年他又相继荣获国防科学技术奖一等奖和 2001 年杜邦科技创新奖及 2002 年国家科技进步奖二等奖。2005 年，沈德忠主持的"863"项目——"新型紫外倍频晶体硼酸铯锂（CLBO）的研究"顺利通过验收。

沈德忠在 40 年的科研中还获发明专利 4 项、申请发明专利 2 项，在国内外著名学术刊物上发表论文上百篇，出版译著 1 部（4 人合译）。

沈德忠像重视自己的科研成果一样，重视每年一度的两会。他所反映的问题，是发生在他身边的问题，更是群众关注的问题。例如，中央企业退休职工与北京市退休职工同城不同待遇的问题，保持共产党员先进性教育不能流于形式的问题，住宅小区物业管理问题，以及科研项目申请和经费管理流程要规范的问题。在采访中，沈德忠主要向记者介绍了"关于保护知识产权问题的提案"和"关于推进新材料产业化进程的提案"。

沈德忠介绍说，有效保护知识产权，对于企业快速增强核心竞争力至关重要，是每个企业都要面临的问题。有些企业在这个问题上吃过很大的亏。有些单位的工作人员为了追求个人利益，带着完善的技术，从企业中分离出去。因为没有大企业的负担，省去了技术的前期研究成本，还掌握成熟的市场，所以他们的优势明显。但是，为此付出大量技术和资金的企业，却遭受严重损失。

沈德忠介绍，一项科研成果的研发和市场的培育，从立项到完成，不仅凝聚了无数工作人员的心血，同时也是企业精心培育的结果。虽然因各种原因，企业的一些科研成果不宜申请专利，只能作为技

术秘密由企业内部控制，而这些分离出去成立私人公司的技术人员带走了这些技术秘密并用于他们的产品制造，原企业却无法追究他们的责任。因为，国家没有健全的法律法规对没有申请专利的自主知识产权进行保护，更无法在精神上和道德上对个人行为进行约束。所以沈德忠建议，除加大对公民的道德教育外，有关部门还应搞好调研工作，针对类似情况制定相关的法律法规和政策，企业也应该制定有利于留住技术骨干的相关政策，将员工团结起来，在发挥他们智慧和潜能的同时，有效地保护自主知识产权。

沈德忠说，企业是科技创新的主体，特别是建材企业，肩负着应用先进技术改造传统工艺的重任。重视自主知识产权的应用，对促进建材企业实现由大变强的战略目标，更是显得尤为重要。现在我国越来越重视自主知识产权的保护，建材行业应该以此为契机，将科技法治建设的重点目标转向知识经济法制的培育与建设上。为此，应充分运用法律的手段与方法引导产业定位，优化市场资源配置，为企业真正成为科技进步的市场主体营造良好的法律环境。

关于推进新材料产业化进程的提案，沈德忠介绍说，“科技发展，材料先行。”一代材料的性能决定了一代器件的效能，从而决定了一个领域乃至一个国家科技发展的整体水平。我国对材料科技历来给予了高度重视，在新材料研究和产业化发展方面都进行了重点支持。但目前我国在新材料的整体研制水平和产业水平上与发达国家相比，差距仍然很大，这在一定程度上限制或者阻碍了相关高技术领域的发展。分析其中的主要原因，他认为：一是目前企业的产业化发展，与国民经济发展的当前需求相脱节；二是新材料科技成果转化为生产力的能力较弱，转化比例小，转化周期长，很多科技成果因科研经费不足无法进行中试，所以只停留在“研制成功”这一阶段，埋没在实验室中，“养在深闺人未识”，无法转化为生产力。

为此沈德忠建议，国家应结合国民经济发展的需求、国内新材料产业发展现状和世界动态，制定好一段时期内的战略规划，做到“有所为，有所不为”，并突出不同阶段的发展重点，培育、扶持新材料领域有国际竞争力的大型企业，加大科研经费的投入，并监督经费的使用过程，做到专款专用。建材行业应加速科技成果转化，对已经研制成功的科研成果给予资金上的支持，促进中试的顺利进行，并尽快产业化；重视材料科技的基础研究、材料基础数据（包括服役性能）的积累和数据库的建立，重视测试技术与研究方法的开发。

工程院沈德忠院士漫谈人工晶体（实录）

郭桐兴：各位观众大家上午好！欢迎大家来到腾讯网院士访谈栏目，我们今天非常荣幸地请到了中国工程院院士、清华大学化学系教授、中材人工晶体研究院科技委主任、第十届全国政协委员、曾任中国光学学会副主任沈德忠院士。沈老师您好，欢迎您！

沈德忠：您好，谢谢。

郭桐兴：今天我们主要想请沈老师就人工晶体这个话题给我们做一个介绍。首先请沈老师给我们介绍一下什么是人工晶体。

沈德忠：人工晶体就是采用人工的方法，合成出自然界中已经存在的晶体。比如石英，我们用人工的方法合成出来。同时人工还可以合成出自然界中不存在的晶体，比如磷酸氧钛钾，这些晶体在自然界是不存在的，我们就可以采用人工的方法合成出来。

郭桐兴：用人工方法合成自然界没有的晶体。

沈德忠：这个人工晶体包括多晶，也包括单晶，只要是对人工有用的都可以合成出来。

郭桐兴：人工晶体大概有多少种，又是怎么分类的呢?

沈德忠：人工晶体有很多，从不同角度可以有不同的分类方法，从光学角度来说可以分为十二种。第一种是半导体晶体，比如硅；第二种是分析性光学晶体，这个也有很多，磷酸锂、磷酸钾，还有铜酸锂和铜酸钡是咱们国家发现的。还有压电晶体，比如石英，通过压力可以产生不均匀分布。还有紫光、激光、电光调制晶体，晶体的磁学性质、光学性质，可以对晶体进行调制，调制它的对象、强度等等。还有光体晶体，光路过的地方，晶体产生折射，产生变化，可以做一些记录等等。另外还有散热晶体，光打在上面以后，可以散光，把一个高能离子变成光子，在原子能示踪、能量剂等方面很有用。在 CT、B 超方面都是用散光晶体来显示的。还有一些宝石晶体，在工程上有很大的用途。

郭桐兴：不仅仅是装饰。

沈德忠：现在的宝石基本上可以用人工合成，包括金刚石、蓝宝石、翠绿宝石等等都可以用人工方法来合成，比海底天然的要纯，但人们传统认识还是认为天然的是最好的。

郭桐兴：实际上算是一个误解，怎么理解这个?

沈德忠：光学方面的标准不适宜人们作为评判一个宝石的标准，广大人民群众还是觉得天然的最贵，人工合成的价格不是很贵，尽管它的品质会很高。同时，光纤通信的发展，要生成的晶体越来越多。大概就是这些种类。

郭桐兴：我们研究人工晶体，它究竟有什么用途呢?对我们人类的日常生活、工作有什么帮助?

沈德忠：人工晶体是一种电子材料，我们学过历史的都知道，人类社会往往是以材料来划分历史阶段的。比如在原始社会是石器时代，那时候的工具都是石头做的，后来发现了铁，包括犁、刀都可以用铁做，这个时候就是铁器时代了。人工晶体也起到了这样的作用，比如第一次世界大战的时候，因为有了石英这种压电晶体，使得战场的局面就不一样了，可以用石英调制电磁波，作为平衡剂等等。第二次世界大战有了计算机，这时候出了单晶硅，就可以做成很多电子器件。单晶硅的出现把人类带进了电子信息时代，它就是一种材料，但作出了很多高技术的器件，使咱们的社会、人们的生活产生了很大变化。

郭桐兴：改变人类的生活和环境，是不是一些思想观念也发生了转变和根本的认识。

沈德忠：对。上个世纪五六十年代又出现了激光，出现了激光晶体，最早的激光晶体就是红宝石。激光出现以后，使人类进入了一个光子时代。因为光的速度比电子的速度要快很多倍，光是速度最快的，每秒 30 万公里，所以它的传播、距离都会很长。由于各种不同功能的晶体出现，使人类的阶段跨入另外一个阶段，更前进了一步，所以人工晶体是相当重要的。

郭桐兴：您可以给我们举几个例子，比如有的人工晶体能够提高光的频率。

沈德忠：各种各样的晶体各有各的功能，比如激光晶体是产生激光的，这激光是一种单色性特别好、亮度特别高的新光源。

郭桐兴：怎么发光呢?

沈德忠：它的原理还是爱因斯坦的电子跃迁理论，我们把一个激光棒做好了以后，两边都是膜，它的旁边或者是底部、两端，给它通上电源，加上它激发的能量，棒子里面掺杂的离子和电子，有很多不同的激发态，从激发态跃迁回来就可以发出光。从高能态，到低能态的时候，能量发生变化，这个能量就转成光子，光子发出来以后就变成了激光。激发出了激光以后，还有一个激光枪，就是光子在里面来回振荡，使得它的基态能量不断向高能态去，这样不断产生很强的激光。然后把这个激光枪做成，一面反射光，一面透过光，这样就可以出来。

郭桐兴：激光一般用于什么呢?

沈德忠：激光用途很大，可以作为光通信用，也可以作为复印，包括彩色打印机，还有激光电视。

郭桐兴：激光电视跟我们现在的电视有区别吗?

沈德忠：当然了，激光可以把光聚到很细，因此分辨率很高，亮度很亮。激光电视现在还有很多具体问题没解决，主要是它的扫描现在还不是太成功，不是光源的问题，光源早就过关了。它对于整个显示系统将会带来很大的变革。还有海底通信，因为海底对于绿光的侵袭是最小的，通过这个晶体以后，就可以把它变成绿光，把频率增加一倍。

郭桐兴：原来是红外光，把原来红外光的频率提高了。

沈德忠：增加了一倍，波长就缩短一半，除二的话，就是 532 纳米的波长，这就是绿光，很适合海底通信。

郭桐兴：通过人工晶体介质的变化，转换它的频率，提高它的能量。

沈德忠：提高光子的能量。

郭桐兴：然后达到一个非常好的通信效果。

沈德忠：就变成绿光了，对于海水来说，绿光吸收度是最小的，其他无线电波等很快就吸收了，也传不远。

郭桐兴：等于这个信息传输技术比其他手段效果要好。

沈德忠：绿光的用处有很多。

郭桐兴：可见人工晶体的用途非常广泛。

沈德忠：还有压电晶体，像石英，加上一点点压力以后，会出现变化。我们现在的手机加上一点电压以后，就会唱歌。现在我们手机之所以会唱歌，就是因为里面有压电晶体。

郭桐兴：因为有人工晶体，所以才会唱歌。可不可以理解为“会唱歌的人工晶体”。

沈德忠：对，石英就是“会唱歌的人工晶体”。当然现在还有比石英更好的人工晶体，但由于制作过程比较复杂，成本也比较高。石英现在的生产非常成熟了，所以手机里面都是石英的压电晶体。

郭桐兴：手机里面就是人工晶体。

沈德忠：对，手机的频率调控、滤波、振荡都是人工晶体的。

郭桐兴：您在 88 年的时候，获得了国家科技进步奖一等奖的铌酸钾，大概是一个什么晶体呢?

沈德忠：是压电晶体，也是光子电晶体，它有很多功能。铌酸钾最大的特点，是对于毫瓦的激光，倍频要产生需要达到一个级别。一般情况下，余值比较高。铌酸钾是低功率方面最好的，温度变化不会影响它的压电效应。同时机电耦合系数也很高，像石英机电耦合系数只是 0.4 ～ 0.5，铌酸钾比它高很多，但现在数量很难涨。

郭桐兴：机电耦合技术是什么意思?

沈德忠：就是压电晶体加上电压以后，输入多少电进去，振动的能量是多少，这不是直接的关系，是一种表述方法。所以机电耦合系数越大，效率就越高了。

郭桐兴：铌酸钾是不是一个频率转换的介质。

沈德忠：对。美国在 80 年代的时候，还没有一个厘米见方的铌酸钾可以用，我们那个时候已经做到几十个毫米的了，而且外国人还向我们买这个晶体。

郭桐兴：这方面，我们国家比其他国家要先进。

沈德忠：对。我们国家在人工晶体方面，在上个世纪是走在前面的，铌酸钾我们做得最好，KTP 我们的方法最先进。美国的 KTP 是用水热法，是三千大气压，八百度，这个条件很难达到，所以晶体很小。我们用其他的方法，长得比他们大。后来他们做波导气垫的时候都向我们买这个波导片。但最近美国他们有超过我们的迹象，有一些人工晶体都是他们先长出来。比如透明的 VIG 陶瓷，日本人研究了三十多年。它可以做成大片，而且强度比晶体要好，光学质量和单晶差不多。美国人在 2006 年的时候还做不出来这么大片的 VIG 陶瓷来，就向日本人买。买到以后做大功率的激光器，做到六万瓦。两到七秒钟内，把原来 25 毫米的钢板打出一个大洞，所以这是相当惊人的。美国人准备再发展这样的激光器，用这个大片做成十万瓦的激光，就可以做飞机；我们国家也做出了 VIG 陶瓷，但只做出了十瓦，这方面我们落后日本十年。

郭桐兴：可见人工晶体的用途是非常广泛的，而且它的原理就是刚才您介绍的情况，通过人工晶体，可以把光源频率发生改变，红外光可以变成绿光。

沈德忠：1.64 的红外光。波长是 164 纳米，我们知道光是一种电磁波，电磁波是一种波长。

郭桐兴：波长越短的，光子能量就越高。波长越长的，它的能量相对来说要小。通过您介绍的人工晶体，实际上就是提高光的频率、能量。

沈德忠：提高光子的能量。

郭桐兴：使红外光变成绿光，用于人们的日常生活和学习。可以看出人工晶体是非常重要的，是不是也可以代表一个国家的工业技术水平。

沈德忠：是。像人造金刚石，它的量大，而且强度高。比如说切割、打钻，几千米的钻头，都要用这个金刚石。天然的太贵了，人造的很便宜。所以人工金刚石的数量和质量是一个国家工业发展的标准。包括切割的片，这些都是金刚石。

郭桐兴：我们平常见的玻璃刀。

沈德忠：现在人造金刚石大小大概是一个毫米以下，也可以造大，但造大以后成本就高了，所以不用于普及了。

郭桐兴：请您给我们介绍一下，我们国家人工晶体研究的现状，与发达国家相比，我们处于一个什么样的状态?

沈德忠：上个世纪八九十年代，咱们国家的人工晶体是国际领先的。中科院研制了新的晶体，就是三硼酸锂，还有偏硼酸钡。咱们国家发现了 KTP 技术，而且质量也在逐步提高。现在改进的熔剂法，长出的 KTP 晶体，在质量方面都比水热法的不差。我们国家研制出了一种掺镁晶体。

郭桐兴：它有什么用途?

沈德忠：铌酸锂是一些元件中的晶体，也可以做压电，它的产量很大，因此用得很多。

郭桐兴：我们日常生活当中主要用于哪些方面?

沈德忠：光通信，光缆里面。因此国外，像美国、英国、德国，都向我们买这个。

郭桐兴：我们在这方面是处于领先的位置。

沈德忠：对，我们国家的晶体占据了国际市场的30%～40%，但近几年我们显得有一些落后了。比如VIG陶瓷，透明陶瓷，把陶瓷造成透明的，这是不容易的，我们落后于日本大概十年。另外还有一些新兴的半导体晶体，比如氮化镓、碳化铝，我们也落后于日本。还有一种新的晶体，就是硼酸钡，这是德国人首先发现的。还有硼酸铝钙，这些都是德国人首次发现的。在这个方面，就是不进则退。所以最近这段时间咱们国家的人工晶体是有一些落后的迹象。

郭桐兴：我看到有关“十一五”规划当中，就把六个产业作为咱们国家重要的扶持产业，其中之一就有激光，说明激光是咱们国家很重要的基础。应该说，有关部门应该加大这方面的支持力度。

沈德忠：对。比如“863”还在发指南，研究五千瓦的激光器。五千瓦实际上国内早就提出来了，不知道为什么要拟这个题目。像六万千瓦的激光器，我们国家恐怕只是军方来做了。像“863”这段时间的经费做这个都够呛。所以激光器的投资是很大的。

郭桐兴：投入是高的，但对长远发展是很重要的。比如用于潜艇的通信技术，这个东西肯定是非常关键的。我们现在说是和平崛起，但也有一种自我防卫意识，为了保卫自己国土的安全，在军工产业上不能落后于其他国家。将来信息战，首先通信技术就要过关，如果通信技术不过关的话，保卫就很难得到保障。

沈德忠：通过这些年的发展，咱们国家在“七五”“八五”“863”、自然科学基金、“973”等资金的支持下，咱们国家的人工晶体还是取得了一些发展。这些年，出现了有关生产人工晶体器件的公司。比如刚才说的硼酸锂等，卖出的数量占了世界的30%～40%。同时还出现的一些公司，包括福建的一家公司，还有山东大学的一个公司，人工晶体研究院也有这样的公司，都是搞人工晶体器件的。当然这些公司的产值，受到激光器元件的限制，所以产值不是很高，但非常重要，因为它是各种激光器的基础。所以国家应该重视这样一种基础性的产业。

郭桐兴：人工晶体的研制和生产过程，您能给我们大概举几个例子吗?比如人工晶体，是通过什么方法、手段研制出来的?

沈德忠：不同种类的晶体有不同的生长方式。像多晶硅、VIG等，是做一个炉子，然后加热，达到我们需要生长晶体的熔点，然后把料放在里面，在长硅当中是用氧化硅。硅的熔点大概是一千四百多度，把硅料放在里面去。硅的生长不困难，但做成集成电路的硅，纯度需要达到99.9999999%。

郭桐兴：要求的纯度相当高了。

沈德忠：对。所以长晶体不可能，但要达到这么高的纯度，原料很困难。然后下一个籽晶，就是从原来的单晶硅里面切一个小晶体出来，让这些晶体很有规律地排列起来。排列好了以后，籽晶往上提。

郭桐兴：籽晶是什么?

沈德忠：是原来单晶硅切成一条，插在里面去，因为它本身就是单晶硅，在其周围结晶，整齐地排列起来，然后把籽晶往上拉，因为它是在固体和液体之间长，晶体是固体，下面是液体。长大以后慢慢扩大，扩大以后，在固态和液态的晶体里面生长，这也比较好控制。逐渐往上拉，这个熔液就中间排到固体上面去，这样一根就长出来了。现在这个晶体，据说可以长到20英寸。

郭桐兴：长完了以后是一个柱状的。

沈德忠：圆柱。

郭桐兴：你说直径是12英寸。

沈德忠：一英寸是 25.4 毫米，很大了。硅单晶和其他的晶体，包括 VIG 都是长这样出来的。

郭桐兴：金刚石呢?

沈德忠：可以产生高压力的压机，这个压机分两面顶、四面顶、六面顶，开始的时候是两面顶的压机，上面这个压头是固定的，下面有一个压机，把下面的压头顶上来。上面压顶的时候，就使得它收缩，产生四五万个大气压力，然后通电流，使里面的石墨发热，产生一千四五百度的温度，里面的石墨就变成金刚石，还要有一部分的催化剂。

郭桐兴：金刚石用的材料就是石墨。

沈德忠：对，因为都是碳原子构成的。在石墨的作用下，变成一个金刚石结构。所以这种方法，使得它不可能长成很大的晶体，而且制作时间比较短，十几分钟就好了。

郭桐兴：但它的体积不是很大。

沈德忠：颗粒比较小，是毫米级以下的。

郭桐兴：我们说的克拉呢。

沈德忠：一克拉大概是 1/5 克。

郭桐兴：蓝宝石、红宝石都可以用类似的方法。

沈德忠：红宝石、蓝宝石有维尔纳叶法，有一个柱状的炉子，籽晶在下面。蓝宝石、红宝石都是氧化铝，蓝宝石就是不掺铬的。下面有一个料箱，装的是氧化铝粉料，料箱里面还有一个锤子，敲那个料箱，这样原料就往里掉。模子有两个进气口，一个是进氧气，一个是进氢气，里面的温度很高，然后就熔了，熔到籽晶上面去，然后就长出来了。

郭桐兴：蓝宝石是什么料做的?

沈德忠：就是氧化铝。

郭桐兴：红宝石呢?

沈德忠：是掺了铬的氧化铝。这个方法是“维尔纳叶法”，是一个叫维尔纳叶的人发明的。蓝宝石、红宝石还可以用下降法，做成一个坩埚，放在炉子里面，不断地往下降，可以把整个熔体都变成晶体，逐渐往下降，这就是坩埚下降法。

郭桐兴：可以用不同的方法，产生结晶，长出来各种人工晶体。

沈德忠：磷酸氢钾、磷酸氢二钾就是用水热法，在水里面控制它的温度，也是下籽晶，使籽晶在里面结晶。上面温度高，下面温度低。温度高的地方，可以产生溶液。到温度低的时候，就是到籽晶附近，变成了过饱和溶液，所以晶体就可以在籽晶的地方长出来。这种方法可以做出很大的晶体。

还有其他方法，比如半导体晶体，像砷这些东西是一种薄膜的方法长出来的，这个设备很复杂，砷化铝做成气盐，通过金属的有机化合物变成单纯的气体，砷出来以后，产生化学反应，然后沉积下来，这个方法很复杂，而且这个设备很贵，一台是上百万。

郭桐兴：我们人必不可少的食盐，是不是一个晶体?

沈德忠：是，食盐是海水里面的氯化钾、氯化钠成分。把海水一晒，水分蒸发以后，氯化钠晶体就出来了。

郭桐兴：是不是属于人工晶体的范畴。

沈德忠：对。因为它主要是多晶，而且经济效益比较大，工业方面比较多。所以给它一个特殊的名字，叫工业结晶的变化。像天津大学有一位院士就做这方面的工作，也就是工业结晶，也是属于人工晶体研究的一个方面。这个教授叫王静康，是一位女院士。

郭桐兴：人工晶体有很多范畴，包括咱们吃的盐，还有肥料，相当于化工厂也是用人工晶体的方法。

沈德忠：工业结晶。

郭桐兴：包括日常生活当中的手机、通信、光缆，以及用于工业、日常生活、军事方面，范围非常宽泛了。

郭桐兴：最后您能不能给我们谈一谈，您对人工晶体研究的未来发展趋势有什么看法和想法?

沈德忠：人工晶体是现代高科技里面不可或缺的一种材料，起到了非常关键的作用。当然它的经济效益不能像钢铁、水泥等材料一样，不是那么大批量。如果把钢铁、水泥比作米饭的话，人工晶体相当于食盐。没有它不行，必不可少，但它的量不会像钢铁是多少亿吨的级别。所以作为一个高科技繁荣的国家不能忽视人工晶体的发展，需要不断地支持。每种晶体有每种功能，但并不是说现在的人工晶体功能都到家了，非常完美了，不是的，我们还要不断探索新的人工晶体，这是我们首先要做的工作。

另外，对于已经成熟的晶体，我们要不断发现它的新用途。像水晶、KTP，都不断地发现了它的新用途。比如开始发现了压电效应，后来又发现了光学效应。光纤通信出现以后，又使这些成熟的晶体发挥它的新作用。在新的高科技领域，又产生了新的用途。

郭桐兴：您能不能就水晶的情况，大概介绍一下。

沈德忠：原来只知道水晶是一种压电晶体，在无线电通信方面，作为滤波器来用。到光通信以后，又发现了很多其他用途，可以用于手机等方面。因为它的生长方法比较成熟，量比较大，所以成本比较低，可以大量地应用。现在一些新型的晶体生长方法还不是太成熟，量还不是很大。所以要普及的话，还需要一定的阶段。

比如 KTP，我们现在只知道用角度匹配的方法，当一个光射进晶体以后，在晶体的某一个角度射进去才有倍频效应，因为需要激波频率和倍极频率相等，是从某一个角度，当激光和倍频光速度相等的时候，才能够产生倍频效应。现在有另外一种方法，叫作准相位匹配。晶体通过一定的距离，这个距离叫作相当长度，到这个长度以后，使它里面的结构发生 180 度变化，在一定长度之内（相当长度），发生 180 度的转向，这样的话光在任何角度都可以，另外一些不匹配的晶体也可以进行匹配。这是现在最新的技术，就是怎样充分利用晶体的有效特性。所以在以后我们国家也要向这方面发展。我们在这方面有些落后，就吃亏了。人工晶体研究院，瑞典人、以色列人到我们人工晶体研究院来，他们生产 KTP，一块 20 毫米 ×20 毫米 ×1 毫米的晶体，是两千美元。他拿回去以后，做成 10 毫米 ×1 毫米 ×2 毫米这样小块的 KTP 准相位器件。中国计量研究院就向瑞典人买，瑞典人不卖，说这是与国防有关的。以色列人卖了，他们跟我们买是 400 美元，就是 20 毫米 ×20 毫米 ×1 毫米。他卖给我们一块小的，是 10 毫米长，2 毫米宽，1 毫米厚，一片是 2300 美元。我们一片，他们拿回去可以做成十片，我们这个是他们的一半，有五个是好的，这样就是一万。可我们卖给他们是 400 美元，他们一片卖回来，就是我们卖给他们一片的 23 倍。

郭桐兴：为什么我们国家自己的产品不买呢?

沈德忠：我们现在还做不出准相位匹配的 KTP 晶体，因为这牵扯到光刻，还有复杂的技术。我们现在正在做，但还没有过关，已经见到绿光了，但转换率还不够高，还有一些问题没有解决。所以我们以后的人工晶体研究方向，要充分研究怎样利用它做成器件。

另外对于人工晶体的发展，还需要从理论上进一步深入地了解它的结构功能之间的关系，要定量地进行计算。现在有一些理论物理工作者正在进行分子设计。从分子角度去预测晶体的性能，计算它的一些可能的性能，计算我们怎样更好地利用这个晶体，等等。所以从工作方面、使用方面、理论方面，都要进行人工晶体的研究。这样就可以开拓我们人工晶体研究的新局面，使我们国家的人工晶体能够重新领先于世界。

郭桐兴：加大这方面的基础研究投入。通过您的介绍，人工晶体是非常重要的一个研究课题，有关方面应该加以足够的重视。为了保证中国曾经领先的位置，继续努力。我们也希望咱们人工晶体的研究，能够百尺竿头，更进一步。能够在世界相关领域，永远处于一个比较先进的位置。我们也祝愿研究人工晶体的科学家们，为祖国的将来作出更大的贡献，我们期待着。

沈德忠：谢谢！

郭桐兴：同时我们也非常感谢沈老师就人工晶体这个话题，给我们做了这么精彩的讲话，谢谢您！同时也感谢大家收看我们院士访谈栏目。我们在下期院士访谈栏目里再见。谢谢！

中国建材报/2007年/3月/5日/第001版

要为自主创新创造条件

访全国政协委员、中国工程院院士、中材高新科技委主任沈德忠

本报特派记者　韩凤凤　张绍武

三月的北京，春风拂面，暖意融融。全国政协十届五次会议3月3日在北京隆重开幕。庄严的人民大会堂在和谐、喜庆的气氛中，迎来了各党派团体、各族各界的全国政协委员。

年年春光，今年更美。作为我国无机非金属材料行业知名的科学家，全国政协委员、中国工程院院士、中国中材集团公司科技顾问、中材高新材料股份有限公司科技委主任沈德忠在接受记者采访时，历数建材工业在“十一五”开局之年收获的累累硕果：全年建材工业增加值约3093亿元，同比增长27.2%左右；利润总额502亿元，同比增长39.1%；建材商品出口总额129.4亿美元左右，同比增长32.6%。他高兴地说，国家营造自主创新的良好氛围，是建材行业取得骄人业绩的关键。

行业是受益者。以建材行业为例，通过自主创新，行业发展速度加快，利润总额增长，万元增加值综合能耗同比下降7.9%；水泥、玻璃行业用先进工艺淘汰落后工艺的步伐加快；固体废弃物利用量同比增长15.5%。企业也是受益者。自主创新使中国建材集团、中国中材集团公司等一些大型企业集团拥有一系列可以与国际先进水平同台竞技的技术和产品，在国际化道路上迈出了新的步伐。中建材国际装备有限公司作为中国建材集团主要的装备出口平台，2006年在大型成套设备出口方面的签约总额超过10亿美元。中国中材集团公司所属中材国际2006年全年新签生效的合同额中，海外合同占到当年总合同额的60%以上。

沈德忠认为，自主创新是一个永恒的主题，是行业、企业发展的决定性因素。我们不仅要重视，还要想方设法为行业、企业的自主创新创造条件，在如何挖掘自主创新潜力，如何将其快速转化为生产力、竞争力方面多下功夫。

首先，自主创新需要科技工作者大量艰苦细致的工作才能完成。国家除了要对自主创新进行提倡、引导和鼓励之外，更要按照客观规律制定切实可行的相关政策，不能急于求成。国家对科研经费的分配也应该有一个详细的计划，并保证分配合理，落到实处。

其次，要调动每个人自主创新的积极性。专家、科研工作者是自主创新的主要力量，而那些具有丰富经验的科技退休人员的余热同样不能忽视。此外，还要鼓励工作在生产一线的职工进行小改小革，他们是产品的生产者、设备的操作者、技术的应用者，他们的自主创新虽然不能引起大的轰动，但却是最直接的，能够立竿见影的。

第三，企业应该担负起自主创新的重任，加强人才队伍建设，设立自主创新专项基金，建立预研团队，大胆地进行科技创新、管理创新、制度创新和其他各个方面的创新，以自主创新应对挑战，靠自主创新实施“走出去”战略。

沈德忠说，近年来，国家把自主创新定为转变经济增长方式、调整经济结构、应对世界科技发展和竞争力的战略选择。各级人大代表、政协委员在加大研发投入，培养创新队伍，健全创新管理机制，营造创新文化等方面提出过不少建议和对策。在今年的两会上，代表委员们还将继续为推动自主创新，面对经济全球化和国际竞争的挑战而建言献策。

关于在 863 计划中恢复“人工晶体”专项的提案

全国政协委员、中国工程院院士　沈德忠　吴以成
全国政协委员、中国科学院院士　蒋民华　闵乃本　陈创天

去年 10 月 1 日，科技部发布了一份“863 计划新材料技术领域”重点项目课题申请指南。该指南虽是以“新材料”冠名，但涉及的大部分课题都是全固态激光器及其应用技术。

该指南设置四个课题方向，分别是：(1) 5 千瓦级全固态激光器及其工业化应用研究（总经费 1 千万元）；(2) 新型激光材料与器件技术（总经费 800 万元，其中包括研制出工业型紫外激光器）：(3) 激光全色显示技术（总经费 400 万元，要实现超大屏幕激光数码影院系统的工程化和实用化）；(4) 激光医疗技术与设备（总经费 200 万元）。可以看出，该指南除了第二个方面涉及一些非线性光学晶体材料外，2/3 以上经费都是用去搞激光器及其应用技术。

我们并不反对研制激光器。正相反，我们希望国家重视激光器的研究（我国目前使用的高质量激光器，绝大部分靠进口）。但激光器的研究，应该在 863 信息领域或国家专门设置的专项经费中去安排，而不应挤占用于材料研究的经费。激光业界有句名言：“一代材料，一代器件；一代器件，一代激光器。”没有先进的材料，就做不出先进的器件；没有先进的器件，何谈先进的激光器？这个道理谁都明白。下面举一例子。

目前用 Nd:YAG 晶体激光介质制作的激光器，1064nm 激光的最大输出功率为 27000 瓦；而美国劳伦斯・利弗莫尔实验室，利用日本研制的透明 Nd:YAG 激光陶瓷制作的全固态激光器，其 1064nm 激光的输出功率达到 67000 瓦，10 秒钟内把 25mm 厚的钢板打穿成一个大洞。没有先进的激光透明陶瓷，就研制不出输出功率如此巨大的全固态激光器。

这种与全固态激光密切相关的 Nd:YAG 激光透明陶瓷材料，由于其优异的性能而在激光业界引起极大的兴趣。近年来在许多激光专业会议上一再呼吁进行研制。但在上述 863 新材料重点项目课题指南中却只字未提。

为什么会出现这种情况呢？我们不清楚。我们曾听说有个别管理人员重整机、轻材料，认为整机成果易有显示度，而材料则可以通过进口解决。从他的角度来看也许整机比材料更重要。问题在于整机的基础在材料和器件，没有先进材料和器件就不可能有先进的整机，而不是有钱就能买到先进材料和整机的。许多集成电路元件，国外禁运；碳纤维，日本不卖了；就连用于激光核聚变的大尺寸 KPD 晶体，美国也不卖给我们！这样的例子不胜枚举。皮之不存，毛将焉附？我们在历史上是有许多教训的。

自上世纪 80 年代开展 863 计划以来，我国人工晶体材料的研究在该计划的“人工晶体专题”支持下，得以蓬勃发展。一些心型线性光学晶体的研究，如 BBO、LBO、KTP、KN、Mg: LN 等，处于国际领先水平。这些晶体制成的激光变频器件畅销国内外，被誉为中国牌晶体，直到今天，也还是国内晶体材料行业的主打商品。可是“九五”以后，863 取消了“人工晶体”专题，此后就很少有中国牌的晶体问世了。与此相应，我国激光界也没有取得如前述美国劳伦斯・利弗莫尔实验室那样的巨大进展。这样的教训，我们应该吸取！

863 计划是国家发展战略的重要组成部分，着重解决事关国家中长期发展和安全的战略性、前沿性和前瞻性高技术问题。在项目安排上应该突出创新、强调跨越式发展。我国人工晶体是材料领域中为数

不多的在国际上具有优势的科研领域，但面临着西方大国激烈的挑战和竞争。逆水行舟不进则退，如何才能够继续保持我国人工晶体研究的领先地位需要认真研究和正确引导，从上述863新材料重点项目课题指南反映出的导向来看，这一问题没有得到应有的重视。指南所制定的激光器及其应用指标用国际水平来衡量是很低的，不可能承担起带动人工晶体持续创新发展的作用了。

在此，我们向科技部呼吁，为了保持我国人工晶体研究在世界的领先地位，为我国的激光、信息、核爆模拟、集成电路研究制造等事业的发展而研制提供先进的晶体材料及相关器件，建议在今后的863计划中恢复“人工晶体”专题。该专题的所有研究经费只限用于晶体材料的研究制备和相关器件的加工制造。如果该专题研制出的晶体材料或相关器件可以获得新的激光段或改进提高激光器的性能，需要用该材料制作激光器，则可无偿地提供这些材料给相关的激光器研究团队，由他们向863信息学部或其他机构去申请研制该激光器的经费。

（本文原是一份政协提案，后刊发在《科学中国人》，2007，No.4，p14 ～ 15——编者按）

中国建材报 /2008 年 /3 月 /7 日 / 第 001 版

坚持产学研结合　推进技术创新

沈德忠委员建言完善科学评价研究人员学术水平体系

本报特派记者　孙　阳　路　平

自主创新是这几年的热点话题，十一届全国政协委员、中国工程院院士、中国中材集团公司科技顾问、中材高新材料股份有限公司科技委主任沈德忠针对提高我国自主创新能力的问题，提出关于如何完善科学评价研究人员学术水平体系的提案。在国家经济建设新情况、新问题、新现象层出不穷的背景下，如何进一步提高我国自主创新的能力？记者带着这个问题采访了沈德忠委员。

对记者的问题，沈德忠从关于如何建立完善科学评价研究人员学术水平体系，进一步激发科研人员科研热情开始讲起，这也是他今年两会提案的主要内容。他说，我国现阶段流行的评价体系是以统计SCI 收录论文篇数及影响因子来评价科研人员的学术水平，而这种方法不能更全面地反映科研人员真正的学术水平，因此在一定程度上制约了我国科技创新能力的提高。如果建立适当的评价科学人员学术水平体系，就能促进我国自主创新能力的提高，这也是他提案的目的。当谈到我国自主创新主要存在哪些困难时，沈德忠说："主要是要有一个宽松的环境，为科技研究提供一个良好的土壤，像清华大学在这方面就做得比较好，校方每年将拿出两亿多元用于资助有创新，但可能需要长期运作才能出成果的项目。国外也有一些风险基金投资，专门对一些有创新性，但存在风险的科研项目进行投资。而国内这样的基金比较缺乏，这就使一些风险较大或需要长期运作的创新型项目缺乏持续的资金支持。"

完全通过模仿、跟踪和引进发达国家先进技术来提高我国技术水平是不现实的，这点已毋庸置疑。因为发达国家对高新技术的自我保护和技术封锁，真正尖端先进的技术我们是无法获得的，而且，国外技术也不可能全部满足我国多方面、多层次的技术需求和市场需求。而对我国自主创新的发展模式，沈德忠坚定地表示：产学研结合的技术创新体系是比较可行的模式。他说，科研系统和学校搞技术创新有着天生的优势，虽然说企业作为主体，但是由于各行业企业的规模大小、技术力量的不平衡，依靠企业自主创新完全是不现实的。企业实施自主创新战略是要具备一定的条件，必须拥有领先的研发能力、足够的技术积累和突破，具有包括人力和财力在内的支撑基础、科技成果商业化的能力和环境，像美国的IBM、微软等就拥有自己的研究机构，但这样的企业是极少数的。我国企业的技术和赀金实力与之都很悬殊，现阶段实施自主创新战略的基本条件不是所有企业都具备的，因此，目前自主创新必须走产学研相结合的道路。现在一些企业，特别是科研转制企业只是在"吃老本"，仍旧靠以前的技术成果从事生产，自主创新能力没有得到加强，没有从长远来考虑企业的发展。而一些经济效益好的企业，现在也有意识地主动创造与科研单位、学校的合作机会，寻找好项目，这是值得提倡的。

今年建材行业的热点问题是节能减排，沈德忠说，我们国家现阶段还属于消耗型、污染环境的发展模式阶段，从自主创新角度来讲，应该将科技开发慢慢转移到绿色技术创新上面来，这是一个目标，希望能尽早实现。

中国建材报 /2010 年 /3 月 /9 日 / 第 001 版

注重安全　科学创新

——访全国政协委员、中国工程院院士沈德忠

本报特派记者　井　曦

又是一年两会时，3 月的北京再次成为全国人民目光聚集的地方。全国政协十一届三次会议开幕的第二天，记者采访了全国政协委员、中国工程院院士、中材集团科技顾问、中材高新材料股份有限公司科教委主任沈德忠，其中安全与创新是他此次两会关注的重点。

安全：铁路车轴钢选材亟待论证

采访中，沈德忠委员从有关铁路车轴钢选材的问题谈起。他说，国际铁路标准（ISO）和国际铁路联盟标准（UIC）都规定车轴的碳含量要≤ 0.5%，即以降低碳含量来提高车轴钢的韧塑性，防止车轴断裂。随着车速的提高，为了加大安全性，车轴需进一步降低碳含量至≤ 0.4%。在新中国成立初期，50 钢（含碳量 0.5% 左右）、45 钢（含碳量 0.45% 左右）、40 钢（含碳量 0.4% 左右）等钢材，都曾在我国作为车轴钢使用。后因 50 钢车轴事故较多，我国于上世纪 50 年代中期停止了使用，此后主要使用 40 钢轴。但由于那段时期炼出的 40 钢、45 钢质量没有保障，车轴断裂严重。铁道部从 2001 年起在全国的客货车户全面推广改革开放后新研制的 50 钢轴，并下令停止生产 40 钢轴。但是，50 钢轴不符合 ISO 和 UIC 标准。与 40 钢轴相比，50 钢轴碳含量的增加，导致其韧塑性降低，抗低温脆性、抗腐蚀性、抗冲击性、抗缺口敏感性差，疲劳裂纹发展快，冷加工性能差，容易产生裂纹等，增加了行车安全隐患。另外，高含碳量的 50 钢轴生产过程，是高成本、高能耗、高污染的，不符合科学发展观、节能减排和发展低碳经济的要求的。

因此沈德忠委员建议，由国家发改委、科技部、铁道部、安检总局、中科协等单位，按照 1999 年 11 月 19 日科技部、教育部、中科院、工程院、中科协 5 单位联合颁发的政策性文件精神，对车轴材料进行认真的学术论证和对比实验操作，组织国内有关科研单位、大专院校对 50 钢轴和 40 钢轴进行科学公正的对比试验，完成试验后召开铁路车轴钢选材论证会，以确认更适合用作火车车轴的钢材。

创新：建立科学评价研究人员学术水平体系

沈德忠委员还就如何加强我国自主创新水平谈了自己的看法。他说，完全通过模仿、跟踪和引进发达国家先进技术来提高我国的技术水平是不现实的。目前，我国对国外技术的依赖仍然没有减少，因此各行各业都需要创新。但是，创新的过程也要讲究科学，不能急于求成，应该有长远的眼光，确实摸清了创新的整个过程和规律，再制定相应政策来支持创新。不同的研究领域应该有不同的评价体系，不能仅仅从 SCI 收录论文篇数及影响因子来评价科研人员的学术水平，因为这种方法不能更全面地反映科研人员真正的学术水平，在一定程度上制约了我国科技创新能力的提高。

因此沈德忠委员呼吁，要加快建立科学评价研究人员学术水平的体系，同时也要提高科研管理人员的管理水平。他希望这些内容能在我国“十二五”的相关规划中体现出来。

对今年中央一号文件中提到的建材下乡内容，沈德忠委员认为此举能够促进建材产品销售，同时能够促进农村房屋改造，他对此表示积极拥护。

B 类
可公开

国家质量监督检验检疫总局

国质检特函〔2010〕448 号

对政协十一届全国委员会第三次会议第 002872 号（轻重工业类164 号）提案的答复

沈德忠委员：

您提出的关于修订（水晶）高压釜定期检验的提案，现答复如下：

一、关于超高压水晶釜的检测方式

《超高压容器安全技术监察规程》没有限定必须从外表面进行检测。采用内表面或外表面超声波检测由检验机构根据水晶釜的具体情况进行选择。目前，国内所使用的水晶釜基本为锻件结构，且内径大多小于 500mm，采用超声波外检测是被法规认可的唯一成熟可行的检测筒体内部缺陷和内表面缺陷的方法。

二、关于检验检测时间与生产周期的矛盾

检验检测的具体实施时间由使用单位和检验单位协商解决，基本原则是在设备检验周期内，尽量降低企业的生产成本，方便企业生产。

三、关于检验周期

《超高压容器安全技术监察规程》规定 12 年以上水晶釜一年一检，主要是根据各地检验机构在检验中累积的数据和总结的经验。目前，国内使用年限超过12年的水晶釜，在检验中发现缺陷较多，安全风险较高。

四、关于耐压试验

2009年12月1日开始实施的《固定式压力容器安全技术监察规程》已经不再强制要求在用压力容器必须进行耐压试验。对于超高压容器是否每10年至少进行一次耐压试验，我们将进一步研究与论证。

五、关于检验收费标准

按照国家物价管理制度,压力容器检验的收费标准由各省物价部门制定。由于各地人工成本等方面不同，因此，收费标准可以存在一定差异。

六、关于企业自检及跨省市检验

经国家质检总局核准的具有相应资格的特种设备检验机构（包括企业的自检机构）都可以从事水晶釜的定期检验，不受地域的限制。

七、下一步拟开展的工作

针对您提案提出的问题，我局将组织专家组，在对水晶釜设计制造、使用管理、检验检测基本情况进行充分调研的基础上，拟明年启动《超高压容器安全技术监察规程》的修订工作，重点解决以下几个方面的问题：

（一）如何根据使用单位的安全管理状况、设备的设计制造情况、使用情况、历次检验结果和缺陷情况，制定科学的检验方案，确定合理的检验周期。

— 2 —

（二）如何进一步落实使用单位的安全主体责任，在企业主体责任充分落实的前提下，给予检验项目和检验周期确定更大的灵活性。研究新的检验检测技术方法和手段，在保证设备安全的前提下，合理调整检验项目，降低检验成本。

（三）根据在用设备耐压试验的必要性，合理确定耐压试验的周期。

感谢您提出关于修订（水晶）高压釜定期检验的提案，希望继续关心和支持特种设备安全工作。

联系单位：国家质量监督检验检疫总局特种设备安全监察局

联系电话：010-82262248

二〇一〇年六月三十日

中国工程院院士馆（https: //ysg.ckcest.cn/ysgNews/191861.html）

沈德忠院士为我校师生作“多彩的人工晶体”专题报告

2010-07-14

7 月 13 日上午 10 时，清华大学沈德忠院士在如心会议中心大报告厅为我校师生作了题为“多彩的人工晶体”专题学术报告会。报告会由徐惠彬副校长主持。

沈德忠院士，生于贵州贵阳，毕业于四川大学物理系，1995 年当选为中国工程院院士，主要从事无机非金属晶体的生长、探索及应用研究。他先后研究过人造金刚石、金刚石聚晶等，涉及熔剂、提拉、坩埚下降、高温高压、冷坩埚的晶体生长方法，解决了许多重大难题。在国内外刊物上发表论文 70 余篇，获发明专利 3 项。曾获国家科技进步奖一等奖。

报告会一开始，沈德忠院士就由硅晶体引发的通信信息时代指出了人工晶体的重要性。接下来沈院士条理清晰地讲述了人工晶体概念、分类、应用及制备方法。在讲述过程中，每谈到一种晶体沈院士都拿出准备好的实物晶体让老师同学们传着观看，引起了极大兴趣，开拓了同学们的眼界。整场报告中，沈院士重点谈了氮化钾晶体代替现有照明灯，能耗小，无污染，是节能减排社会的重点推广产品，并展示了美国匹兹堡大学校园里的氮化钾照明灯，指出批量化生产后成本也会降下来，更适于应用。

讲座中，沈院士不仅谈科学的问题，也谈了在面对困难时如何前进的心路历程，使在场的同学受到很大的启发。之后，在场同学纷纷就感兴趣问题向沈院士请教，沈院士一一耐心解答。报告会结束时，徐惠彬副校长为沈院士送上了精心准备的礼物和鲜花，部分师生与沈院士合影留念。（文 / 武雨潇 摄影 / 姜沿杉）编辑：贾爱平

（此文为沈德忠先生在北京航空航天大学的演讲报道——编者按）

北京科技报 /2010 年 /11 月 /29 日 / 第 006 版

人工晶体改变世界

主讲人 沈德忠　中国工程院院士　整理　嘉星一族

晶体在我们的生活中到处都是，但是平常我们并不怎么注意，因为用得很多，习惯了。但是晶体确实是一种特殊的物质存在形式。一般的金属、镍土都是多晶，单晶才能叫作晶体，因为它是有规律地排列起来，所以它会有各种形状。

那么，什么是人工晶体呢？人工晶体分为两种，一种是用人工的方法合成并生长出自然界已经有的晶体，比如像水晶、云母、金刚石、食盐、红宝石，这些都是无机的。有机的有人工胰岛素等。第二种是用人工的方法合成并生长出自然界没有的晶体。我们现在用的有些晶体材料自然界并没有，比如说像无机的硅，自然界本身并没有，自然界只有硅的化合物，如二氧化硅、硅酸盐等。但是单质的硅，是用人工的方法合成出来的，锗也是一样。化合物比如说 YAG，为什么加个 G? 因为它的晶体结构属于石榴籽形的。石榴籽拉丁文是 Granaturn，就是 G 开头，所以按照外国人的叫法叫作 YAG。为什么要说一说它？因为现在主要的激光晶体就是这个材料，用得非常多。又比如说 KTP，叫作磷酸氧钛钾。磷酸氧钛钾这种晶体是一种非常好的倍频材料，是可以把光的频率加倍的一种材料。实际上自然界也是没有的，也是人工合成的。其他的还有有机的青霉素、硝基苯胺等，这些也是人工首先合成出来的。

学过历史的人都知道，要划分历史时期，都用旧石器时代、新石器时代、铜器时代、铁器时代等等。为什么这样划分？因为一种材料的出现标志着一个社会的生产力达到什么高度，所以，材料本身对社会的发展起着决定性的作用。

那么人工晶体能起到哪些作用？比如说，压电水晶及谐整器的出现，开创了现代通信新时代，我们现在都用手机，多少米以外都可以收到，甚至其他国家也可以收到。压电水晶及其谐整器的出现，使得无线电通信成为可能。压电水晶和无线电通信的实现，对第一次世界大战的作用也很大，在这之前，打仗时通信都是很麻烦的。但是在第一次世界大战时用到了这个东西，所以它是现代化战争的分水岭。

而单晶硅及集成技术的成功，把人类带入到方兴未艾的现代计算机时代。我们现在的手机、手提电脑，没有一样不是用的硅，硅对于咱们通信时代发展的重要贡献，几乎是不用说的。

第三个时期是掺铬的氧化铝。氧化铝一般是白色的，掺了铬以后就变成红色的。这种红宝石晶体首次实现了激光输出，标志着光电子时代的来临，为什么光这么重要？因为光的传输速度比电子要快得多。光的传输速度是每小时 30 万公里，而电子则要受到各种情况的干扰，它的速度有快有慢。所以有了激光以后，我们的生活里就出现了很多种新的技术，特别是光电子时代的技术在逐渐走向成功。

这些都可以看出，人工晶体在科技发展中是非常重要的，而且随着时间的推移，将会越来越重要。

中国建材报 /2011 年 /3 月 /8 日 / 第 001 版

沈德忠委员：我国创新的主体在企业

本报特派记者　胡　浩

案头堆满了各种文件和书籍，即使在两会期间，全国政协委员、中国工程院院士、中国中材集团有限公司科技顾问沈德忠仍要抽空完善自己的研究课题。40 多年的科研工作，让他已经分不太清生活和工作的界限，“星期六和星期日经常在清华的实验室度过，都习惯了。”沈德忠说。

自幼热爱绘画，做过钳工的沈德忠，或许从未想过有一天自己会成为国际知名人工晶体专家，并于 1999 年 10 月 1 日在天安门观礼台与党和国家领导人同庆新中国 50 华诞。一切荣誉的背后是他对科学研究的赤子之心和对技术创新的孜孜追求。在沈德忠看来，每一项研究成果的真正价值是能够将数学模型变成产品，实实在在地改善人们的生活，造福人类。沈德忠说：“科技成果的转化要依靠好的体制和机制，目前来看，企业在科技创新方面做得不错，尤其是中小企业。”

人工晶体作为微电子、光学、激光、遥感、通信、航天、宇航等高科技领域和现代军事技术所不可替代的关键材料，越发受到世界各国科学家的重视。自 1964 年四川大学物理系毕业后，沈德忠就再也没有离开过这个领域。他先后研究过铌酸盐、卤化物、磷酸盐及硼酸盐等 10 多种晶体的生长，涉及高温高压、熔剂、提拉、坩埚下降、高频冷坩埚等晶体生长技术，并将所生长的晶体在光学、激光、非线性光学、光折变等领域进行应用研究。

按照美国专家的说法，性能优异的非线性光学晶体的生成需要 ten million dollars，ten years（1000 万美元，10 年）。“我们不相信教条，我们要走自己的路。”沈德忠没有食言，他和他的团队成功研制出非线性光学晶体铌酸钾（KN），为此获得 1988 年国家科技进步奖一等奖，磷酸氧钛钾（KTP）的研制荣获 1987 年部级一等奖。为此他告诫他的学生，科研不可循规蹈矩，要坚持创新精神。

“好的晶体生长需要好的环境和条件，科研也一样。”沈德忠认为，科技成果的转化关键在于体制和机制。国内科技界原创性还不够，很多教授为了写文章而写文章，没有考虑到底有多少项目能够产业化。沈德忠说：“很多人写论文的目的和论文质量已经与我们当年有很大的不同。”这种现象的出现，是学术界弥漫着一股浮躁之风所致。为此沈德忠建议，不同的研究领域应该有不同的评价体系，不能仅仅从 SCI 收录论文篇数及影响因素来评价科研人员的学术水平，因为这种方法不能更全面地反映科研人员真正的学术水平。在这方面，企业的做法要比有些部门和高校有效率，因为他们没有必要去考虑形式。可以说，企业尤其中小企业是目前推动科研成果转化的关键。

搞科研有时候需要一种近乎偏执的精神，作为政协委员，在咨政建言的过程中沈德忠依然保持了这种劲头。去年，沈德忠等 5 位委员联名发出了关于铁路车轴钢选材问题的提案，这份提案今年再次被沈德忠递交上去。他表示，在铁路不断提速的今天，需要对车轴材料进行认真的学术论证和对比实验操作，应该组织国内有关科研单位、大专院校对 50 钢轴和 40 钢轴进行科学公正的对比实验，完成实验后召开铁路车轴钢选材论证会，以确认更适合用作火车车轴的钢材。

中国科学报 /2012 年 /3 月 /5 日 / 第 002 版
两会直击

铁路客运列车车轴钢的选材应尽早确定

全国政协委员　中国工程院院士　沈德忠

我国在时速 200 公里以下的铁路客运列车上，是用含碳量为 0.4% 的 40 钢做车轴，还是用含碳量较高（0.5%）的 50 钢做车轴的争论，已进行了二十多年。

50 钢车轴研制者应该清楚，铁路车轴含碳量越高，韧塑性越低，越容易断裂，所以只得选择特殊的热处理工艺，细化晶粒，提高组织均匀性，才有可能使其韧塑性尽可能与 40 钢相近。可是，实施这些工艺，能耗高、污染重、效率低，其每根 50 钢车轴的成本就要比 40 钢车轴至少多上千元。到目前为止，我国铁路上装备的 50 钢轴用量已达 190 万根，加上库存 50 钢轴，已超过 200 万根，多花掉的制造成本费已超过 20 亿！难道我们眼睁睁地看着这些纳税人的血汗钱就这么无休止地继续浪费下去吗？所以我们认为：争论必须尽快得出结论，不能再拖延下去了。

按照 1999 年 11 月 19 日科技部、教育部、科学院、工程院、中国科协等五部委联合发布的文件精神（即“对那些可能造成重大社会影响，但对其真实性、科学性尚有较大争议的研究项目，应当严格按照相关规定进行论证和实验”），邀请国内权威科教单位，在相同的制备条件下，以优选的工艺措施对 40、50 钢进行科学、公正、公开的对比实验。若如此，就能很快确证哪种钢更适合制造客车运输的车轴。

建议由科技部、国家安监总局牵头来组织铁道部等有关单位参加此对比实验；而且该对比实验实际上是探索我国客运列车车轴研制发展方向的预研，可以看作是一个科研项目。故我们建议由科技部来组织立项，选择合适单位来承担此实验项目，并且给予合理的经费资助。

如果在决定开展实验验证之前，有关领导尚需进一步了解车轴钢争论的实情，我们建议召开一个讨论会，让各方人士参会发表意见（这样的会在 2002 年 5 月 31 日曾经召开过，但那时只让支持 50 钢轴的人参加，而持反对意见的人被拒之门外。我们不希望这种情况再次出现）。

中国建材报 /2012 年 /3 月 /7 日 / 第 001 版

坚持创新就会提升核心竞争力

——访全国政协委员、中国工程院院士沈德忠

本报记者　赵　青

3 月初的北京还有丝丝冷意，但清华大学的校园依然涌动着春天的气息。在这所充满深厚文化底蕴的中国最高学府，我们见到了全国政协委员、中国工程院院士、中材人工晶体研究院高级工程师、清华大学教授沈德忠。

沈德忠最近很忙，博士生预答辩工作已经开始，相关研究课题正在有序开展，两会提案也要进行最后梳理。沈德忠受铁路相关研究人员之托，已连续两年在提案中反映铁路车轴钢选材存在问题，也终于在去年年底收到了铁道部科技司的答复。但对于这份答复，沈德忠并不满意。

“我国在时速 200 公里以下的铁路客运列车中，是用含碳量 0.4% 的 40 钢作车轴，还是用含碳量 0.5% 的 50 钢作车轴的争论，已进行了 20 多年。2001 年，我国停止 40 钢车轴的生产，而此前的 40 钢车轴则是带着裂纹上路的，所以事故多发。40 钢车轴的正确寿命不能被准确计算，故无法用来与 50 钢车轴进行寿命对比。若只通过推算就下结论说 50 钢车轴比 40 钢车轴寿命要长 1 倍以上，这就如同通过推算得出‘车轴可带着裂纹安全上路’一样，不可信！”沈德忠分析说。

而从成本上讲，每根 50 钢车轴要比 40 钢车轴至少多出上千元。到目前为止，因使用 50 钢车轴而多花掉的制造成本费已超过 20 亿元！今年，沈德忠依然把提案锁定在此，并建议邀请国内权威科教单位，在相同制备条件下，以优选工艺措施对 40 钢、50 钢进行科学、公正、公开的对比实验。

确定铁路车轴钢选材问题要经过公开公正的对比试验，做研究也要大量实验。提到晶体研究，沈德忠显得兴致勃勃：“做研究就要创新。我不是固守成规的人，许多事情按照老方法进行都会存在一定缺陷，要进行创新。比如说，以前由于生长时温度不好控制，铌酸钾很难生长出完整的晶体，连瑞士、美国都无法解决这个问题，我则在坚持不懈的实验下，成功找到了解决办法。”

沈德忠表示，他曾在工程院院士自述的书中提到一句话：人生的幸福就是创造。“当做成一件以前没有做成的事情，心情自然十分愉悦。当然也会碰到许多难题，这个时候我就会想起一句话——看准方向、集思广益、知难而进、坚持到底！”在孜孜不倦的研究下，沈德忠攻克难题，先后成功生长出铌酸钾 (KN)、磷酸氧钛钾 (KTP) 等 10 多种晶体；研制成功高光学质量的大单畴 KN 晶体，使这种晶体的批量生产和实际应用成为可能；首次在掺铁 KN 晶体上实现了室温自泵浦相位共轭；首次用改进熔剂法研制成功大块高光学质量的 KTP 单晶，不但打破了美国对这种晶体的垄断和对我国的禁运，而且批量生产和出口，效益显著。

回想 40 余年的研究和工作经历，沈德忠说，创新和坚持是他能够取得成绩的重要因素，也是社会进步的必要因素，对于企业来讲更是如此。坚持不断创新，培育新兴产业和新的经济增长点，促使产品结构和产业结构优化升级，必然会提升企业的核心竞争力，促进企业健康有序发展。

沈德忠：多彩的晶体人生

发布时间：2012.09.19
来源：记者团　编辑：杭慧喆　见习编辑　万紫千

■记者团　王嘉敏

9 月 14 日晚，机械学院学术报告厅内流光溢彩，照亮整个大厅的并非绚丽的灯光，而是一个个美丽且珍贵的人工晶体样品。这些人工晶体的“主人”——中国工程院院士、著名人工晶体专家沈德忠院士，以“多彩的晶体人生”为报告主题，将大家带入了晶体的闪亮世界。

人工晶体：“合成”技术渐露锋芒

天然宝石、矿物晶体，在自然之中，美丽的自然晶体无处不在。但随着科技的进步，另一种晶体应运而生，“人工晶体解决了天然晶体产量小、价格高的缺陷，正得到越来越广泛的应用”沈德忠介绍道。

天然钻石的产量非常少，但因为其硬度而应用广泛，这个明显的“供需矛盾”曾让大家束手无策，但现在，人工合成锆石技术的日渐成熟，已成功解决了这个难题。以“天然钻石”为例，沈德忠谈起了人工晶体的优势，人工合成的锆石可以仿钻，而且性价比远高于天然钻石。“天然钻石是用克拉来衡量的，但是我国河南现在有成熟的技术生产锆石，在那里，锆石都是用公斤来衡量的”，他一边拿出一枚由锆石打造出的“钻戒”供大家相互传看，一边说道。

“食盐、胰岛素、有机晶体中的青霉素都是人工合成的晶体”，在食品、药品与用品上，人工晶体早已占领了自己的一席之地。

“KTP 单晶生长技术”：一举打破美国垄断

“KTP 单晶生长技术”，说到这个让自己引以为傲的技术，沈德忠有些神采飞扬。KTP 单晶又称磷酸氧钛钾晶体，是一种优良的非线性光学晶体，由于具有波长变换、振幅增大、开关、记忆等许多元件功能，正作为光计算的基本元件而引人注目。20 世纪 70 年代初，这种人工晶体由美国杜邦公司率先用水热法生长出来并进行了应用。但是水热法需要的生长条件十分苛刻，生长设备的容积很小，所以美国生产的 KTP 晶体无论从尺寸还是光学质量都很不令人满意，售价也极为昂贵。由于 KTP 卓越的激光倍频性能和潜在的军用前景，美国对我国实行严格的技术封锁和禁运。

为打破禁运，沈德忠另辟蹊径，绕开了需要苛刻条件的水热法，创造性地设计了一种特殊的顶部籽晶熔剂法。介绍起这段经历，沈德忠唏嘘不已，当时，他和同事们以分秒必争的精神，只用了半年时间就培养出了高光学质量的具有大 Z 切面的大尺寸 KTP 晶体，彻底打破了美国对 KTP 晶体的垄断和对我国的禁运。

后来杜邦公司为研制 KTP 波导需用大 Z 切面的 KTP 单晶时，还不得不向我国购买 KTP 大晶片。这不但赚取了数百万美元的外汇，还提高了我国在国际晶体生长界的声誉，“让我国牢牢抓住了国际上该研究领域的话语权”。

晶体妙用：对各领域的“全面进攻”

晶体有着广泛的妙用，沈德忠眼中，缺少了晶体的世界将“暗淡无光”。

“现在是信息时代，我们的信息传递就是建立在硅单晶的基础上的”他介绍道，除了通信领域，激光晶体所产生的激光只用 7 秒钟就可以将 50mm 的铁块打穿，这在军事领域有着不可小视的作用。而变频晶体可以改变光的波长，使进入的绿光变成红光再折射出去。化合物晶体更在发光二极管方面有着广泛的应用，街边巨大的 LED 屏幕上装点了呆板的钢筋水泥森林，五彩的霓虹灯也使城市的夜晚不再空洞黑暗。

在沈德忠看来，晶体研究还有很大的发展空间，许许多多未完成的实验等待着后来人去完成，“未来是你们的，晶体的潜能等待着你们去挖掘，去迎接更辉煌的成就！”

安顺日报（https: //www.asrbs.net/site1/asrb/html/2013-05/29/content_538162.htm）

聆听科普报告　师生走近多彩人工晶体

本报讯（记者　徐昕）2013 年 5 月 28 日下午，应邀参加第十五届中国科协年会的中国工程院院士、博士生导师、中材科技集团总公司人工晶体研究院高级工程师、清华大学教授沈德忠在二中新校区报告厅为我市师生作了《多彩的人工晶体》的科普报告。

报告会上，沈德忠详细介绍什么是人工晶体、人工晶体的分类及在现代科技中的应用、人工晶体的制备、人工晶体的研究内容、人工晶体在高科技发展中的重要性、人工晶体的种类、用途和制备工艺等做了详细的介绍，并给大家展示各种精美的人工晶体样本。

师生们纷纷表示，沈教授的报告生动有趣，内容丰富，增长了科技知识，拓宽了视野，激发了学习科学技术的浓厚兴趣。精彩的报告不时博得全场阵阵热烈的掌声。

沈德忠 1995 年当选为中国工程院院士，1996 年聘为清华大学教授及博士生导师，他的主要研究领域为无机非金属晶体的探索、生长及应用。研究重点为 CLBO 晶体的生长和应用研究及新型非线性光学晶体的探索。

第四章

晶华长忆·春风永铭

编者按：人生如梦，往事如昨。

沈先生已经离开我们十一年了，但在每一个认识他、了解他的人心中，过去的事情都还历历在目，仿佛他的音容笑貌并未远离。

这一章主要是来自沈先生亲人、朋友、同事、学生等视角的回忆和纪念文章。在夫人眼中，携手相伴四十年，他是宽厚温暖的，也是忘我工作的；在女儿眼中，父爱如山，他是仁慈善良的，如灯塔般指引方向；在兄弟姐妹眼中，童年时他天资聪颖又勤奋努力，成年后他淡泊名利又为人谦逊；在同事同行眼中，他对待科研严谨勤奋、一丝不苟，对待他人热心相助、耿直不阿；在学生眼中，学术上他高屋建瓴、博学精深，生活中他平易近人、礼貌有加……

从这些平实的回忆文字中，我们可以更加丰富和全面地看到沈先生在不同的角色中如何做好自己，如何对待别人；如何诠释和演绎生活和工作中每一个角色。从这些文字中，相信读者能更深刻感受到沈先生不仅是一位杰出的、理性的科学家和教育家，还是一位朴实和蔼、慈爱温和的谦谦君子。

沈先生作为一位教育家，最大的教育特色就是以身作则、身体力行，"行胜于言"在他看来就是最可贵的品质。他的品格风骨，深深影响着他身边的每一个人，尤其是沈门弟子。而沈门弟子又将这些精神，以自己的方式和途径传授给我们的后辈和学生们。沈先生的在天之灵，应当是非常欣慰的。

沈德忠院士生平

（1940—2014）

中国共产党党员、致公党中央委员，著名人工晶体学家，中国人民政治协商会议第九、第十和第十一届委员，中国工程院院士，清华大学化学系教授沈德忠先生，因突发疾病医治无效，于 2014 年 4 月 5 日 2 时 52 分在北京逝世，享年 73 岁。

沈德忠先生 1940 年 6 月 13 日出生于贵阳，自幼家境贫寒，小学三年级便因家庭无力交纳学费而失学，直到 1949 年贵阳解放后才有机会继续读书。1959 年从贵阳一中毕业后考入四川大学物理系固体物理专业。1964 年毕业后分配到建材部非金属矿研究所（现北京中材人工晶体研究院有限公司）工作，1979 年任该所工程师，1987 年晋升为高级工程师。1996 年调入清华大学，任化学系教授，博士生导师。其间 1986—1987 年在加拿大多伦多大学物理系做访问学者，1993 年在美国圣芭芭拉大学机电系做访问学者，合作研究光折变效应。1995 年当选为中国工程院院士。

沈德忠先生是我国人工晶体领域的开拓者和奠基人之一。他长期从事无机非金属晶体材料的生长、应用与探索研究。他视野开阔、学识渊博、勇于探索、身体力行，先后生长出铌酸钾（KN）、磷酸氧钛钾（KTP）等 10 多种晶体；首次研制成功了国际上重量最大的高光学质量单畴 KN 晶体，使该晶体的批量生产和实际应用成为可能；在掺铁 KN 晶体上实现了室温自泵浦相位共轭；首次用改进熔剂法研制成功大块高光学质量的 KTP 单晶，不但打破了西方国家对该晶体的垄断和对我国的禁运，而且实现了批量生产和出口，效益显著。沈德忠先生在国内外高水平的学术期刊上发表了百余篇学术论文，并与他人合译《晶体生长》一书；获发明专利五项，申请发明专利两项，申请国际专利一项。他主持的“铌酸钾晶体的研制”成果荣获 1988 年度国家科技进步奖一等奖；“熔剂法电光 KTP 晶体的研制”成果荣获

2002 年度国家科技进步奖二等奖和科技部代颁的美国杜邦科技创新奖。

作为一位晶体生长与材料领域的著名学者，沈德忠先生长期活跃在国际人工晶体学界，历任《人工晶体学报》主编，中国硅酸盐学会晶体生长与材料专业委员会副主任委员、全国人工晶体标准化技术委员会副主任委员、中国光学会副主任委员、第十六届国际晶体生长大会暨第十四届国际气相生长与外延大会组织委员会主席、山东大学晶体材料国家重点实验室学术委员会委员、清华大学新型陶瓷与精细工艺国家重点实验室学术委员会委员和武汉理工大学硅酸盐建筑材料国家重点实验室学术委员会委员。

作为一位德高望重、关心国家发展的学术界专家，沈德忠先生连续担任了三届全国政协委员，积极参政议政，围绕知识创新、行业发展、民生问题等向党和国家多次建言献策。作为政公党中央委员，他也为致公党的建设和发展做出了重要贡献。几十年的风雨同舟，使他坚信只有中国共产党才能领导和发展中国。2010 年，他自愿申请加入了中国共产党，实现了自己的政治夙愿。

作为一名教师，沈德忠先生践行了“春蚕到死丝方尽，蜡炬成灰泪始干”的精神追求和人生境界。他以渊博精深的专业学训和宽厚正直的人格魅力吸引了一大批莘莘学子投身门下求学，可谓桃李满天下。他在学业上对学生严格要求，在生活上对学生关心爱护，深受学生的尊敬和爱戴。

沈德忠先生毕生热爱自己的晶体学研究和教育事业，在研究遇到困难和挫折时，仍矢志不渝、奋斗不息。2004 年 4 月他手书了“看准方向、集思广益、知难而进、坚持到底”的手迹勉励自己。他经常夜以继日地工作，直到倒下前一天仍坚持在实验室里进行研究。他胸怀大局、严谨治学，历来严以律己、宽以待人、助人为乐、淡泊名利，他把所有的爱和热情都献给了祖国的科学和教育事业，他的高尚师德和勤奋精神堪称知识分子的楷模。

沈德忠先生的不幸逝世，是我国晶体学研究和工程界的重大损失，是化学和化学工程界的重大损失。我们为失去沈先生这位尊敬的师长和同事深感悲痛。他的高尚品德和他所开拓的人工晶体事业之成果，将作为宝贵财富而永放光芒。

敬爱的沈德忠先生永远活在我们心中！

沈德忠先生治丧办公室

2014 年 4 月 7 日

致德忠

我至亲至爱的伴侣沈德忠，梦般不辞而别。身后留下了他对事业和家人、朋友的爱恋以及我对他无尽的哀思。

携手四十个春秋，回首往事，弹指一挥间。我陪同德忠从风华正茂的青年，走到稳健执着的暮年。一路走来，我深切地体会到他在学习、工作上的勤奋，刻苦，认真，始终如一。在为人上的正直、真诚、善良、谦和也是始终如一的。为此，我爱他敬他！德忠，这辈子与你同行没有走够，来生再牵你宽厚温暖的手。

沈德忠是为工作而生的，他忘我地把生命中的分分秒秒都倾注到了他所热爱的事业中。多年来，一刻也不曾松懈地在两处搞科研，创造了更大的价值，加倍的工作使他有限的生命得以延长。

能为人类的科学进步、社会发展作出贡献，德忠，你可以笑面此生了。

当噩梦袭来，家人、领导、同事、朋友、学生们都给予我最及时最体贴的帮助和关怀，与我共同度过无比沉痛的时刻。又不分昼夜，用高效细致的工作，完备地为德忠举办了告别仪式。大家缅怀德忠，由衷地给予他很高的评价和敬重，表达了对他深深的爱戴。他身上的正能量能够得到传递，我从内心深处感到十分的温暖和欣慰。

谢谢大家，你们辛苦了！德忠：你拥有这样好的领导、同事，还有一批非常可爱、上进有为的学生们，你可以在天堂安息了。

最后我衷心地祝福大家，前程辉煌，健康平安。

爱妻　尚明

2014.4.25

父爱如山

沈菡蓓

在这春暖花开的日子里，爸爸永远离开了爱他的亲人、朋友和学生们。

我始终不愿意相信，这一切来得太快，措手不及。犹记得前几周您出院，面色红润，高兴地对我说："欢欢，能帮我买一台有摄像头的电脑吗？这样就可以和远在贵州的老同学视频聊天了。"我知道，您总是很珍惜与老同学在一起短暂的快乐时光，那是工作之余可以使身心完全放松的方式。而现在这一台新买的电脑却独自静静地守候在书桌前，盼望着遥遥无期的相聚。

在我的生命中，您是一位慈父。不论我多么调皮，只要不是原则问题，都可以通过沟通和平解决。在您的眼里，我永远是个孩子。父爱像一座山一样，使我心中充满源源不断的能量。当我迷失在选择中，总有一座灯塔在指引方向。您的教诲还在耳畔，您的音容时常浮现脑海，很多点滴总在不经意间涌上心头，无需任何媒介，让我不得不接受这个残酷的事实。

爸爸，我都没有告诉过你，我有多么爱你……

也许做儿女的，就注定在某一刻接受毫无征兆的痛苦。好在您离开的时候无法感知到这一切，而我知道，您是如此谦逊和善良，甚至连生命的最后一刻都不愿意麻烦别人，洒脱地走了。

今天，在这里，所有家人、朋友、学生都回来并围绕在您身边，这是您最骄傲的时刻吧。

最后，希望所有人都可以在家人健康的时候传达爱，感恩。

爱女　欢欢

2014 年 4 月 25 日

忆往事

跟很多同辈的人们一样，我们出生的那个年代，家庭非常贫困。兄妹四人、父母亲、外公，七口之家。

父亲是一名建筑工人，老实本分，脾气很好。母亲是一个聪明能干，吃苦耐劳的家庭妇女。人口多，收入少，我们那时的家境特别贫寒。主食通常是红薯，主菜也只有白菜、豆腐；只有在过年的时候才能见到肉。早餐很难保证天天有，主餐还吃不饱呢，哪有食品给早餐呢?

我们家大概是都司路这条街上最穷的一家。为了解决这种窘态，母亲想了很多办法，比如打些零工，帮别人缝袜子、绗棉衣、锁扣眼，或自己做点小买卖，卖点汤圆，卖点胶草鞋(一种利用废轮胎制作的像草鞋一样的凉鞋)。穷人家的孩子懂事早，我们也帮母亲做活。哥哥沈德忠一大早就去给别人家挑水，或是给邻居家的孩子补课，这样可以换来一顿额外的早餐或一顿能吃饱的白米饭。童年就是在这样的一种贫穷的环境中度过的。

由于母亲为人很好，又很能干，在一九五一年她被选上了贵阳市第三区人民代表，并且连任三届。她帮助区里展开禁烟、禁毒工作，帮助处理邻里之间的各种民事纠纷，逐渐地，在群众中树立起很高的威信。母亲当了人民代表之后，经常参加各种会议，接触的人也多了起来，她深感自己没文化的苦，因此再苦再累，也要把自己的孩子送去上学。

国家对我们穷孩子也是十分关怀，除了免去学杂费外，在冬天还补助卫衣、棉衣等物品。但学习用的书本、笔、纸张等还是要自己买的，沈德忠的初中三年都是他的班主任杨老师资助给他的。沈德忠心怀感恩，工作后，每次回来探亲都要专门去拜访杨老师，非常感谢他的帮助。沈德忠在四川大学二年级时，曾写信给母亲，认为家里经济太困难，他不想再读下去了，想回来找工作来补充经济收入、维持家里的正常生活，结果被母亲严词拒绝，让他不顾一切，必须勤奋读书、安心上学。由于母亲的坚持，沈德忠才得以圆满地完成学业。

母亲对我们几个孩子的要求非常严格。在外面但凡与人发生争吵，不论对错，回家都要被母亲教育一番，她一再教育我们对人要有礼貌，不贪小便宜。记得有一次叫我去买豆腐，卖豆腐的人多找了我一角五分钱，后来被母亲知道后，狠狠地批评了我一顿，还要我主动去退钱。母亲虽说脾气不太好，但从不说脏话，这点也影响了我们，直到现在我们家的人，也没有一个说脏话的。

由于有了这样一位伟大的母亲，还有国家的关怀，加上沈德忠自己的努力，才成就了沈德忠，成为了中国工程院院士，这可真是应了那句话：鸡窝里飞出了金凤凰。由于母亲的远见卓识，我们几个子女也相继完成了学业，我是 1964 年贵阳卫校毕业，退休前为副主任护师，护理部主任，弟 1965 年技校毕业，退休前为工程师，妹 (1952 年出生) 工作后自学成才，本科毕业，退休前为副主任科员。时光荏苒，没想到，沈家数十载后变成都司路上一道亮丽的风景。沈德忠在工作上勤勤恳恳，认真敬业。他小时候就很聪明，美术老师教他几次后，他自己就能独立画画了。因为画得不错，被街道办事处请去画游行用的宣传画。另外，他的动手能力也很强，小时候看到别人的幻灯机很好玩，自己就想方设法，利用废旧材料，拼拼凑凑搞起来，虽不如买的好，但也自得其乐。他的学习成绩很好，一方面是他的天赋，一方面是他的勤奋。我看过他高中的作文大多是五分，而且在作文中还提出一些合理化建议，得到老师的赞许。小时候他还经常去茶馆听书，听外公讲各种各样的故事，看来，这对他的作文有很大的帮助。在生活中他低调俭朴，从不张扬炫耀。记得有一次，他回贵阳去看母校，由于母校放假没开门，他被拦在了门外。我跟他说：你把你的名片拿出来给值班的师傅看看，或许他会让你进去。他说算了，不要破坏学校的规定。还有一次，他坐火车回北京，我的亲戚给那趟火车的列车长打了个招呼，请他关照一下，用餐时列车长过来请他去餐厅用餐，而他却婉言谢绝了列车长的邀请。他既没有亮出他的身份，也没有心安理得地去餐厅吃饭。低调到对我们都从不提及他的贡献及荣誉，直到他去世后，我们才从网上知道他的成就及国家给予的奖励、荣誉和地位。他一生淡泊名利，谦逊为人。

自从沈德忠调入清华大学后，因为在两个单位都有项目，而且又都是他为项目负责人，因此就更忙了，他出差到贵阳时，我们都劝他要注意身体，不要太累，不要太拼命，他总是笑笑，要我们不要担心，没办法，他就是一个为他的晶体科学研究而活着的人。一想起沈德忠我就心疼，就要掉眼泪，小时候吧，家境不好，没吃没穿，工作了，有钱了，有家了，也不讲究吃和穿，就是一门心思地扑在事业上，扑在晶体上。沈德忠为了他的晶体和教育事业奋斗了一生，为国家作出了很大贡献，我们为有这样一个哥哥感到无比自豪！

但愿他在那个世界过上安静的日子，安息吧，沈德忠！

沈德芬

2019.7.2

追思沈德忠院士

惊闻沈德忠院士于四月五日突然驾黄鹤西去，甚为惊愕，更为惋惜。记得三月份沈院士住院时我曾前往看望。当时沈院士看上去身体远比我好得多，精神也很好，二人相谈一个多小时。我离开时，他一直送我到电梯旁。沈院士做了手术后回家，我们又通了电话，表示五一节小长假时再次晤面。沈院士怎么这么快匆匆离我们远去呢……沈院士的声音仍在我耳际回响，面貌浮现在眼前，犹如今天。

我和沈院士认识时间不长，仅有六年，然而这六年我们交往甚密，友情很深。沈院士年长我一岁，可称为我的老兄。六年前我与沈院士素不相识，是因为一件很大的公事，我找到了时任第十一届全国政协委员沈院士，我们都是以致力为公为己任的中国致公党员。这件关系到国计民生，很大的公事就是50钢轴“研制”成果的真伪性。目前我国铁路客货车时速200km/h以下都采用了50钢车轴（目前高铁车轴均为进口）。50钢轴“研制”成果是:“50钢轴与40钢轴比较，其使用寿命增加一倍以上”。以高含碳量技术“研制”的50钢轴不符合国际标准ISO及国际铁路联盟UIC；铁道部以50钢轴否定了低含碳量的符合国际标准ISO及UIC之40钢轴。与40钢轴比较，50钢轴的生产是高成本（37.5%）、高能耗（2倍以上）、高污染、低效率；更因为50钢轴的高含碳量的本质内在特性，它是韧塑性差、抗冲击韧性差、低温脆性增大、冷热加工性能差容易引起裂纹出现，抗腐蚀性能差，抗缺口敏感性差，引起运行中疲劳裂发展快等等；因之不能采用淬火、表面喷丸强化、空心轴等国际先进车轴生产工艺。包括高铁在内的国际车轴生产技术是朝低碳化方向发展，目前我国铁路车轴生产技术已落后国际先进技术20年。更重要的是50钢轴的生产使用，无疑加大列车运行隐患概率。仅就我们所知道信息量很小的情况下，得知铁道部某生产厂，短短几个月中，钢轴产生裂纹量高达11.3%。还发生了多起包括2008年奥运会前和期间50钢轴出厂短期服役中线上冷切断轴翻车，所幸是货车，没造成人员伤亡，如是客车造成断轴车毁人亡，造成灾难性的社会影响更为严重!

由于50钢轴生产使用是不科学不安全不环保不经济性的，二十年来铁路内外专家学者对50钢轴“研制”的成果的真实性质疑和反对。其中包括科学院院士肖纪美、陈难先、陈能宽、李依依 全国人大代表金属学家余永宁（北京科技大学材料科学与工程院院长）、王润（北京科技大学校长）（陈难先以人大代表、常委名义签字，并在2003年3月9日《科技日报》头版发表文章）、全国政协委员金属学家贵州科学院副院长汪大成领衔、刘新香、靳晋三委员他们连续3～4次作出议案和提案；金属学家戚正风、刘嘉禾、范存瑾、张顺南；材料力学家王仁智、吴清可教授等均以文字书面意见、文章对50钢轴“研制”成果的真实性提出了质疑和反对，因为凡涉及人体健康和生命的科技成果是虚假的就一定是不安全的!

在铁道部内，时任铁道部车辆局总工程师兼铁道学会车辆委员会主任朱思本教授早在上世纪八十年代初就反对将50钢轴列入科研计划，并在生前一直身体力行反对50钢轴推广使用。中国铁道科学研究院金化所所长金属学家郑中岳研究员自1995年得知50钢轴推广使用后多次给铁道部领导写信揭发50钢轴“研制”者弄虚作假、隐瞒欺骗行为并写出多份报告从学术上指出50钢轴的科研成果是虚假的。直到去世前于2012年2月6日写出“安全重于泰山”报告寄给铁道部领导。三位反对50钢轴的科学家郑中岳、刘嘉禾、朱思本已先后去世。近闻2014年4月22日金属学泰斗肖纪美院士94岁高龄谢世。

铁道科学院金化所三位金属材料专家杨开庭、周振国、曾耀新研究员和我四人联名呈送铁道部纪检委举报 50 钢轴“研制”者林 ×× 并从 1997 年 3 月至 2012 年 2 月写出八次报告，说明 50 钢轴研制成果是虚假的，第八次报告的题目是：“珍惜生命！人命关天！安全第一！科学用材，反对学术腐败！——1997 年 3 月第一次，现在 2012 年 2 月第八次建议立即停止生产使用 50 钢轴”。十七年来关于 50 钢轴的情况已在“人民日报”（内参）“中国科协”（内参信息清样）“科技日报”“科学时报”“材料导报”“长城月刊”均作出了报道。2008 年我闻知 50 钢轴短期服役线上冷切断轴翻车后，心中很为焦虑，为此找到时任全国第十一届政协委员、清华大学教授中国致公党员沈德忠先生。我在电话中向沈德忠院士说明情况后，他很为重视，让我带着甲乙双方资料到他家做情况介绍。我们二人谈了约 2 小时后，他把 10 多份资料留下供参考。以后我们二人又多次晤面交谈，并拿走一些资料；其中有三次沈德忠院士是到我的简陋办公室交谈。沈德忠得知 50 钢轴情况实属关系到国计民生大事，于 2010 年至 2012 年全国两会期间领衔三次写出“人命关天！建议政府有关部门联合调查与低碳经济相悖的 50 钢轴研制成果的真伪性”提案。此提案附签的还有全国政协委员、中国致公党员谢朝华、林金星、徐晓兰以及全国政协科技组的其他委员。铁道部对提案做了答复。全国政协提案办公室发给沈委员办理情况征询意见表。沈委员在对（铁道部）办理态度是否满意及对办理结果是否满意二项中回答“很不满意”，在对第三项有何进一步的建议和要求时，沈委员写出了约二千字的意见书。沈委员为国为民，精诚认真的态度令我敬佩！关于 50 钢轴事宜，“法制晚报”记者采访沈德忠院士和甲乙双方后于 2014 年 1 月 6 日在 a18、a19 两个版面深读中国，大标题为：“火车车轴安全纷争 30 年无定论”。版面有沈院士举着“《关于人命关天！建议政府有关部门联合调查与经济相悖的 50 钢轴研制成果的真伪性”提案的照片。我和沈院士相识只有六年，以前素未相识，是因为火车轴科学选材的国计民生大事，仗义执言支持我们铁道系统内少数的科技工作者，使我们增强勇气和信心，以科学法制将此事宜继续进行下去。“渡尽劫波兄弟在，相对一笑泯恩仇”。我们相信只要按照 1999 年 11 月 19 日科技部、教育部、科学院、工程院、中国科协五部委文件精神操作：进行科学、公正、公开、公平的论证和 50 钢与 40 钢的对比试验后一定会得出科学结论。甲乙双方在统一认识的基础上团结起来共同推动我国铁路车轴科技事业发展。

沈院士敬业精神极强。奔忙于清华大学和人工晶体研究所两个单位。他每天早上七点就去上班。我每次到他家时多次是双休日或晚六点以后他下班后晤面。我和沈院士交往六年中友情很深。沈院士没有院士委员架子，为人平和，每次到我办公室都是坐 319 路公交而来。我们都是诗歌爱好者，都喜欢音乐，尤其是外国经典歌曲。记得三年前春节期间沈院士和夫人尚老师请我和致公党员李仪同志到基辅餐厅相聚，主要是欣赏苏联歌曲。聚后尚老师又开车把我和李仪送到家中。我和沈院士相聚多是他花钱请客。每年春节等重大节日我们或是相聚或是电话短信相互问候。今年 3 月我闻知沈院士住院后，不听他的“劝告”执意到医院看望了他，看到他的身体精神很好，我忘了时间，二人竟然谈了一个多小时，谈了火车轴科学选材，人工晶体；谈了科教兴国，谈了中国梦……不想此次晤面竟然是我们兄弟二人最后一次晤面！如今沈院士音容就像一个月前那样响我耳际浮在我眼前……今人已斯缈，吾悲感交加，兹可痛矣！

安息吧！沈院士德忠老兄，您留下难舍难离未竟之事，我们会像您一样，一步一个脚印，认真踏实地完成。我们深信用二个一百年努力奋斗完成中华民族伟大复兴实现中国梦的伟业。

安息吧！沈德忠院士！

小弟再觅写诗词，以表达对沈兄之追思。

蝶恋花·追思沈德忠院士

惊闻沈院士驾黄鹤匆匆向西飞去，小弟不胜悲痛惋惜，特写诗词以寄哀思。

贵州山水一少年，考入川大攻读物理山。国外深造海归子，工程院士有头衔。

人工晶体在前沿，精勤人和热爱大自然。参政议政中国梦，二个百年能实现。

陈大中

公元二〇一四年四月二十五日

农历甲午年三月廿六日

缅怀沈德忠院士

时光飞逝，一转眼，我敬爱的沈德忠院士已经离开我们五年多了。

当年我毕业后就被分配到国家建筑材料局人工晶体研究所工作（现为北京中材人工晶体研究院）。一进单位，就听说了国家建材局系统有四大专家，那都是响当当的有名人物。晶体所独占两位，其中一位就是沈德忠先生，所里的同志都称呼其为“沈专”。可惜的是，我没有被分配到沈专研究组。

转眼几年过去了，沈专于1995年当选为工程院院士，大家对其称呼也相应地改为“沈院士”或“院士”。1998年，沈院士派人来找我，问我愿不愿意到他手下工作，当时我受宠若惊。于是，我就这样来到了沈院士手下，相当于做他的副手。从此，开始了我在院士手下六年的科研生涯，直到2004年调入中科院。应该说这六年是我人生收获最丰的一段时光，我从沈院士那里学到了很多东西，特别是做人的道理。沈院士的科研成就尽人皆知，包括十年磨一剑攻克铌酸钾晶体生长难关，助熔剂法生长出磷酸氧钛钾（晶体所另一位专家黄朝恩则习惯称之为“磷酸钛氧钾”）晶体，以及开发了电光磷酸钛氧钾晶体满足了我国重大战略需求等等，不再赘述，我只回忆一些院士的片段和小事。

沈院士是一位工作狂，科研工作可以说就是他的主要兴趣和爱好。他评上院士后，受邀到清华大学化学系兼职。当然，他不忘本职工作，平时工作日周一到周五几乎有四天都在晶体所上班（除了有一天要去清华大学给学生上课），周六和周日不休息，继续在清华上班。清华大学那边的学生都受他影响，周末习惯性地以实验室为家了。沈院士对人工晶体研究所有着深厚的感情，清华大学屡次请他全职过去工作，院士都婉言谢绝了。他深深知道，晶体所是他刚从大学进入社会就接纳他的“娘家”，他还要继续为娘家服务。

沈院士还是三届全国政协委员，平时有较多的社会应酬，但是沈院士始终不脱离科研第一线。晶体生长是一门实验科学，基础理论固然不可缺少，但是动手能力也十分重要。在晶体生长的工作中，有许多十分细致的技巧活，年轻同志往往不能胜任，这时候沈院士会亲自动手，为我们作示范，并手把手地教会我们。他的钳工活，时常让所里的老钳工也惊叹不已。这是得益于沈院士“文革”中下放工厂劳动那段经历。有些科学实验，他坚持自己做，自己称量配料，自己手工研磨，自己设程序升温等等。甚至他还自己亲自动手装晶体生长炉，这对于一位院士来说几乎是不可想象的。有一回，沈院士穿戴好工作帽工作服，戴好口罩，哼着小曲儿去装炉子了，我们几个年轻人急忙拦住他，说这活儿我们来干就行了。沈院士那天可能兴趣来了，不肯让我们动手，让我们在一旁看着。在院士装炉过程中，正好室主任李明文来找院士，看到院士亲自干活就批评我，“你们怎么还让院士亲自动手？”我只能苦笑着向他说明原委。

沈院士经常要审阅大量的文稿或论文，他非常细心，对每一个错误都不放过，对每一个疑问都要亲自查阅文献资料以求证实。我刚到院士手下，有一次他给我看一篇谢绳武先生的论文，是关于光在双轴晶体中的传输性质的，由于纸质版论文年代久了磨损严重，有一个公式里面的一个数学符号看不清楚是减号“-”还是乘号“·”。这需要复杂的数学推算，沈院士把这个“难题”交给了我。好在我凭着一点数学功底，经过演算，圆满地给出了答案。经沈院士改过的稿子，许多标点符号的错误都一一标出来，许多非科学性的语文的错误或不通顺都作了改正。许多已经出版的科学期刊或图书，沈院士都会发现许多错误，包括科学上的错误和印刷错误。每当此时，他经常痛心疾首地对我说，现在许多科研工作者缺乏严谨的治学态度，经常转引自己未经查实的文献，造成谬误。这对我国的科技事业非常有害啊。正因为此，沈院士对年轻同志要求非常严格。他认为，科研工作，关键是要培养一个良好的学风，并代代相传。

每年毕业季，沈院士都要给别的单位毕业的硕士或博士审查论文，也是一丝不苟，认真把关，甚至连标点符号之类的小毛病都一一改正过来。并且在每一个改动的行的末端用铅笔打一个“Δ”符号，以作提示。这一个习惯也被我全盘继承了。2004 年我调动到中科院理化技术研究所工作，这边的学生论文有很多给沈院士送审。论文返回后，学生们说沈院士修改论文真地好仔细，经常改得密密麻麻的，字里行间不够写的话还另外用白纸写好附上。而别的院士或专家，往往只是象征性地改动一两个字。

沈院士做什么事情都特别认真。对于自己的文章，沈院士要求更加严格，甚至近于苛刻，经常修改了一遍又一遍。沈院士文章中的许多原始的图，在电脑及软件还不普及时，大都是他本人亲自描绘，其一笔一画，无不倾注着他的心血。办公软件普及后，有些画图是由我或者别的年轻同志进行，因为年轻人显然对软件更熟悉一些。有一次沈院士需要做科普的 PPT，画一个激光倍频示意图，红色光线进入倍频晶体，从晶体出来后增加一条紫色光线（这就是倍频作用，光的波长减半）。一般我看到别的科学家的 PPT 就是如此。但是沈院士要求很严格，他说，基频光（就是红色光线）进入倍频晶体后是逐渐转变为倍频光的（用紫色光线表示），所以在晶体中的红色光线要逐渐减弱，在晶体中就要增加一条紫色光线，而且紫色光线要从淡到浓逐渐增强，就是说要有个渐变的过程。这个超出了我的能力，我只能红着脸说：“沈师傅（我到院士组里后还是按照晶体所的惯例叫师傅），我不会啊”。有时组里的同志都表示不解，在某些无关紧要的细节上需要这么认真吗？沈院士的回答是肯定的：要！只有在一点一滴上坚持认真二字，才可能创出一流成果。这一点和日本人的作风有点相似，日本人做研究就是一步一个脚印，虽然起步阶段可能慢一些，但是基础阶段排除掉一个问题再前进一步，后面再遇到问题时就不用再回到第一步去研究。总体效果反而是事半功倍。

除了文章，沈院士对自己照样是严格要求。2000 年左右，晶体所所长周育先组织全所专家、骨干讨论上钒酸钇项目。会议中间黄专提到了光通信行业原先用氟化镁晶体当双折射用，现在钒酸钇晶体可以替代氟化镁。沈院士表示疑问：“氟化镁晶体是立方晶系的，各向同性，只有一个折射率，怎么当双折射晶体用？”全场鸦雀无声，因为实际是沈院士记错了。散会后，沈院士特地把我叫去，手写一张纸条，请我转交给周育先所长。原来是沈院士会后发现自己记错了，经查资料氟化镁不是立方晶系而是四方晶系的，可以当双折射晶体用（只不过双折射率较小），所以特地要我向周所长说明情况，表示歉意。沈院士这种勇于承认错误的作风使我非常佩服。

沈院士是一位学者，也有很多业余爱好。他喜欢绘画、书法和古诗，会拉小提琴，歌也唱得非常好，特别喜欢苏联歌曲和民族歌曲，经常参加单位文艺汇演，往往是独唱。我记得有一回在铁道部十六局礼堂演唱《草原上升起不落的太阳》，沈院士一身正装，温文儒雅，颇具绅士风度，走上台来先弯腰向全场观众鞠躬行礼，立刻博得了满场掌声。等到他“蓝蓝的天上白云飘，白云下面马儿跑”洪亮的嗓音响彻大礼堂时，又是一阵掌声……

我离开沈院士后，每年春节都会去看望院士。每次我取得一点点成绩，都会向院士汇报。我总以为，这样的场景会持续很多年，因为院士家族有长寿基因。但是我实在没有想到，院士会在七十三岁那年就匆匆离开我们。

沈院士走后，我对科学技术的每一次思考，总能在沈院士身上得到回应！特别是近年来美国对中国极限施压，已经到了丧心病狂的地步。中国在诸多关键技术方面被美国“卡脖子”，陷于十分被动的状态。这时我会想起沈院士每次担任评委（评定技术职称或评定科技奖项）时，最爱问的一句话就是“你解决了什么关键技术？”他向来注重解决实际技术难题，而不是热衷于发文章等纸面功夫，这在 21 世纪后我国高校兴起的热衷于发表大量SCI文章的“潮流”中独树一帜。不得不说，在这方面沈院士走在了大多数人的前面。如果我国科技人员都能像沈院士这样，脚踏实地一步一步解决关键技术难题，现在也不至于被美国打压落到如此被动的地位。而近来听说沈院士在最高学府清华大学的课题组终于没有能坚持运转下去，心中不禁十分惆怅。毕竟失去了沈院士这个领头人，后人很难坚持走沈院士的学术之路和技术之路。

现在我每每回忆起沈院士，他的音容笑貌仿佛立刻就出现在我面前。我相信，沈院士的精神和品德风范将伴随着晶体事业的发展而永存，这是我们后辈的宝贵财富之一，也是值得我们学习的地方。我们首先要学习沈院士热爱祖国、忠诚科学和教育事业的精神。第二，要学习沈院士自强不息、持之以恒的奋斗精神。院士把整个生命都献给了中国的晶体事业。第三，我们要学习沈院士胸怀坦荡、嫉恶如仇、淡泊名利的优秀品格。最后，我们要学习沈院士严谨治学、提携后学的优良风范。

今天我怀着无比崇敬的心情写下此文，以告慰沈院士在天之灵，缅怀院士为中国科学事业发展所做出的贡献，并将院士未竟的事业不断推向前进！

王晓洋

写于2019年10月29日凌晨

（修改于2020年10月18日）

追忆沈院士

今年是沈德忠院士的80寿诞，沈院士离开我们已经整整六年了。自1996年春天起，沈院士、沈光球老师和我在一个课题组一起工作了十八年，从老化学馆312，到纸库平房小院，再到化学新馆何添楼。如今纸库已不复存在，每次路过那里，看着新起的漂亮楼房，不禁回首往昔岁月，沈院士的音容笑貌和崇高事迹依然会浮现在眼前。

我初见沈院士的时候，非常惊讶于他的年轻，五十几岁的院士，那时还是很少的。而沈院士身材挺拔，精力充沛，看着就像四十多岁，也难怪我觉得这个院士如此年轻。后来慢慢知道，沈院士是极为自律的。他锻炼身体几十年如一日，每天早上运动，平常骑自行车上班。沈院士生活简朴，烟酒不沾。我们课题组的老师学生都知道，毕业聚餐时沈院士爱吃鱼香肉丝这样的家常菜，只喝酸奶或者白水。所以到后来六七十岁了，他的身材也毫不走样，挺拔而敏捷。这是我们多少年轻人自愧不如的，我也早早把沈院士的坚持和自律引为榜样。

我们无机晶体研究课题组是从白手起家的。最早在化学馆312开始组装第一台大单晶生长炉。那时组里没有学生，沈院士带领沈光球老师还有我和尉京志、徐峰，从画图纸开始，定做炉壳和耐热炉膛配件，电热丝保温棉热电偶控温表，一样样买来进行组装，其中的辛苦可想而知。1996年还没有发达的网络采购和支付，我们要四处去跑厂家订货付款拉货。记得保温棉厂家在门头沟的浅山里，我坐公交车倒了四五趟几个小时才走到。单晶炉没有现成的，东西配齐了，最辛苦的是单晶炉的配件组装和安装工作。缠电热丝包保温棉，那时实验室里就像工厂车间一样。沈院士也是亲力亲为，和大家一起动手干活。我们劝他休息，指导就好。但他从来不后退，每一步骤都亲自把关安装调试。设备组装调试成功了，我们开始了新型非线性光学晶体CLBO的研制。大晶体的生长需要较长的周期，温度和生长速度的控制非常重要。晚上、周末也要进行观察以便及时调整。沈院士也是不辞辛苦，周末加班更是全系闻名的。功夫不负有心人，第二年我们的CLBO晶体生长就取得重大进展，此后生长技术不断完善进步，不断长出大尺寸高质量的大单晶。并和沈院士的原单位北京人工晶体研究所合作，加工出二倍频、四倍频和大尺寸倍频器件，并和清华电子系、精仪系，中科院物理所、理化所，北大技术物理系等单位合作，在应用CLBO倍频器件的激光技术研究中取得突破。2006年，我们生长的CLBO大单晶尺寸达到国际先进水平，四倍频器件在物理所的测试中，获得28W的高功率266nm紫外激光。这在当时国内是创纪录的。

沈院士不仅是谦谦君子，待人和气从容淡定，而且是颇具天赋的艺术才子。他是化学系教师合唱团的出色的男高音领唱，在学校的各类比赛中屡屡获奖。这是众人皆知的，但不大为人所知的是，沈院士还有绘画天赋。有一次在办公室闲谈之间说起了绘画，沈院士给我们看了他的几幅作品，有工笔连环画，有油画肖像，我们都是无比佩服。我真心相信，如果他不是选择了凝聚态物理专业，成为一位晶体材料学家，他也许能成为一位出色的男高音歌唱家，或者画家。

沈院士虽已离去，我们却不会忘记。他熠熠生辉的一生，也成为我们事业和生活的楷模。

王晓青

2020年7月　于清华园

追忆沈德忠院士二三事

袁欣师妹为人热心，又重师恩，最近花费不少精力编辑《沈德忠院士纪念文集》，发微信给我：“你是沈院士第一位博士弟子，得写一篇回忆文章啊！”顿时将我思绪拉回攻读博士学位的时光。此时恰逢我搬家到另一个城市，整理文件资料时翻出《沈德忠教授七十寿辰志庆集》，也是袁欣师妹编辑，图文并茂，翻看时不禁百感交集。

1997 年我清华本科毕业后被保送读硕士，修无机化学专业，当时无机可谓是清华化学系各专业中最弱的了，应者寥寥，我也预期不高，以为“混”个硕士学位以后找工作了事，却刚好遇上化学系聘沈德忠院士为教授及博士生导师，一年后我硕转博，自然而然成为沈院士的第一位博士生。“我导师是院士”，90 年代能说这句话的人实在不多，我颇为自豪地用了好多次，只是真正意识到沈院士对我学习工作带来了什么样的重要影响，却是最近几年人到中年的事了。

作为学生，当时最大的感受就是学科建设很快就发展起来了。沈院士作为学术带头人，沈光球老师和王晓青老师加入课题组，系里给了纸库这个独门独户自带院子的几间平房作为实验室，几台单晶生长炉很快搭建好，检测用的激光器也就位了，更重要的是学生也很快多起来了，到 2000 年前后硕博研究生已达 10 人左右，纸库已经是个很热闹的地方了，颇有些“兵强马壮”的声势。我那时候很爱去实验室，一来是晶体生长是挺有意思的事，一坩埚粉末熔化后可以拉出或大或小或透亮或氤氲状的晶体，拿去用 1064nm 激光打能否出现越亮越好的绿光，更有一种类似“赌玉”般的忐忑心情，二来实验室气氛很融洽，沈院士虽严肃却不失随和，沈光球老师则有着与生俱来的与学生打成一片的能力，王晓青老师年纪比我们也大不了多少，也是爱笑，师弟师妹们也都是极好相处的人，需要出力时总是一呼百应，这样的氛围谁不喜欢呢？我经常睡觉前会去实验室看看，有时候是观察晶体生长的需要，却也会碰到沈院士还在看资料，或者师弟也在查看炉子，大家都习以为常了。

以现在我的认识回头看，一门学科建设在一个高校落地和发展起来，其难度和复杂程度类似于创业，学术带头人在治学、资源管理、成果转化这些方面的能力和风格影响很大，甚至人格魅力也有潜移默化的作用。晶体学在沈院士到来之前，清华化学系的基础几乎为零，学科建设可谓白手起家，硬件自然也是如此，纸库的每一样设备都是他带着我们亲手去做。单晶生长炉的保温石棉层关乎温差分布，需要放置得十分均匀，安放时如果接触到皮肤会又痒又痛，沈院士和沈光球老师一台一台地装过去，我们几个研究生有时在边上帮忙，基本一干就是一下午，完了我就赶紧溜回去洗澡，老师们还会继续安装控温设备。然而，与出成果、发表论文的艰苦程度相比，晶体生长炉这些硬件设备的组装简直不值一提。沈院士常说，人工晶体尤其是非线性光学晶体领域要出像样的成果，至少需要“10 million dollar”（美元）和“10 年”，要搜索到有潜力的候选晶体化合物，需要做大量基础探索性而且很难发论文的工作，即使找到也要用很长时间去摸索生长足够尺寸晶体的方法，这对研究者的恒心、耐心和毅力是巨大的考验。沈院士是我见过的最不慌不忙的人，我从未见他紧张失措或者心急如焚的样子，但这背后需要大量缜密的资料准备和严格规范的操作以减少不必要的失误，因为一个失误可能意味着数月时间的浪费，需要多种预案和尽早取舍以提高效率。沈院士的工作态度、方式甚至气质，对我有很大的影响，虽然我博士毕业后并没有从事与晶体相关的工作，而是进入了金融行业，但道理是相通的，每当我面临重大的风险和收益抉择时，都会问自己：你是否事先做了足够的研究准备？你是否有多个预案？

沈院士是1996年秋季被聘为清华大学教授兼博士生导师的，当时他仍在人工晶体研究所上班，属于双聘，我印象中这样的状况持续了几年，这意味着他要来回奔波，通常只能在周末才能在纸库给我和其他学生指导和布置工作。经常当我进入纸库大门时，会看到院士那辆半新不旧、有宽大后座的自行车停在车库，我就知道院士已经在实验室了，不是在检查晶体炉就是在看文献，或许我需要的新铂金坩埚也已经带来了。他见到我总是笑眯眯的，问我有没有进展，如果我长出一小块看上去还不错的晶体，还能在1064nm激光下发出一团绿莹莹的光，他眉飞色舞比我还高兴，让我感受到不小的成就感——直到我后来看到比我饭盆还大、晶莹剔透的CLBO晶体，激光下发出的绿光简直无法直视，我才知道差距有多大。有时候，在院士那间阳光不错的办公室里，他会给我们几个讲一小块晶体就价值上万美元，比黄金贵得多，在高端武器上都有应用，当年美国轰炸我南斯拉夫大使馆所用导弹上就有类似的晶体，我们不禁咋舌，原来这小小晶体凝聚着这么大的价值和意义。

晶体学的研究是日积月累的实践和摸索，沈院士也是长年累月的高强度工作，这对他身体健康状况还是造成了严重影响。我印象中院士的身体还是不错的，因为大尺寸晶体生长中相当部分是体力活，在我2002年毕业时他还是精力充沛的，后来见过几次也都精神不错，以至于2014年接到沈光球老师的电话告知院士突然病逝的消息时惊愕不止，难以接受。追悼会上尉志武老师哽咽着说起院士是累坏的，我才突然意识到我根本不知道院士多长时间没有好好休息过。追悼会后，我曾设想在清华发起设立以沈德忠院士命名的奖学金，以奖励或资助在晶体研究上有成绩或进展的研究生。但因种种因素未能成立，一位老师对我说，院士不在了还有多少清华学生会做这个领域的研究啊？我才进一步意识到，沈院士的突然病逝，对清华对晶体界是多么巨大、难以估量的损失。

翻看《沈德忠教授七十寿辰志庆集》，处处是中国传统知识分子的缩影：家境贫寒，体会到国强民富之不易；留学美国，感受到现代科研的差距与力求自主研究突破的动力；致力科研，也不忘修养艺术，书法、素描作品功力不浅令我吃惊。院士从事的晶体学研究，从来不是热门的、能出顶级期刊论文的方向，却是最基础、最需要积累的领域，在我看来正是现在中国最缺乏的东西。国人能做“小”生意，也能做“大”生意，更能做“快”生意，又有几个公司能真正做“慢”生意呢？商业如此，科研更如此。沈德忠院士，正是把“慢”科研做出名堂、做出成就的典范啊！

女儿走进房间，问：照片上这个戴眼镜的爷爷是谁啊？

我说：这是我的导师沈院士，等你长大些我讲给你听吧。

潘峰

于2020.07.31

润物无声，行为世范

——忆恩师沈德忠先生

时隔数年，每每和师弟谈及恩师都感慨良多，纠结于对恩师的思念，困惑于人生的无常。谢（承志）师弟常常批评我形神顽劣，未能得恩师半分儒雅。而我认为，三年朝夕相处，恩师对我们的教育已深入骨髓。

2000 年与恩师初次相遇，实为偶遇。“我再也不搞科研了”，是我硕士毕业时说的。音犹在耳，李（春辉）师弟请我陪他去考清华博士。问了好几次的路，被引导到化学楼背后不起眼的小院里。这和我的预期大不相同。开门后，一个文质彬彬的老师在给炉子填料，这就是恩师。交谈只有几句，同意我报名。以我的个性，自然地要问问考博需要准备什么？老师说，好好学就行。多年来我经常回想起这一幕，一是感叹人生处处有巧遇。另外就是初识老师时感受的平和。

读博之后，进入实验室，还不理解为什么老师选择留在条件艰苦的平房，而把条件更好的化学楼让给我们。几个月后，秋日的一天去后院找恩师，发现老师不在，正要走，猛回头，发现老师和沈光球老师在屋顶维修。我大吃一惊，两位老师尽管都精神矍铄，但毕竟是几十岁的人了。此等小事，学生愿负其劳。我立刻叫上师兄弟上房。发现两位老师腰上都别着工具……可以想象，那些我们不在的时候，恩师都在独自解决实验室的问题。

做学术交流，是整个实验室有趣的团队活动之一。老师在晶体学方面知识渊博，当时正在开展 CLBO 等晶体的制备和性质研究。而我正在王晓青老师指导下进行配合物的研究。虽说隔行如隔山，研究内容的巨大差异并没有影响沈老师对我的指导。他坚持发现学术的共同性，同时对不同晶体的特异性表示出浓厚的兴趣。尤其是和我对有机 - 无机杂化晶体的应用范围开展了广泛的讨论。他给我一个宽松的实验环境，要求我的工作多考虑应用性，为我指明了方向。

某天，填写表格，和师兄弟查询老师的基本信息才知道老师担任很多公职，而我们毫无察觉。老师平和淡然的人生态度让我们讨论很久，其实是我们内心情感的汹涌使然。身居高位而不骄，痴心教育不为名，还有什么比这更好的教育呢。

2010 年回清华庆祝老师七十大寿，师生齐聚。稍坐，便可发现师兄弟的发展各有不同。细想，这便是恩师的教育之道吧。他老人家注重于为我们创造最好的实验条件，不要求我们短期产生成果，使我们得以根据自身特点发展，所谓有教无类。

如今我也育有桃李，坚持恩师“博学实干，润物无声”的教育理念。学习恩师那种“耐得住寂寞，忍受得辛苦”的工作态度，继承“不受名利所困”的人生态度，在学界做好本职工作，就是对恩师最好的怀念。

忆老师二三事，感谢恩师在做人、治学、育人等方面对学生的教诲。恩师说话不多，身教胜于言传，轻看名利以养“德”，科技报国为尽“忠”。数十年耕耘，后继有我等承志。

2001 级博士生　刘宣文　泪笔

2020 年 7 月 23 日

师恩如海，永生难忘

——写在恩师沈德忠院士八十寿诞之际

时至今日，一想起沈院士，他的音容笑貌，就在眼前浮现；他的谆谆教导，似乎还在耳畔响起。

我第一次见到沈院士是 1999 年 1 月，那年夏天我即将硕士毕业，故寒假里找到北京人工晶体研究所求职。在夏所长的引荐下，我拜望了沈德忠院士。虽然从小一直在高校的环境里成长，见过的大教授比比皆是，但我从未见过两院院士。想象中，院士是学术权威，应该是学术理论出口成章，滔滔不绝，让人插不上话，晚辈只能垂手而立、洗耳恭听。我不知道沈院士的专业问题我是否能够回答得上来，因此内心紧张在所难免。

这次拜望，其实是一次面试，决定我能否进入北京人工晶体所工作。“面试”在沈院士的办公室里进行。让我感到吃惊的是，沈院士办公室里没有想象中气派的宽大办公桌，没有整面墙的书柜，没有皮面大沙发。两张 80 年代常见的写字台上堆放了一些图纸和文件；几把木椅子显得格外简朴，布面沙发也是八九十年代最普通的样式。“面试”完全没有我想象中的那般紧张严肃。沈院士只问了一些简单但重要的问题，了解我的学习情况和研究领域，也向我介绍了他所做的研究工作。初识沈院士，给我的感觉他是像我父亲一样的前辈知识分子，非常儒雅、谦逊、和蔼，虽有满腹经纶但言语不多，对晚辈毫无高高在上的优越感。尤其是当我了解到他被选为工程院院士之后仍在科研一线直接参与实验工作，内心感到非常敬佩，感慨他是一位很少见的实干型科学家。

面试之后的新年到来时，我怀着无比敬意给沈院士寄送了一张新年贺卡。完全没有想到的是，不久后竟然接到了沈院士百忙之中回寄的精美贺卡，他亲笔写下感谢我的祝福，并祝我的全家幸福安康！在通过寄送贺卡致以新年祝福的年代里，我寄出过很多贺卡，但很少接到来自长辈的贺卡。这张长辈对晚辈的贺年卡，体现出沈院士待人之彬彬有礼、平易近人，让人感到如沐春风，让我对沈院士的为人更加敬重。

1999 年夏天，我进入北京人工晶体所工作，在沈院士麾下里学习和实践以前从未了解过的晶体生长和加工工作。对于我而言，与其说那是一段工作经历，不如说是一段学习经历。我从组里工程师们、师傅们那里学习掌握有关非线性光学晶体的知识和生长技术，也从他们口中了解到沈院士是一位严谨认真、刻苦钻研、一丝不苟的科学家，同样也是一位心灵手巧、能歌善舞、能写会画的艺术家。在晶体所里工作时，知道沈院士非常繁忙，能见到他的次数不多，每次见到沈院士就抓紧向他汇报工作并请教一些问题，他也总是像初次见面时那样耐心地对我进行科研指导；遇到他也没有把握的知识时，他从不会不懂装懂或敷衍了事，总是查证后告诉我，或者给我介绍所里的其他师傅们，联系让我去请教他们。在晶体所里除了科研人员，还有许多工人师傅、后勤人员等等，沈院士无论对谁，都没有盛气凌人、居高临下的态度，尽管他是所里的四大行业专家之一、唯一的工程院院士。晶体所的老员工们经常称呼他“沈师傅”，他也欣然应答，毫不介意。

2001 年初他告诉我，课题组计划在清华大学化学系（他从 1996 年开始在清华大学化学系受聘任教）建立一个晶体加工实验室，想安排我过去工作，征求我的意见。我自然是非常珍惜这个机会，故从那时起，我进入清华化学系，作为工作人员参与科研项目，还结识了沈院士在清华化学系课题组里的沈光球老师、王晓青老师和沈院士门下的师兄弟姐妹们。因为周围都是高水平的老师和学生，所以我也强烈意识到自己需要继续学习深造。2001 年底，我向沈院士提出想要报考他的博士研究生，原本心里忐忑，不知他是否会同意，沈院士得知后很高兴地答应了。后来我也逐渐体会到沈院士其实一直非常鼓励年轻人学习、深造，他不断为好学上进的年轻人创造更好的学习和工作机会。受益者不仅仅是沈门弟子中的硕士、博士、博士后、化学系的青年教师、晶体所的年轻人，还有许多年轻学者，可以说只要是请求沈院士帮助，他都会竭尽所能地提供帮助。在本书的资料收集整理阶段，我看到他曾多次帮助学生、学者，在他们求学、求职时写的推荐信。他总是尽心尽力为别人提供帮助，而自己的事尽量不麻烦别人，唯一“麻烦”我们的时候，就是因为年龄大了，他不大会用电脑，因此大部分的文稿都是直接写在纸上的手稿，当需要制作成电子版文件时，他会客气地说：“能帮我打成电子版吗？麻烦你啦！”学生们经常会为导师的谦逊客气而感到不好意思。

考上沈院士的博士研究生以后，我有更多的机会经常接触到恩师，也更深刻地体会到恩师是一位伟大的人，不仅体现在教学科研中他精益求精的态度上，更体现在他对学生以身作则、身体力行的品格教育上。

在清华化学系攻读博士的三年中，我见识过他用铂金丝捆绑的籽晶结实牢固而又细致齐整；亲历过他带着我们拆装、维修自己研发的晶体炉；学习过他绘制的各种图纸，就像电脑绘图一样完美；感受过他授课和讲座时谈起人工晶体时的神采飞扬；聆听过他充满深情地领唱《党啊，亲爱的妈妈》……

每一位沈院士的学生都知道，除了出差在外的情况，他周一至周五在晶体所上班，有课和周六日、节假日在清华工作。因此我们也自觉和他一样，一周工作 7 天，节假日也不休息，整日在实验室里工作和学习。那些年我所有暑假和黄金周 7 天假期，也都是在实验室里度过的。寒假来临时，我会向沈院士请假十天半月，回老家看望父母。之所以“请假”，是因为生长晶体的实验耗时很长，几个月甚至半年时间晶体炉连续在高温下运行，晶体在不停生长着，需要随时查看、记录生长情况，还要根据生长情况调整降温梯度曲线。读博以后的第一个寒假，正月初一我给沈院士打电话拜年，家里没人接。我抱着试试看的心态，把电话打到实验室，没想到沈院士接了电话。他让我放心，说晶体的生长情况他每天会来实验室帮我观察、记录。几年来我的实验记录本上因为寒假中沈院士帮我做认真的实验记录而像日记一样完整无缺。这样严谨求实、以工作为重的作风深深影响了我，毕业以后我在工作中也同样努力做到严谨、认真地对待工作。

非线性光学晶体生长的相关科学研究是非常费时费力的一种科研方向，需要吃得了苦，沉得下气，耐得住心。他曾经有一句题词“看准方向、集思广益、知难而进、坚持到底”，这几个词可以说是沈院士一生面对需要不断探索和创新的人工晶体事业的真实想法和切实作法。在科学探索的道路上中，他也不断以此鼓励着学生们。和很多其他导师的要求不同，我们没有规定的组会时间，只要是沈院士在实验室，我们可以随时与他交流探讨实验过程中遇到的各种问题。作为导师，沈院士向来和颜悦色地教导学生，从不曾高声厉色，从不曾因为实验不成功而责备我们，也从不要求我们急功近利地匆忙发表学术论文。他非常爱护学生，每当我们长出晶体来，他都会亲自开启激光器，为我们测试晶体的倍频效果。他不止一次地提醒我们千万不要让激光照射到眼睛，以免引起伤害。为了避免学生像自己一样被激光伤到了眼睛的黄斑，他总会亲自进行激光照射实验。每当看到黑暗的房间里晶体被激光照射发出闪亮绿光时，他看上去比我们还要开心。记忆中，他总是鼓励我们创新，把想法付诸实践，勇于尝试；会帮我们一起分析实验失败的原因；会为我们取得的阶段性成果而高兴；也会为我们的下阶段工作提出意见和建议。他一直以严谨认真的态度，对待每一个科学问题，毫不含糊。在学生毕业阶段，他会对学生的毕业论文和投稿论文进行逐字逐句地仔细阅读和修改，连标点符号也不放过；甚至对我们引用的参考文献，也要尽量看到原始文献，来判断我们的引用是否得当。我时常体会到自己何其有幸，在一生中重要的博士生阶段遇到这样一位要求严格却又像父亲般和蔼的恩师。

沈院士是一位节俭的人，平日非常注意勤俭节约和绿色环保。几年来他骑的自行车是纸库实验室小车棚里最破旧的一辆，我们劝他换一辆车，他总是说车虽然旧一些，但还能骑；他手写各种文件的草稿时，一般不会用一张全新的纸，总是写在已经打印过一面的纸的背面；很多文稿撰写，都不用签字笔，而是用铅笔，据他说这样好修改，省得反复划写，不容易辨认；而写字用的铅笔，还往往都用到仅剩一寸左右的短短的铅笔头，还在手中握着……

这样一位节俭的教授，却也是十分大方的。一次，沈院士所承担的一个国家自然科学基金项目组在外地开会，车行到一个镇上恰好遇到集市无法前行，一行人都下来走路。一群身穿肚破衣衫的孩子围上来要钱，大家谁也没有理睬，继续走路。只有沈院士掏出钱来，孩子们一下子全都围上去伸手几乎要抢了，沈院士忙说，“别抢别抢，大家都有”。回到车上，大家都说沈院士上了小乞丐的当。他却说这里是落后地区，这么多孩子上不了学，他们是真的穷，能帮一点是一点。一席话说得让我们汗颜不已，更加对他肃然起敬。沈院士去世之后，我在整理他的资料时，发现了他给中国青少年发展基金会“希望书库”和联合国儿童基金会的多笔捐赠收据。这样一位平时对自己十分节俭的院士，把钱一次又一次捐给青少年事业，因为他对代表着祖国未来的青少年成长寄予厚望。

我在跟随沈院士做了6年科研工作之后，毕业后留在本校图书馆工作。虽然与恩师同在一校，但知道他工作非常繁忙，也不敢过多打扰他。有一次因为在工作中采访本校院士而再次走进纸库小院他的办公室。他一如既往地在窗前的办公桌前看资料，隔着窗户看到我们便马上打招呼迎接。采访结束后同行的同事写了一篇专访，感慨说第一次见到这样朴实无华的大院士，和这样朴素的院士办公室、实验室。

以后的日子，我在接送孩子上幼儿园的路上，有几次在校园里遇到沈院士，他总是非常礼貌地从正骑着的自行车上下来，像以往一样微笑着询问我近况如何。在孩子小的那几年，寒假时我不回老家，过年时还和家人一起去拜望沈院士；后来孩子长大，我便回老家过年，只能给恩师打电话、发短信问候，而谦和有礼的沈院士每每收到我的拜年电话或短信也一定会回复祝福。

2010年，适逢沈院士七十大寿，我组织已经毕业及尚在校读书的师兄弟姐妹，在化学系领导的帮助下在何添楼为沈院士贺寿，已经毕业的弟子们纷纷赶回来参加团聚活动。大家非常高兴地向沈院士汇报毕业后的经历和自己的成长，和沈院士一家合影留念。向来低调的沈院士那天特意穿了一件绛红色的衬衫，显得格外精神矍铄，听到我们的汇报也频频点头、特别开心。那时我们相约沈院士八十、九十寿诞之时再次欢聚，没有人想到四年之后的灾难。

2014年清明节前的一天，我接到时燚老师电话，说沈院士患急病被送进北医三院。我急忙赶过去，才知道沈院士已经深度昏迷，境况危在旦夕。和师母、欢欢、师兄弟姐妹一起在抢救室外焦急守候好几个小时之后，我们终于可以进入抢救室再见敬爱的沈院士最后一面，他看上去仍然面色白里透红，但双眼紧闭。我们多么希望他能够听到我们的呼唤，再看我们一眼，露出让我们熟悉的微笑。然而他终究没有再醒来，在清明节之日与世诀别、驾鹤西去、渐行渐远！

后来我才知道，沈院士近几年来身体一直欠佳，曾经摔过骨折、得过脑梗、做过心脏手术等等，但对科研、教学工作放心不下的他，每次遇到病痛缠身时，总是稍加治疗之后就要求出院，很快地再次回到工作中……回想起在校园里偶然遇到，我问候他时，他总是说“我身体挺好的，没有问题”，我便信以为真，总认为还有很多时间很多机会可以拜望恩师，耳提面命地受教于恩师。现在想起来真是后悔不已，应该常常去拜谒恩师、关心他老人家身体、劝他老人家多多保重才是。

臧克家有一句著名的诗句“有的人活着，他已经死了；有的人死了，他还活着。”我对此深有体会。沈院士去世后我每年和师母一起去为他扫墓。每当看到墓碑上他含笑的照片，我总觉得恩师并没有远离开我们，他一直在天堂护佑着我们的成长，冥冥之中用他的精神指引着我们走好人生之路。

沈院士是我人生历程中的贵人，在我人生的重要路口给予我指引与帮助。他的品格与风范，对我影响深远；他的事迹与精神，值得我永远铭记。

2020 年正值恩师诞辰八十周年，谨以点滴回忆记录过去、怀念恩师。

师恩如海，永生难忘！沈德忠院士永远与我们同在！

2002 级博士生　袁欣　泣书

写于 2020 年 7 月 22 日清华园

隐士 名士 国士

——追忆沈德忠院士

2001 年 9 月底，我联系沈德忠院士申请攻读博士学位，很快收到了沈院士的亲笔回信。

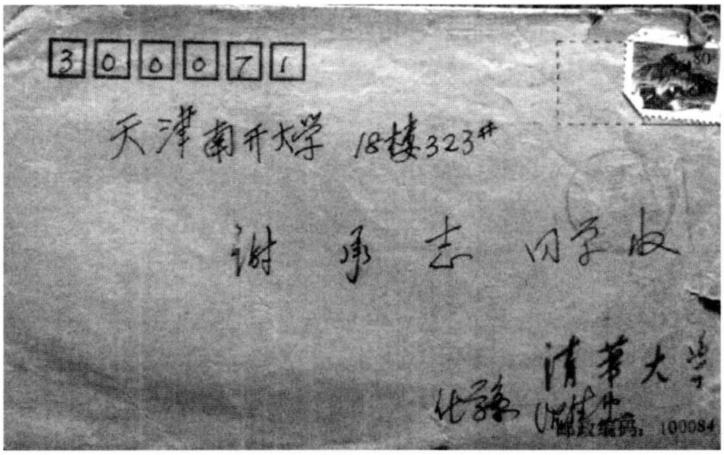

说来惭愧，当时主要是仰慕清华大学汇聚全国顶级人才的实力和名气，以及沈院士的地位，对沈院士所做的课题并没有什么深入的了解。而沈院士在回信中说他已经有了一位心仪的学生，所以不能招我；另外提到了攻读博士是为了报效祖国，让我深受教育。虽然被拒，但日常事务极度繁忙的沈院士能够给我写这么一封亲切友好的回信，让我倍感荣幸，把这封宝贵的信件收藏下来，并且由此引导我在后来的教师生涯中，对各类学生做到热情友好有信必回。在沈院士课题组王晓青老师和沈光球老师的鼓励和帮助下，辗转一年后我还是正式进入了沈院士的课题组，才知道沈老师作为工程院院士，按校方规定一年是可以招收三名博士生的，而沈院士承担的 863 课题实际上也需要一定的助手协助完成。但他为了保证对学生的指导时间，一年只招一到两名学生，并且并不强求学生的研究课题与自己的研究一致。这点当年并没有给我太大触动，而在将近二十年后回顾，才发现这在科研界是极其少见的做法。

当时的北京城已经是寸土寸金，清华大学的建筑风格也体现了国内顶级名校的风采，而沈院士就象一个隐士一样偏居在清华园一个偏僻角落的小院里，从事他世界领先的科研工作。春天不知名的野花从角落突然露头又悄然消失，秋天金黄的落叶漫天飞舞洒满院子，而沈院士年复一年在小院的实验室里默默耕耘。那些年，以南京大学等高校为先驱，国内开始重视 SCI 论文的发表，各类评比和晋升都以论文为标杆。沈院士从事的研究是和军工相关的应用研究，不以发表论文为主，因此课题组多多少少受到了一些影响。沈院士一方面对门下弟子发表其他领域的 SCI 论文采取宽容态度，另外一方面自身的工作和研究丝毫不受其干扰，沈院士从事科研的目的是报国，对这些身外的名利自然毫不在意。

沈院士颇具名士风采，一些业余爱好已达到专业水平，这个众所周知，不再赘述，只想提起一个生活中的剪影。如上所述，沈院士承担对国家极其重要的研究项目，而人手并不充足，沈院士出于对科研的热爱和报效国家的目的，自己从早到晚亲自从事科研工作的实际操作。有一次我和宣文（刘宣文，沈院士的 2001 级博士生）从化学楼到沈院士所在的小院办事，进屋后吓了一跳。62 岁的沈院士和年近 60 的沈光球教授手持巨型扳手站在反应炉前准备操作，地上还散落着大锤等铁器。沈院士身材颀长，相貌清秀俊朗，沈光球老师高大魁梧帅气和霸气兼备，两人虽年纪已经不小，但手持“凶器”回头面向我们二人，气质非凡，如有“宵小之徒”想必会吓得跪下，谁能想到这两位威风凛凛的“门神”竟然都是清华大学的老教授。

沈院士平易近人，对任何人都是客客气气；心态平和，遇到什么问题都是一笑而过轻松解决。一次课题组聊工作时，会东兄（谢会东，1991 年进入清华大学读本科，沈院士的 2007 届博士）用某本经典的著作对其他学生的观点进行了质疑。沈院士平淡地说了一句，书上这个说法是不对的，然后给大家简要地讲了一下为什么不对。我非常好奇沈院士年轻时尚未功成名就时遇到困难和挫折是如何面对的，这也许只能从其它回忆文章中去探寻了。四年间，只有一次看到日常心如止水的沈院士心态有变化。有一次我在沈院士办公室干一些杂务，沈院士和其他老师聊天，谈起我们国家几十年前的某些事情，沈院士心态沉重情绪激动，为国家受到的损失而长叹不已。沈院士一生经历了很多惊涛骇浪和艰难险阻，但从未为个人的得失而动感情，因为对祖国的爱占据了老先生的内心，为此他老人家呕心沥血研发 KTP 单晶，打破了西方国家在该领域对我国的封锁，并批量出口换取当年无比宝贵的外汇。

离开清华这十几年，每当深夜里想起自己博士研究生阶段的工作态度和成果，心中充满了痛苦、悔恨和自责，深感对不起王晓青老师、沈德忠老师和沈光球老师三位先生的教导，只能后面再好好努力了。而今时光飞逝，沈院士去世也已六年之久。“高山仰止，景行行止。”虽不能至，然心向往之。作为庸庸碌碌度过半生的学生，沈院士的业绩和英雄气概只能是仰慕而已，唯有他这种“士”的品格留给我终生去珍藏和追随。

2003 级博士研究生　谢承志

2020 年 7 月 21 日

纪念恩师沈德忠院士

学生：谢会东

今天是恩师沈德忠老师逝世三周年纪念日，三年前的今天，突然得知这个噩耗，如晴天霹雳，心里悲痛，久久不能平静。

沈德忠老师，我国人工晶体领域知名学者，1940 年生于贵阳，1964 年毕业于四川大学，1995 年当选中国工程院院士，曾获国家科技进步奖一等奖、建材部科技进步一等奖两次、国家科委科技进步一等奖、科技部科技进步奖二等奖、美国杜邦科技创新奖等。

1996 年 9 月沈德忠老师来到清华大学化学系工作，当时我刚刚大学毕业，后虽闻其名但无缘一见。2002 年，我考取了硕士研究生，被安排到了沈老师的课题组，才有了正式的接触。2003 年申请提前攻博时，沈老师从数十公里外的北京人工晶体研究院赶回来参加了我的面试试讲，给我增添了不少信心。

在几年的学习生涯中，我接触到的沈老师：

他是一个勤奋的人，他在清华大学和北京人工晶体研究院两个单位同时工作，学生们每次的晶体加工和铂坩埚加工都由他带到人工晶体研究院进行，他每周七天工作制，日程安排得满满的，有时过年期间还呆在实验室中，有时帮着学生观察实验现象，记录实验数据，在他去世的前一天仍然在实验室中进行实验。七十多岁的他还能坚持在科研第一线，这一点在当今的院士中是难能可贵的；

他是一个知识渊博的人，他精通固体物理学和人工晶体学，紧跟研究前沿，但凡是我们问到的关于人工晶体的内容和国内外研究动态，他至少都能略知一二；

他是一个动手能力极强的人，他掌握了钳工的锯、锉、钻等加工技能，他教我们用钻床取样，他自行设计实验室，自行设计和安装炉子，他绑籽晶方法独到，活儿做得非常细致；

他是一个执着的人，身上有一股不服输的韧劲，他不认为美国人做不了的我们就做不了，我想这种精神再加上他的动手能力和好学的精神，是他取得如此巨大成就的原因吧；

他是一个多才多艺的人，除了工作之外，他在唱歌、美术、书法等方面都有很高的造诣，他是系合唱队的指挥，他自行设计的零件图可以和计算机画出的图纸媲美，书法曾参加过在西安建筑科技大学举办的院士书法展；

他是一个生活简朴的人，虽贵为院士，衣食住行等方面却具有老一辈人的勤俭节约的优良传统，他用过的铅笔大约只有 2 ～ 3cm 长，平时师生之间的聚餐，他都要求安排在荷园教工餐厅；

他是一个关心爱护学生的人，平时绝不让我们多花钱，有时让我们复印一些东西，都事先把钱拿出，学生有什么困难，他都能尽力解决；

他是一个关心政治和人民生活的人，曾担任第十一届全国政协委员，关心国计民生，为了 50 钢轴“研制”成果的真伪性，素不相识的陈大中副研究员找到他提案，他一口答应。沈老师对创新的看法：他认为对创新实践者需要进行方向的引导。如果一味追求文章的篇数和影响因子，那么容易出文章的项目就被抢着去做，需要克服很多困难花大量时间成果写不出文章的项目就少有人做，而创新往往是后者。目前的评价体系不利于创新，不仅如此，由于不易出文章，又要交账过关，就会出现拼凑、抄袭、剽窃、造假等行为。

博士毕业后，因各种原因，我来到了以教学为主的西安建筑科技大学工作，各方面条件不尽人意，科研起步工作也异常艰辛，在这里没有实验的地方，没有同学亲戚等人脉，更加困难的是不得不改变研究方向。跟沈老师谈了一下我的情况，他又给予我很大的物质帮助，并鼓励我坚持下去。

在此对沈老师的培养和关心表示感谢，沈德忠老师一路走好！

写于 2017 年 4 月 5 日

今年是恩师沈德忠院士的 80 周年诞辰纪念，值《沈德忠先生 80 周年寿诞文集》整理出版之际，回忆和老师的生活中的点点滴滴，缅怀师恩。

2002 年我重新进入了清华大学，攻读硕士研究生，在分配导师时，尽管沈院士的课题组发文章最困难，人数最少，但怀着对院士的敬仰之情，我进入了院士的课题组。一年多后，考虑到多种原因，我申请了提前攻博，当时申请人有 5 个（私下有人说是 7 个），但是指标只有 2 个，我心里不太踏实，因和老师还比较生分，就怯生生地打了一个电话，老师说他要来，当我看到不远百里赶到的老师端坐在下时，心中十分感动，也大大增加了我介绍自己的信心。

在做晶体生长实验期间，需要很多粗活，也有一些细活。所用的炉子都是国内加工的非标准设备，加工精度差，不是这坏就是那里出问题，为此需要自己动手拉电炉丝、装硅钼棒、切割陶瓷等，沈老师在操作钻床方面身体力行，在捆绑籽晶方面做得非常漂亮且有创意。

老师注重对人的培养，他带着我和张帆师妹参加亚洲晶体生长会议，其间将我们介绍给国内的同行，对我们大有裨益。上学期间送我到山东大学参加美国 Kenneth 教授主讲的为期 20 天的晶体生长动力学培训。

老师平常很忙，没有休息日，穿梭在北京人工晶体研究院和清华大学之间，光路上就要用去不少时间，但是老师对待本科生上课还是非常认真的，尽管有的课只是通识导论课，为了制作课件，老师下了不少功夫，有时候很晚才回家。老师的课堂教学效果较好，当他讲到某一种具体的晶体时，就拿出实物让学生传阅观看，给学生增加了感性认识。

博士毕业后，我来到了西安建筑科技大学，沈老师和校长徐德龙院士较熟悉，就向徐校长提及了我，徐校长也给了我照顾。刚毕业的几年，我还是想从事晶体生长工作，积极参加有关的学术会议，在宁波的全国晶体生长会议上和北京的国际晶体生长会议上，都遇上了老师，跟老师谈了一下我的情况，他鼓励我坚持下去。在北京期间，我虽然参会却没有注册，出入有些不便，老师知道后，把他的蓝色胸牌给了我，他自己使用组委会发给他的红色牌子。

从老师身上我们可以学到一种孜孜不倦的奋斗和学习精神，一种不怕困难和勇于开拓的精神，一种处于逆境仍旧乐观和豁达的精神。现在，由于科研条件的限制，不得不放弃了晶体生长工作，但我在研究生期间学习的一些东西，使我即使换了方向，也不至于迷失自己，我用这些精神来使自己不断前进着。

写于 2020 年 7 月 28 日

纪念沈德忠院士

学生：张　帆

沈德忠院士在我的印象里是一位谦逊、认真的学者。做任何事都一丝不苟，工作起来更是兢兢业业，周末，节假日，甚至是春节都是在实验室度过的。

第一次见沈院士是2005年的春季，作为一名石油大学的硕士，贸然报了清华大学沈院士的博士。在博士面试时，我首次见到沈院士，第一感觉是亲切，他跟我说想做出一个有用的晶体，要有静心研究十年的决心。收到通知书后，因为我之前的学习跟晶体研究相差甚远，沈院士给我推荐了几本晶体方面的书，让我在入学前学习；进入实验室后，沈院士亲自指导我做实验，带着我从配料做起，教我如何熔料、长晶体、观察、记录……实验遇到困难时，沈院士帮我找长不出晶体的症结所在，有空时亲自指导我如何绑籽晶，并测试晶体的非线性光学性能。沈院士虽然身兼数职，但仍然亲自做实验。他和沈光球老师生长的CLBO晶体有几公斤重，每次实验都要用几个月的时间。

沈院士做事特别细致认真，我从他身上不仅学习到了一丝不苟的实验精神，更深切体会到了他严以律己、宽以待人的美德。记得我刚刚进实验室时，有一次煮坩埚的电阻丝炉子被烧坏了，电阻丝烧断了，沈院士看到了，就来到实验台前，把熔断的电阻丝取下来，重新换上新的电阻丝。还有一次，我做实验的时候不小心把坩埚打翻了，里面近千度的液体洒到了炉子里面，冷却下来之后沾到了炉壁和炉子里面的托盘上，炉子彻底没办法做实验了。沈院士了解之后，一句责备我的话也没有，反而安慰我实验中遇到失败很正常。然后，沈院士挽起袖子，拆开炉子，拿起凿子，躺到了炉子下面，仔细地把沾到炉子里面的冷却的原料一点一点凿下来，一直弄了近2个小时。我的内心非常感动，沈院士对他人非常宽容，对别人犯的错误也尽力包容。

沈院士不仅学识渊博，他还多才多艺，他的书法、绘画是专业级的水平，作诗和写文章也是妙笔生花。沈院士生活中特别节俭，他上班骑的自行车还是他女儿中学时骑的车子，他批改文件用的铅笔很短了一直还在用。但是沈院士对于我们学生买实验药品和材料特别大方，还资助我们多次参加全国和国际学术会议，开阔眼界、交流学习。

听到沈院士病危入院的消息，我感到特别突然，急忙买了一束鲜花赶到北医三院，但重症监护室不能进入。最后一面就在八宝山跟沈院士告别，您躺在花丛中那么安详，像是在熟睡，但我心里非常沉痛，无法自已，泪如雨下，因为我明白从此以后跟您是天人两隔。

敬爱的沈院士，虽然您离开了我们，但您的精神和音容笑貌永远留在我的心中。感谢您在我读博期间的悉心教导和谆谆教诲。您像一株大树，为我们遮风避雨；您又像一盏明灯，温暖和照亮着我们前行的路。

我眼中的沈院士

2013 级化博　何文会

我与沈院士的缘分源自 2012 年清华大学化学系举办的夏令营。第一次与院士相见是在当时何添楼北侧的花房。当时天气炎热，但走进花房（院士办公室外），格外清爽，可能是老房子原因，也可能是办公室外的那棵大柿子树遮凉效果好的原因，走进那一方地方，总觉得格外安静。与沈院士见面前，准备了很多他可能会问到问题，当然也非常紧张。见面后，院士主动与我握手，指引我坐到办公室的会客沙发上，自己搬了一张很简易的椅子坐在我的对面。由于紧张我并不敢环顾四周，也没有主动提问自己当时内心的疑惑。沈院士安静祥和，微笑着问一句，我答一句，现在已然记不得当时的问题了，只觉得那半个小时静得出奇，过得很漫长。令我印象深刻的是，在与沈院士交谈中，我第一次体验到了什么是冷汗，办公室是凉爽静谧的，但我一不小心摸到了自己胳膊的汗滴……终于，一场问与答的见面交流结束了，我如释重负地离开了花房，准备第二天的正式面试。第二天面试结束之后，我从面试主管老师那里得知，前一天与沈院士见面之后，他对我的印象是不很活泼，也不爱表达，有一点沉闷，但在正式面试环节他改变了对我的看法，觉得我对科研很有激情，也很活泼好学，就这样我顺利进入了沈院士的课题组。

在沈院士的带领下，当时课题组的氛围非常好，沈院士及师兄师姐们都是很好的学习榜样。由于沈院士比较忙，与院士正式单独汇报交流的机会很少，加之对他的了解相对师兄师姐而言也很片面，总觉得沈院士是一个严肃的人，见到他会不自觉地很紧张。但随着在组内待的时间逐渐增多，经常在办公室走廊见到沈院士，他总是微笑着点头回应。工作上，他会关注每个学生的现状与进展，并及时给予指导。就这样，逐渐了解了沈院士的为人，和蔼可亲，平易近人，工作认真负责，不在乎名与利。时间久了，发现在沈院士身上总是散发着一种特殊“静”的魅力，我想这就是一生专注晶体研发的科研境界吧。

沈院士的突然离开，让当时的我们不知所措，悲痛万分。为自己未能向恩师学到更多的知识而遗憾，更为晶体界失去这样一位晶体天才而惋惜！虽然我与沈院士的师生缘分很短暂，但他的这种科研精神与为人处世的高贵品格已深深种在了我们每一个弟子的心中。

沈院士——我们的恩师，永远怀念您。

2019 年

轸念恩师沈德忠院士

恩师仙逝至今，虽过去六年多的时间，但恩师的音容笑貌、为人之道与为学精神在我的记忆中依旧清晰。人生路漫漫，恩师情难忘！

我同恩师缘起于2012年清华大学化学系的“全国优秀大学生夏令营”活动。那是2012年7月7日的15时30分左右，我在清华大学化学系何添楼旁花房院子的恩师办公室，初见恩师，那时我已对恩师的胸怀大局、温和谦恭的品质肃然起敬。我们交流了1个小时左右，恩师非常详细地关心了我的学业情况、家庭情况和未来规划。不仅如此，恩师也耐心地分享了他自己的科研经历，并表达了希望我们青年一代能为国家发展做出更大贡献的殷切期望。后经一系列的笔试和面试，我极其有幸地被恩师录取在其门下，这份赏识的恩情我至今仍万分感恩！

夏令营结束，我回到福州大学完成为期一年的毕业设计。恩师的工作非常繁重，但其间，从多次沟通毕业选题到课题实施，他总能及时给予我耐心、细致的指导。这段时间里，我每每收到恩师的回信都十分激动（附一封短笺）。在恩师的精神烛照下，我笃定且稳健地前行。

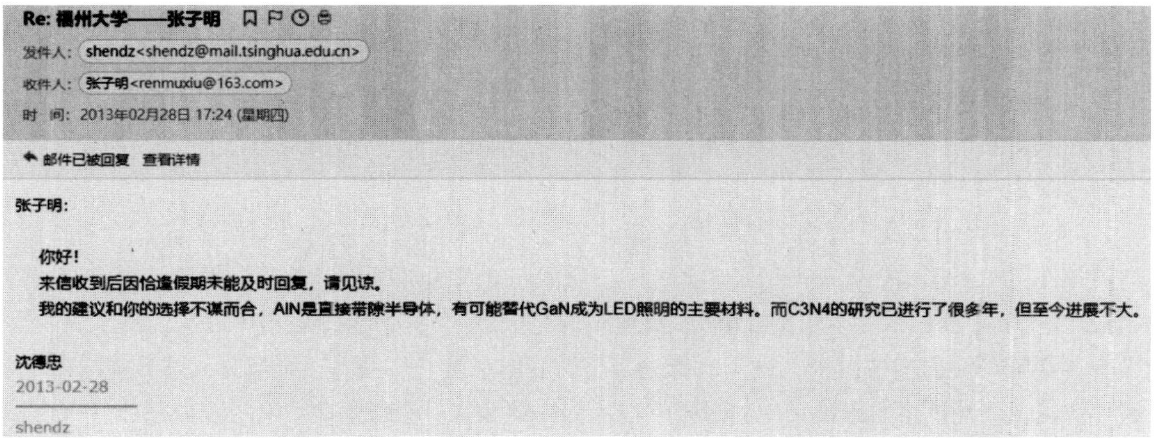

Re: 福州大学——张子明

发件人：shendz<shendz@mail.tsinghua.edu.cn>

收件人：张子明<renmuxiu@163.com>

时 间：2013年02月28日 17:24 (星期四)

邮件已被回复 查看详情

张子明：

你好！

来信收到后因恰逢假期未能及时回复，请见谅。

我的建议和你的选择不谋而合，AlN是直接带隙半导体，有可能替代GaN成为LED照明的主要材料。而C3N4的研究已进行了很多年，但至今进展不大。

沈德忠

2013-02-28

shendz

2013年9月，我怀着兴奋憧憬的心情正式进入了清华园攻读博士学位。我的办公室和恩师的办公室相邻，在此后半年多的时间里，我非常有幸能常见恩师，感受恩师的博学睿智，聆听恩师的教诲。恩师时常与我共勉：“为学，尤其做晶体研究，一定要耐得住人生的每个十年，做出务实的工作，而不单单是为文章。”如今，我已步入社会，从事石油化纤行业的工作，但我一直牢记着恩师当年的教诲，务实踏实地工作，努力不负当年恩师的期许！

我想，感谢缅怀恩师最好的方式，就是努力成为像他一样的人，像他一样心系民族国家、求真务实、厚德弘善，这将是我一生的目标！

谨以此文，追念我一生的恩师，沈德忠院士。

2013级直博生 张子明 敬上

2020年7月22日

我们该成为什么样的人

——致敬恩师沈德忠院士

关于如何受教于恩师，这对我来说是一个严肃的话题。今年的我，已到了三十而立之年。回顾过往的成长经历，在清华求学的那段岁月，是我人生中无比重要的一段。而沈德忠院士，对我人生命运的改变有着至关重要的影响。

一、与院士相识

能够认识沈院士并有幸成为他的弟子，要感谢张利静师姐和严清峰副教授。

利静师姐是我在本科学校华东理工大学的学姐，她比我早一届，大三结束后提前保送到沈院士门下直读博士。成为院士弟子，无上光荣。我找到她本是想了解保研的事项，却同时了解到了沈院士不仅学术成就斐然，还是一位平易近人、德高望重的学者。

2010 年夏天的一个晚上，我在自习室吹着风扇看书。天气闷热，心情烦闷，这时想到了利静师姐说的沈德忠院士，我便开始上网查询和他有关的新闻报道和期刊文章：他甘坐冷板凳，苦心钻研的 KTP 大单晶生长技术，不仅打破了美国对华的技术封锁和禁运，还反过来让美国人到中国来采购；他正气凛然，作为政协委员敢说真话，对科研人员学术水平科学评价体系的建立仗义执言……我看到了这样一位信奉真理和正义的老先生，不禁肃然起敬，被他的魅力所深深折服。那一刻我暗下决心，我一定要争取能拜读到沈院士门下做他的弟子。

2011 年，我给沈院士写了邮件，但没有得到回复。后来，通过张利静师姐了解到院士年纪大了，平时查阅邮件比较少，她让我与严清峰老师联系。我给严老师发了邮件，并且汇报自己想要申请做沈院士的学生。2011 年暑假，我从上海赶到清华园参加暑期夏令营，严老师说要带我与沈院士见一面，我无比兴奋。穿越花房那扇破旧的大铁门，走进一座谧静的小院子，来到一个看起来普普通通的小平房，我见到了沈院士。他扶了扶眼镜，站起身来迎接我们，请我和严老师坐在沙发上，自己却搬一个小凳子过来坐在沙发对面。在这样一位丝毫没有架子的学术泰斗面前，我所有的紧张都荡然无存了。我跟院士介绍了自己的基本情况，表达了希望跟着院士从事科研的愿望。沈院士笑着说，生长晶体需要能吃得了苦。我赶忙说吃苦我可以。说实话，当时我对于人工晶体生长的理解非常之浅，对于究竟是怎样一种吃苦也没有概念，但我有一个强烈的愿望，那就是如果有幸能到清华直读博士，那就一定要做沈院士的学生。

二、所谓的吃苦

我如愿以偿成为了院士的弟子，和沈院士、沈光球老师、孙剑锋师兄一起在花房办公、做实验。随着对领域了解的加深，我开始有点理解为什么说长晶体得能吃得了苦——它对我们年轻学生来说，可不只是身体上吃苦，更有心里的苦。单晶生长的实验周期长、难度大，不太容易出成果，更难发文章。而在学校，无论是评奖评优还是关乎于毕业，SCI 都是最关键的因素。

说实话，经过开始那几个月的探索却没有任何进展，我的自信心受到了一定的打击，特别是看到班上其他同学的实验成果频出，我有点着急，对我选择的课题产生了动摇，但一想到沈院士对我的好，又想放下这个念头，心里矛盾。沈院士的办公室离得很近，有什么问题去找他，他从来都是慢条斯理地耐心地回答。70多岁的老人，在我炉子有问题的时候还蹲在地上帮我检查……那个时候，想发SCI的功利心，对院士的感恩和愧疚，对眼前艰难课题方向的迷茫，以及对“发不了SCI以后怎么毕业”的莫名恐惧，这些情感纠结和交织在一起。

我看到孙剑锋师兄除了在研究非线性光学晶体的生长，也在研究稀土发光材料。跟他详聊之后，我理解他的苦衷——做稀土发光实乃无奈之举，出成果太难了，先有SCI垫个底，再搞难的。我请孙师兄教我，师兄教得很好，我也有点小运气，很快我便写了自己的第一篇文章。我有点高兴，但随后又变得沉重——投稿前，我把Paper拿给院士看，院士看完把文章拿给我，说“小廉，这一块我不是很懂，就不给你提修改意见了”。我当时心想，院士可能还是希望我踏踏实实做晶体吧。

后来，我心里头一直在想，如果自己能在晶体上取得一些新的突破就好了。晶体很难，但我对院士说过，我不怕吃苦。2014年恩师去世，我是博士生二年级下学期。三年级开学，又一次面临着课题方向的选择，当严清峰老师鼓励我做钙钛矿单晶材料时，我总算是为自己的内心找到了安宁。

三、钱学森之问

跟在沈院士身边学习的时间不算太长，但是沈院士还是对我产生了深深的影响。从最初的一句“我不怕吃苦”的承诺，到后面的内心发生过的挣扎和坚守，再到后面转身作了公务员，在我内心里和生活中变化了的东西有很多，但没变的是对院士的敬重，以及对他为人做事的认同。沈院士高风亮骨，他最值得我们学习的就是他早早超越个人忧乐而心怀天下的做人境界。他是如此的深明大义，以至于平时用化学试剂都怕浪费国家的钱。

说到这儿我又想起一件小事：有一次，在沈光球老师办公室，沈院士说起在我的老家山西太原有一个学术会议，报名费要3000块，太贵了。沈光球老师说，没事儿，你要想去去吧，你又不要出钱。沈院士笑着说，没钱呀，路费也要花不少钱呢。我知道那会儿也许是半开玩笑之话，但沈院士的生活简朴，不肯浪费一分钱科研经费却是刻在他骨髓里的一种习惯。身为院士，他本可以凭借自己的影响力多申请一些科研经费，让自己广纳弟子，光大门派。但他并未这样做，他只有非常少的科研经费，怕浪费国家的钱。所以，我们买药品、做测试，都得要精打细算。

无论是为学还是为人，在他心里始终是把对国家有益、对社会有用放在第一位。到今天，特别是经历了一年的下乡锻炼（作为工信部选调生到基层农村锻炼了一年），我对这个国家和社会有了更深刻的理解，也更加深切地体会到平日里和颜悦色、慈眉善目的沈院士有时那紧锁着的眉头里面到底是什么。

“为什么我们的学校总是培养不出杰出人才？”这是著名的“钱学森之问”。沈院士在担任全国政协委员的时候，回答这个问题，明确提出了“论文和创新是两回事儿”，并且反对“科技包工头”现象。沈院士是对的，我想在读博士期间很多人遇到的痛苦，其根源也就在此吧。

“大学和科研机构的科研评价标准和评价体系直接影响了科技工作者的科研创新能力和总体科研水平。”唯有从制度和政策层面取得突破，我们才有可能树立正确的风向，相当程度改变当前的现状。事实上，相应的状况正在发生好转，但仍未发生根本性改变，包括一些地方政府的唯GDP主义，是同样的问题。

四、做什么样的人

恩师沈德忠院士去世至今已有6年了。6年前，2014年，4月4日，接到张利静师姐电话，让我赶紧到实验室来。当我骑着车晃到了何添楼下，见到她一脸凝重，朝我大吼“怎么才过来！院士病危，赶紧去医院！”一时间，我头脑发懵，心想糟糕。怎么到的医院已经记不得了，在医院见到了师母还有一众亲友，大家神情难过悲痛。当被告知院士已经脑死亡，我扒着急诊室的门框巴望，期待着奇迹会发生。没有奇迹发生，院士终归是离开了我们，去到了天国。

恩师去到了天国，但恩师的风骨品格留在了人间。杨志奇先生在《中国建材》2003年第4期《让中国人工晶体傲立世界科技前沿——记十届全国政协委员、中国工程院院士沈德忠》中有这样一句话“在留学生丛书编委编辑发行的《追求奏鸣曲》一书中，沈院士袒露自己的人生信条是‘人活着是为了大多数人活得更好’”“人活着是为了大多数人活得更好”，沈院士是这么想的，也始终是这么做的。做人的境界，当追求如是。

五、写在后面

写到最后，要感谢袁欣师姐不辞辛劳，在院士诞辰八十周年之际，主动牵头整理院士纪念文集。袁欣师姐号召，让大家都来写一写当年在师门下如何受教于恩师的回忆文章，以作为院士纪念文集回忆文章的内容。我认为此举意义重大，一方面，在这个特别的文集中，将难忘的岁月定格为文字，让我们健忘的记忆在此刻定格为一个永恒的留存，成为文集中丰富精彩的内容。另一方面，弟子朋辈们可以在分享与恩师故事的字里行间中相互学习、相互交流。时光易逝，岁月无痕，难以聚在一起交流的大家可以通过这样一次“书写活动”，更加了解恩师、更加了解彼此——院士的弟子们应该成为铁板一块的。虽然院士离开了，但院士的品格精神仍需要我们继承和发扬。

2017届博士生　廉志鹏

让中国品牌的人工晶体傲立世界科技前沿（节选）

——记人工晶体专家、首批中国工程院院士沈德忠

杨志奇　马红霞

沈德忠（1940—2014），贵州贵阳人。人工晶体专家，1995年当选中国工程院院士，全国政协第九、第十、第十一届委员。自20世纪60年代初四川大学毕业后，长期从事无机非金属功能晶体材料的探索、生长及应用研究。先后生长出铌酸钾（KN）、磷酸氧钛钾（KTP）等十多种晶体。成功地解决KN晶体生长过程中的赋色、开裂以及晶体应用过程中的定向、极化等一系列难题；研制出大尺寸高光学质量的单畴KN单晶，使该晶体的实际应用和批量生产成为可能；首次在掺铁KN单晶上实现了室温自泵浦相位共轭；首次用改进的助熔剂法研制成功大块高光学质量的KTP单晶，不但打破了美国对该晶体的垄断和对我国的禁运，而且还实现了批量生产和对外出口，取得了显著的效益。提出了能真正减少倍频器出射面反射损耗的切割准则，纠正了几十年来在激光倍频器减反射切割中存在的错误，并得到国内外业界的公认。其中，“铌酸钾晶体的研制”获1988年国家科技进步奖一等奖。熔剂法电光KTP晶体的研制成果，获2002年国家科技进步奖二等奖及科技部代颁的美国杜邦科技创新奖。

一、困苦，又充满情趣的青少年时代

（一）爱自制玩具的孩子

1940年6月，沈德忠出生在贵州贵阳的一个工人家庭，童年的生活是在贫困中度过的。当时，他一家七口全靠当筑路工人的父亲微薄的工资养活。小学上到三年级，他因为实在缴不起每学期八斗米的学费而辍学在家。1949年贵阳解放后，政府免了他的学费，才使他在1950年春得以继续上学。当时家境仍很困难，别人家孩子能够享受的乐趣，对他来说就很奢侈。别的孩子玩玩具，他在心里羡慕，父母没有钱给他买，于是他就自己动手学着做。他用木板制做的孙悟空，活灵活现；用条棉线，穿过玩具孙悟空的手部，两端绷在一张小竹弓上，手一捏，孙悟空就翻起了筋斗。不断捏握，这玩具小悟空就不断翻腾。也许从那时候起，一种创造和创新意识的萌芽就种植在了他童稚的心灵上。童年发生的一件制作幻灯机的事，让他至今难忘。那是他为制作幻灯机竟把外公的老花眼镜拆了，取出镜片做成幻灯机的镜头。他为此还被母亲打了顿屁股。正是这次挨打，“打”出了他对光学的浓厚兴趣。他记得当初在调整幻灯机投出的图像时，发现画有图像的玻璃板与镜头之间的配置方式，会严重影响图像的清晰度，却不知道是什么原因。这促使他上中学后，对物理及其相关的课程特别感兴趣。他学习刻苦，考试成绩大部分是5分（当时学校实行的是五分制）。初中毕业时，他十二门功课竟有七门是五分（包括物理、代数、几何、音乐、美术），其余五门为4分。由于成绩优秀，他被保送到当时的重点学校——贵阳一中

念高中。

沈德忠不仅物理、数学成绩优秀，音乐、美术成绩也同样优异。读初中时，他一直担任班上的美术课课代表。他平时总爱在黑板上、书本上画点什么，那时班里的墙报都是由他来画刊头和插图。在读小学时的一天晚上，他凑着街灯在马路上用粉笔画拿大刀的关云长。恰值这个街道的街道办事处主任过身，被他的画吸引住了，饶有兴致地站在一旁看了很久。尔后问了沈德忠的姓名、家庭住址和学校……不久，他所在班的班主任告诉他，那个街道办事处为参加市政府举办的声援“抗美援朝”的游行活动，要临摹漫画杂志上揭露美军丑行的40幅漫画，叫他去帮忙。他欣然允诺，去街道办认认真真画了一个多星期。40幅漫画被他临摹得惟妙惟肖，办事处十分满意，奖给他30斤大米和一双皮鞋。这在当时，是十分丰厚的奖品了。沈德忠现在还清楚地记得自己第一次穿上皮鞋时那兴高采烈的情景。

（二）沈德忠自述：贵阳，我亲爱的故乡（略）

心怀感恩的人，往往是铸就精彩完美人生的人。沈院士就是这样的人。2008年2月，沈院士在京写下了一篇充满深情的回忆文章，《啊，贵阳，我们的家乡！》。表达了对生他、养他的老城贵阳的无限思念；诠释了他对母校贵阳一中的老师和同学们的深切怀念。文章记录了他在贵阳一中三年难忘的学习生活。

（三）才情在青春中闪光

沈德忠青年时期，有许多健康的追求与爱好。他喜欢音乐、舞蹈、文学和绘画。尤其钟情于绘画。对美术的爱好，使他曾在临近高考时想报考美术学院，遗憾的是那一年全国重点美术院校没有到贵阳来招生，于是他报考了理工类，结果被四川大学物理系录取。

沈德忠聪颖的天资使他在美术方面的造诣达到了相当高的境界，他画的一些作品，人们看后常常认为是专业画家所作。2007年10月，为一展院士文学艺术风采和审美情趣，中国工程院举办了院士诗文书画摄影作品展。沈德忠以早在读大二时期创作的题为《院士》的钢笔连环画和80年代初临摹俄罗斯画家的油画《神秘的女人》参展，获得院士们的赞赏。有人发出感叹，“工程院多了一位院士，中国却少了一位画家！”至今这两件作品还挂在工程院地下大厅供人们欣赏。

沈德忠对音乐、舞蹈也有浓厚的兴趣，上世纪五六十年代流行的苏联歌曲是他的所爱，如今在联欢晚会上或卡拉OK厅里，还能听到他引吭高歌“列宁山”“伏尔加船夫曲”“莫斯科郊外的晚上”等歌曲；至今他仍记得在读初中时积极参加学校举办的文艺活动，跳过如“花儿少年”“猎归”“鄂尔多斯舞”等经典舞蹈。他穿着学校从贵阳歌舞团借来的演出服参加鄂尔多斯舞表演的照片常常把他带回到那美好的回忆之中：“那是人生中最美好的时光，无忧无虑，载歌载舞，谈笑风生……‘当我们想起年轻的时光，当年的歌声又在荡漾’”

1964年7月沈德忠由四川大学毕业后，被分配到建材部非金属矿研究所（人工晶体研究院前身）工作，按当时的国家政策，大学毕业生要到基层劳动锻炼一年，这样他于1965年底被派到山东南墅石墨矿机修车间钳工班劳动锻炼，当时的工作主要是改造选矿车间。到车间后，他就投入到了那热火朝天的劳动锻炼中。时间过得很快，转眼已近春天。有一天上班，他看到厂房旁边的桃花开了，远处一片淡黄的迎春花也开了，使他感到北方的春天到了。据他回忆说，“当我正在欣赏春色美景时，一群下夜班的选矿工人正好走出车间，他们的脸上沾满了石墨，一张张黑黝黝的笑脸在晨光下闪光，在桃花的红色和迎春花的黄色映衬下，显得格外漂亮，令我激动不已，本来以为北方的春天会比南方来得晚，可眼前的景色让我感到，石墨工人忘我的劳动热情，已经把南墅的春天迎来了。”于是便写下了“迎春花”这首小诗。

迎春花

北国南来是他乡，冰天雪地炼好钢。

才罢新屋添新意，不觉严冬卸严装。

簇簇红云追暖树，片片黄花撵春光。

谁说南墅春来晚？石墨闪处看群芳！

“迎春花”既是作者心灵被触动的自然吐露，更是作者对劳动者诚挚真切的情意。正是缘于此，在那劳动锻炼的一年中，他真诚拜劳动者为师，学到了一手在课本中学不到的精湛的钳工技术，这为后来的科研工作带来不少好处。因为他觉得搞科研总是要动手的，而当钳工正好锻炼了这种动手能力。直到古稀之年，他仍然奋战在科研一线，劳动者本色依旧。

二、主要研究领域和学术成就

（一）迎难而上，抢占人工晶体研究制高点

1960 年，美国和原苏联科学家在掺 Cr 的 Al_2O_3（红宝石）晶体上，实现了激光输出，标志着光电子时代的来临。此后，与激光有关的人工晶体作为微电子、光学、激光、遥感、通信、航天、宇航等高科技领域和现代军事技术所不可替代的关键材料越发受到世界各国科学家的重视。各发达国家一致认为在日益激烈的科技竞争中，人工晶体具有极为重要的地位，于是纷纷投巨资进行研究，抢占人工晶体的制高点。

此时，刚刚走出大学校门的沈德忠毅然选择了人工晶体作为自己奋斗的方向，他四十多年如一日，拼搏在人工晶体研发前沿，终于和中国晶体行业的科技工作者一起打造出傲立于世界科技前沿的中国品牌的非线性光学晶体。

上世纪七十年代，激光技术已发展出用掺钕的钇铝石榴石（Nd: $Y_3Al_5O_{12}$，简称 Nd: YAG）晶体作为激光介质，激光输出功率获得大幅度提高，但该晶体输出激光的波长为 1064nm，为不可见的红外光，而很多应用需要波长处于可见光区的激光，于是就发展出了能够改变激光频率的变频技术，该技术利用非线性光学晶体，通过倍频、和频和差频等方法使激光的频率产生变化，以满足各应用领域的急需。例如通过一次倍频，可以使 1064nm 激光的频率增加一倍，而光的波长与频率是成反比的，频率增加了一倍，波长就会缩短一半，于是 1064nm 的红外光就变成了 532nm 的绿光。

当时能够用作激光变频的晶体只有磷酸二氢钾（KDP）、铌酸锂（LN）以及铌酸钡钠（BNN）等几种。KDP 非线性光学系数（一种衡量变频性能大小的数值）太小，在空气中易潮解；LN 的非线性系数虽较大，但耐激光冲击的能力太差，容易被激光打坏；BNN 属固溶体，要生长出高光学质量的单晶很不容易，在这种形势下，沈德忠敏锐地意识到应该探索新的非线性光学晶体。

沈德忠从相关资料的对比中，了解到一种名为铌酸钾（KN）的晶体有较大的非线性光学系数、不潮解，于是在研究所的支持下对该晶体进行研究。

要探索一种新的晶体，按美国晶体生长同仁的经验，至少需要“ten million and ten years”即需千万美元和十年的时间！当时研究所给的经费只有几万元人民币，连一台像样的晶体生长炉都买不起，于是沈德忠就自己动手，画出所需设备的草图，让所里的机修车间加工成炉子，再请设备组装上加热控制系统，生长 KN 晶体的装置就这样制出来了，设备虽然简陋，但操作起来也得心应手。后来又受到国家“863 计划”的资助，工作条件才有所改善。

经过几年的研究，解决了 KN 晶体生长的几个关键难题。首先是从一锅新料熔体中长出的头几块 KN 晶体总是蓝色的，不能作任何应用，等于是废品。那时国内外陆续有些单位也开展了 KN 晶体的生

长研究，也碰到了这个令人头疼的难题。瑞士的研究人员认为，这是因为生成的 KN 晶体中缺氧，存在氧空位，所以发蓝。但他们后来在氧气氛中生长 KN 晶体，也未解决这个 KN 晶体的赋色问题，沈德忠从 KN 原料的组成、结构，以及焙烧温度等方面入手，进行深入细致的研究，找到了真正的问题所在，并对生长工艺作出相应的调整，终于使从新料熔体中长出来的第一块 KN 晶体，就是无色透明的。

第二个难题是晶体开裂。KN 晶体在 1050℃的温度下长成后，提离熔体，降温到室温的过程中要经历两次相变。晶体从立方相变到四方相（420℃），然后从四方相变到斜方相（225℃），每经过一次相变，晶体内不同区域的晶胞取向就经历一次调整，所以降到室温出炉的 KN 晶体，已变为结构十分复杂的多畴晶体，由于不同晶格取向的畴壁之间存在应力，所以当生长的 KN 晶体从 1050℃降到室温时，晶体往往严重开裂，毫无利用价值。沈德忠从 KN 晶体的结构出发，详细研究产生相变时晶胞变化的各种可能性，再结合降温的速率和温场的变化，设计出尽可能减少开裂的降温程序和温场配置，终于大大降低了 KN 晶体开裂的可能性，制备出完整可用的晶体。

第三个难题是随之而来的对多畴 KN 晶体的定向和极化。因为用于激光变频的晶体必须是单畴的，所以必须确定室温出炉的 KN 晶体多个畴区的晶格取向。当时国际上对多畴 KN 晶体的定向有两种办法，一是测量生成态晶块三个方向的热膨胀曲线来判断取向，但实际操作起来根本无法判断，因为电畴的分布毫无规律，不可能得出确定的数据。第二种办法是对生成态 KN 晶体的六个自然结晶面进行化学腐蚀，然后在显微镜下观察蚀坑的形状来确定晶向，这个方法存在的缺点是文献上列举的蚀坑形状不典型，容易造成误断，沈德忠认真研究了腐蚀坑相关的晶面结构，并与蚀坑图形对照，总结出一套比较典型的晶面蚀坑图形，解决了多畴 KN 晶体定向的难题。

国际上对其它多畴晶体，都是在该晶体的某一特定方向上加上高压直流电场，使晶体中排列方向不同的偶极子沿电场方向重新取向来变成单畴晶体。由于生成态 KN 晶体经历了两次相变，其内部的畴结构异常复杂，沿用上述其它晶体单畴化的方法往往不成功。沈德忠在显微镜下仔细分析了多畴 KN 晶体晶面腐蚀坑的形状和分布规律，并从晶体结构上确定哪些区域的偶极子容易沿施加电场的方向转向，哪些区域的转向比较困难，从而划定进行极化的区域，然后将划定的区域从多畴晶体中切割出来，再加电场极化，从而解决了多畴 KN 晶体单畴化的难题。

上世纪八十年代初，人工晶体所长出了尺寸为 $52\times40\times20mm^3$ 的多畴 KN 原晶，极化后获得最大尺寸为 $32\times18\times11mm^3$ 的单畴晶体。1985 年 7 月，瑞士苏黎士高等工学院的 H.Arand 教授来所访问，看到沈德忠制备的 KN 晶体，感到很诧异，惊叹道：“中国人能长出这么好的 KN 晶体来！”这位教授受到沈德忠赠给他的有关 KN 晶体生长论文的启发，改进了他们用来生长 KN 晶体的工艺技术，提高了生成态 KN 晶体的质量。

1986 年 4 月，美国 48 位材料科学家在马里兰州的安纳波利斯市召开了一个关于非线性光学材料的讨论会。在会上，与会专家首先对非线性光学晶体的重要性作了阐述，然后对当时能够接触到的较为出色的激光频率转换材料进行了评估（涉及中科院物构所研制的 β-BBO、南开大学研制的 Mg: LN、山东大学研制的 L- 精氨酸盐、KTP 以及 KN 等五种晶体）。有关 KN 晶体的情况是这么说的：KN 晶体是一种可用于半导体激光二极管的倍频材料，但当时美国没有这种材料，并指出 KN 单晶的制备技术难度大，不易长出 $10\times10\times10mm^3$ 的晶体，与会专家感到在非线性光学晶体领域，美国已经落在中国的后面，最后大会通过建议，呼吁美国政府制订有关发展非线性光学晶体的一揽子计划，加强研究队伍，在最初的十年内投资 2 千万～ 5 千万美元，优先发展包括 KN 在内的五种非线性光学晶体。

这次会议对 KN 晶体的研究和应用起到很大的促进作用，人工所建立了 KN 晶体的生产线，成了世界上能接受 KN 订单的三家单位之一（另外两家是瑞士的 Rainbow Photonics 公司和美国的 Virgo 公司，而 Virgo 公司生长 KN 的技术是由瑞士 RP 公司转让的）。IBM 公司的研究人员将 KN 晶体用作半导体激光倍频，基波波长为858nm，入射功率为101毫瓦，倍频后获429nm蓝光的输出功率达39毫瓦，转换效率为39%，这是其它倍频晶体都达不到的。除用作小功率激光变频以外，KN晶体在光折变领域也崭露头脚，沈德忠与瑞士的D.Rytz教授合作，利用掺铁KN晶体的光折变特性，制成室温自泵浦相位共轭镜，其反射率达到了74.8%，属当时国际最高水平，与美国圣芭芭拉大学的美籍华人叶伯奇教授合作，用掺铷的KN晶体进行光折变实验，其光折变的响应时间降到了亚毫秒级，这比一般铌酸锂（LN）的光折变响应时间要快三个数量级。

人工晶体研究所的KN晶体研究项目，1987年进行了部级鉴定，鉴定结论是处于国际领先水平，1988年7月获国家科技进步奖一等奖，沈德忠排名第一。

（二）自主创新，打破美国对我国的垄断和禁运

上面提到的那次美国非线性光学材料会议上，还评价了一种非线性光学晶体磷酸氧钛钾($KTiOPO_4$，简称KTP)。认为该晶体产生频率转换的阈值低，温度带宽大，对中功率激光的变频非常有前途，而那时美国能买到的KTP变频器的尺寸只有5×5×5mm^3，且价格昂贵，故也被列入优先发展的五种非线性光学晶体之一。沈德忠对KTP晶体的研究和发展，也作出了重要的贡献。

KTP这种化合物，是1971年法国R. Masse等人首先合成出来的。他们测试了KTP粉末的晶体结构，指出该结构中钛氧八面体畸变很大。晶体结构基元的畸变大，非线性光学系数就可能高。以J. D. Bierlein为首的一批美国杜邦公司的科学家在这种背景下，选择了KTP来进行研究。

在空气中KTP于1172℃分解，不能一致熔融，故不能用通常的晶体生长方法，如提拉法、坩埚下降法等方法来生长。只能将KTP熔于某种熔剂中产生过饱和，或是用助熔剂降低体系熔点来生长KTP单晶。Bierlein和Gier 1976年获得的有关KTP晶体的专利就使用水热法（将KTP在3000大气压，800℃下溶于KOH的水溶液中）来生长KTP。由于生长条件十分苛刻，用作生长容器的高压釜不可能做大（内径只有Φ9.525mm，长152.4mm），长出的晶体宽度不可能大于9mm，中间还有籽晶。后来经过多年的改进，高压釜内径也未超过Φ40mm，考虑到生成态晶体存在包裹体、生长条纹等缺陷，晶体中间有籽晶，倍频器还要求固定的切向，故切出的器件尺寸仍然偏小。KTP在常压下的居里点是936℃，但在高压下，尽管生长温度低于800℃，长出的KTP仍然是多畴晶体，需要极化为单畴才能使用。

鉴于水热法生长KTP的诸多缺点，人们又尝试了熔剂法。杜邦公司的Gier，1980年还获得了一份用熔剂法生长KTP的美国专利。用熔剂法生长KTP的困难在于熔体液面会产生自发结晶，这些自发结晶随着熔体的流动会沾到正在生长的晶体上，致使长出的KTP晶体是一簇多晶。Gier在那份专利中列举的效果最好的实施例也只长出一簇多晶，其中最大的一颗晶粒尺寸为15×8×2 mm^3，也没有多大的用处。

除杜邦公司外，美国菲利浦公司的J. C. Jacco、G. M. Loiacono等人也用除水热法外的多种方法生长过KTP，但效果都不好。他们用顶部籽晶熔剂法生长KTP的结果是：“在所有情况下，都只得到由很小的平行取向的斜方形晶粒组成的多重结晶”。

1982年6月，天津大学姚建铨教授在美国作了两年的访问学者后回到北京，趁下飞机转乘火车回天津作短暂停留之际，经同事介绍，会见了沈德忠，并向他介绍了他在美国期间，使用了一种名为KTP的非线性光学晶体，倍频转换效率比铌酸锂高得多，特别是光损伤阈值比铌酸锂高两个数量级，性能非常好。价格也相当贵：一块3×3×5mm^{3}的KTP倍频器售价2750美元，对中国还实行禁运。他把在美期间的积蓄都凑上，想买一块带回国来，人家不卖。有一天，姚教授的导师作实验，不小心把一块KTP倍频器掉在实验台上摔碎了。姚教授一看机会来了，便向他老板说：“你瞧，这块KTP已经摔碎了，给

我一块碎片拿回去做做实验吧。”他的老板回答说：“不行。KTP 是美国军方资助的项目，对共产党国家禁运。碎片也不许带出实验室！”因此姚教授迫切希望人工晶体所能进行 KTP 晶体的生长。

沈德忠和同事们被姚教授的爱国热情深深感动！对美国的禁运政策十分愤慨！便着手在生长铌酸钾的顶部籽晶熔剂法的工艺基础上进行革新，创造性地设计出一种特殊的、能够控制熔体液面自发结晶的顶部籽晶熔剂法。在研究组同志们的共同努力下，不到半年时间，就长出了尺寸达 $25\times15\times10mm^3$ 的高光学质量的 KTP 单晶。根据现在查到的有关 KTP 的文献和了解到的情况可知，这是国际上第一次用熔剂法长出可用于实际倍频的 KTP 单晶。此后山东大学用籽晶浸没法（即把籽晶插入熔体中进行晶体生长）也长出了 KTP 晶体。

沈德忠用特殊的顶部籽晶熔剂法生长的 KTP 晶体，籽晶在生成态晶体的外部，长出的是单晶，故利用率高。这种方法生长的 KTP 晶体 Z 向截面比较大，有利于波导的制备和电光应用。1987 年，杜邦公司那位首获 KTP 专利的 J. D. Bierlein，为开发 KTP 的波导应用，又苦于水热法生长的 KTP 晶体尺寸太小，特别是不能得到大 Z 截面的 KTP 晶片，于是向全世界寻求，挑来挑去，最后选中了沈德忠的 KTP，并签订了购货合同。人工晶体研究所每年向杜邦公司提供十万美元的 Z 切 KTP 片。当然，在合同敲定之前，沈德忠打报告请示了当时的国家科委：美国此前对我国实行 KTP 禁运，现在他们反过来要购买我们的 KTP 晶体，我们能不能卖给美国？经过科委仔细研究后，由当时的汪宗荣司长代表科委作了答复：同意出售。这笔生意一直做到 1996 年 J. D. Bierlein 逝世为止。

人工晶体研究所与 J. D. Bierlein 合作得很好。为使我们能配合他们发展 KTP 波导器件的计划，1988 年还特地汇来九万美元资助人工晶体所把 KTP 晶体尺寸长得更大，那时我们可长出 $50\times40\times35mm^3$ 的大尺寸 KTP 单晶。在他逝世前一年，还给沈德忠发来一份传真，第一段写道：“我认识到是您发展了生长 KTP 晶体的顶部籽晶熔剂法。这是一项十分优秀的工艺技术，对我们的 KTP 波导计划非常有用。您应该为此项成就而获得某种奖励。”

在“九五”“863 计划”实施之前，熔剂法 KTP 和水热法 KTP 在电光性能和光损伤阈值方面还存在着差别。水热法 KTP 晶体的电导率为 $10^{-10}\Omega\cdot cm^{-1}$ 量级，光损伤阈值为 GW/cm^2 量级；熔剂法 KTP 的电导率为 $10^{-7}\Omega\cdot cm^{-1}$ 量级，光损伤阈值为 $700MW\cdot cm^{-2}$。由于普通熔剂法 KTP 的电导率太大，故不能用作电光调制。

“九五”期间，在“863 计划”的资助下，沈德忠对普通熔剂法长出的 KTP 晶体的导电机理进行了详细研究，找出了电导率较高的原因，对生长工艺作了相应的调整，最终将普通熔剂法 KTP 的电导率降低了三个数量级，达到与水热法 KTP 相同的 $10^{-10}\Omega\cdot cm$ 量级，激光损伤阈值也达 GW/cm^2 量级，用这种 KTP 晶体制成的电光调制器，半波电压低（只有 760V），调制频率高（可达兆赫级）。目前，已开发出一系列不同规格的 KTP 晶体电光调制器并成功地应用于激光脉宽小于 1ns 的精密脉冲电光整形。在建的中试生产线，拟对 KTP 晶体电光调制器进行小批量生产。

有关 KTP 晶体的研究成果 1987 年获部级科技进步一等奖，2001 年获国防科学技术一等奖，2002 年获国家科技进步奖二等奖。值得一提的是，正如 J. D. Bierlein 教授所期待的那样，尽管 KTP 是美国杜邦公司首先用水热法长出来的，但杜邦公司还是将 2001 年底的杜邦科技创新奖颁发给了以沈德忠为首的科研团队（由科技部代为颁奖）。以表彰他们在熔剂法生长 KTP 单晶研究中所做出的杰出贡献。

（三）受聘清华，开启科研教学新篇章

1996 年沈德忠被清华大学化学系聘为“双聘教授”，除了培养博士生、给研究生上课以外，还进行一种名为硼酸铯锂（$CsLiB_6O_{10}$，简称 CLBO）的非线性光学晶体的研究。该晶体是一致熔融化合物，比

较容易生长出大尺寸的单晶，透过波段截止到 180nm 的深紫外波段，且没有明显的光折变效应，所以有利于大功率的紫外倍频。经过几年的探索研究，沈德忠就长出了 3 个方向上近百毫米的 CLBO 大单晶，用于 1064nm 激光的四倍频器，获 28W 的 266nm 激光输出，这是目前用 β-BBO 晶体作四倍频时获 266nm 输出（～ 300mW）的九十倍。故国内外不少单位都来订购 CLBO 四倍频器。

倍频器是有两个通光面的精密光学器件，一个面供基频光（例如 532mm）输入，一个面供倍频光（例如 266mm）输出，这两个通光面要精密抛光，增加透光率。为了减少菲涅尔反射，对于一般有两个通光面的光学器件，有两种办法。一是镀减反膜，按材料的折射率进行计算，设计该材料镀膜的膜系和镀制用的膜料，在真空镀膜机上镀膜；另一种是把光学器件的两个通光面切成布儒斯特角（简称布氏角）。对于一般光学器件，入射光和出射光的折射率是相等的，所以切出的布氏角也是相等的，两个通光面虽不再与光学器件的中轴垂直，但相互之间是平行的，所以一般光学器件如果不通过镀膜减反射，就把两个通光面进行相互平行的布氏角切割，也能达到同样的减反射效果，这种减反射切割方法已沿用了上百年。

自上世纪六十年代激光器发明以后，为了减少激光系统光学元件通光面的反射损耗，除了镀膜以外，主要是靠布氏切割成相互平行的通光面来进行减反射的。由于长时间以来，对 266nm 减反的镀膜工艺过不了关，所以对于 1064nm 激光四倍频的倍频器的减反射，大多是通过布氏切割的方法来达到的。

沈德忠接到不少订购 CLBO 用于 266nm 倍频的订单，其中不少是要求将倍频器进行布氏切割，订单附图上画的切割出来的通光面都是相互平行的。沈德忠按他们所画的方法，将通光面进行相互平行的布氏切割后给用户寄去，就再也没有听到任何回音，这就引起了沈德忠的深思，这种布氏切割真的能使倍频器减少反射吗?

沈德忠从最基础的光学原理出发，去检查布氏切割能减反射需要达到的必要条件，以及倍频器与一般光学器件存在什么本质的区别。

经过反复的研究，沈德忠发现，布氏切割能够起到减反射作用的必要条件是：入射光（或出射光）的电矢量，必须在入射面（或出射面）内偏振。当光束通过一般光学器件时，偏振态不会发生改变，因此通常的那种将通光面进行相互平行的布氏切割后，能够减少反射。而倍频器与一般光学器件的本质不同之处在于：入射到倍频器中的激光束经过倍频作用后，光束的偏振方向要发生改变。这是因为在进行激光倍频时，只有在入射基频光的折射率与出射倍频光的折射率相等的条件下，才能产生有效的倍频作用（这在激光倍频技术中称为相位匹配条件），对于同一光学介质，不同波长的光波（例如 532nm 和 266nm），其折射率一般是不相等的，只有在它们的 o 光和 e 光折射率椭球的交点处，折射率才相等。所以，要满足相位匹配条件，出射倍频光的电矢量振动方向必定与入射基频光的电矢量振动方向垂直，即相差 90°。由此可见，将倍频器按布氏角切割成相互平行的通光面，不但不能减少出射面的反射损耗，反而增加了损耗。

针对这种错误的出射面布氏角切割方法，沈德忠提出了能真正减少倍频器通光面反射损耗的切割准则：按入射基频光和出射倍频光的电矢量振动方向来确定通光面布氏角的切割方位，按此准则切割出来的布氏角倍频器，两通光面不再平行，两者的法线指向相差 90°。

沈德忠的这项研究成果，纠正了几十年来在激光倍频器减反射切割中存在的错误，已得到国内外业界的公认，以“非平行通光面激光倍频器”为名的专利，于 1999 年获中国专利授权。

作为一名与晶体打了一辈子的交道的老科学家，沈德忠最懂得“只有好晶种才能长出好晶体”的道理。他常说，“要想让中国品牌的人工晶体继续保持在世界领先地位，最紧迫工作之一，就是要加大对人工晶体的宣传力度，让更多的青少年热爱和投身于人工晶体事业。”为此，沈德忠除了指导博士生，给研究生上课，完成科研任务以外，还抽出宝贵时间积极投身于人工晶体知识的科普活动，如为北航学生做“多彩的人工晶体”学术报告、参加央视“中国科技百集巡礼系列节目——《中国品牌的人工晶体》制作等。

三、科学家的情怀

（一）在艰苦的环境中创一流成果

2003 年 4 月 21 日，当时的国资委领导到沈德忠工作的人工晶体研究院看望他。然而来到沈德忠的办公室时，他们被眼前的情景惊住了……

办公室内只有一张办公桌、一只木椅、一张补补疤疤的老旧沙发；桌上除了工作的文献资料，只放着部老旧的电话机；办公室面积不足 20 平方米；室内墙体斑驳，装着铝合金窗框边的墙上的木条甚至破落了一大块。让人很难想象这是一位大科学家工作的地方。

中国工程院成立于 1995 年，成立当年，沈德忠就当选为首批工程院院士。作为顶尖科学家、人工晶体研究院的科技元老，他为国家的人工晶体研究和该院的发展壮大做出了巨大的贡献。但谁会相信时至今日，这位科学家使用的木椅还是伴随了他 40 年的老旧椅子呢？有谁会相信他办公室唯一一张旧沙发的坐面已被他用皮革粘补了多块呢？对国家和研究院的贡献与现实的工作环境与办公条件形成了强烈的反差。前来视察的国资委领导看到这些，都不免感到痛心。

其实，对于沈德忠来说，工作环境与办公条件的“寒碜”，几乎不在他的视野和考虑之内。他出身寒门，家庭与早年学校的教育，传统文化中那些积极向上的观念撑持着他一路行来，坚执如铁。他牢记父母的训诫：要能够吃得大苦！再难也要把事做好。“一粥一饭，当思来处不易；半丝半缕，恒念物力维艰。”在比较艰苦的环境条件下，他更多的思考是如何以有限的财力物力搞好科研，创出一流的成果。

事实上，几届院长、书记对沈院士都极为尊敬并十分关心他的工作和生活，多次提出为他改善办公条件、为他配备专车，但都被他婉言谢绝。

直到沈院士去世之前，他的办公室一直保持着一种极素极简，又极宜于静心思考的状态氛围。每当人们走进他的办公室，立马能够感觉到心灵被一种高洁的品格所净化。他正是以这样高尚的人格魅力，赢得了人们对他发自内心的尊敬和爱戴。这也正是他能取得丰硕的科研成果的一个重要方面。

（二）热爱科普事业，关注青少年成长

回眸自己的科研生涯，沈德忠觉得自己之所以能取得这样的成绩，最大的动力来自对人工晶体事业的执着追求。此外，在做研发过程中凝练的严谨及一丝不苟的作风使得其研究更接近事物或过程的真相，达到格物致知的效果。由于常年养成的这种对自己的要求近于苛刻的习惯，沈德忠在学术上对年轻同志要求也异常严格，并将其视为繁荣我国科技事业，培养优秀科技人才的重要保障。

作为与晶体打了一辈子交道的科学家，沈德忠深知“只有好晶种才能长出好晶体”的道理，所以他十分关注青少年的健康成长。在全国政协九届三次会议上，他郑重提交了两项提案，其中一项语重心长地阐述了中小学生如何灵活掌握学习方法问题。这项提案受到重视，得到推广并受到了广大师生的欢迎。他企盼着祖国的科学事业、中国的人工晶体事业后继有人并一浪高过一浪，永远傲立于世界科技前沿。

作为一位远见卓识的科学家，沈院士多次谈到：中国品牌的人工晶体要想在世界继续保持领先地位，最紧迫工作之一，就是要继续加大对人工晶体的研究、开发与宣传的力度，让人们认识人工晶体，

让更多的有志青年热爱和投身于人工晶体的研发事业。沈院士说:“要通过对我国人工晶体发展历程的回顾和未来人工晶体发展前景的展望，通过历史的感情和凝练，普及人工晶体知识，倡导科学方法，传播科学思想，弘扬科学技术在推动人类文明进步历程中的重要意义，激励广大青年献身人工晶体事业。”为此沈院士在科研任务异常繁重的情况下，仍抽出宝贵时间积极投身于人工晶体的科普活动。

近年来，沈院士多次接受新闻媒体专访，每次采访他强调的都是“科技兴则国兴，科技强则国强”的理念，他的追求就是大力普及人工晶体知识，让更多的人关注和支持中国的人工晶体事业。

2001 年 6 月和 2002 年 8 月，沈德忠接受了中央电视台《青少中心》和《科技博览》科普性栏目记者采访。这两次采访都正值炎热的夏季，为了达到更好的节目制作的效果，他每天汗流如注，以他一贯求真务实和严谨的科学态度，本着对亿万观众高度负责任的精神进行精心准备，针对节目的特点，亲自制作图文并茂的光盘，精心撰写出生动易解的解说词。为了达到生动、形象的视觉效果，他还在近40℃高温的晶体生产线旁边讲解边拍摄，有时一拍就是一两个小时，往往汗透衣衫，像从水中爬出来的一样。

沈院士经常要审阅大量的文稿，他在审阅时非常细心，对每一个细小的错误都绝不放过，对每一个存疑之处都要查阅大量文献资料，以求证实。经他改过的文稿，许多标点符号的错误都被一个个标示出来，许多语法上的不通顺、不严谨、不规范他都要细细地改正。对许多已经出版的科学杂志或书籍，沈院士都会敏锐地指出其中的问题，包括印刷上的错误、科学技术上或者表述上的错误。他曾痛心疾首地指出:“现在的许多科研工作者缺乏严肃认真的治学态度，往往大量引用自己未经证实的数据或结论，这对我们的科技事业是非常有害的啊！”正因如此，沈院士对年轻同志要求非常严格。他认为，从事科研工作，关键是一开始就要培养严谨、求实、较真的良好学风。这种作风要一代代传下去。

在一次人工晶体研究院内部学术讨论会上，一位年轻同志在做幻灯片演示，就在一闪而过的幻灯片中，沈院士敏锐地发现了一个基本数据的错误，他当时就指了出来。而这位年轻同志表示异议，说我是引用国外文献上的数据。事后，沈院士特意查找了有关文献资料，从中发现国外文献的原文有误。沈德忠将这个错误的来龙去脉清楚地写在纸上，并特意交代其助手转交给那位年轻的同志，说，我们不能以讹传讹，感觉到错的，一定要找到错误的根源，及时进行纠正，以树立起严谨求实的学风。

沈院士十分关注青年人的创新思想，一旦发现他们有了新的想法，他便会全力扶持。1999 年，他的研究室分来一位武汉工业大学材料专业的硕士研究生，沈院士发现她在晶体镀膜理论上很有创新，便对她积极进行引导帮助，大力培养，使她的研究理论和业务水平迅速得以提高。她 2002 年顺利地考取了清华大学化学系博士研究生。在离开单位时她激动地说:“从沈院士对我无微不至的关心和培养上，可以清楚地看到老一辈科学家对青年人是何等关怀。我只有加倍努力学习，才不会辜负老一辈科学家的殷切期望！”

对于自己的文章，沈院士要求更加严格，甚至近于苛刻。沈院士文章中的许多原始的图，都是他自己亲自描绘，其一笔一画，无不倾注着他的心血。文稿也经常修改了一遍又一遍，有时组里的同志都表示不解，在一些无关紧要的细节上这么认真有必要吗？沈院士的回答是肯定的：要　只有在一点一滴上坚持认真二字，才可能创出一流成果。

晶体生长是一门实验科学，基础理论固然不可缺少，但是动手能力也十分重要。在晶体生长的工作中，有许多十分细致的技巧活，现在年轻同志往往不能胜任。这时候沈院士会亲自动手，为年轻同志做示范，并手把手地教会他们。他“巧夺天工”的钳工手艺，时常让老钳工也惊叹不已。人们不知道这手绝活还是缘于他“文革”下放工厂劳动那段经历。而通过钳工技能，也能窥见到他的治学严谨，做事认真的人品风范。

沈院士课题组有位负责为科研实验检校收拾设备、器材、工具的普通女工，她的孩子不幸在上小学三年级时患了“过敏性哮喘”病，时常请假，严重影响了学习。而这种情况，对这位女同事的工作精力、情绪等无疑产生了严重影响。沈院士知道这情况后，心里比同事还急。他一贯喜欢孩子，关心着每一个少年儿童的心智与健康，为免除女同事的后顾之忧，他积极为孩子联系医院，促其加强治疗；同时再三叮嘱这位女工，给孩子治病的同时，一定要想法给孩子补好课：“一定要抓紧对孩子的文化补习，千万不要掉队呀！”

与此同时，为使这位同事能早点下班回家照顾儿子，沈院士常常自己接过她的工作，以自己娴熟的钳工手艺，加班加点赶出本该是这位女工做的活。每当提及此事，这位女工感激的心情总是无以言表。

在对创新人才的定义和培养上，沈德忠依其亲身的实践与感悟，形成了自己的真知灼见。他在为清华大学出版的《清华名师谈治学育人》一书撰写的文章中这样写道，“我认为，创新人才应具有强烈的创新意识，扎实而广泛的基础科学知识，勤于思考善于实践的能力，以及不畏艰难、不怕失败的顽强精神。其实，原始创新是相当不容易的。有句格言说得好：‘机遇只垂青那些有准备的头脑。’我认为这句格言在一定程度上描述了原始创新的实质。那些为了某种理念，某种构想而百思不得其解，文献、资料中翻不着答案，专利、专著里也找不到方法，成天渴望弄个明白的人，偶然看到某种实验现象或是听到某种理论，突发联想，产生灵感，找到了解决问题的方法，从而导致原始创新。在这里，‘有准备的头脑’是关键。如果不是对某个要解决的问题朝思暮想，机遇来了也会擦肩而过。我希望能有比较宽松的环境，足够充裕的时间，让那些有创新意识的头脑去做好准备，不要过多地去打扰他们。”

四、生命不息，奋斗不止

沈德忠一方面在人工晶体研究院搞科研，一方面又在清华大学化学系讲课带博士生，工作要兼顾多头，不管严寒酷暑，风来雨往，每天得往返 60 多公里。尽管有小车接送，但每日路途拥堵，令人疲惫不堪。这样沈院士每天工作时间都在 10 多个小时，这对一位年过 70 的老人来说，身心俱已透支，实在是太辛苦了。两家单位的领导都十分关心沈院士，总是劝他要多多注意身体，表示他随时可以把任何一方的工作放一放，去度假休息，调整一下。但沈德忠似乎从来就没有把这放在心上。

1999 年国庆节，沈德忠获中共中央有关部门的邀请，作为科学家代表到天安门城楼参加国庆游行观礼。观礼结束后，已至中午。沈德忠回到在广场一侧等候接送他的单位同事与司机身边时，他身边的工作人员告诉他，为庆贺他获上天安门观礼的殊荣，中午已在一家酒店安排了就餐。沈院士觉得为自己做此安排甚是不妥。他婉言告诉工作人员，自己必须马上赶到清华去给学生上课。请司机先把自己送到清华，然后接送的同志们去找一个好一些的饭馆好好吃顿饭。硬是有些“固执”地拒绝了在酒店为他安排的午餐，在驰往清华的路上啃了个自己早上准备的馍馍，喝了点茶，就算吃了午饭。

作为一名中国工程院院士，沈德忠经常受邀到各地去做学术报告。开始一些单位认为沈院士是赫赫有名的科学家，担心请他不动，总是通过各种关系对他进行邀请。对此，沈院士心有不安，凡有需要，凡能赴会，他绝不推辞。他常说：“科学讲座是传播科学知识、科学思想和科学方法的绝好时机，也是提高大众科学文化素质的科普活动。我作为一名人民培养的科学家，只要条件和时间允许，理应身体力行！”沈院士是这样说的也是这样做的。2010 年 10 月，有一家兄弟院所建院 30 周年，想邀请沈院士做一场学术报告，当时正赶上沈院士身体有些不适，加之这个单位地处山东淄博郊区，有的同志劝他推掉算了。但沈院士却说，“只要能克服的困难，就一定要克服。”他带病拟稿，对所讲内容反复推敲，做了认真的准备。尔后按要求赴会，所作的报告鲜活生动，也使大家感到十分亲切，富有启发意义。

“生命不息，奋斗不止”是沈德忠终身践履的人生信条。他在培养清华大学博士生的过程中，言传身教，用自己的实际行动忠实履行着一名博导的神圣职责，耐心地关怀、引导着每一名博士生，却很少有时间关心自己。他有一个愿景，就是必须培养出国家自己的优秀的博士生，为中国的人工晶体研究储备下大量人才。让中国的人工晶体立于世界人工晶体之林。凡是与沈院士共事过的教师都对他竖起了大拇指，由衷地钦佩和赞赏他。

半个多世纪以来，强烈的事业心和责任感始终如一地激励着沈院士一步一个脚印为着他所钟爱的教育事业追求着、奋斗着——就是凭着“生命不息，奋斗不止”的精神，他带出了一批又一批的清华优秀博士生。同时，他在自己的单位里也取得了一项又一项的科研成果，可谓是科研育人“双丰收”。

2014 年 1 月，沈院士由于长期过度劳累，住进了北京阜外医院，在住院一周的时间里，他做了三个心脏支架手术。单位领导和他夫人接他出院时，他说，要加倍工作，早日完成新的科研任务，还要多招几名博士生。这些激荡灵魂的语言，是激励青年奋进的号角，深深地感动了每一个人。

沈院士视事业如生命。他“快乐在岗位上，生命在事业中”，他把自己的全部智慧、心血乃至生命都倾注到了祖国的人工晶体事业中。

2014 年 4 月 5 日 2 时 52 分，中国共产党优秀党员，中国人民政治协商会议第九、第十、第十一届委员，我国著名晶体材料科学家，中国工程院院士，中材人工晶体研究院首席专家，清华大学化学系教授、博导沈德忠院士因病医治无效不幸在北京逝世，享年 73 岁。

2014 年 4 月 9 日上午，沈德忠院士遗体告别仪式在北京八宝山殡仪馆举行。

沈德忠院士逝世后，时任中共中央政治局常委、国务院总理李克强，中共中央政治局常委、全国政协主席俞正声，中共中央政治局常委、中央书记处书记刘云山，中共中央政治局常委、国务院副总理张高丽等党和国家领导人通过各种方式，对沈德忠院士逝世表示深切哀悼，对其家属表示亲切慰问，并为沈德忠院士追悼大会送了花圈。

沈德忠院士把毕生的精力献给了我国的人工晶体事业，是我国人工晶体界的一代宗师。他的逝世，不仅是他于其中工作了一生的中材人工晶体研究院的重大损失，也是我国人工晶体科学研究事业的重大损失。

他严谨的学风，谦逊的为人，廉洁奉公的品德，必将成为后世青年的楷模。

《见证》栏目专访

几经周折，才联系上沈德忠院士，无论是老一辈同仁的介绍中还是照片里那个戴着黑边眼镜的他，给人的印象都是可亲而朴实的。可当我提及要采访他时，他却婉言谢绝了。他说，离开磨料磨具行业已经很多年了，不适合接受我们的采访。我向他表明，《见证》是一档回忆行业历史，让行业后辈认识历史、踏着历史脚印前进的栏目时，他才答应。

作为人造金刚石垦荒者、行业领域处女地的耕耘者，他绝对有资格成为我们《见证》栏目的主角，和我们一起见证过往。而在采访中，我才明了，真正让他接受采访的除了一份对行业深沉的爱以外，更多的是他对青年后辈的关爱，不局限于某个行业。

——写在前面，因爱而接受采访

一段艰苦的岁月，孕育了一颗更为饱满的种子

对于年少时那段艰苦的日子，沈院士少有记忆，但对于那段日子所给他带来的无形财富却让他享用了一辈子。

少年时期的沈德忠特别喜欢美术，很想有机会到美术学院学习。他 19 岁在贵阳一所中学毕业后，由于当时国内较好的美术学院未到他的家乡贵阳来招生，他只好割舍自己的爱好，填报了四川大学物理系，并顺利领到了通行证，也就是这个选择，决定了他之后的人生道路，这一年，是 1959 年。

1964 年，他大学毕业后被分配到建材部非金属矿研究所工作，这是一个按苏联模式构建的研究机构，主要是负责我国非金属矿山的设计、非金属矿物如水晶、金刚石、云母等的检测鉴定等工作。按当时教育部的规定，新毕业的大学生要到工厂劳动锻炼一年，1964 年 11 月，他便下放到山东南墅石墨矿机修车间当了一年钳工。

众所周知晶体生长是一门实验科学，基础理论固然不可缺少，但是动手能力也十分重要。工作中有许多十分细致的技巧活，现在的年轻同志往往不能胜任，这时候沈院士会亲自动手，为年轻同志作示范，并手把手地教他们。他熟练的钳工活，时常让老钳工也惊叹不已。“正是这一年钳工工作给我的科研工作创造了更好的条件，那个时候搞科研不像现今，没有太多现成的设备，很多事情都要自己动手，设备坏了，也要自己动手维修，而正是那段当钳工的经历，培养了我的动手能力，使科研工作不那么受限制，能够按照自己的思维去做。”

没有条件就创造条件，苦难中合成人造金刚石

1965 年底，当沈院士从南墅石墨矿回到北京时，非金属矿研究所已发生了巨大的变化，按上级部门的指示，与矿有关的设备检测工作和相关人员，已下放到各处矿山去了，只留下了水晶、云母等非金属晶体的生长工作以及以姚裕成为首从地科所转来的一些人员。由于正在筹建的人造金刚石研究组缺人手，沈院士被划入该组，开始从事金刚石的研究。

1966 年 5 月 5 日，对于沈院士和他的科研团队来说，是一个特殊而值得铭记一辈子的日子，这一天，亮晶晶的人造金刚石在研究所首次合成出来了！而这一天，也正是马克思的生日，双喜临门，他们备受鼓舞。

此后，沈院士继续改进合成工艺，研究金刚石成长机理，以期提高出成率，增大粒径。而就在他们的人造金刚石研究工作不断取得新进度的关键时刻，“文化大革命”爆发了，正常的研究工作完全被打乱，研究人员受到了不同程度的冲击，其中也包括沈院士，1969 年 5 月，他又被下放到内蒙古西卓子山“五・七”干校去改造（1 年后转到河南板桥“五・七”干校）。虽然研究工作再次被打断，但沈院士却认为，“到农村去劳动，虽然耽误了人造金刚石的科研工作，但这对我来说也不失为一次宝贵的经历，它让我知道了什么时候播种，什么时候收割，更为重要的是了解到农村的情况，增长了宝贵的见识。”

为解决国防口重要工程难题，制成首枚人造聚晶金刚石表镶钻头

1971 年 9 月 13 日，非金属矿研究所传来了一个令人振奋的消息，时任国务院副总理的李先念要到研究所观察工作。

李副总理的到来并非偶然，而是事出有因：当时国防口一个重要工程需要在某地打一个深井，之前使用的是一般的硬质合金钻头，工作进行了一段时间后，却碰到了一层坚硬的岩石，很难再往下打，这时有人指出，这样的地层需要用金刚石钻头，而当时国内没有金刚石钻头，向国外进口一只，需要两万多美元，后打听到北京东郊有一个研究所能研制人造金刚石时，李副总理就带着一批相关人员来到了非金属矿研究所了解情况。当在实验室看到沈院士他们制备出来的金刚石样品时，李副总理十分高兴，指示尽快加强力量，稳定研究队伍。在此之前，按林彪的一号命令非金属矿研究所已属下放单位，要迁出北京，并已派人到陕西汉中选好了地址，非金属矿研究所所址也已分配给了六机部的一个单位。赶巧的是李副总理来视察的当天，六机部拟迁来的那个单位也正派人来查看，看见研究所周围有那么多警卫还不知道是怎么回事。李副总理视察后，决定非金属矿研究所不外迁，人造金刚石就在北京进行研究，于是，1971 年年底，沈院士回到北京，继续开展人造金刚石的研究工作。

经过不断地试验，很快，沈院士就与其他同事研制出了能耐较高温度的含硼金刚石，并用其制备出金刚石聚晶，再用此聚晶制成了表镶地质钻头提供给有关单位，钻深达一百多米。这枚首枚人造聚晶金刚石表镶钻头，沈院士至今还珍藏在实验室里。

荣誉背后，是甘坐冷板凳潜心搞科研的热忱。

作为一名科研工作者来说，取得这些成果，自是对工作的一种肯定。然而世人并没有用来鼓励工作努力的赏赐，所有的赏赐都只是被用来鼓励工作成果的。殊不知，这些成果的背后，又有怎样的故事?

“生长晶体是件很枯燥的事情，需要一个漫长的过程，两三年不定；而且要观察和记录它的一些生长现象，有时要不分昼夜地守望着，很磨练人的耐性和吃苦能力。因为谁也无法保证它的这次生长就能成功，我也有过动摇。”年轻时候的沈教授喜欢绘画、唱歌，而这些爱好基本上已被他的科研工作“占据”了，但对于这些，他依旧没有半点遗憾，“我始终没想到过要放弃，已经付出了那么多，放弃的话，太可惜了。”

也正是因为他一心扑在科研上，以至于他爱人在医院生育的时候，他还待在实验室进行科研工作。后来他爱人提起这件事时，他竟然还幽默地说：“我怎么知道你要生孩子了？”

记忆已褪色，爱国情怀是枚鲜红的烙印

从踏入物理固体专业领域的 1959 年至今，不多不少，恰好五十个年头。很多记忆对于历史、对于沈教授来说，已然褪色。而最初影响他潜心科研、苦心坚持的那件事却如一枚鲜红烙印，深深定格在他心里。

那是 20 多年前的往事，当时美国很多东西都对中国禁运，天津大学姚建铨老师作为访问学者到美国。当他通过实验证实美国人用水热法生长的 KTP 晶体具有优良光学通信性能后，萌发了买一块带回国研究的想法。当时，一块黄豆大小的晶体，售价竟达 2750 美元。当他提出购买时，得到的回答是“不卖”。后来，这块晶体被他的老板不小心碰碎，不能再用，于是他请求给他一块碎片，没想，老板说：“不行，碎片也不让带出实验室。”正是受这件事的影响以及姚建铨老师爱国热情的感染，沈教授开始更加致力于人工晶体研究领域的耕耘。

沈教授先后生长过 10 多种晶体，为国家人工晶体事业做出了巨大贡献，目前人工晶体材料在国际上的地位也愈加领先。但让他感到遗憾的是，由于国内人工晶体深加工技术和国际先进水平还存在一定的差距，美国人花四千美元买我们的材料，深加工后卖给日本人就是四万美元。“这个钱应该由我们中国人来赚！”话语中有些遗憾，但更多的是对我国人工晶体深加工技术的一种希冀。

严谨治学，教学与科研是一条铁路的两道钢轨

一直以来，教学与科研的关系，是世界高等教育发展史上的古老命题。重研轻教，老师都去搞科研，容易荒废了教学；重教轻研，学生在远离学术操作前沿的课堂里，只能坐井观天。而教学与科研在沈教授看来，则是一条铁路的两道钢轨，始终能沿着同一个方向并驾齐驱。

1995 年，55 岁的他摘取了中国工程院院士的桂冠，意味着他在科研以外的教学领域也取得了不凡的成就。而这些成就与他严谨治学、严于律己的作风是分不开的。

记得在一次人工晶体研究院内部的学术讨论会上，一位年轻同志在做幻灯片演示，就在一闪而过的幻灯片中，沈院士敏锐地发现了一个基本数据的错误，当时就指了出来。而年轻同志表示异议，说是引用国外文献上的数据。事后，沈院士特意查找了有关文献资料，证明是国外文献的原文有误，沈院士将这个错误的来龙去脉清楚地写在纸上，特意交代其助手转交给那位年轻同志，并转告说，我们不能以讹传讹，一定要及时纠正错误的根源，以树立起严谨求实的学风。

对待学生，他是严谨的；对待自己，他更是严格，甚至近于苛刻。沈教授文章中的许多原始的图，都是他本人亲自描绘，其一笔一画，无不倾注着他的心血。文稿也经常要修改一遍又一遍，有时组里的同志都表示不解，在某些无关紧要的细节上需要这么认真吗？沈院士的回答是肯定的：要！只有在一点一滴上坚持认真二字，才可能创出一流成果。

关爱成长，好的晶体要有好的晶种

作为一名具有真知灼见的科学家，沈教授认为，中国品牌的人工晶体地位想要在世界保持领先地位，最紧迫的工作之一，就是要加大宣传力度，让更多人关注人工晶体，从而让更多有志青少年投身于人工晶体事业。

正因如此，不管是在科研任务重担下，还是在身体不适的条件下，沈教授都会尽力抽出宝贵的时间积极参与到科普宣传的工作中来。2001 年 6 月和 2002 年 8 月，沈教授分别接受中央电视台《青少中心》和《科技博览》两个科普性栏目的记者采访，虽采访都正值炎热的夏季，但为了达到节目制作的效果，沈教授不仅亲自制作图文并茂的光盘和撰写生动的解说词，还在近 40 度高温的晶体生产线实地边讲解边拍摄，一拍就是一两个小时，汗水湿透了衣衫，他却全然不知。

作为一名在人工晶体领域研究了一辈子的先行者，固然深知：好的晶体需要好的晶种。因此他也特别关心对青少年的培养。他的研究室有一位年过 40 的女技工，她的孩子因病而时常请假，严重影响了学习。沈教授不仅积极地为孩子联系医院治疗，还加班加点做女技工的工作，只为让她有足够的时间来为孩子补习功课，以免掉队。

虽已退出人造金刚石的研究，但兴趣与关注一直都在

非金属矿研究所后来几经更名，现为中材人工晶体研究院，专门进行包括人造金刚石在内的非金属晶体，如水晶、云母等单晶体的研制。

让追溯的脚步回到上世纪七十年代，当时制备金刚石聚晶需要压力均匀的压机，但人工晶体研究所一直使用两面顶压机，这种压机的压力梯度较大，制备聚晶时容易使聚晶分层，故沈院士提出添置几台六面顶压机，这种压机不但各方面的压力较均匀，而且压头寿命较长，成本较低，但当时金刚石研究组的项目负责人一直反对添置六面顶压机，正因为这个原因，沈院士于1973年退出了金刚石的研究，改行研究功能晶体，在功能晶体领域他荣获了国家科技进步奖一等奖在内的20多项科技成果。

尽管已退出人造金刚石的研究，但沈院士对人造金刚石研究的兴趣却一直未减。他在担任清华大学博士生导师后，又在清华大学进行了金刚石薄膜的研究，他认为金刚石的各向同性都十分优秀，不但硬度较高，而且光学透过波很宽，声速很快，能隙很大，若能研究出制备金刚石大颗粒单晶的有效便捷方法，将对社会和国家作出巨大的贡献。虽然现为全国政协委员的沈院士，社会工作异常繁忙，但金刚石薄膜等方面的发展动态一直都在他的关注之内，从未离开过。

风雨兼程数十年后的今天，沈教授已接近古稀之年，但他仍以锐意进取的精神和积极饱满的热情驾驭着科研和教学两驾马车；虽然为国家作出了巨大贡献，取得了不凡的成绩，但他仍保持艰苦朴素的作风，使用的桌椅仍是四十年前的老桌椅。而他，正是以他的实际行动和高尚的人格魅力为我们奏响了一曲大爱之歌。

（本次采访的时间是2009年——编者按）

斯人远去 风范犹存

——缅怀沈德忠先生

2014-04-21 08: 59: 55 **中国科学报 陆琦**

本报记者 陆琦

“特别希望能在蓝旗营小区遇见他……”清华大学图书馆特藏部主任袁欣至今难以接受导师去世的事实，“还想着等老师 90 岁的时候做个精美的纪念册，没想到，他走得那么急。”

4 月 5 日凌晨 2 时 52 分，我国著名的人工晶体学家、中国工程院院士、清华大学化学系教授沈德忠在北京逝世，享年 73 岁。

没有假期的科学家

沈德忠是我国人工晶体技术的奠基人之一，长期从事无机非金属晶体材料的生长、应用及探索研究，先后研制生长出铌酸钾（KN）、磷酸氧钛钾（KTP）等 10 多种晶体。

“沈院士在科研方面特别严谨认真，容不得半点含糊。”这是记者在清华大学化学系采访时听到最多的一句话。

袁欣告诉记者，她读博期间特别辛苦，基本没有假期。因为导师沈德忠从来不休息，即使是假期，也照常 8 点半上班、6 点下班，“学生都受他的影响，习惯性地以实验室为家了”。

“有一年大年初一给老师打电话拜年，家里没人，后来打到实验室，找到他了。”袁欣回忆说，她的实验日志特别完整，因为当她放假的时候，沈德忠都会每天帮她记录晶体的生长情况。

晶体生长周期很长，实验过程中往往会遇到很多波折。沈德忠都会一边鼓励学生，替他们打气，一边帮着想办法解决问题。

除了实验，学生的学术论文、毕业论文，沈德忠也都认真仔细地把好关，像标点符号之类的小毛病，他都不放过。

尽管已是古稀之年，沈德忠凡事都喜欢亲力亲为，不怕脏、不怕累。“长晶体的炉子坏了，他躺在地上修；实验室漏水了，他拿起扫帚扫。从不要我们帮忙。”清华大学化学系博二学生廉志鹏说。

平易近人的长辈

沈德忠对待科研十分严谨，可在学生们眼里，他就是位平易近人的长辈。

“第一眼见到沈院士，觉得他特别像我父亲，和蔼可亲，一点架子都没有。”袁欣告诉记者，在人工晶体研究院的时候，大家管沈德忠叫“沈专”，他却说“其实叫‘沈师傅’也挺好的”。

袁欣过年的时候给沈德忠寄去新年贺卡，万万没有想到，沈德忠很快给她回寄了一张并附上了一封信。“至今记得，我收到那张非常精美的贺卡时的意外和欣喜。”

“老师对我们就像对他的孩子一样。”清华大学化学系博三学生张利静说，尽管沈院士不是健谈的人，但他看到我们时都会主动跟我们打招呼，询问最近的实验情况和遇到的问题。

沈德忠是爱学生的，用袁欣的话说，“父母对子女都不一定能做到他的这种关爱”。过年的时候，没等学生给他拜年，他就主动给学生发短信拜年；已经毕业的学生去看他，他都要送到门口，目送着学生离开；他让学生做事的时候都特别客气，习惯加上“麻烦你”“请你”这些词；有学生请教他问题，不管多忙，都会放下手里的工作，耐心解答。

2005 年初，何添楼（清华大学化学新馆）落成，系里给沈德忠安排新办公室，却被他拒绝了。他说：“老办公室离实验室近，方便随时观察实验情况。”沈德忠的新办公室如今成了学生的休息室。

“容易满足”的学者

沈德忠在学术上特别专注，可是对自己的其他方面却想得很少。

在他爱人眼里，这位大专家在生活上不太讲究，特别容易满足。“给他买什么他穿什么，给他做什么他吃什么。”

沈德忠平时很节俭。他骑的自行车还是他女儿在上中学时骑的那辆。而他之前的一辆更破，堪称化学系车棚里最破的一辆自行车。学生经常开玩笑说：“不锁都没人要。”可沈德忠总是笑笑，说：“挺好骑的，不用换。”

2008 年，沈德忠和清华大学化学系教授李兆陇同行去贵州铜仁，给偏远山区的学生作科普讲座。当火车经过石家庄站的时候，上来一个带小孩的乘客，沈德忠二话不说，把自己的下铺让给了他们。

坐了 20 多个小时的火车后到了铜仁，入住当地学校简陋的招待所，可沈德忠毫无怨言。“跟他走这一路，非常感动。”李兆陇说。

沈德忠是一位儒雅的学者。他喜欢绘画、书法和诗文，会拉小提琴，歌也唱得非常好，“每次学校教职工文艺汇演，他都参加大合唱，还是领唱”。

（原文刊载于《中国科学报》2014-04-21 第 4 版——编者按）

附录

附录一　沈德忠院士历年主要指导、合作的论文、专利、科技成果列表

题名	年份	作者
$KTiOPO_4$ 晶体的熔盐法生长及性能测试	1983	黄朝恩，沈德忠
$KTiOPO_4$ 单晶的偏振喇曼散射谱	1986	杨华光，顾本源，王彦云，黄承思，沈德忠
$KTiOPO_4$ 晶体的显微分析与结构研究	1986	才德范，黄朝恩，沈德忠，杨正棠
铌酸钾晶体的倍频特性研究	1986	龚正烈，肖桂香，韩金材，沈德忠
$KTiOPO_4$ 晶体的折射率和折射率温度系数的测量	1987	曾政东，沈鸿元，徐浩，周玉平，黄朝恩，沈德忠
铌酸钾晶体的倍频特性研究	1988	龚正烈，肖桂香，韩京才，沈德忠
Self-pumped phase conjugation in potassium niobite ($KNbO_3$)	1989	D. Rytz，ShenDe Zhong
Fe: $KNbO_3$ 晶体熔盐法生长及其光折变效应	1990	沈德忠，蒋达娅，童小林，张合义，何雪华，陈尔立，刘越
Investigation of the phase transitions of ferroelectric KIO_3 and $KNbO_3$ crystals by optical diffraction	1991	Wang xiu，Li heping，Xiao dingquan，Zhang hailong，Shen dezhong
高效率 $KNbO_3$: Fe 自泵浦相位共轭器	1991	王威礼，郑英俊，王德煌，张合义，让庆澜，沈德忠，童小林
$KNbO_3$: Fe 晶体的时间微分效应及图像追踪	1991	武原庆，胡革春，许京军，刘思敏，张光寅，马笑衍，沈德忠
$KNbO_3$: Fe 晶体的最佳二波耦合	1991	王威礼，郑英俊，王德煌，张合义，让庆澜，沈德忠，童小林
掺杂铌酸钾晶体的生长及其光折变性能	1991	马笑衍，童小林，沈德忠，邢志伟
铌酸钾自泵浦相共轭器（专利）	1991	张合义，沈德忠，何雪华，蒋达娅，刘越
KTP 腔外倍频的 LD 泵浦 YAG 激光器	1992	霍玉晶，沈德忠，马笑衍，张爱华，周炳琨
$KNbO_3$: Fe 自感相干光振荡	1993	王威礼，王德煌，郑英俊，沈德忠，童小林
LD 泵浦的 Nd：YAG 腔内倍频激光器及其模式	1993	霍玉晶，蔡金星，周炳琨，沈德忠，马笑衍，张爱华
LD 泵浦的 YAG-KTP 腔外倍频激光器	1993	霍玉晶，蔡金星，周炳琨，沈德忠，马笑衍，邢志伟
$KNbO_3$: Fe Optical Frequency Discriminator	1993	ZHANG Zhiguo，JIANG Qian，Mi Xin，YU Zuhe，FU Panming，SHEN Dezhong，MA Xiaoyan

续表

题名	年份	作者
$KNbO_3$: Rb 晶体生长及其快速光折变响应特性	1994	沈德忠，马笑衍，陈炯尧，张宇衡，C Scott，叶伯琦
Compact reflection-grating-based phase conjugator in $KNbO_3$: Fe crystals	1994	Q. Byron He，R. Scott Campbell，Pochi Yeh，Xiaoyan Ma，Dezhong Shen
Submillisecond photorefractive response time of KNO_3: Rb^+	1994	Yuheng Zhang，Scott Campbell，Pochi Yeh，Dezhong Shen，Xiaoyan Ma，Jiongyao Chen
Observation of beating between cw lasers by time-delayed laser-induced double gratings mediated by photorefractive effect	1994	Xuezhou Ding Zhiguo Zhang，Qian Jiang，Xin Mi，Zuhe Yu，Panming Fu Dezhong Shen，Xiaoyan Ma
顶部籽晶法生长磁光晶体硼酸铁	1995	倪代秦，沈德忠
LD pumped red lasers and its application in Cr: LiSAF laser	1996	Huo，Y. /Shen，D. /Li，G. / Li，F. /SPIE
$KNbO_3$: Ni 晶体在近红外波段的自泵浦相位共轭效应	1996	张治国，冯宝华，吴令安，康谨，张秀兰，殷爱民，傅盘铭，沈德忠，马笑寅，陈炯尧，周钢，汤俊雄
$KNbO_3$: Rb 光折变晶体中的电子 - 空穴竞争	1996	张治国，傅盘铭，沈德忠，马笑寅，陈炯尧
双掺杂的 $KNbO_3$ 光折变晶体响应时间的提高	1996	张治国，殷爱民，傅盘铭，周钢，汤俊雄，沈德忠，马笑寅，陈炯尧
制作发光面板基片的透明多晶体（专利）	1997	沈德忠，黄存新，彭载学，刘德铭
光折变 Ni: $KNbO_3$ 晶体近红外波段自泵浦相位共轭特性的实验研究	1997	张治国，冯宝华，吴令安，康谨，张秀兰 傅盘铭，沈德忠，马笑衍，陈炯尧，周钢 汤俊雄
Formation of optical waveguides in $KNbO_3$ by MeV boron ion implantation	1997	Xia Zonghuang，Li Yan，Shen Diyun，Wang Xuemei，Ma Xiaoyan，Shen Dezhong，Wang Kuiru
$KNbO_3$ 电光偏转器	1998	卢秀权，陈绍，沈德忠
Realizing intracavity frequency doubling and Q switching by KTP	1998	HUO Yujing，HE Shufang，CHEN Fei，SHEN Dezhong，MA Xiaoyan LU Yong
MeVB 离子注入铌酸钾晶体形成光波导的微结构研究	1999	夏宗璜，李琰，沈定予，赵强，王雪梅 沈德忠
质子辐照后的 $KNbO_3$ 晶体的光折变响应特性	1999	李旗，夏宗璜，王雪梅，赵强，沈定予，卢希庭，王锋，陈志坚，龚旗煌，沈德忠
非平行通光面的激光变频器及其制造方法（专利）	1999	沈德忠，沈光球，王晓青，王晓洋
Planar optical waveguides in $KNbO_3$ formed by MeV B and He ion implantation	1999	Li Yan，Xia zong-huang，SHEN Ding-yu，WANG Xue-mei，ZHAO Qiang MA Xiao-yan，SHEN De-zhong，WANG Ku-iru
助溶剂法晶体生长过程中降温曲线设置的研究	2000	王晓洋，李卫，王胜军，袁欣，齐家宝，严军，沈德忠
Viscosity and IR investigations in the Li_2O-B_2O_3 system	2000	Hanbin LIU，Guangqiu SHEN，Xiaoqing WANG，Jingzhi WEI，Dezhong SHEN

续表

题名	年份	作者
Efficient blue cw Nd: YAG microchip laser with two intracavity frequency doublers	2000	Volker Gaebler，Baining Liu，Hans Joachim Eichler，Zhiguo Zhang，Dezhong Shen
Observation of photorefractive effect of $KNbO_3$ crystal at μW illumination	2000	Li Qi，Xia Zong-huang，Lu Xi-ting，Wang Feng，Gong Qi-huang，Shen De-zhong
CLBO 晶体的开裂机理及防开裂方法研究	2001	贺为国，沈光球，王晓青，沈德忠
四硼酸锶 SrB_4O_7 的晶体结构及其非线性光学性质	2001	潘峰，王如骥，沈光球，尉京志，王晓青，沈德忠
建议国家加大深亚微米微电子关键工艺和材料研究的投入	2001	阙端麟，杨德仁，沈德忠，洪啸吟
新型非线性光学晶体 CLBO 的晶体生长及加工技术（科技成果）	2001	沈德忠，沈光球，王晓青，王晓洋，雷宗熙，尉京志，齐家宝，王胜军，袁欣，李卫，严军
Ultraviolet optical parametric generation in $CsLiB_6O_{10}$	2001	Yufei Kong，Jing-yuan Zhang，Zuyan Xu，and Dezhong Shen
有机 - 无机杂化材料制备光通信电光调制器的应用前景	2002	褚晟，王晓青，常爱玲，沈光球，沈德忠，黄毛毛，夏宗炬
自然、人文、社科三大领域聚焦原始创新	2002	邹承鲁，陈述彭，陈平原，金碚，刘大椿，柳冠中，沈德忠，蒋国华，金吾伦，李喜先
Optical parametric properties of ultraviolet-pumped cesium lithium borate crystals	2002	Jing-yuan Zhang，Yufei Kong，Zuyan Xu，Dezhong Shen
Flux growth of large potassium titanyl phosphate crystals and their electro-optical applications	2002	Xiaoyang Wang，Xin Yuan，Wei Li，Jiabao Qi，Shengjun Wang，Dezhong Shen
Growth，characterization and nonlinear optical properties of SrB_4O_3 crystals	2002	Feng Pan，Guangqiu Shen，Ruji Wang，Xiaoqing Wang，Dezhong Shen
Cracking mechanism in CLBO crystals at room temperature	2002	Feng Pan，Xiaoqing Wang，Guangqiu Shen，Dezhong Shen
Intracavity-doubled self-Q-switched Nd，Cr: YAG 946/473 nm microchip laser	2002	Li De-Hua，Wang Ling，Gao Chun-Qing，Zhang Zhi-Guo，Feng Bao-Hua，Volker Gaebler，Liu Bai-Ning，H. J. Eichler，Zhang Shi-Wen，Liu An-Han，Shen De-Zhong
Synthesis and crystal structure of $Zn[(C_6H_5N_3)_4(H_2O)_2](ClO_4)_2$ and $Cu[(C_6H_5N_3)_4(H_2O)_2](ClO_4)_2$	2002	Lixin Li，Xiaoqing Wang，Guangqiu Shen，Ruji Wang，Dezhong Shen
Crystal structure of a new oximato-bridged one-dimension(1D) chain-like copper complex polymer $\{[Cu_4(dmg)_2(Hdmg)_2(H_2dmg)_2(H_2O)_2](ClO_4)_2\}_\infty$	2002	Xuan-Wen Liu，Sheng Chu，Xiao-Qing Wang，Yang Zhang，Ruji Wang，Guang-Oiu Shen，De-Zhong Shen
Yb: SFAP 激光晶体的生长	2003	王晓洋，吕文龙，齐家宝，沈德忠，杨春，周力，承刚，王宇
高质量金刚石膜在无氧铜衬底上的 MPCVD	2003	常开朋，程文娟，江锦春，张阳，朱鹤孙，沈德忠
金刚石膜在 Si(100) 衬底上的选择沉积	2003	常开朋，程文娟，江锦春，张阳，朱鹤孙，沈德忠

续表

题名	年份	作者
A non-linear optical crystal, $Cd_3Zn_3(BO_3)_4$	2003	T.-Q.Sun, F.Pan, R.-J.Wang, G.-Q.Shen, X.-Q.Wang, D.-Z. Shen
Crystal structure and spectroscopy of a new dmg^{2-}-bridged dinuclear cobalt(Ⅲ) compound	2003	Liu, Xuan-Wen, Wang, Xiao-Qing, Zhang, Yang, Kou, Hui-Zhong, Shen, Guang-Qiu, Shen, De-Zhong
A novel 2D polymeric structure of Cu–Na complex, in which phthalate gives seven coordination sites	2003	Xuanwen Liu, Chengzhi Xie, Xiaoqing Wang, Guangqiu Shen, Dezhong Shen
CLBO 晶体生长与紫外倍频性能研究	2004	孙同庆，王晓青，沈光球，鲁向阳，林林，沈德忠
Crystal Structure of a New Assembly of Three Complex-$[Co(dmg)_2Cl_2]_3$·$[Co(dmg)_2Cl(OH)]$·$PCo(dmg)(phen)](H_2O)_4$	2004	Xuan-Wen Liu, Xiao-Qing Wang, Yang Zhang, Hui-Zhong Kou, Guang-Qiu Shen, De-Zhong Sheno
具有纳米孔洞的三维超分子配合物 $\{[Pr(dipic)(H_2O)_4](ClO_4)\}_\infty$ 的合成与结构表征	2004	张泽锋，谢承志，王晓青，沈光球，沈德忠
硼酸锶钡 ($Ba_{0.87}Sr_{3.13}B_{14}O_{25}$) 晶体的生长、结构和性质研究	2004	孙同庆，潘峰，王晓青，沈光球，沈德忠
微波等离子体化学气相沉积制备碳氮晶体薄膜	2004	江锦春，程文娟，张阳，朱鹤孙，沈德忠
一种非线性光学晶体及其应用（专利）	2004	潘峰，沈德忠，王晓青，沈光球
$CsLa(PO_3)_4$	2004	T.Sun, G. Shen, X. Wang, R. Wang, J. WeiD. Shen
Application of the nonlinear crystal SrB_4O_7 for ultrafast diagnostics converting to wavelengths as short as 125 nm	2004	Valentin Petrov, Frank Noack, Dezhong Shen, Feng Pan, Guangqiu Shen, Xiaoqing Wang, Ryuichi Komatsu, Volker Alex
Effect of the deposition conditions on the morphology and bonding structure of SiCN films	2004	Wenjuan Cheng, Jinchun Jiang, Yang Zhang, Hesun Zhu, Dezhong Shen
Phase formation and transitions in the lead magnesium niobate-lead titanate system	2004	Song Fengbing, Li Qiang, Zhong Haisheng, Li Chunhong, Zhao Shixi, Shen Dezhong
A novel one-dimensional zigzag coordination polymer of copper（Ⅱ）with dimethylglyoxime	2004	Baofeng Zhang, Xuanwen Liu, Xiaoqing wang, Ruji wang, ChengZhi Xie, Guangqiu Shen, DeZhong Shen
Fabrication and mechanism of α-$FeSi_2$ nanobars on (001) silicon wafer	2004	Bei-Xue Xu, Yang Zhang, He-Sun Zhu, De-Zhong Shen, Jin-Lei Wu
Synthesis, crystal structure, and magnetic property of a novel 2D polymer $[Co(PDC)(4,4\text{-}bpy)](CH_3OH)$	2004	Chengzhi Xie, Baofeng Zhang, Xuanwen Liu, Xiaoqing Wang, Huizhong Kou, Guangqiu Shen, Dezhong Shen
离子束刻蚀处理 CLBO 晶体抛光表面的研究	2005	袁欣，沈德忠，王晓青，沈光球
微波水热条件对氧化锌晶体的形态和粒度的影响	2005	江锦春，程文娟，张阳，朱鹤孙，沈德忠
无水钨酸钾的合成研究	2005	谢会东，沈德忠，王晓青，沈光球
新型 KTP 晶体的产业化开发（科技成果）	2005	胡永岚，沈德忠，黄朝恩，尹利君，师瑞泽，何庭秋，张邵峰，肖亚波，姜秀丽，齐家宝
一种 $FeSi_3$ 纳米结构及其制备方法（专利）	2005	许北雪，沈德忠，吴锦雷，沈光球

题名	年份	作者
一种用水热法生长氧化锌单晶体的方法（专利）	2005	江锦春，沈德忠
Synthesis of crystalline carbon nitride by microwave plasma chemical vapor deposition	2005	Jinchun Jiang，Wenjuan Cheng，Yang Zhang，Hesun Zhu，Dezhong Shen
Modified chemical route to prepare Pb($Mg_{1/3}Nb_{2/3}$) O-3-$PbTiO_3$ ceramics	2005	Yang ZHANG，Hesun ZHU，Dezhong SHEN
Superlong polypyrrole nanowires aligned within ordered mesoporous silica channels	2005	Ruirong Guo，Guangtao Li，Weixia Zhang，Guangqiu Shen，Dezhong Shen
Degenerated optical parametric chirped-pulse amplification with cesium lithium borate	2005	Baozhen Zhao，Xiaoyan Liang，Yuxin Leng，Yongliang Jiang，Cheng Wang，Haihe Lu，Juan Du，Zhizhan Xu，Dezhong Shen
$Cd_{1.17}Zn_{0.83}B_2O_5$，a new cadmium zinc diborate	2005	Y，X（Yuan，X）;Wang，RJ（Wang，RJ）;Shen，DZ（Shen，DZ）;Wang，XQ（Wang，XQ）;Shen，GQ（Shen，GQ）
微波水热法合成新型 CZBO 晶体的研究	2006	袁欣，沈德忠，王晓青，沈光球
新型紫外变频晶体 CLBO 的研究进展	2006	沈德忠，张帆，王晓青，沈光球
Degenerated optical parametric chirped-pulse amplification with cesium lithium borate	2006	Baozhen Zhao，Xiaoyan Liang，Yuxin Leng，Yongliang Jiang，Cheng Wang，Haihe Lu，Juan Du，Zhizhan Xu，Dezhong Shen
28.4W 266 nm ultraviolet-beam generation by fourth-harmonic generation of an all-solid-state laser	2006	Guiling Wang，Aicong Geng，Yong Bo，Huiqing Li，Zhipei Sun，Yong Bi，Dafu Cui，Zuyan Xu，Xin Yuan，Xiaoqing Wang，Guangqiu Shen，Dezhong Shen
Crystalline carbon nitride films prepared by microwave plasma chemical vapour deposition	2006	Jinchun JIANG，Wenjuan CHENG，Yang ZHANG，Hesun ZHU，Dezhong SHEN
Growth and characterization of large CLBO crystals	2006	Xin Yuan，Guangqiu Shen，Xiaoqing Wang，Dezhong Shen，Guiling Wang，Zuyan Xu
Crystal growth and structure of KBi(WO_4)(2) single crystals	2006	Xie，HD（Xie，Huidong）;Shen，DZ（Shen，Dezhong）;Xie，CZ（Xie，Chengzhi）;Wang，XQ（Wang，Xiaoqing）;Shen，GQ（Shen，Guangqiu）
Studies on new NLO crystals in CdO-ZnO-B_2O_3 system	2006	Xin Yuan，Dezhong Shen，Xiaoqing Wang，Guangqiu Shen
Synthesis and field emission property of SiCN cone arrays	2006	Cheng Wenjuan，Lin Fangtin，Shi Wangzhou，Ma Xueming，Shen Dezhong，Zhang Yang
A 1 : 1 cocrystal of sebacic acid and 4，4'-bipyridine	2006	B.Yu，X.-Q. Wang，R.-J. Wang，G.-Q. ShenD.-Z. Shen
Tetraaqua(pyrazole-3，5-dicarboxylato）zinc（II）	2006	D.Xie，Z.Xie，X.-Q.Wang，G.-Q.shen，D.-Z.shen
Syntheses and structures of M-Na (M=Zn，Mn) coordination polymers in which ligands and Na ions exhibit complex coordination modes	2006	Cheng-Zhi Xie，Bin Yu，Xiao-Qing Wang，Ru-Ji Wang，Guang-Qiu Shen，De-Zhong Shen
CLBO 晶体表面化学腐蚀和开裂机理的研究	2007	张帆，袁欣，沈德忠，沈光球，王晓青

题名	年份	作者
Er，Yb: $KGd(WO_4)_2$ 激光晶体的生长	2007	王海丽，齐家宝，周南浩，承刚，陈建荣，陈龙华，杨春和，包照日格图，沈德忠
实用化全固态 266nm 激光器的研究	2007	耿爱丛，张鸿博，王桂玲，薄勇，许祖彦，王晓青，沈德忠
硼酸锌镉多晶及其制备方法（专利）	2007	张帆，沈德忠，沈光球，王晓青
Molten Salts Synthesis of Relaxor Ferroelectrics PMN-PT Powders	2007	Shixi Zhao，Qiang Li，Fengbing Song，Chunhong Li，Dezhong Shen
The synthesis and structure of a novel alternating 1-D cobalt coordination polymer $[Co(2,5\text{-}PDC)_2(H_2O)_2Co(H_2O)_4]\cdot 4H_2O$	2007	Chengzhi Xie，Baofeng Zhang，Xiaoqing Wang，Ruji Wang，Guangqiu Shen，Dezhong Shen
Deposition of crystalline C_3N_4 films via microwave plasma chemical vapour deposition	2007	Jinchun Jiang，Wenjuan Cheng，Yang Zhang，Minbo Lan，Hesun Zhu，Dezhong Shen
Microwave hydrothermal synthesis and visible-light photocatalytic activity of Bi_2WO_6 nanoplates	2007	Huidong Xie，Dezhong Shen，Xiaoqing Wang，Guangqiu Shen
Iodidobis(1，10-phenanthroline) copper（Ⅱ）perchlorate	2007	F.Zhang，C.-Z.xie，X.-Q.wang，G.-Q.Shen，D.-Z.Shen
(E) -1- (diphenylphosphinyl) -2-(1-hydroxycyclohexyl) ethene	2007	B. Yu，X.-Q.Wang，G.-Q.shen，D.-Z.shen
Diazidobis(2,2'-bipyridine) cobalt（Ⅲ）perchlorate	2007	Fan Zhang，cheng-Zhi Xie，Xiao-Qing Wang，Guang-Qiu Shen，De-Zhong Shen
Synthesis，crystal structures and luminescent properties of two new Ln（Ⅲ）-dicarboxylate (Ln=Eu，Tb) complexes exhibiting three dimensional networks	2007	Bin YU，Cheng-zhi XIE，Xiao-qing WANG，Ru-ji WANG，Guang-qiu SHEN，De-zhong SHEN
Properties of a new nonlinear optical crystal $CdZn_2B_2O_6$	2008	ZHANG Fan，SHEN De-Zhong，SHEN Guang-Qiu，WANG Xiao-Qing
高抗灰迹磷酸氧钛钾 (HGTR-KTP) 晶体生长技术研究	2008	陈建荣，杨春和，陈龙华，沈德忠
助熔剂法生长 ZnO 晶体	2008	张帆，沈德忠，沈光球，王晓青
瓦级全固态紫外激光清洗机及激光清洗方法（专利）	2008	沈德忠，许祖彦，李明远，王桂玲，沈光球，王晓青
一种适于制作 PPKTP 器件的 KTP 晶体生长方法（专利）	2008	沈德忠，黄朝恩，师瑞泽，胡永岚，肖亚波，王国影，高山虎，葛世艳，苏贞珍，尹利君，王忠，何庭秋
Direct and label-free detection of cholic acid based on molecularly imprinted photonic hydrogels	2008	Zhen Wu，XiaobinHu，Cheng-an Tao，Yan Li，Jian Liu，Chengdui Yang，Dezhong Shen，Guangtao Li
Growth and characterization of Nd-and Cr-doped $KBi(WO_4)_2$ single crystal	2008	Huidong Xie，Dezhong Shen，Xiaoqing Wang，Guangqiu Shen
Microwave hydrothermal synthesis and visible-light photocatalytic activity of $\gamma\text{-}Bi_2MoO_6$ nanoplates	2008	Huidong Xie，Dezhong Shen，Xiaoqing Wang，Guangqiu Shen
Growth and characterization of non-linear optical crystal $Cd_3Zn_3B_4O_{12}$	2008	Fan Zhang，Dezhong Shen，Guangqiu Shen，Xiaoqing Wang

续表

题名	年份	作者
Label-free colorimetric detection of trace atrazine in aqueous solution by using molecularly imprinted photonic polymers	2008	Zhen Wu，Cheng-an Tao，Changxu Lin，Dezhong Shen，Guangtao Li
Crystal structure of cadmium dizinc diborate，$CdZn_2(BO_3)_2$	2008	Zhang Fan，Shen De-Zhong，Shen Guang-Qiu，Wang Xiao-Qing
One-dimensional Mn（Ⅲ）coordination polymer exhibiting ferromagnetic coupling	2008	Hui-Zhong Kou，Yi-Tong Wang，Wang-Xi Luo，Qi-Wei Xie，Jun Tao，Ai-Li Cui，De-Zhong Shen
Er，Yb: $KGd(WO_4)_2$ 激光晶体的生长及光学性能研究	2009	王海丽，陈建荣，承刚，沈德忠
Morphotropic phase boundary，segregation effect and crystal growth in the NBT-KBT system	2009	Huidong Xie，Li Jin，Dezhong Shen，Xiaoqing Wang，Guangqiu Shen
Nd: YAG 透明陶瓷的制备及激光输出	2009	王海丽，蒲瑞满，黄存新，沈德忠
Synthesis and characterization of multi-functional hybrid magnetite nanoparticles with biodegradability，superparamagnetism，and fluorescence	2009	Lilin Zhou，Jinying Yuan，Weizhong Yuan，Mi Zhou，Sizhu Wu，Zhaolong Li，Xinhui Xing，Dezhong Shen
Synthesis，characterization，and controllable drug release of pH-sensitive hybrid magnetic nanoparticles	2009	Lilin Zhou，Jinying Yuan，Weizhong Yuan，Xiaofeng Sui，Sizhu Wu，Zhaolong Li，Dezhong Shen
Synthesis，structure characterization and fluorescence property of a new fluoride borate crystal，$CdZn_2KB_2O_6F$	2009	Zhi-Wei Jiao，Fan Zhang，Qing-Feng Yan，De-Zhong Shen，Guang-Qiu Shen
高抗灰迹 KTP 晶体生长与性能研究	2009	陈建荣，杨春和，沈德忠，张杰
3D-ordered macroporous poly(ionic liquid) films as multifunctional materials	2010	Jing Huang，Chang-an Tao，Qi An，Weixia Zhang，Yiguang Wu，Xuesong Li，Dezhong Shena，Guangtao Li
$CdZn_2KB_2O_6F$，a new fluoride borate crystal	2010	Fan Zhang，Zhi-Wei Jiao，De-Zhong Shen，Guang-Qiu Shen，Xiao-Qing Wang
Crystal growth and characterization of non-centrosysmmetric polyphosphates，type III $KNd(PO_3)_4$ and $KGd(PO_3)_4$	2010	Tongqing Sun，Xiaodong Zhou，Xiaoqing Wang，Guangqiu Shen，Yongfa Kong，Jingjun Xu，Dezhong Shen
Crystal structure of calcium cadmium borate，$Ca_{6.6}Cd_{1.4}(B_2O_5)_4$	2010	Zhi-Wei Jiao，De-Zhong Shen，Ru-Ji Wang，Guang-Qiu Shen，Xiao-Qing Wang
In-situ microscope observation of the growth of 2D colloidal crystals in a sessile drop	2010	Jie Yu，Li Gao，Qingfeng Yan，Dezhong Shen，C.C. Wong
$LaZnB_5O_{10}$，the first lanthanum zinc borate	2010	Zhi-Wei Jiao，Ru-Ji Wang，Xiao-Qing Wang，De-Zhong Shen，Guang-Qiu Shen
Visual indication of environmental humidity by using poly(ionic liquid) photonic crystals	2010	Jing Huang，Cheng-an Tao，Qi An，Changxu Lin，Xuesong Li，Dan Xu，Yiguang Wu，Xiaogang Li，Dezhong Shen，Guangtao Li
气 - 液界面上二元胶体晶体的自组装	2010	余洁，严清峰，沈德忠
新型 Ce: YAG 陶瓷荧光体封装白光 LED 的性能	2010	朱学绘，范广涵，王海丽，沈德忠，章勇
助熔剂法生长非线性光学晶体 $Cd_3Zn_3B_4O_{12}$ 及其性质研究	2010	焦志伟，张文林，沈德忠，王晓青，沈光球

续表

题名	年份	作者
自组装胶体晶体在微纳米加工中的应用	2010	严清峰，余洁，沈德忠
Growth and characterizations of acentric polyphosphate $KGd_{0.95}Nd_{0.05}(PO_3)_4$ crystals	2011	Tongqing Sun，Yu Zhang，Xiaoqing Wang，Yongfa Kong，Jingjun Xu，Dezhong Shen
Growth and optical properties of Eu^{2+}/Li^{+}-co-doped SrB_4O_7 single crystals	2011	Zhiwei Jiao，Shaoxia Li，Qingfeng Yan，Xiaoqing Wang，Dezhong Shen
Multifunctional hybridmagnetite nanoparticles with pH-responsivity, superparamagnetism and fluorescence	2011	Lilin Zhou，Zhinan Cai，Jinying Yuan，Yan Kang，Weizhong Yuan，Dezhong Shen
$Cd_4BiO(BO_3)_3$ 的生长与透过光谱	2012	张文林，沈德忠
Crystal growth and optical properties of a noncentrosymmetric molybdenum tellurite，$Na_2Te_3Mo_3O_{16}$	2012	Wenlin Zhang，Jianfeng Sun，Xiaoqing Wang，Guangqiu Shen，Dezhong Shen
Green-Emitting $Ca_6Sr_4(Si_2O_7)_3Cl_2$: Eu^{2+} Phosphors for White Light-Emitting Diodes	2012	Jianfeng Sun，Wenlin Zhang，Youmin Shi，Dezhong Shen，Jiayue Sun
Intense Red Light Emission of Eu^{3+}-Doped $Sr_3B_2SiO_8$ for White Light-Emitting Diodes	2012	Jianfeng Sun，Wenlin Zhang，Dezhong Shen，Jiayue Sun
Luminescent and thermal properties of a new green emitting $Ca_6Sr_4(Si_2O_7)_3Cl_2$: Eu^{2+} phosphor for near-UV light-emitting diodes	2012	Jianfeng Sun，Youmin Shi，Wenlin Zhang，Dezhong Shen，Jiayue Sun
Polydopamine-coated nanofibrous mats as a versatile platform for producing porous functional membranes	2012	Haowei Yang，Yue Lan，Wei Zhu，Weina Li，Dan Xu，Jiecheng Cui，Dezhong Shena，Guangtao Li
$Sr_3B_2SiO_8$ 基质中 Sm^{3+} 发光特性的研究	2012	孙剑锋，沈德忠
Top-seeded growth, optical properties and theoretical studies of noncentrosymmetric $Te_2V_2O_9$	2012	Wenlin Zhang，Xiaoqing Wang，Guangqiu Shen，Dezhong Shen
白光 LED 用 Ce: YAG 透明陶瓷的制备	2012	王海丽，王震，袁雷，沈德忠
掺钕钇铝石榴石激光透明陶瓷的研究进展	2012	王海丽，田庭燕，王震，袁雷，沈德忠
高抗灰迹 KTP 晶体生长与性能研究	2012	陈建荣，杨春和，袁雷，沈德忠
利用纳米球光刻制备大面积有序的纳米孔阵列	2012	余洁，严清峰，沈光球，王晓青，沈德忠
两步法制备高择优取向的 AZO 薄膜	2012	方华靖，严清峰，王晓青，沈德忠
纳米球刻蚀胶体模板的热改性研究	2012	耿翀，严清峰，沈光球，王晓青，沈德忠
溶胶凝胶法制备 p-ZnO 薄膜	2012	张利静，严清峰，沈光球，王晓青，沈德忠
有机电解液阳极氧化法制备 TiO_2 有序多孔薄膜	2012	耿翀，严清峰，王晓青，沈德忠
真空热压和热等静压两步烧结法制备 Nd: YAG 单晶的研究	2012	王海丽，黄存新，沈德忠
种子层诱导 Sol-Gel 法 Li、Mg 共掺 ZnO 薄膜的光电性质研究	2012	张利静，严清峰，沈光球，王晓青，沈德忠
Colloical monolayer at the air water interface: Large-area self-assembly and in-situ annealing	2013	Jie Yu，Lu Zheng，Chong Geng，Xiuyu Wang，Qingfeng Yan，Xiaoqing Wang，Guangqiu Shen，Dezhong Shen
Fabrication of volcano-shaped nano-patterned sapphire substrates using colloidal self-assembly and wet chemical etching	2013	Chong Geng，Lu Zheng，Huajing Fang，Qingfeng Yan，Tongbo Wei，Zhibiao Hao，Xiaoqing Wang，Dezhong Shen

续表

题名	年份	作者
High-spin tetranuclear iron（Ⅲ）grids: Synthesis, crystal structure and magnetic properties	2013	Yi-Tong Wang, Ai-Li Cui, De-Zhong Shen, Hui-Zhong Kou
$KBaBP_2O_8$: Eu^{2+}: A novel near-ultraviolet converting blue phosphor for white light-emitting diodes	2013	Jianfeng Sun, Guangqiu Shen, Xiaoqing Wang, Dezhong Shen
Maleimide-containing polymer inverse opals, a new kind of reactive photonic structure with significant extendibility	2013	Haowei Yang, Xuesong Li, Yue Lan, Tian Tian, Jiecheng Cui, Tao Zhu, Dezhong Shena, Guangtao Li
Monolayer colloidal mask with tunable interstice size for nanosphere lithography	2013	Chong Geng, Lu Zheng, Jie Yu, Qingfeng Yan, Xiaoqing Wang, Guangqiu Shen, Dezhong Shen
Photoluminescent properties of a new blue emitting Ce^{3+}-doped borofluoride phosphor	2013	Jianfeng Sun, Guangqiu Shen, Xiaoqing Wang, Dezhong Shen, Jiayue Sun
Surface modification of $KBaBP_2O_8$ Eu^{3+} phosphors by Al-doped ZnO coating	2013	Huajing Fang, Jianfeng Sun, Chong Geng, Lijing Zhang, Qingfeng Yan, Xiaoqing Wang, Dezhong Shen
Yb: YAG 透明陶瓷的制备	2013	王海丽，蒲瑞满，王震，沈德忠
两步法制备高择优取向的 AZO 薄膜	2013	方华靖，严清峰，王晓青，沈德忠
阳极氧化法制备 TiO_2 有序多孔薄膜	2013	耿翀，严清峰，王晓青，沈德忠
种子层诱导溶胶-凝胶法 Li，Mg 掺杂 ZnO 薄膜的结构及光电性能研究	2013	张利静，方华靖，严清峰，沈光球，王晓青，沈德忠
Enhancement of light output power from LEDs based on monolayer colloidal crystal	2014	Chong Geng, Tongbo Wei, Xiaoqing Wang, Dezhong Shen, Zhibiao Hao, Qingfeng Yan
Highly efficient field emission from large-scale and uniform monolayer graphene sheet supported on patterned ZnO nanorod arrays	2014	Lijing Zhang, Xiaomiao Liu, Zhipeng Lian, Xiaoqing Wang, Guangqiu Shen, Dezhong Shen, Qingfeng Yan
Synthesis, crystal structure, characterization and luminescent properties of $KBaTbB_2O_6$	2014	Zhipeng Lian, Jianfeng Sun, Zhaohui Ma, Lijing Zhang, Dezhong Shen, Guangqiu Shen, Xiaoqing Wang, Qingfeng Yan
Temperature-Dependent Phase Transition in Orthorhombic $[011]_c$ $Pb(Mg_{1/3}Nb_{2/3})O_3$-0.35$PbTiO_3$ Single Crystal	2014	Wenhui He, Qiang Li, Qingfeng Yan, Nengneng Luo, Yiling Zhang, Xiangcheng Chu, Dezhong Shen

附录二　沈德忠院士在清华大学任教期间招收和指导的研究生及学位论文列表

序号	题目	学生	毕业年份	类型
1	Li_2O-B_2O_3 体系粘度和降粘添加剂的研究	刘汉彬	1999	硕士
2	新型短波长硼酸盐非线性光学晶体材料及其结构性能	潘峰	2002	博士
3	稀土磷酸盐复合功能晶体的生长及性质研究	孙同庆	2004	博士
4	丁二酮肟及多羧酸过渡金属配合物的合成、结构与性质	刘宣文	2004	博士
5	新型非线性光学晶体硼酸锌镉（CZBO）的研究	袁欣	2005	博士
6	芳香多羧酸及含氮杂环配合物的设计、合成及性质研究	谢承志	2006	博士
7	多羧酸类金属配合物的合成及性质研究	于斌	2007	博士
8	含铋功能晶体生长与性质研究	谢会东	2007	博士
9	新型硼酸盐非线性光学晶体的生长与性质研究	张帆	2008	博士
10	噻吩基两亲性分子的合成及在构筑功能介孔材料中的应用	高用彬	2009	博士
11	非线性光学晶体 SBO 的掺杂改性与 CZBO 晶体的生长	焦志伟	2010	博士
12	聚合物修饰的铁氧纳米粒子的合成及功能化研究	周莅霖	2012	博士
13	几种新型非线性光学晶体的生长与性质研究	张文林	2012	博士
14	基于自组装单层胶体晶体构筑有序微纳米结构	余浩	2012	博士
15	节点状过渡金属配合物的合成、结构与性质研究	王一童	2013	博士
16	具有反应活性的光子晶体功能材料的制备与应用	杨昊炜	2014	博士
17	新型碲酸盐激光倍频晶体的探索与掺稀土发光材料的研究	孙剑锋	2014	博士

注：另有耿翀、张利静、廉志鹏、方华靖、张子明、何文会、丁洁等几位博士生，因沈院士的突然离世而转到严清峰老师名下，继续完成了博士学位论文研究工作。至 2019 年，沈院士招收的所有研究生毕业。

附录三　沈德忠院士课题组研究生及学位论文列表

序号	题名	学生	毕业年份	类型	导师
1	新型含氮硼酸酯添加剂的合成、水解稳定性及摩擦学特性研究	郑直	1998	硕士	沈光球
2	金属有机配合物的非线性光学性质研究	顾强	2000	硕士	沈光球
3	CLBO 晶体开裂机理及防开裂措施研究	贺为国	2001	硕士	沈光球
4	含氮杂环的过渡金属配合物合成与晶体结构研究	李立新	2002	硕士	王晓青
5	微波等离子体化学气相沉积金刚石薄膜的研究	常开朋	2003	硕士	沈光球
6	氮化硼等功能材料的微波溶剂热法合成研究	董志勇	2003	硕士	沈光球
7	含氮桥连配体的过渡金属配合物的研究	褚晟	2003	硕士	王晓青
8	丁二酮肟及二羧酸类金属配合物的合成与晶体结构研究	张宝峰	2004	硕士	沈光球
9	含氮桥连配体的金属配合物的研究	张泽锋	2004	硕士	王晓青
10	基于单层胶体晶体衍生微纳米结构提高 LED 出光效率	耿翀	2015	博士	严清峰
11	（2+1）维光子晶体结构制备及光学性质研究	张利静	2016	博士	严清峰
12	高性能、高 Trt 弛豫铁电单晶 PMN-PT-PZ 性能与结构研究	姜彤	2016	硕士	严清峰
13	基于弛豫铁电单晶 PMN-PT 的新型器件研究	方华靖	2017	博士	严清峰
14	有机 - 无机杂化钙钛矿 $MAPbI_3$ 单晶生长及光电应用研究	廉志鹏	2017	博士	严清峰
15	溶剂辅助界面诱导法制备非球形 PS 粒子及其有序阵列	郑露	2017	博士	严清峰
16	多元系高 TFE-FE 铁电单晶结构与弛豫特性的研究	何文会	2018	博士	严清峰
17	正交相黑磷单晶的化学气相传输法合成及性质研究	张子明	2018	博士	严清峰
18	高品质 $CH_3NH_3PbI_3$ 单晶的快速生长及各向异性研究	吕乾睿	2018	博士	严清峰
19	锆钛酸钡钙单晶生长及性能研究	刘东琳	2019	博士	严清峰
20	杂化钙钛矿单晶光电探测器	丁洁	2019	博士	严清峰